OCEANO
Langenscheidt

Diccionario
Universal

Inglés

Inglés-Español
Español-Inglés

Actualización por Teresa Catarella Ph. D.

© MCMXCII Langenscheidt KG, Berlin and Munich

Para la presente edición:

© MCMXCIX OCEANO Langenscheidt Ediciones, S.L
EDIFICIO OCEANO
Milanesat, 21-23
08017 Barcelona (España)
Teléfono: 93 280 20 20*
Fax: 93 205 25 45
http://www.oceano.com
e-mail: librerias@oceano.com

ISBN: 84-95199-13-0

Impreso en España - *Printed in Spain*

Depósito legal: B-15914-XLII

102639495967

OCEANO
Langenscheidt

Diccionario Universal

Inglés

Inglés-Español
Español-Inglés

OCEANO

Índice
Contents

Abreviaturas
Abbreviations

La tilde (~, si la inicial cambia: 2) sustituye la voz-guía entera, o bien la parte que precede a la raya vertical (|).

The tilde (~, when the initial letter changes: 2) stands for the catchword at the beginning of the entry or the part of it preceding the vertical bar (|).

Ejemplos:

abani|car; **~co** = abanico
chin|a; **2a** = China; **2ese** = Chinese
Easter; **2n** = eastern

Examples:

abus|e; **~ive** = abusive
noche; **2buena** = Nochebuena
España|a; **2ol(a)** = español(a)

a adjective, *adjetivo*
adv adverb, *adverbio*
aer aeronautics, *aeronáutica*
agr agriculture, *agricultura*
Am America, *América*
anat anatomy, *anatomía*
arq architecture, *arquitectura*
art article, *artículo*
aut automobile, motoring, *automóvil*
biol biology, *biología*
bot botany, *botánica*
cine films, *cinema*
coc cookery, *cocina*
com commerce, *comercio*
compar comparative, *comparativo*
conj conjunction, *conjunción*
elec electricity, *electricidad*

esp especially, *especialmente*
etc etcetera, *etcétera*
f feminine, *femenino*
fam familiar, *familiar*
farm pharmacy, *farmacia*
f c railway, *ferrocarril*
fig figurative, *figurado*
for forensic, law, *voz forense*
foto photography, *fotografía*
f/pl feminine plural, *femenino al plural*
geog geography, *geografía*
geol geology, *geología*
gram grammar, *gramática*
impr printing, *imprenta*
Ingl England, *Inglaterra*
interj interjection, *interjección*
interrog interrogative, *interrogativo*

6

LA Latin American, *latino americano*
lit literature, *literatura*
m masculine, *masculino*
mar marine, *marina*
mat mathematics, *matemática*
med medical, *medicina*
mil military, *militar*
min mining, *minería*
m/pl masculine plural, *masculino al plural*
mús music, *música*
ópt optics, *óptica*
pint painting, *pintura*
pl plural, *plural*
pol politics, *política*
pos, poss possessive, *posesivo*
prep preposition, *preposición*
pron pronoun, *pronombre*
pron pers personal pronoun, *pronombre personal*

quim chemistry, *química*
rel relative, *relativo*
relig religion, *religión*
s substantive, *substantivo*
sp sports, *deportes*
superl superlative, *superlativo*
t also, *también*
teat theatre, *teatro*
tecn technology, *tecnología*
tel telephone, *teléfono*
TV television, *televisión*
v/aux auxiliary verb, *verbo auxiliar*
v/i intransitive verb, *verbo intransitivo*
v/r reflexive verb, *verbo reflexivo*
v/t transitive verb, *verbo transitivo*
zool zoology, *zoología*

Llave de pronunciación para las palabras inglesas

Pronunciation Key to English Words

Vocales y Diptongos

[ɑ:] como en *bajo: father* ['fɑ:ðə], *palm* [pɑ:m]

[ʌ] sonido parecido al de la *a* en *para: butter* ['bʌtə], *mother* ['mʌðə]

[æ] sonido parecido al de la *a* en *parra: fat* [fæt], *man* [mæn]

[ɛə] diptongo compuesto de una *e* muy abierta y una *e* átona: *there* [ðɛə], *care* [kɛə]

[ai] diptongo parecido al *ai* en *baile: time* [taim], *eye* [ai]

[au] diptongo parecido al *au* en *causa: count* [kaunt], *how* [hau]

[ei] diptongo compuesto de un sonido como el de la *e* en *pelo* y una *i* débil: *day* [dei], *eight* [eit]

[e] como la *e* en *perro: men* [men], *said* [sed]

[i:] sonido como la *i* en *brisa: tea* [ti:], *meet* [mi:t]

[i] sonido breve parecido al de la *i* en *esbirro* pero más abierto: *bit* [bit], *city* ['siti]

[iə] diptongo compuesto de [i] y [ə]: *fear* [fiə], *here* [hiə]

[əu] diptongo compuesto de un sonido como el de la *o* en *como* y una *u* débil: *soap* [səup], *go* [gəu]

[ɔ:] sonido largo algo parecido al de la *o* en *forma: ball* [bɔ:l], *or* [ɔ:]

[ɔ] sonido breve parecido al de la *o* en *porra* pero más cerrado: *dog* [dɔg], *wash* [wɔʃ]

[ɔi] diptongo parecido al sonido de *oy* en *soy: point* [pɔint], *boy* [bɔi]

[ə] sonido átono parecido al de la *e* en el artículo francés *le: silent* ['sailənt], *about* [ə'baut]

[ə:] forma más larga del sonido anterior que se encuentra en sílabas acentuadas; su sonido es parecido al de *eu* en la palabra francesa *leur: bird* [bə:d], *learn* [lə:n]

[u:] sonido largo parecido al de la *u* en *una: do* [du:], *fruit* [fru:t]

8

[uə] diptongo compuesto de [u] y [ə]: *poor* [puə], *lure* [ljuə]

[ʊ] sonido corto como el de la *u* en *culpa*: *put* [put], *took* [tuk]

Consonantes

[b] como la *b* en *ambos*: *hobby* ['hɔbi], *boat* [bəut]

[d] como la *d* en *andar*: *ladder* ['lædə], *day* [dei]

[f] como la *f* en *fácil*: *fall* [fɔːl], *fake* [feik]

[g] como la *g* en *goma*: *go* [gəu], *again* [ə'gen]

[h] como la *j* en *jerga*, pero mucho más suave: *hard* [hɑːd], *who* [huː]

[j] como la *y* de *yo*: *yet* [jet], *few* [fjuː]

[k] como la *c* en *casa*: *cat* [kæt], *back* [bæk]

[l] como la *l* en *lágrima*: *leaf* [liːf], *along* [ə'lɔŋ]

[m] como la *m* en *madre*: *make* [meik], *team* [tiːm]

[n] como la *n* en *nata*: *no* [nəu], *tin* [tin]

[p] como la *p* en *tapa*: *pay* [pei], *top* [tɔp]

[r] se pronuncia sólo cuando precede a una vocal, sin la vibración de la *r* española: *rate* [reit], *worry* ['wʌri]

[s] como la *s* en *cosa*: *sun* [sʌn], *fast* [fɑːst]

[t] como la *t* en *tos*: *tip* [tip], *letter* ['letə]

[v] no existe el sonido en español; es parecido al de la *v* en la palabra francesa *avec*: *vain* [vein], *above* [ə'bʌv]

[w] como la *u* en *huevo*: *wine* [wain], *quaint* [kweint]

[z] como la *s* en *mismo*: *zeal* [ziːl], *hers* [həːz]

[ʒ] no existe en *español*; su sonido es parecido al de la *j* en la palabra francesa *jolie*: *vision* ['viʒən], *measure* ['meʒə]

[ʃ] no existe en español; su sonido corresponde al de la *ch* en la palabra francesa *charmant*: *sheet* [ʃiːt], *dish* [diʃ]

[θ] como la *c* en *dice* y la *z* en *zapato*: *thin* [θin], *path* [pɑːθ]

[ð] sonido parecido a la *d* en *hada*: *there* [ðeə], *bother* ['bɔðə]

[ŋ] como la *n* en *tengo*: *long* [lɔŋ], *singer* ['siŋə]

[dʒ] combina la [d] y la [ʒ]: *jaw* [dʒɔː], *edge* [edʒ]

[tʃ] combina la [t] y la [ʃ]; como la *ch* en *mucho*: *chest* [tʃest], *watch* [wɔtʃ]

Sufijos sin pronunciación figurada

Para ahorrar espacio, no se ha indicado pronunciación
figurada para los sufijos siguientes:

-ability [-əbiliti]
-able [-əbl]
-age [-idʒ]
-al [-(ə)l]
-ally [-(ə)li]
-an [-(ə)n]
-ance [-(ə)ns]
-ancy [-ənsi]
-ant [-ənt]
-ar [-ə]
-ary [-(ə)ri]
-ation [-eiʃ(ə)n]
-cious [-ʃəs]
-cy [-si]
-dom [-dəm]
-ed [-d; -t; -id]
-edness [-dnis; -tnis; -idnis]
-ee [-i:]
-en [-n]
-ence [-(ə)ns]
-ent [-(ə)nt]
-er [-ə]
-ery [-əri]
-ess [-is]
-fication [-fikeiʃ(ə)n]
-ial [-(ə)l]
-ian [-(jə)n]
-ible [-əbl]
-ic(s) [-ik(s)]
-ical [-ik(ə)l]

-ily [-ili]
-iness [-inis]
-ing [-iŋ]
-ish [iʃ]
-ism [-iz(ə)m]
-ist [-ist]
-istic [-istik]
-ite [-ait]
-ity [-iti]
-ive [-iv]
-ization [-aizeiʃ(ə)n]
-ize [-aiz]
-izing [-aiziŋ]
-less [-lis]
-ly [-li]
-ment(s) [-mənt(s)]
-ness [-nis]
-oid [-ɔid]
-oidic [-ɔidik]
-or [-ə]
-ous [-əs]
-ry [-ri]
-ship [-ʃip]
-(s)sion [-ʃ(ə)n]
-sive [-siv]
-ties [-tiz]
-tion [-ʃ(ə)n]
-tious [-ʃəs]
-trous [-trəs]
-try [-tri]
-y [-i]

A

a [ei; ə] un *m*, una *f*; *not ~* ni un(a)

aback [ə'bæk]: *taken ~* quedar desconcertado

abandon [ə'bændən] *v/t* abandonar; dejar

abate [ə'beit] *v/t* mitigar, reducir; *v/i* disminuir; ceder

abbess ['æbis] abadesa *f*

abbey ['æbi] abadía *f*

abbot ['æbət] abad *m*

abbreviat|e [ə'bri:vieit] *v/t* abreviar; **~ion** [ə'vi:ʃən] abreviatura *f*

abdicate ['æbdikeit] *v/t, v/i* abdicar, renunciar

abdomen ['æbdəmen] abdomen *m*, vientre *m*

abduct [æb'dʌkt] *v/t* secuestrar, raptar

abet [ə'bet] *v/t* instigar; *aid and ~* encubrir, ser cómplice

abeyance [ə'beiəns] suspensión *f*; *in ~* en suspenso

abhor [əb'hɔ:] *v/t* aborrecer, detestar; **~rent** detestable

abide [ə'baid]: *~ by* cumplir con; atenerse a; *v/t* aguantar; soportar

ability [ə'biliti] habilidad *f*, aptitud *f*, talento *m*, ingenio *m*

abject ['æbdʒekt] vil

abjure [əb'dʒuə] *v/t* abjurar; renunciar (a)

ablaze [ə'bleiz] ardiendo

able ['eibl] capaz, hábil, apto, competente; *to be ~* poder; **~bodied** ['~'bɔdid] sano

abnormal [æb'nɔ:məl] anormal

aboard [ə'bɔ:d] a bordo

abode [ə'bəud] residencia *f*, domicilio *m*, morada *f*

aboli|sh [ə'bɔliʃ] *v/t* abolir; suprimir; **~tion** [æbəu'liʃən] abolición *f*

abominable [ə'bɔminəbl] abominable

abortion [ə'bɔ:ʃən] aborto *m*

abound [ə'baund] *v/i* abundar; *~ in o with* abundar en

about [ə'baut] *prep* alrededor, acerca (de); *what is it ~?* ¿ de qué se trata?; *adv* casi; más o menos; a eso de; *all ~* por todas partes; *to be ~ to (do)* estar a punto de (hacer); **~face** media vuelta *f*

above [ə'bʌv] *adv, prep* sobre, (por) encima (de); **~board** legítimo; **~mentioned** arriba citado

abreast [ə'brest] de frente; *to keep ~* correr parejas; estar al corriente

abridge [əˈbrɪdʒ] v/t abreviar, condensar

abroad [əˈbrɔːd] en el extranjero

abrupt [əˈbrʌpt] rudo, brusco; precipitado

abscess [ˈæbsis] absceso m

absen|ce [ˈæbsəns] ausencia f; falta f; **~t** [ˈæbsənt] a ausente; v/r [æbˈsent] ausentarse, retirarse; **~t-minded** distraído

absolute [ˈæbsəluːt] absoluto; **~ly** absolutamente

absolution [æbsəˈluːʃən] absolución f, perdón m

absolve [əbˈzɔlv] v/t absolver, dispensar

absorb [əbˈsɔːb] v/t absorber

abstain [əbˈstein] v/i abstenerse

abstinence [ˈæbstinəns] abstinencia f

abstract [ˈæbstrækt] a abstracto; s resumen m, extracto m; v/t [æbˈstrækt] abstraer, resumir

absurd [əbˈsɜːd] absurdo

abundan|ce [əˈbʌndəns] abundancia f, plenitud f; **~t** abundante, copioso

abus|e [əˈbjuːs] s abuso m; injuria f; v/t [əˈbjuːz] abusar; insultar; **~ive** abusivo; injurioso

abyss [əˈbis] abismo m, sima f

academ|ic [ækəˈdemik] a, s académico m; **~y** [əˈkædəmi] academia f

accede [ækˈsiːd] v/i acceder, consentir

accelerat|e [ækˈseləreit] v/t acelerar; v/i apresurarse; **~or** acelerador m

accent [ˈæksənt] s acento m; v/t [ækˈsent] acentuar; **~uate** [~ˈsentjueit] v/t acentuar

accept [əkˈsept] v/t aceptar, admitir; **~able** aceptable; **~ance** aceptación f; acogida f; com aceptación (de un giro, de una letra); **~ation** [æksepˈteiʃən] gram acepción f, significado m

access [ˈækses] acceso m; paso m, entrada f; **~ible** [ækˈsesəbl] asequible, accesible

accessory [ækˈsesəri] a accesorio, secundario; s for cómplice m

accident [ˈæksidənt] accidente m; **by ~** por casualidad; **~al** [~ˈdentl] accidental, casual

acclaim [əˈkleim] v/t aclamar, aplaudir

acclimate [əˈklaimit] v/t aclimatar; acostumbrarse (a)

accommodat|e [əˈkɔmədeit] v/t acomodar; alojar; complacer; **~e with** proveer de; v/i acomodarse, conformarse; **~ion** [əkɔməˈdeiʃən] adaptación f; alojamiento m

accompan|iment [əˈkʌmpənimənt] acompañamiento m; **~y** v/t acompañar

accomplice [əˈkɔmplis] cómplice m

accomplish [ə'kompliʃ] v/t realizar, efectuar; **~ed** consumado, perfecto; **~ment** realización f; logro m; talento m, habilidad f

accord [ə'kɔːd] s acuerdo m; armonía f; v/t conceder, otorgar; v/i convenir, concordar

accordance [ə'kɔːdəns]: **in ~ with** conforme a

according [ə'kɔːdiŋ]: **~ to** según; **~ly** por consiguiente; en conformidad

accordion [ə'kɔːdiən] acordeón m

accost [ə'kɔst] v/t dirigirse a

account [ə'kaunt] s cuenta f; relación f; informe m; **of no ~** sin importancia; **on ~** a cuenta; **on ~ of** por; a causa de; **on no ~** de ningún modo; **to take into ~** tomar en cuenta; **to turn to ~** sacar provecho de; v/t tener por, considerar; v/i: **to ~ for** explicar; responder de; **~ant** contable m; **~ing** contabilidad f

accrue [ə'kruː] v/i crecer, aumentar; **com** acumularse (*interés, capital*)

accumulate [ə'kjuːmjuleit] v/t, v/i acumular(se)

accuracy ['ækjurəsi] exactitud f, precisión f; **~te** exacto, preciso; correcto

accusation [ækjuː'zeiʃən] acusación f; **for** denuncia f; **~ative** [ə'kjuːzətiv] gram acusativo m; **~e** [ə'kjuːz] v/t

acusar, culpar; **~er** acusador m

accustom [ə'kʌstəm] v/t acostumbrar; **~ed** acostumbrado

ace [eis] as m (*t fig*)

ache [eik] v/i doler; s dolencia f; dolor m

achieve [ə'tʃiːv] v/t conseguir, lograr; **~ment** logro m, proeza f

acid ['æsid] s, a ácido m

acknowledge [ək'nɔlidʒ] v/t reconocer; confirmar; **~e receipt** acusar recibo; **~ment** reconocimiento m

acorn ['eikɔːn] bellota f

acoustics [ə'kuːstiks] acústica f

acquaint [ə'kweint] v/t familiarizar (con); enterar, informar; **to be ~ed with** conocer; **~ance** conocimiento m, conocido m

acquiesce [ækwi'es] v/i asentir, acceder

acquire [ə'kwaiə] v/t adquirir, obtener; **~sition** [ækwi'ziʃən] adquisición f

acquit [ə'kwit] v/t absolver; **~ oneself** desempeñarse; **~tal** for absolución f, descargo m

acre ['eikə] acre m (= 40,47 áreas)

acrid ['ækrid] acre (*t fig*)

acrobat ['ækrəbæt] acróbata m, f

across [ə'krɔs] a través de; al otro lado de; **to come ~** encontrarse con

act [ækt] s acto m; hecho m;

for ley *f*; *v/i* actuar, obrar; *teat* actuar; **to ~ a part** desempeñar un papel; **~ion** ['ækʃən] acción *f*, operación *f*; *mil* batalla *f*; *for* demanda *f*; proceso *m*; **take ~ion** tomar medidas; **~ive** *a* activo, enérgico; *s gram* (voz) activa *f*; **~ivity** [~'tiviti] actividad *f*; **~or** actor *m*; **~ress** actriz *f*

actual ['æktʃuel] real, verdadero; actual; **~ly** en efecto

acute [ə'kjuːt] agudo

adamant ['ædəmənt] firme, intransigente

adapt [ə'dæpt] *v/t* adaptar, ajustar; **~er** *tecn* adaptador *m*

add [æd] *v/t* añadir, agregar; **to ~ up** sumar

addict ['ædikt] *med* adicto *m*, toxicómano *m*; **~ed** [ə'diktid]; **~ed (to)** adicto (*a drogas*)

addition [ə'diʃən] adición *f*, añadidura *f*; **in ~** por añadidura; **in ~ to** además de; **~al** adicional

address [ə'dres] *v/t* dirigir (*carta, sobre, protesta*); dirigir la palabra a; dirigirse a; *s* señas *f/pl*, dirección *f*; discurso *m*; **~ee** [ædrə'siː] destinatario *m*

adequate ['ædikwit] suficiente; adecuado

adhere [əd'hiə] *v/i* adherirse (**to** a); **~nt** [~rənt] adherente *m*

adhesive [əd'hiːsiv] adhesi-

vo; **~ plaster** esparadrapo *m*

adjacent [ə'dʒeisənt] adyacente, contiguo

adjective ['ædʒiktiv] adjetivo *m*

adjoin [ə'dʒɔin] *v/t* juntar; *v/i* lindar; **~ing** contiguo, colindante

adjourn [ə'dʒəːn] *v/t* diferir, aplazar; suspender

adjust [ə'dʒʌst] *v/t* ajustar, arreglar; **~ment** ajuste *m*, arreglo *m*

ad-lib [æd'lib] *v/t, v/i, fam* improvisar

administ|er [əd'ministə] *v/t* administrar; suministrar; **~ration** [~strei ʃən] administración *f*; gobierno *m*; **~rative** [~trətiv] administrativo, gubernamental; **~rator** [~treitə] administrador *m*

admir|able ['ædmərəbl] admirable; **~ation** [ædmə 'reiʃən] admiración *f*; **~e** [əd'maiə] *v/t* admirar

admiss|ible [əd'misəbl] admisible; **~ion** admisión *f*, entrada *f*

admit [əd'mit] *v/t* admitir; permitir; reconocer, confesar; **~tance** admisión *f*, entrada *f*; **no ~tance** prohibida la entrada

admonish [əd'mɔniʃ] *v/t* amonestar, reprender

ado [ə'duː] bullicio *m*; dificultad *f*; fatiga *f*; **much ~ about nothing** mucho ruido y pocas nueces

adolescent [ædəu'lesnt] s, a adolescente m, f

adopt [ə'dɒpt] v/t adoptar; **~ion** adopción f

ador|able [ə'dɔːrəbl] adorable; **~ation** [ædɔː'reiʃən] adoración f; **~e** v/t adorar

adorn [ə'dɔːn] v/t adornar

adrift [ə'drift] a la deriva

adroit [ə'drɔit] diestro, hábil

adult ['ædʌlt] a, s adulto m; **~erate** [ə'dʌltəreit] v/t adulterar; falsificar; **~ery** adulterio m

advance [əd'vɑːns] v/t avanzar; adelantar (hora, reloj, dinero); v/i progresar; avanzar (tropas); s avance m, progreso m; anticipo m, adelanto m; aumento m; **~d** avanzado; **~d in years** entrado en años

advantage [əd'vɑːntidʒ] ventaja f; **to take ~** of aprovecharse de; **~ous** [ædvən'teidʒəs] ventajoso

advent ['ædvənt] advenimiento m; 2 Adviento m

adventure [əd'ventʃə] aventura f; **~er** aventurero m; **~ous** aventurado

adverb ['ædvəːb] adverbio m

advers|ary ['ædvəsəri] adversario m; enemigo m; **~e** adverso; contrario

advertise ['ædvətaiz] v/t anunciar, publicar; **~ement** [əd'vəːtismənt] anuncio m; **~er** anunciante m; **~ing** publicidad f

advice [əd'vais] consejo m; com aviso m; comunicación f; **to take ~** seguir un consejo

advis|able [əd'vaizəbl] aconsejable; **~e** v/t aconsejar; com avisar, informar; **~er** consejero m, asesor m

advocate ['ædvəkeit] v/t abogar por; defender; ['ædvəkit] s abogado m

aerial ['ɛəriəl] a aéreo; s antena f

aero... ['ɛərəu] aero; **~dynamic** aerodinámico; **~nautics** [ɛərə'nɔːtiks] aeronáutica f; **~plane** ['ɛərəplein] aeroplano m, avión m

affable ['æfəbl] afable

affair [ə'fɛə] asunto m; negocio m; aventura f amorosa

affect [ə'fekt] v/t afectar; impresionar; influir en; **~ed** afectado, artificioso; emocionado, conmovido; **~ion** afecto m, cariño m; **~ionate** [~nit] afectuoso, cariñoso

affinity [ə'finiti] afinidad f

affirm [ə'fəːm] v/t afirmar; ratificar; **~ation** [æfə'meiʃən] afirmación f; **~ative** [ə'fəːmətiv] a afirmativo

afflict [ə'flikt] v/t afligir, acuitar, angustiar

affluen|ce ['æfluəns] opulencia f; abundancia f; **~t** a opulento, rico; s afluente m

afford [ə'fɔːd] v/t permitirse el lujo de; proporcionar

affront [ə'frʌnt] v/t afrentar;

insultar; ultrajar; *s* afrenta *f*, insulto *m*; injuria *f*

afire [ə'faiə] ardiendo

aflame [ə'fleim] en llamas

afloat [ə'fləut] *a* a flote

afore|mentioned [əfɔ:'menʃənd] sobredicho; **~said** antedicho; **~thought** premeditado

afraid [ə'freid] temeroso, miedoso; **to be ~** tener miedo

African ['æfrikən] *a*, *s* africano(a) *m* (*f*)

after ['ɑ:ftə] *prep* después de, detrás de; **~ all** después de todo; **~ hours** fuera de horas; **~math** [~mæθ] consecuencias *f/pl*; **~noon** tarde *f*; **~taste** dejo *m*, resabio *m*; **~wards** [~wədz] luego, después

again [ə'gein] otra vez, de nuevo; **now and ~** de vez en cuando; **once again ~** repetidas veces; **~st** contra; **to be ~st** oponerse a

age [eidʒ] *s* edad *f*; época *f*; **of ~** mayor, menor de edad; **~old** secular; *v/t*, *v/i* envejecer(se)

aged ['eidʒid] viejo

agen|cy [ə'eidʒənsi] agencia *f*, representación *f*; medio *m*; **~t** agente *m*, representante *m*

aggravat|e ['ægrəveit] *v/t* agravar; **~ing** agravante *f*, irritante

aggress|ion [ə'greʃən] agresión *f*, asalto *m*; **~ive** agresivo

aghast [ə'gɑ:st] espantado, horrorizado

agitat|e ['ædʒiteit] *v/t* agitar; **~ion** agitación *f*; **~or** agitador *m*

ago [ə'gəu] hace, ha; **how long ~?** ¿hace cuánto tiempo?; **long ~** hace mucho tiempo

agon|ize ['ægənaiz] *v/i* agonizar; **~izing** desgarrador, agonizante; **~y** agonía *f*; angustia *f*

agree [ə'gri:] *v/i* estar de acuerdo, concordar; **~ to** convenir en, aceptar; **~able** agradable; **~d** convenido; **~ment** acuerdo *m*; convenio *m*

agricultur|al [əgri'kʌltʃərəl] agrícola; **~e** agricultura *f*

ague ['eigju:] fiebre *f* intermitente; escalofríos *m/pl*

ahead [ə'hed] delante, al frente, adelante; **go ~ with** llevar adelante

aid [eid] *v/t* ayudar; *s* ayuda *f*; **~s** *med* SIDA *m*

ail [eil] *v/t* afligir, molestar; *v/i* sufrir; **~ing** enfermizo; **~ment** enfermedad *f*

aim [eim] *v/t* apuntar (*arma*); dirigir; *v/i* aspirar; proponerse; *s* puntería *f*; designio *m*; finalidad *f*, fin *m*; **to miss one's ~** errar el tiro; **~less** sin objeto

air [ɛə] aire *m*; **in the open ~** al aire libre; **to be on the ~** transmitir (*por la radio*); **~ base** base *f* aérea; **~ condi-**

tioned con aire *m* acondicionado; **~craft** avión *m*; **~craft carrier** portaaviones *m*; **~ cushion** almohada *f* neumática; **~ force** mil fuerza *f* aérea; **~ hostess** azafata *f*, LA aeromoza *f*; **~line** línea *f* aérea; **~liner** avión *m* de pasajeros; **~mail** correo *m* aéreo; **~plane** aeroplano *m*, avión *m*; **~port** aeropuerto *m*; **~ raid** ataque *m* aéreo; **~sick** mareado; **~tight** hermético; *v/t* airear, ventilar

aisle [ail] pasillo *m*

ajar [ə'dʒɑː] entreabierto

akin [ə'kin] relacionado (**to** con)

alarm [ə'lɑːm] *v/t* alarmar, preturbar; *s* alarma *f*; tumulto *m*; **~ clock** despertador *m*; **~ing** alarmante, perturbador

alas! [ə'lɑːs] ¡ay!

alcohol ['ælkəhəl] alcohol *m*; **~ic** [~'hɔlik] alcohólico

ale [eil] cerveza *f* inglesa

alert [ə'lɔːt] *a* vivo, activo; vigilante; *s* alerta *f*; **on the ~** sobre aviso

algebra ['ældʒibrə] álgebra *f*

alibi ['ælibai] coartada *f*

alien ['eiliən] *a* ajeno, extraño; *s* extranjero *m*; forastero *m*; **~ate** *v/t* enajenar; quitar; ofender

alight [ə'lait] *v/i* apearse; aer aterrizar

alike [ə'laik] *adv* igualmente; del mismo modo; *a* pareci-

do; **to look ~** parecerse

alimony ['æliməni] *for* alimentos *m/pl* (de divorcio)

alive [ə'laiv] vivo, viviente; activo

all [ɔːl] todo; todos; **above ~** sobre todo; **after ~** al fin y al cabo; **~ in** en definitiva; **~ but** casi; **not at ~** de ningún modo; **~ over** por todas partes; **it is ~ over** se acabó; **~ right** muy bien; satisfactorio; **~ the better** tanto mejor; **~ the worse** tanto peor

all-(a)round ['ɔːl(ə)'raund] completo; versátil; de uso variado

allay [ə'lei] *v/t* aliviar, mitigar

alleged [ə'ledʒd] supuesto

alleviate [ə'liːvieit] *v/t* aliviar

alley ['æli] callejón *m*

alliance [ə'laiəns] alianza *f*; **~ied** aliado; **~y** aliado *m*

allot [ə'lɔt] *v/t* adjudicar, asignar; **~ment** asignación *f*; cuota *f*, lote *m*

all-out ['ɔːl'aut] *a* máximo (esfuerzo); *adv* con toda fuerza

allow [ə'lau] *v/t*, *v/i* permitir; conceder; **~ for** tener en cuenta; **~ance** concesión *f*; pensión *f*; subsidio *m*; com descuento *m*

alloy [ə'lɔi] aleación *f*

allu|de [ə'luːd] *v/i* aludir; **~sion** alusión *f*; **~sive** alusivo

allure [ə'ljuə] *v/t* atraer, fascinar, seducir

almanac ['ɔ:lmənæk] almanaque *m*

almighty [ɔ:l'maiti] *a, s* todopoderoso *m*

almond ['ɑ:mənd] almendra *f*; ~ **tree** almendro *m*

almost ['ɔ:lməust] casi

alms [ɑ:mz] limosna *f*

aloft [ə'lɒft] hacia arriba, en alto

alone [ə'ləun] *a* solo; *adv* sólo; **all** ~ a solas; **to leave** ~ dejar en paz; **let** ~ mucho menos

along [ə'lɒŋ] *prep* a lo largo (de); por; al lado de; *adv.* **all** ~ desde el principio

aloof [ə'lu:f] reservado; apartado

aloud [ə'laud] en voz alta

alphabet ['ælfəbit] alfabeto *m*

Alps [ælps] Alpes *m/pl*

already [ɔ:l'redi] ya

also ['ɔ:lsəu] también

altar ['ɔ:ltə] altar *m*

alter ['ɔ:ltə] *v/t* alterar, modificar

alternat|e [ɔ:l'tə:neit] *v/t, v/i* alternar; [~'tə:nit] *a* alterno; *s* suplente *m*; ~**ing current** corriente *f* alterna; ~**ive** [~] *a* alternativo; *s* alternativa *f*

although [ɔ:l'ðəu] aunque, a pesar de que

altitude ['æltitju:d] altitud *f*; altura *f*

alto [æltəu] *mús* contralto *m, f*

altogether [ɔ:ltə'geðə] en conjunto; por completo

aluminium [ælju'minjəm] aluminio *m*

always ['ɔ:lwəz] siempre

am [æm]: **I** ~ soy; estoy

amass [ə'mæs] *v/t* acumular

amateur ['æmətə:] aficionado *m*

amaze [ə'meiz] *v/t* asombrar; ~**ment** asombro *m*

Amazon ['æməzən] Amazonas *m*

ambassador [æm'bæsədə] embajador *m*

amber ['æmbə] ámbar *m*

ambiguous [æm'bigjuəs] ambiguo; equívoco

ambiti|on [æm'biʃən] ambición *f*; ~**ous** ambicioso

ambulance ['æmbjuləns] ambulancia *f*

ambush ['æmbuʃ] *v/t* acechar; *s* emboscada *f*, celada *f*

amen ['ɑ:'men] amén *m*

amend [ə'mend] *v/t* enmendar; rectificar; ~**ment** enmienda *f*; ~**s** reparación *f*; indemnización *f*

America [ə'merikə] América *f*; ~**n** *a, s* americano(a) *m (f)*

amiable ['eimiəbl] afable, amable

amicable ['æmikəbl] amistoso, amigable

amid(st) [ə'mid(st)] en medio de, entre

amiss [ə'mis] fuera de lugar, inoportuno; **to take** ~ tomar a mal

ammunition [æmju'niʃən] municiones *f/pl*

amnesty ['æmnisti] amnistía f; indulto m

among(st) [ə'mʌŋ(st)] entre (varios)

amorous ['æmərəs] enamoradizo, amoroso

amount [ə'maunt] v/i ascender (a), elevarse (a); s cantidad f, importe m

ample ['æmpl] amplio; **~ifier** [~lifaiə] amplificador m; **~ify** v/t ampliar, amplificar

amputate ['æmpjuteit] v/t amputar

amuse [ə'mju:z] v/t divertir, entretener; **to ~ oneself** divertirse; **~ment** diversión f; entretenimiento m

an [æn, ən] un, uno, una

an(a)emia [ə'ni:miə] anemia f

analogous [ə'næləgəs] análogo; **~y** [~dʒi] analogía f

analyse ['ænəlaiz] v/t analizar; **~sis** [ə'næləsis] análisis m, f; **~ist** ['ænəlist] analista m, f; **~y** anarquía f

anarchic [æ'na:kik] anárquico; **~ist** ['ænəkist] anarquista m, f; **~y** anarquía f

anatomy [ə'nætəmi] anatomía f

ancestor ['ænsistə] antepasado m; **~ry** linaje m, abolengo m

anchor ['æŋkə] v/i anclar; s ancla f, áncora f; **drop ~** echar anclas; **weigh ~** levar anclas

anchovy ['æntʃəvi] anchoa f

ancient ['einʃənt] antiguo

and [ænd, ənd] y, e

anew [ə'nju:] de nuevo, otra vez

angel ['eindʒəl] ángel m

anger ['æŋgə] s ira f; enfado m; v/t enojar, provocar; **~ry** furioso, enfadado; **get ~ry** montar en cólera

angle ['æŋgl] s ángulo m, esquina f; v/i pescar con caña

Anglican ['æŋglikən] s, a anglicano/a m (f)

Anglo-Saxon ['æŋglou-'sæksən] s, a anglosajón

anguish ['æŋgwiʃ] angustia f, ansia f

animal ['æniməl] animal m

animate ['ænimeit] v/t animar, alentar; **~d cartoon** película f de dibujos animados

animosity [æni'mɔsiti] animosidad f; rencor m

anise ['ænis] anís m

ankle ['æŋkl] tobillo m

annex [ə'neks] v/t anexar (territorio); adjuntar, unir; ['æneks] s arq pabellón m

annihilate [ə'naiəleit] v/t aniquilar

anniversary [æni'və:səri] aniversario m

annotate ['ænəuteit] v/t anotar, glosar; **~ion** anotación f; apunte m

announce [ə'nauns] v/t anunciar; **~ment** anuncio m, aviso m; **~r** locutor m

annoy [ə'nɔi] v/t molestar; fastidiar; **~ance** molestia f; **~ed: to be ~ed** estar fastidiado, enfadado; **~ing** molesto, enojoso

annual ['ænjuəl] anual

annul [ə'nʌl] v/t anular; **~ment** anulación f

anomalous [ə'nɔmələs] anómalo

anonymous [ə'nɔniməs] anónimo

another [ə'nʌðə] otro

answer ['ɑ:nsə] v/t, v/i contestar a; responder a; **~ for** responder de; s contestación f, respuesta f; solución f

ant [ænt] hormiga f; **~hill** hormiguero m

antagonis|m [æn'tægənizəm] antagonismo m; **~t** antagonista m, f

Antarctic [ænt'ɑ:ktik] antártico

antelope ['æntiləup] antílope m

antenna [æn'tenə] antena f

anthem ['ænθəm] motete m; **national ~** himno m nacional

anti-aircraft ['ænti'ɛəkrɑ:ft] antiaéreo; **~biotic** ['~bai'ɔtik] s, a antibiótico m; **~climax** [~'klaimæks] fin m (de un libro, etc) decepcionante

antics ['æntiks] payasadas f/pl

anticipat|e [æn'tisipeit] v/t anticipar; prever; adelantar(se); **~ion** anticipación f; previsión f

anti|dote ['ænti'dəut] antídoto m; contraveneno m; **~freeze** [~'fri:z] anticonge-

lante m

antipathy [æn'tipəθi] antipatía f

antiqu|ated ['æntikweitid] anticuado; **~e** [æn'ti:k] antiguo; **~es** antigüedades f/pl; **~ity** [~'tikwiti] antigüedad f

antler ['æntlə] cuerno m

anvil ['ænvil] yunque m

anxi|ety [æn'zaiəti] ansia f; ansiedad f; **~ous** ['æŋkʃəs] ansioso, inquieto; anheloso

any ['eni] cualquier(a); *not ~* ningún(o), a, os, as; **~body**, **~one** alguno; cualquiera, quienquiera; *not ~body*, **~one** nadie; **~how** de cualquier modo; **~thing** cualquier cosa; **~way** de cualquier modo; **~where** en cualquier parte; *not ~where* en ninguna parte

apart [ə'pɑ:t] aparte; **~ment** piso m; *LA* apartamento m

apath|etic ['æpəθetik] apático; **~y** ['æpəθi] apatía f

ape [eip] mono m

aperitif [ə'peritiv] aperitivo m

apiece [ə'pi:s] (a, por, para) cada uno

apolog|ize [ə'pɔlədʒaiz] v/i disculparse; **~y** disculpa f; excusa f

apoplexy ['æpəupleksi] apoplejía f

apostle [ə'pɔsl] apóstol m

apostrophe [ə'pɔstrəfi] *gram* apóstrofo m

appal(l) [ə'pɔ:l] v/t asombrar, pasmar; espantar

apparatus [æpə'reitəs] aparato *m*; aparejo *m*

apparel [ə'pærəl] *com* ropa *f*

apparent [ə'pærənt] aparente: **~ly** por lo visto

appeal [ə'pi:l] *v/i for* apelar; **~to** apelar a; interesar a, atraer; *s for* apelación *f*; petición *f*; atractivo *m*

appear [ə'piə] *v/i* aparecer; parecer; *for* comparecer; **~ance** apariencia *f*; aspecto *m*; aparición *f*; for comparecencia *f*

appease [ə'pi:z] *v/t* apaciguar; **~ment** apaciguamiento *m*

appendicitis [əpendi'saitis] apendicitis *f*; **~ix** [ə'pendiks] apéndice *m*

appetite ['æpitait] apetito *m*; **~zing** *s* etitoso

applaud [ə'plɔ:d] *v/t* aplaudir; **~se** [ə'plɔ:z] aplauso *m*

apple ['æpl] manzana *f*; *Adam's* **~** nuez *f* de la garganta; **~ of one's eye** *fam fig* el ojo derecho de uno; **~ pie** pastel *m* de manzana; **~ tree** manzano *m*

appliance [ə'plaiəns] aparato *m*; dispositivo *m*; **household ~s** electrodomésticos *m/pl*

application [æpli'keiʃən] aplicación *f*; solicitud *f*

apply [ə'plai] *v/t* aplicar, utilizar; *v/i* ser pertinente, corresponder; **~ for** pedir

appoint [ə'pɔint] *v/t* nombrar; señalar; **~ment** cita *f*, compromiso *m*; nombramiento *m*

apportion [ə'pɔ:ʃən] *v/t* prorratear

appreciate [ə'pri:ʃieit] *v/t* apreciar, estimar; *v/i* subir de valor; **~tion** aprecio *m*; estimación *f*

apprehend [æpri'hend] *v/t*, *v/i* comprender, percibir; recelar; aprehender, prender, capturar; **~sive** aprensivo, receloso; perspicaz

apprentice [ə'prentis] aprendiz *m*; **~ship** aprendizaje *m*

approach [ə'prəutʃ] *v/t*, *v/i* aproximar(se); acercar(se); *s* acceso *m*; aproximación *f*

appropriate [ə'prəuprieit] *v/t* apropiarse de; [ə'prəupriit] *a* apropiado, propio

approval [ə'pru:vəl] aprobación *f*; asentimiento *m*; **~e** *v/t* sancionar, aprobar

approximate [ə'prɔksimeit] *v/t*, *v/i* aproximar(se); [ə'prɔksimit] *a* aproximado

apricot ['eiprikɔt] albaricoque *m*; *LA* damasco *m*

April ['eipril] abril *m*

apron ['eiprən] delantal *m*

apse [æps] ábside *m*

apt [æpt] apto; propenso; **~itude** ['æptitju:d] aptitud *f*

aquarium [ə'kwεəriəm] acuario *m*; **~atic** [ə'kwætik] acuático; **~atics** deportes *m/pl* acuáticos

aquiline ['ækwilain] aguileño

Arab ['ærəb] *s, a* árabe; **~ic** árabe *m;* lengua *f* árabe

arable ['ærəbl] cultivable

arbitrary ['ɑ:bitrəri] arbitrario

arbo(u)r ['ɑ:bə] cenador *m*

arc [ɑ:k] arco *m;* **~ade** [ɑ:'keid] *arq* arcada *f;* galería *f*

arch [ɑ:tʃ] *arq* arco *m;* bóveda *f; anat* empeine *m;* a socarrón; zumbón

archaeologist [ɑ:ki'ɔledʒist] arqueólogo *m;* **~y** arqueología *f*

archaic [ɑ:'keiik] arcaico

archangel ['ɑ:keindʒəl] arcángel *m;* **~bishop** ['ɑ:tʃ-'biʃəp] arzobispo *m;* **~er** ['ɑ:tʃə] arquero *m;* **~ery** [~əri] tiro *m* de arco

architect ['ɑ:kitekt] arquitecto *m;* **~ure** arquitectura *f*

arctic ['ɑ:ktik] ártico

ardent ['ɑ:dənt] ardiente, vehemente; **~o(u)r** ardor *m,* pasión *f;* **~uous** arduo, duro, muy difícil

are [ɑ:] *you* — eres, sois; estás, estáis; *we* — somos; estamos; *they* — son; están

area ['ɛəriə] área *f,* zona *f*

arena [ə'ri:nə] arena *f*

Argentine ['ɑ:dʒəntain] *s* Argentina *f; a* argentino

argue [ɑ:gju:] *v/t, v/i* argüir, discutir; razonar; **~ment** argumento *m;* discusión *f,* disputa *f*

arid ['ærid] árido

arise [ə'raiz] *v/i* alzarse; surgir; resultar (de)

arithmetic [ə'riθmətik] aritmética *f*

ark [ɑ:k] arca *f*

arm [ɑ:m] *s* brazo *m;* **~ in** — cogidos del brazo; *v/t, v/i* armar; **~ament** [~əmənt] armamento *m;* **~chair** butaca *f;* **~ful** brazada *f;* **~istice** armisticio *m;* **~o(u)r** armadura *f;* blindaje *m;* **~o(u)red** blindado; *spit* sobaco *m;* **~pit** apoyabrazos *m;* **~s** armas *f/pl;* **~y** ejército *m;* tropas *f/pl*

around [ə'raund] *adv* alrededor; *prep* alrededor de

arouse [ə'rauz] *v/t* despertar, excitar

arrange [ə'reindʒ] *v/t* arreglar; disponer; **~ment** arreglo *m;* disposición *f*

arrears [ə'riəz] *in* — atrasado en pagos

arrest [ə'rest] *v/t* detener, arrestar; *s* detención *f,* arresto *m;* paro *m*

arrival [ə'raivl] llegada *f;* (el que ha) llegado *m;* **~e** *v/i* llegar; alcanzar éxito

arrogance ['ærəgəns] arrogancia *f;* **~t** arrogante

arrow ['ærəu] flecha *f*

arsenic ['ɑ:snik] arsénico *m*

arson ['ɑ:sn] *for* incendio *m* premeditado

art [ɑ:t] arte *m;* destreza *f;* maña *f;* **~s and crafts** artes *f/pl* y oficios; *fine* **~s** bellas artes *f/pl;* **~ful** mañoso; arti-

assess

ficioso; ~fulness astucia *f*
artichoke ['ɑ:tit∫ouk] alcachofa *f*
article ['ɑ:tikl] artículo *m*
articulate [ɑ:'tikjuleit] *v/t* articular, pronunciar; [~'tik-
julit] *a* articulado; inteligible
artifice ['ɑ:tifis] artificio *m*;
~ial [~'fi∫əl] artificial
artillery [ɑ:'tiləri] artillería *f*
artisan [ɑ:ti'zæn] artesano *m*
artist ['ɑ:tist] artista *m/f*; **~ic**
artístico
artless ['ɑ:tlis] natural, sencillo
as [æz, əz] *adv* como; **~ ... ~**
tan(to) ... como; **~ far ~** en
cuanto; **~ for** en cuanto a; **~ if**
como si; **~ many ~** tantos
como; **~ soon ~** tan pronto
como; **~ well** también; **~ yet**
hasta ahora; *conj* como;
aunque; **~ to** en cuanto a
ascend [ə'send] *v/t*, *v/i* ascender, subir; **~sion** ascensión *f*;
~t subida *f*; ascenso *m*
ascertain [æsə'tein] *v/t* averiguar; cerciorarse de
ascetic [ə'setik] ascético
ascribe [ə'skraib] *v/t* atribuir,
achacar; imputar
aseptic [æ'septik] aséptico
ash [æ∫] fresno *m*; ceniza *f*
ashamed [ə'∫eimd] avergonzado; **to be ~** tener vergüenza
ashes ['æ∫iz] cenizas *f/pl*; **~-
tray** cenicero *m*
ashore [ə'∫ɔ:] en tierra, a tierra; **to go ~** desembarcar

Asia ['ei∫ə] Asia *f*; **~tic** *a*, *s*
[ei∫i'ætik] asiático(a) *m* (*f*)
aside [ə'said] de lado, al lado;
aparte (*t s teat*)
ask [ɑ:sk] *v/t* preguntar; pedir; invitar; **~ a question** hacer una pregunta; **~ about**, **~
for** preguntar por
askew [əs'kju:] torcido, la-
deado
asleep [ə'sli:p] dormido; **to
fall ~** quedarse dormido
asparagus [əs'pærəgəs] espárrago *m*
aspect ['æspekt] aspecto *m*
aspirant [əs'paiərənt] aspi-
rante *m*; candidato *m*; **~e** *v/i*
aspirar; ambicionar
aspirin ['æspərin] aspirina *f*
ass [æs] asno *m*, burro *m*
assail [ə'seil] *v/t* asaltar, aco-
meter
assassin [ə'sæsin] asesino *m*;
~ate *v/t* asesinar; **~ation** asesinato *m*
assault [ə'sɔ:lt] *v/t* asaltar; *s*
asalto *m*
assemblage [ə'semblidʒ]
tecn montaje *m*; **~e** [ə'sembl]
v/t juntar; *tecn* montar; *v/i*
reunirse; **~y** asamblea *f*;
montaje *m*; **~y line** *tecn* línea
f de montaje
assent [ə'sent] *s* asentimiento
m; **~ to** asentir a; consentir en
assert [ə'sɔ:t] *v/t* afirmar;
~ion afirmación *f*
assess [ə'ses] *v/t* valorar;
gravar; fijar (*impuestos*)

asset ['æset] posesión f; ventaja f; **~s** activo m, haber m

assiduous [ə'sidjuəs] asiduo; perseverante

assign [ə'sain] v/t asignar; señalar, destinar; **~ment** asignación f; cesión f

assimilate [ə'simileit] v/t asimilar

assist [ə'sist] v/t asistir, ayudar; **~ance** ayuda f, auxilio m; **~ant** ayudante m

associat|e [ə'səuʃieit] v/t asociar; v/i asociarse; adherirse; s socio m; **~ion** asociación f, sociedad f

assort|ed [ə'sɔːtid] surtido, mixto; **~ment** surtido m

assum|e [ə'sjuːm] v/t tomar; asumir; presumir; suponer; **~ed** fingido; **~ption** [ə'sʌmpʃən] asunción f; postulado m, presunción f

assur|ance [ə'ʃuərəns] seguridad f; promesa f; aplomo m; com seguro m; **~e** v/t asegurar; afirmar; **~ed** seguro; com asegurado

asterisk ['æstərisk] asterisco m

asthma ['æsmə] asma f

astonish [əs'tɔniʃ] v/t sorprender, asombrar; **~ed** sorprendido; asombrado; **~ment** asombro m; sorpresa f

astound [əs'taund] v/t, v/i pasmar, consternar

astray [ə'strei]: **to go ~** extraviarse; **lead ~** llevar por mal camino

astride [əs'traid] a horcajadas

astrology [əs'trɔlədʒi] astrología f

astronaut ['æstrənɔːt] astronauta m

astronom|er [əs'trɔnəmə] astrónomo m; **~y** astronomía f

astute [əs'tjuːt] astuto, sagaz; perspicaz

asunder [ə'sʌndə]: **tear ~** hacer pedazos

asylum [ə'sailəm] asilo m

at [æt, ət] a, en; por; **~ best** en el mejor de los casos; **~ home** en casa; **~ night** por la noche; **~ school** en la escuela; **~ the door** a la puerta

atheist ['eiθiist] ateo m

athlet|e ['æθliːt] atleta m; **~ic** [~'letik] atlético; **~ics** atletismo m

Atlantic [ət'læntik] atlántico

atmosphere ['ætməsfiə] atmósfera f

atom ['ætəm] átomo m; **~ bomb** bomba f atómica; **~ic** [ə'tɔmik] atómico; **~ic age** era f atómica; **~ic pile** pila f atómica; **~izer** pulverizador m

atone [ə'təun]: v/i **to ~ for** expiar

atroci|ous [ə'trəuʃəs] atroz; **~ty** [~'tɔsiti] atrocidad f

attach [ə'tætʃ] v/t atar, ligar; vincular; apegar; **~ment** apego m; afecto m

attack [ə'tæk] v/t atacar; s ataque m

attain [ə'tein] *v/t* conseguir

attempt [ə'tempt] *v/t* intentar; *s* tentativa *f*, prueba *f*

attend [ə'tend] *v/t* asistir a, concurrir a; atender, cuidar; **~ance** asistencia; presencia *f*; *be in* **~ance** asistir

attent|ion [ə'tenʃən] atención *f*; **~ion!** ¡ojo!; *pay* **~ion** prestar atención, hacer caso; **~ive** atento

attest [ə'test] *v/t* atestiguar

attic ['ætik] desván *m*

attire [ə'taiə] atavío *m*; vestido *m*

attitude ['ætitju:d] actitud *f*

attorney [ə'tə:ni] abogado *m*

attract [ə'trækt] *v/t*, *v/i* atraer; **~ion** atracción *f*; atractivo *m*; **~ive** atractivo

attribute [ə'tribju(:)t] *v/t* atribuir; ['ætribju:t] *s* atributo *m*

auburn ['ɔ:bən] castaño rojizo

auction ['ɔ:kʃən] subasta *f*

audac|ious [ɔ:'deiʃəs] audaz; **~ity** [ɔ:'dæsiti] audacia *f*

audi|ble ['ɔːdəbl] audible; **~ence** público *m*; audiencia *f*; **~tor** interventor *m*, revisor *m* de cuentas; **~torium** [~'tɔ:riəm] sala *f*

augment [ɔ:g'ment] *v/t*, *v/i* aumentar(se)

August ['ɔ:gəst] agosto *m*

aunt [ɑ:nt] tía *f*

auspicious [ɔ:s'piʃəs] propicio, favorable

auster|e [ɔs'tiə] austero; **~ity** [~'teriti] austeridad *f*

Australia [ɔs'treiljə] Australia *f*; **~n** *a*, *s* australiano(a) *m* (*f*)

Austria ['ɔstriə] Austria *f*; **~n** *a*, *s* austríaco(a) *m* (*f*)

authentic [ɔ:'θentik] auténtico

author ['ɔ:θə] autor *m*; escritor *m*; **~itarian** [ɔ:θəri'tɛəriən] autoritario; **~itative** [ɔ:'θɔritətiv] autorizado; perentorio; **~ity** autoridad *f*; *on good* **~ity** de buena tinta; **~ize** [~'raiz] autorizar; **~ship** paternidad *f* literaria

auto|matic [ɔ:tə'mætik] automático; **~matic focus** *foto* autoenfoque *m*; **~mation** automatización *f*

automobile ['ɔ:təməubi:l] automóvil *m*

autonomy [ɔ:'tɔnəmi] autonomía *f*

autopsy ['ɔ:tɔpsi] autopsia *f*

autumn ['ɔ:təm] otoño *m*

avail [ə'veil]: *of no* **~** inútil; *v/i* valer; *to* **~** *oneself of* servirse de; **~able** disponible; aprovechable

avalanche ['ævəlɑ:ntʃ] alud *m*

avaric|e ['ævəris] avaricia *f*; **~ious** [~'riʃəs] avaro

avenge [ə'vendʒ] *v/t*, *v/i* vengar(se) (de)

avenue ['ævinju:] avenida *f*

average ['ævəridʒ] promedio *m*; *on the* **~** por término medio, en promedio; *a* medio; corriente; mediano, ordinario

aversion [ə'vɔ:ʃən] aversión f, repugnancia f

avert [ə'vɔ:t] v/t desviar; prevenir

aviat||ion [eivi'eiʃən] aviación f; **~or** ['¸eitə] aviador m

avocado [ə¸vɔkə:'dəu] aguacate m

avoid [ə'vɔid] v/t evitar

await [ə'weit] v/t aguardar

awake [ə'weik] v/t, v/i despertar(se); a despierto

award [ə'wɔ:d] v/t, v/i otorgar; conceder, conferir; s for fallo m; premio m

aware [ə'weə] enterado

away [ə'wei] fuera, ausente; **far ~** lejos; **to go ~** marcharse

aw|e [ɔ:] temor m reverente; **~e-struck** espantado, pasmado; **~ful** terrible, espantoso; **fam** pésimo; fatal; tremendo

awhile [ə'wail] (por) un rato

awkward [ɔ:'kwəd] torpe; embarazoso, desagradable; delicado (situación, etc)

awning ['ɔ:niŋ] toldo m

awry [ə'rai]: **to go ~** salir mal, fracasar

ax(e) [æks] hacha f

axis ['æksis] eje m; anat axis

axle ['æksl] tecn eje m

azure ['æʒə] azul m celeste

B

babble ['bæbl] v/t, v/i balbucear; parlotear; barbotar; s barboteo m; parloteo m

babe [beib] criatura f

baboon [bə'bu:n] mandril m

baby ['beibi] criatura f, bebé m; **~hood** primera infancia f; **~ish** infantil

bachelor ['bætʃələ] soltero m; **confirmed ~** solterón m

back [bæk] s espalda f (pl); dorso m; reverso m, revés m; sp zaguero m; **to be ~** estar de vuelta; **to turn one's ~** dar la espalda; a atrasado; v/i retroceder, dar marcha atrás; **~ down** volverse atrás; **~ out** retirarse; adv de vuelta; atrás; **~bone** espina f dorsal;

~fire petardeo m; **~gammon** chaquete m; **~ground** fondo m; fundamento m; fig antecedentes m/pl; **~ing** apoyo m; **~lash** (t pol) reacción f en contra; **~log** atrasos m/pl; **~pack** mochila f; **~stroke** brazada f de espaldas (en natación); **~ward(s)** a atrasado; adv (hacia) atrás; **~yard** patio m trasero

bacon ['beikən] tocino m

bacterium [bæk'tiəriəm] bacteria f

bad [bæd] malo; podrido; dañoso; **not ~** nada malo; **from ~ to worse** de mal en peor; **too ~!** ¡qué lástima!; **~ly** mal

badge [bædʒ] insignia f
badger ['bædʒə] tejón m
badminton ['bædmɪntən] juego m del volante
baffle ['bæfl] v/t desconcertar; frustrar
bag [bæg] saco m; bolsa f; **~gage** Am equipaje m; mil bagaje m
bagpipes ['bægpaɪps] gaita f
bail [beɪl] fianza f
bailiff ['beɪlɪf] alguacil m
bait [beɪt] cebo m
bake [beɪk] v/t cocer (al horno); **~r** panadero m; **~ry** panadería f
balance ['bæləns] s equilibrio m; balanza f; volante m (de reloj); com balance m; v/t balancear; equilibrar; com saldar
balcony ['bælkənɪ] balcón m; teat galería f
bald [bɔːld] calvo
bale [beɪl] s bala f; fardo m; v/t embalar; **to ~ out** lanzarse en paracaídas
Balearic [bælɪ'ærɪk] balear; **~ Islands** Islas f/pl Baleares
balk [bɔːk] v/t impedir, frustrar; v/i plantarse (caballo)
ball [bɔːl] pelota f; bola f; baile m; globo m; yema f (de dedo); **~ad** ['bæləd] romance m; balada f; **~ast** ['bæləst] lastre m; **~ bearing(s)** tecn cojinete m de bolas
ballet ['bæleɪ] ballet m, baile m artístico
ballistics [bə'lɪstɪks] balística f

balloon [bə'luːn] globo m
ballot ['bælət] balota f; votación f; **~ box** urna f electoral
ballpoint pen ['bɔːlpɔɪnt pen] bolígrafo m
balm [bɑːm] bálsamo m; **~y** suave (brisa, etc)
Baltic ['bɔːltɪk] (**Sea**) (Mar) Báltico m
bamboo [bæm'buː] bambú m
ban [bæn] s prohibición f (oficial); v/t prohibir; excluir
banana [bə'nɑːnə] plátano m; LA banana f
band [bænd] cinta f; mús banda f; **to ~ together** asociarse; **~age** venda f, vendaje m
bandit ['bændɪt] bandido m
bang [bæŋ] interj ¡pum!; s estallido m; golpe m resonante; v/t golpear; cerrar de golpe
banish ['bænɪʃ] v/t desterrar; **~ment** destierro m
banisters ['bænɪstəz] pasamano m; barandilla f
bank [bæŋk] s orilla f; banco m; banca f; v/t depositar en el banco; **~ account** cuenta f bancaria; **~er** banquero m; **~ing** operaciones f/pl bancarias; **~note** billete m de banco; **~rupt** ['bæŋkrʌpt] quebrado; **~ruptcy** quiebra f, bancarrota f
banner ['bænə] bandera f
banns [bænz] amonestaciones f/pl
banquet ['bæŋkwɪt] s banquete m

banter ['bæntə] v/i chancear

bapti|sm ['bæptizm] bautismo m; **~ze** [~'taiz] v/t bautizar

bar [ba:] s barra f; mostrador m; bar m; *fig* obstáculo m, m; **~s** rejas f/pl; *behind* **~s** en la cárcel; v/t atrancar; enrejar; impedir

barbar|ian [ba:'beəriən] bárbaro m; **~ous** ['~bərəs] bárbaro

barbecue ['ba:bikju:] barbacoa f

barbed [ba:bd] **~ wire** alambre m de púas

barber ['ba:bə] barbero m, peluquero m

bare [beə] desnudo; escaso; mero; **~price** precio m rebajado; v/t, v/i negociar; regatear

barge [ba:dʒ] barcaza f; **~ in** *fig* irrumpir

baritone ['bæritəun] barítono m

bark [ba:k] s ladrido m; corteza f (*de un árbol*); v/i ladrar

barley ['ba:li] cebada f

barmaid ['ba:meid] tabernera f

barn [ba:n] granero m; establo m; cuadra f

barometer [bə'rɔmitə] barómetro m

barrack ['bærək] cuartel m

barrel ['bærəl] barril m; cañón m; **~ organ** organillo m

barren ['bærən] estéril, árido

barricade [bæri'keid] s barricada f; v/t obstruir

barrier ['bæriə] barrera f

barrister ['bæristə] abogado m

bartender ['ba:tendə] barman m

barter ['ba:tə] s trueque m; v/t trocar; v/i traficar

base [beis] a bajo, vil, villano; s base f; *mil, quim* base f; v/t basar; apoyar; fundar; **~ball** béisbol m; **~less** infundado; **~ment** sótano m

bashful ['bæʃful] tímido

basic ['beisik] básico

basil ['bæzl] albahaca f

basin ['beisn] palangana f; *geog* cuenca f

bask [ba:sk] v/i tomar el sol

basket ['ba:skit] cesta f; canasta f; **~ball** baloncesto m

Basque [bæsk] a, s vasco(a) m (f)

bass [beis] *mús* bajo m

bastard ['bæstəd] bastardo m

bat [bæt] *zool* murciélago m; *sp* bate m

bath [ba:θ] s baño m; v/t bañar (*niño, enfermo, etc*); **~e** [beið] v/t bañar; v/i bañarse (*al aire libre*); **~ing-suit** traje m de baño; bañador m; **~robe** albornoz m; **~ room** cuarto m de baño; **~tub** [ba:θ-] bañera f

baton ['bætən] *mús* batuta *f*

batter ['bætə] *v/t* golpear; demoler; **~ed** magullado; *v/i* batería *f*; pila *f*

battle ['bætl] *s* batalla *f*; lucha *f*; *v/i* luchar; **~ship** acorazado *m*

bawl [bɔːl] *v/i* vocear; llorar a gritos

bay [bei] *a* bayo; *s* bahía *f*; rada *f*; *bot* laurel *m*; *arq* entrepaño *m*; **at ~** acorralado; *v/t* ladrar, aullar; **~onet** bayoneta *f*

be [biː, bi] *v/i* ser; estar; **to ~ in** estar (en *casa, etc*); **to ~ out** haber salido; **so ~ it** así sea

beach [biːtʃ] playa *f*

beacon ['biːkən] almenara *f*, *aer* baliza *f*; faro *m*

bead [biːd] *s* cuenta *f*; abalorio *m*; **~s** rosario *m*

beak [biːk] pico *m*

beam [biːm] *s arq* viga *f*; rayo *m* (*de luz; sol*); *mar* manga *f*; *v/t* emitir; *v/i* brillar

bean [biːn] haba *f*; judía *f*; *LA* frijol *m*; habichuela *f*

bear [bɛə] *s zool* oso *m*; *com* bajista *m/f*; *v/t* aguantar; dar a luz; llevar; **~ out** confirmar

beard [biəd] barba *f*; **~ed** barbudo

bear|er ['bɛərə] portador(a) *m(f)*; **~ing** porte *m*; **~ings** rumbo *m*, orientación *f*

beast [biːst] bestia *f*

beat [biːt] *v/t* batir; pegar; golpear; tocar; derrotar; *v/i*

latir, palpitar; **~ about the bush** ir por rodeos; **~ it** largarse; **~ time** *mús* llevar el compás; **~ up** dar una paliza; *s* golpe *m*; latido *m*; ronda *f* (*del policía*); *mús* compás *m*

beaut|iful ['bjuːtəful] hermoso, bello; **~ify** [~'fai] *v/t* embellecer; **~y** hermosura *f*; belleza *f*; **~y parlo(u)r** salón *m* de belleza

beaver ['biːvə] castor *m*

because [bi'kɔz] *adv* porque; **~ of** *prep* por; a causa de

beckon ['bekən] *v/t* llamar por señas

becom|e [bi'kʌm] *v/i* llegar a ser; hacerse; volverse, ponerse; *v/t* convenir a; **~ing** que sienta bien (*vestido*)

bed [bed] cama *f*; lecho *m*; *bot* arriate *m*; **to go to ~** acostarse; **~ding** ropa *f* de cama; **~lam** ['bedləm] confusión *f*, caos *m*; **~ridden** postrado en cama; **~room** dormitorio *m*; alcoba *f*; **~spread** colcha *f*; **~time** hora *f* de acostarse

bee [biː] abeja *f*; **~hive** colmena *f*; **~line** línea *f* recta

beech [biːtʃ] haya *f*

beef [biːf] carne *f* de res *o* de vaca; **~steak** bistec *m*

beer [biə] cerveza *f*

beet [biːt] remolacha *f*

beetle ['biːtl] escarabajo *m*

befit [bi'fit] *v/t* convenir a

before [bi'fɔː] *adv* delante (*lugar*); antes (*tiempo*); *prep* delante de (*lugar*); antes;

antes de (*tiempo*); **~hand** de antemano

beg [beg] *v/t* rogar; pedir; *v/i* mendigar

beggar ['begə] mendigo *m*

begin [bi'gin] *v/t, v/i* empezar, comenzar; iniciar; **~ner** principiante *m*; **~ning** comienzo *m*

beguile [bi'gail] *v/t* engañar; seducir

behalf [bi'hɑːf]: **on ~ of** en nombre de

behav|e [bi'heiv] *v/t, v/i* (com)portarse; obrar; conducirse; **~io(u)r** conducta *f*

behead [bi'hed] *v/t* decapitar

behind [bi'haind] *adv* atrás; detrás; *prep* detrás de; tras; **to be ~** estar atrasado; *s* trasero *m*

being ['biːiŋ] ser *m*; persona *f*; **for the time ~** por ahora

belated [bi'leitid] tardío; atrasado

belch [beltʃ] *v/i* eructar

belfry ['belfri] campanario *m*

Belgi|an ['beldʒən] *a, s* belga *m, f*; **~um** ['~əm] Bélgica *f*

belie [bi'lai] *v/t* desmentir

belie|f [bi'liːf] creencia *f*; **~vable** creíble; **~ve** *v/t, v/i* creer; **to make ~ve** fingir; **~ver** creyente *m*, fiel *m*

belittle [bi'litl] *v/t* menospreciar

bell [bel] (*iglesia*) campana *f*; (*eléctrico*) timbre *m*; (*ganado*) cencerro *m*; **~boy** botones *m*

belligerent [bi'lidʒərənt] *a, s* beligerante

bellow ['belou] *v/i* bramar; gritar; **~s** fuelle *m*

belly ['beli] vientre *m*; panza *f*; **~ button** *fam* ombligo *m*

belong [bi'lɔŋ] *v/i* pertenecer; **~ings** posesiones *f/pl*

beloved [bi'lʌvid] *a, s* querido(a) *m* (*f*)

below [bi'lou] *adv* abajo; *prep* bajo; debajo de

belt [belt] cinturón *m*; faja *f*; *tecn* correa *f*

bench [bent(ʃ)ʃ] banco *m*; tribunal *m*

bend [bend] *s* vuelta *f*; curva *f*; *v/t* doblar; inclinar; *v/i* encorvarse; torcerse

beneath [bi'niːθ] *adv* abajo; debajo; *prep* bajo, debajo de

bene|diction [beni'dikʃən] bendición *f*; **~factor** ['fæktə] bienhechor *m*; **~ficial** [~'fiʃəl] beneficioso; **~fit** ['~fit] beneficio *m*, provecho *m*; **~volent** [bi'nevələnt] benévolo

benign [bi'nain] benigno (*t med*)

bent [bent] encorvado; doblado; **to be ~ on** empeñarse en

benzine ['benziːn] bencina *f*

bequeath [bi'kwiːð] *v/t* legar

bequest [bi'kwest] legado *m*, *f*

bereaved [bi'riːvd]: **the ~** los afligidos

beret ['berei] boina *f*

berry ['beri] baya *f*

berth [bəːθ] *s* amarradero *m*;

bind

camarote *m*; litera *f*; *v/t* atracar

beseech [bi'si:tʃ] *v/t* implorar; suplicar

beside [bi'said] *prep* al lado de, junto a; **to be ~ oneself** estar fuera de sí; **~s** *adv* además

besiege [bi'si:dʒ] *v/t* sitiar; asediar

best [best] el (lo) mejor; óptimo; superior; **~ man** padrino *m* de boda; **~ seller** éxito *m* de librería; **to do one's ~** hacer todo lo posible; **to make the ~ of it** salir lo mejor posible

bestow [bi'stəu] *v/t* conferir; otorgar

bet [bet] *s* apuesta *f*; *v/t, v/i* apostar

betray [bi'trei] *v/t* traicionar; revelar; **~al** traición *f*; **~er** traidor *m*

betrothed [bi'trəuðd] prometido(a) *m (f)*

better ['betə] *a, adv* mejor; **to be ~ off** estar mejor; **so much the ~** tanto mejor; **to get ~** mejorarse; *v/t* mejorar

between [bi'twi:n] entre

beverage ['bevəridʒ] bebida *f*

beware [bi'weə] *v/t, v/i* precaverse; **~ of ...!** ¡cuidado con (*el perro, etc*)!

bewilder [bi'wildə] *v/t* dejar perplejo; aturdir; **~ment** aturdimiento *m*

bewitch [bi'witʃ] *v/t* hechizar,

embrujar

beyond [bi'jɔnd] *adv* más allá; *prep* más allá de; además de; **it's ~ me** no lo entiendo; **~ the seas** allende los mares

bias ['baiəs] *s* prejuicio *m*, parcialidad *f*; sesgo *m*; *v/t* predisponer

bib [bib] babero *m*

Bible ['baibl] Biblia *f*

bicycle ['baisikl] bicicleta *f*

bid [bid] *v/t* mandar; licitar; pujar; **~ding** mandato *m*; oferta *f*, licitación *f*

bier [biə] féretro *m*

big [big] grande; **~ brother** hermano *m* mayor; **~ game** caza *f* mayor; **to talk ~** fanfarronear; echar bravatas; **~ot** ['bigət] fanático *m (f)*

bike [baik] *fam* bicicleta *f*

bile [bail] bilis *f*; ira *f*

bill [bil] *com* cuenta *f*; nota *f*; factura *f*; billete *m*; proyecto *m* de ley; cartel *m*, letrero *m*; pico *m* (*de ave*); **~ of exchange** letra *f* de cambio; **~ of fare** menú *m*; **~ of lading** conocimiento *m* de embarque; **~board** [~bɔ:d] *Am* cartelera *f*; **~fold** [~fəuld] *Am* billetero *m*

billet ['bilit] *s mil* acantonamiento *m*; *v/t* acantonar

billiards ['biljədz] billar *m*

billion ['biljən] billón *m*, *Am* mil millones *m/pl*

billow ['biləu] *v/i* ondular; *s* ola *f*, onda *f*

bind [baind] *v/t* sujetar; atar;

ligar; encuadernar; obligar;
~ing *a* obligatorio; *s* encuadernación *f*

binoculars [bi'nɔkjuləz] prismáticos *m/pl*

biography [bai'ɔgrəfi] biografía *f*

biology [bai'ɔlɔdʒi] biología *f*

birch [bəːtʃ] abedul *m*

bird [bəːd] ave *f*; pájaro *m*; **~ of passage** ave *f* de paso; **~ of prey** ave *f* de rapiña; **~'s-eye view** (a) vista *f* de pájaro

birth [bəːθ] nacimiento *m*; *med* parto *m*; **to give ~ (to)** dar a luz; **~ control** control *m* de la natalidad; **~day** cumpleaños *m*; **~mark** rosa *f* de nacimiento; **~rate** natalidad *f*

biscuit ['biskit] galleta *f*

bishop ['biʃəp] obispo *m*; alfil *m* (*de ajedrez*)

bison ['baisn] bisonte *m*

bit [bit] poquito *m*; bocado *m*; **a little ~** un poquito; **~ by ~** poco a poco

bitch [bitʃ] perra *f*

bite [bait] *s* mordedura *f*; picadura *f*; bocado *m*; *v/t, v/i* morder; picar

bitter ['bitə] *a* amargo; encarnizado; cortante; **~ness** amargura *f*; **~sweet** agridulce

bizarre [bi'zaː] grotesco; extraño

black [blæk] *a, s* negro(a) *m*

(*f*); *v/t* ennegrecer; *v/i*: **~ out** *med* desmayarse; **~ and blue** amoratado; **in ~ and white** por escrito; **~berry** zarzamora *f*; **~bird** mirlo *m*; **~board** pizarra *f*; **~ eye** ojo *m* amoratado; **~mail** chantaje *m*; **~ market** mercado *m* negro; **~out** apagón *m*; **~smith** herrero *m*

bladder ['blædə] vejiga *f*

blade [bleid] hoja *f* (*de espada, de cuchillo*); pala *f* (*de remo*); hoja *f* (*de hélice*)

blame [bleim] *s* culpa *f*; *v/t* culpar; **to be to ~ for** tener la culpa de; **~less** inocente

bland [blænd] blando

blank [blæŋk] *a* en blanco; vacío; sin expresión (*mirada, etc*); **~verse** verso *m* libre; *s* formulario *m*; **draw a ~** intentar sin éxito

blanket ['blæŋkit] manta *f*; *LA* frazada *f*

blare [blɛə] *v/i* resonar

blast [blaːst] *s* ráfaga *f*; soplo *m*; carga *f* explosiva; explosión *f*; *v/t* volar (*con dinamita*); **~ furnace** alto horno *m*; **~ (it)!** ¡maldito sea!; **~off** despegue *m* (*de un cohete*)

blaze [bleiz] *s* llamarada *f*; *v/i* arder; llamear; **~ a trail** (*t fig*) abrir un camino

bleach [bliːtʃ] *v/t* blanquear

bleak [bliːk] desierto, frío; desolado, sombrío

bleat [bliːt] *v/i* balar; *s* balido *m*

bleed [bli:d] *v/t* sangrar; *v/i* sangrar, perder sangre

blemish ['blemiʃ] *s* mancha *f*; tacha *f*; defecto *m*

blend [blend] *s* mezcla *f*; combinación *f*; *v/t* mezclar, combinar

bless [bles] *v/t* bendecir; ~ **my soul!** ¡válgame Dios!; ~**ed** bendito; ~**ing** bendición *f*; gracia *f*

blind [blaind] *a* ciego; *s* celosía *f*; persiana *f*; *fig* pretexto *m*; *v/t* cegar; deslumbrar; ~ **alley** callejón *m* sin salida; ~**folded** con los ojos vendados; ~**ness** ceguera *f*, ceguedad *f*

blink [bliŋk] *s* parpadeo *m*; **on the** ~ incapacitado; roto; *v/t* guiñar; *v/i* parpadear; ~**er** *aut* intermitente *m*

bliss [blis] felicidad *f*

blister ['blistə] ampolla *f*

blizzard ['blizəd] ventisca *f*

bloat [bləut] *v/t* hinchar

block [blɔk] *s* bloque *m*; zoquete *m*; obstrucción *f*; manzana *f* (*casas*), *LA* cuadra *f*; *v/t* obstruir, bloquear; ~**ade** [blɔ'keid] bloqueo *m*; ~**head** zopenco *m*; ~**letter** letra *f* de imprenta

blond(e) [blɔnd] *a*, *s* rubio(a) *m* (*f*)

blood [blʌd] sangre *f*; **in cold** ~ **a** sangre fría; ~ **poisoning** envenenamiento *m* de la sangre; ~ **pressure** tensión *f* arterial; ~**shed** matanza *f*;

~**shot** ensangrentado; ~**thirsty** sanguíneo; ~ **vessel** vaso *m* sanguíneo; ~**y** sangriento; *fam* maldito

bloom [blu:m] *s* florecimiento *m*; *v/i* florecer

blossom ['blɔsəm] *s* flor *f*; *v/i* florecer

blot [blɔt] *s* borrón *m*; mancha *f*; *v/t* ~ **out** borrar, tachar; ~**ting paper** papel *m* secante

blouse [blauz] blusa *f*

blow [bləu] *s* golpe *m*; *v/t* soplar; *mús* tocar; ~ **one's nose** sonarse; ~ **up** foto ampliar; *v/i* soplar; ~ **out** apagarse; ~ **over** pasar; ~ **up** estallar; ~ **out** *aut* pinchazo *m*

bludgeon ['blʌdʒən] cachiporra *f*

blue [blu:] azul; *fam* desanimado, triste; ~**bell** campánula *f*; ~**blooded** de sangre noble; ~**print** calco *m* azul; *fig* plan *m* de acción

bluff [blʌf] *s* fanfarronada *f*; *v/i* aparentar, baladronear

blunder ['blʌndə] *s* patochada *f*; desacierto *m*; *v/t*, *v/i* disparatar, equivocarse

blunt [blʌnt] desafilado; despuntado; obtuso; rudo; brusco

blur [blə:] aspecto *m* borroso

blush [blʌʃ] *s* sonrojo *m*; *v/i* sonrojarse, ruborizarse

bluster ['blʌstə] *v/i* bravear

boar [bɔ:] verraco *m*; **wild** ~ jabalí *m*

board [bɔːd] s tabla f; tablero m; full ~ pensión f completa; on ~ a bordo; v/t subir a bordo de; enmaderar; ~er huésped m; alumno m interno; ~ing card tarjeta f de embarque; ~ing house casa f de huéspedes; ~ing school internado m

boast [bəust] s jactancia f; v/t ostentar; v/i alardear; jactarse, vanagloriarse

boat [bəut] barca f; bote m; barco m; ~race regata f; ~swain ['bəusən] contramaestre m

bob [bɔb] v/t, v/i menear(se); ~sled ['bɔbsled] bob m

bodice ['bɔdis] corpiño m

body ['bɔdi] cuerpo m; casco m (de barco); carrocería f (de coche); gremio m, corporación f; in a ~ en comitiva; ~guard guardaespaldas m

bog [bɔg] pantano m

boil [bɔil] v/t, v/i hervir, cocer; s furúnculo m; ~ over rebosar(se); ~ed egg huevo m pasado por agua; ~er caldero m; caldera f

boisterous ['bɔistərəs] ruidoso, alborotado

bold [bəuld] atrevido, audaz; valiente

Bolivia [bə'liviə] Bolivia f; ~n a, s boliviano(a) m (f)

bolster ['bəulstə] travesero m

bolt [bəult] s cerrojo m; perno m; rayo m; pasador m; v/t acerrojar; ~ upright erguido

bomb [bɔm] s bomba f; v/t bombardear; ~er bombardero m

bond [bɔnd] s lazo m; ligazón f; com bono m; ~age esclavitud f; ~ed depositado bajo fianza

bone [bəun] hueso m; espina f; ~ of contention manzana f de la discordia

bonfire ['bɔnfaiə] hoguera f

bonnet ['bɔnit] gorra f; toca f

bonus ['bəunəs] prima f; sobrepaga f

bony ['bəuni] huesudo

boo [buː] v/t abuchear

booby ['buːbi] ~ prize premio m de consolación; ~ trap trampa f explosiva

book [buk] s libro m; teat libreto m; v/t reservar (cuarto, etc); asentar; ~case armario m para libros; ~ed up (hotel) completo; ~ing clerk taquillero m; ~ing office despacho m de billetes; teat taquilla f; LA boletería f; ~keeper tenedor m de libros; ~let ['~lit] folleto m; ~maker corredor m de apuestas; ~shop librería f

boom [buːm] prosperidad f; auge m repentino; retumbo m

boor [buə] patán m

boost [buːst] s tecn incremento m; v/t levantar; fomentar

boot [buːt] bota f; portamaletas m (de automóvil); to ~

brackets

para colmos, además; **~ black** limpiabotas *m*

booth [bu:ð] puesto *m*; cabina *f*; tenderete *m*

booty ['bu:ti] botín *m*

border ['bɔ:də] borde *m*; frontera *f*

bor|e [bɔ:] *v/t* taladrar; aburrir, dar la lata a; *s* latoso *m*, pelmazo *m*; **~edom** aburrimiento *m*; **~ing** aburrido, latoso

borough ['bʌrə] municipio *m*

borrow ['bɔrəu] *v/t, v/i* pedir prestado

bosom ['buzəm] seno *m*; pecho *m*

boss [bɔs] *s* jefe *m*, patrón *m*, amo *m*, cacique *m*; *v/t* dominar; mandar

botany ['bɔtəni] botánica *f*

botch [bɔtʃ] *v/t* frangollar, embarullar

both [bəuθ] *a* ambos; *pron* los (las) dos, ambos(as); **~ ... and** tanto ... como

bother ['bɔðə] *s* molestia *f*; fastidio *m*; *v/t* fastidiar, molestar; *v/i* preocuparse; molestarse

bottle ['bɔtl] *s* botella *f*; **baby ~** biberón *m*; **hit the ~** *fam* emborracharse; *v/t* **~ up** embotellar; *fig* reprimir; **~ opener** abrebotellas *m*

bottom ['bɔtəm] *s* fondo *m*; trasero *m*

bough [bau] rama *f*

boulder ['bəuldə] pedrón *m* rodado, pedrejón *m*

bounce [bauns] *v/i* rebotar

bound [baund] *v/t* confinar, limitar; *v/i* saltar; *s* límite *m*, término *m*; *a* atado, ligado; **~ for** con rumbo a; **~ary** límite *m*, linde *m*; **~less** ilimitado

bounty ['baunti] generosidad *f*; merced *f*

bouquet [bu'kei] ramo *m* de flores; nariz *f* (*del vino*)

bout [baut] tanda *f*, turno *m*; *med* ataque *m*; *sp* asalto *m*

bow [bəu] *s* arco *m*; [bau] saludo *m*; *mar* proa *f*; *v/t* doblar; saludar; *v/i* inclinarse, hacer reverencia

bowels ['bauəlz] intestinos *m/pl*

bowl [bəul] *s* tazón *m*; escudilla *f*; bola *f*; *v/i* jugar a las bochas

bowlegged ['bəu'legid] estevado

bowler ['bəulə] (sombrero *m* de) hongo *m*

box [bɔks] *v/i* boxear; *v/t* abofetear; *s* caja *f*; *teat* palco *m*; casilla *f*; **~ing** boxeo *m*; **~ office** taquilla *f*

boy [bɔi] muchacho *m*; niño *m*

boycott ['bɔikɔt] *v/t* boicotear

bra [brɑ:] *fam* sostén *m*

brace [breis] *v/t* reforzar; asegurar; *s* abrazadera *f*, riostra *f*; **~let** brazalete *m*; pulsera *f*; **~s** tirantes *m/pl*

bracket ['brækit] *v/t* poner entre corchetes; agrupar; *s* ménsula *f*; soporte *m*; grupo *m*; **~s** corchetes *m/pl*

brag [bræg] v/t, v/i jactarse, fanfarronear; **~gart** ['~ət] bravucón m, fanfarrón m

braid [breid] s trenza f; v/t trenzar

brain [brein] cerebro m; **~s** fig sesos m/pl; **rack one's ~s** devanarse los sesos; **~washing** fig lavado m del cerebro

brake [breik] s freno m; bot helecho m; v/t frenar

bramble ['bræmbl] zarza f

branch [bra:ntʃ] s rama f; ramo m; **~ office** sucursal f

brand [brænd] s tizón m (fuego); hierro m (ganado); marca f, estigma m; **~new** flamante, nuevo

brandy ['brændi] coñac m

brass [bra:s] latón m

brassière ['bræsiə] sostén m

brat [bræt] mocoso m

brave [breiv] v/t desafiar; a valiente; **~ry** valentía f; proeza f

bravo! ['bra:'vəu] ¡olé!; ¡bravo!

brawl [brɔ:l] s alboroto m; camorra f; v/i armar camorra

bray [brei] rebuzno m

brazen ['breizn] descarado

Brazil [brə'zil] (el) Brasil; **~ian** a, s brasileño(a) m (f)

breach [bri:tʃ] v/t abrir una brecha (en); s rotura f, rompimiento m; fig infracción f, violación f; brecha f

bread [bred] pan m

breadth [bredθ] anchura f

break [breik] s pausa f; ruptura f; quiebra f; grieta f; **without a ~** sin parar; **~ of day** alba f; v/t romper, quebrar; fracturar; infringir (ley); abatir; comunicar (noticia); hacer saltar (la banca); **~ down** derribar; **~ in** forzar; **~ in pieces** hacer pedazos; v/i romperse; quebrar(se); **~ away** escaparse; **~ down** perder el ánimo; aut averiarse; **~ out** estallar; **~down** colapso m; tecn avería f; **~fast** ['brekfəst] desayuno m; **~ through** fig avance m importante; **~up** disolución f; desintegración f

breast [brest] pecho m; seno m; **to make a clean ~ of** confesar

breath [breθ] aliento m; **out of ~** sin aliento; **to hold one's ~** contener el aliento; **~e** [bri:ð] v/i respirar; **~less** ['breθlis] falto de aliento, sofocado

breeches ['britʃiz] calzones m/pl

breed [bri:d] s casta f; raza f; v/t engendrar; criar; v/i multiplicarse; **~ing** crianza f; educación f

breeze [bri:z] brisa f

brethren ['breðrin] relig hermanos m/pl

brew [bru:] s infusión f; mezcla f; v/t fabricar (cerveza); tramar; v/i amenazar (tormenta); **~ery** fábrica f de cerveza

bribe [braib] s soborno m; v/t

37 **brother**

sobornar; **~ry** soborno *m*;
cohecho *m*

brick [brik] *s* ladrillo *m*; *v/t*
enladrillar; **~layer** albañil
m; **~work** albañilería *f*

brid|al ['braidl] nupcial; **~e**
novia *f*, desposada *f*;
~egroom novio *m*, desposado *m*; **~esmaid** madrina *f* de
boda

bridge [bridʒ] *v/t* tender un
puente sobre; **~ a gap** *fig* llenar un vacío; *s* puente *m*, *f*;
anat caballete *m*; bridge *m*
(*juego de naipes*)

bridle ['braidl] *v/t* embridar;
v/i erguirse; *s* brida *f*; **~ path**
camino *m* de herradura

brief [bri:f] *a* corto, sumario; *s*
for escrito *m*; *relig* breve *m*
apostólico; *v/t* informar;
~case cartera *f*; **~ing** informe *m*; **~s** calzoncillos *m/pl*

bright [brait] claro, brillante;
despierto, inteligente; **~en**
v/t iluminar; avivar; *v/i* aclararse; avivarse; **~ness** resplandor *m*; claridad *f*; agudeza *f*

brillian|ce, **~cy** ['briljəns,
'~si] brillantez *f*; **~t** brillante

brim [brim] borde *m*; labio *m*
(*de vasija*); ala *f* (*de sombrero*); **~ful** repleto

brine [brain] salmuera *f*

bring [briŋ] *v/t* traer; conducir; rendir; **~ about** originar,
causar; **~ back** devolver; **~
forth** producir; parir; **~ forward** *com* llevar (*saldo*); **~ off**

lograr; **~ round** convencer; **~
up** criar, educar

brink [briŋk] borde *m*

brisk [brisk] enérgico; rápido;
activo

bristle ['brisl] *v/t*, *v/i* erizar(se); *s* cerda *f*

Britain ['britən] Gran Bretaña *f*

British ['britiʃ] inglés, británico

brittle ['britl] quebradizo;
frágil

broach [brəutʃ] *v/t* introducir
(*tópico*)

broad [brɔ:d] ancho; amplio;
~cast *v/t*, *v/i* emitir; radiar; *s*
emisión *f*; **~en** *v/t*, *v/i* ensanchar(se); **~minded** tolerante

broccoli ['brɔkəli] brécol *m*

broil [brɔil] *v/t* asar a la parrilla

broke [brəuk]: **to be ~** estar
sin blanca; **~n**: **~n English**
inglés imperfecto; **to be ~nhearted** tener el corazón
partido

broker ['brəukə] corredor *m*;
agente *m*

bronze [brɔnz] bronce *m*

brooch [brəutʃ] broche *m*

brood [bru:d] *v/t* empollar; *v/i*
~ over rumiar; *s* cría *f*; camada *f*

brook [bruk] arroyo *m*

broom [bru:m] escoba *f*; retama *f*

broth [brɔθ] caldo *m*

brothel ['brɔθl] burdel *m*

brother ['brʌðə] hermano *m*;

~hood hermandad *f*; **~in-law** cuñado *m*; **~ly** fraternal

brow [brau] ceja *f*; frente *f*; **knit one's ~** fruncir las cejas

brown [braun] *a* marrón; moreno; castaño; pardo; **~ paper** papel *m* de estraza; *v/t* dorar; broncear

bruise [bru:z] *s* contusión *f*; magulladura *f*; *v/t* magullar

brush [brʌʃ] *s* cepillo *m*; brocha *f*; *v/t* cepillar; **~ up** pulir; *fig* repasar; *v/i* rozar

Brussels ['brʌslz] Bruselas; **~ sprouts** col *f* de Bruselas

brut|al ['bru:tl] brutal; **~ality** ['-tæliti] brutalidad *f*; **~e** [bru:t] bruto *m*; bestia *f*

bubble ['bʌbl] *s* burbuja *f*; **~ bath** baño *m* espumoso; *v/i* burbujear; bullir

buck [bʌk] macho *m* cabrío; gamo *m*; **pass the ~** echar la carga a otro

bucket ['bʌkit] cubo *m*

buckle ['bʌkl] *s* hebilla *f*

buckskin ['bʌkskin] piel *f* de ante

bud [bʌd] *v/t* echar hojas; *v/i* brotar; *s* brote *m*, capullo *m*; yema *f*; **nip in the ~** cortar de raíz

budget ['bʌdʒit] presupuesto *m*

buff|alo ['bʌfələu] búfalo *m*; **~er** ['bʌfə] amortiguador *m*; tope *m*; **~et** ['bʌfit] *v/t* abofetear; *s* bofetada *f*; [bufei]

aparador *m*

bug [bʌg] sabandija *f*; chinche *f*

bugle ['bju:gl] corneta *f*; clarín *m*; **~r** corneta *m*

build [bild] *v/t* construir; edificar; establecer; **~er** constructor *m*; **~ing** construcción *f*; edificio *m*

built|-in ['bilt'in] empotrado; incorporado; **~up** urbanizado

bulb [bʌlb] *bot* bulbo *m*; *elec* bombilla *f*

bulge [bʌldʒ] *v/t*, *v/i* combar(se); *s* comba *f*; protuberancia *f*

bulk [bʌlk] masa *f*; volumen *m*; (la) mayor parte *f*; **in ~** (*mercancías*) a granel; **~y** voluminoso

bull [bul] *zool* toro *m*; *relig* bula *f*; *com* alcista *m*; **~dozer** ['-dəuzə] aplanadora *f*

bullet ['bulit] bala *f*

bulletin ['bulitin] boletín *m*

bull|fight ['bulfait] corrida *f* de toros; **~fighter** torero *m*; **~headed** terco; **~ring** plaza *f* de toros

bullion ['buljən] lingote *m* (de oro, *etc*)

bully ['buli] *v/t* intimidar; *s* matón *m*

bum [bʌm] holgazán *m*, vagabundo *m*; **~blebee** ['-blbi:] abejorro *m*

bump [bʌmp] *v/t* golpear; *v/i* chocar contra; *s* choque *m*;

chichón m; **~er** parachoques m

bun [bʌn] bollo m; (de pelo) moño m

bunch [bʌntʃ] manojo m; racimo m

bundle ['bʌndl] s lío m; haz m (de leña); v/t liar, atar

bungalow ['bʌŋgələu] casita f campestre

bungle ['bʌŋgl] v/t estropear, chapucear, frangollar

bunk [bʌŋk] litera f; tarima f; **~er** carbonera f

bunny ['bʌni] conejillo m

buoy [bɔi] s boya f; **~ant** boyante; animado

burden ['bəːdn] s carga f; v/t cargar; **~some** pesado; oneroso

bureau [bjuə'rəu] oficina f; **~cracy** [~'rɔkrəsi] burocracia f

burgl|ar ['bəːglə] ladrón m; **~ary** robo m con allanamiento (de morada)

burial ['beriəl] entierro m; **~ ground** cementerio m

burly ['bəːli] corpulento

burn [bəːn] v/t quemar; v/i arder; s quemadura f; **~er** mechero m; **~ing** ardiente

burp [bəːp] s eructo m; v/i eructar

burst [bəːst] v/t reventar, romper; v/i estallar, reventar; **~ into tears** desatarse en lágrimas; s estallido m; explosión f; **~ of laughter** carcajada f

bury ['beri] v/t enterrar

bus [bʌs] autobús m; **~ stop** parada f de autobús

bush [buʃ] arbusto m

business ['biznis] negocio m; empresa f; ocupación f; asunto m; **to mind one's own ~** no meterse en lo que no le toca; **~ hours** horas f/pl de oficina; **~ letter** carta f comercial; **~like** sistemático, formal; **~man** hombre m de negocios; **~ trip** viaje m de negocios

bust [bʌst] busto m; pecho m

bustle ['bʌsl] v/i apresurarse; **~** animación f; ajetreo m

busy ['bizi] ocupado

but [bʌt] conj pero; sino; prep excepto; adv solamente; **~ for** a no ser por; **~ then** pero por otra parte

butcher ['butʃə] v/t matar; s carnicero m

butler ['bʌtlə] mayordomo m

butt [bʌt] tocón m (de un árbol); gala m

butter ['bʌtə] s mantequilla f; v/t untar con mantequilla; **~cup** bot ranúnculo m; **~fly** mariposa f; **~milk** leche f de manteca

buttock ['bʌtək] nalga f

button ['bʌtn] v/t abotonar; s botón m; **~hole** ojal m

buttress ['bʌtris] arq contrafuerte m; **flying ~** arbotante m

buxom ['bʌksəm] persona f rolliza

buy [bai] v/t comprar; **~er** comprador m

buzz [bʌz] v/i zumbar; s zumbido m

by [bai] prep por; al lado de; junto a; adv al lado; aparte; cerca; **~ day** de día; **~ and ~** luego; **~ and large** en general; **~gone** pasado; **~pass** desvío m; **~product** producto m derivado; **~stander** espectador m; **~street** callejuela f; **~way** camino m apartado; **~word** refrán m

bye-bye! ['bai'bai] fam ¡adiós!

C

cab [kæb] taxi m

cabbage ['kæbidʒ] col f; repollo m

cabin ['kæbin] cabaña f; mar camarote m; cabina f; **~et** ['~it] gabinete m; **~etmaker** ebanista m

cable ['keibl] s cable m; v/t, v/i cablegrafiar

caboose [kə'buːs] f c vagón m de cola

cabstand ['kæbstænd] parada f de taxis

cackle ['kækl] s cacareo m; v/i cacarear

cactus ['kæktəs] cacto m

cadger ['kædʒə] gorrón m

cafeteria [kæfi'tiəriə] cafetería f; restaurante m

cage [keidʒ] s jaula f; v/t enjaular

cake [keik] pastel m; tarta f; pastilla f (de jabón)

calamity [kə'læmiti] calamidad f, desastre m

calcium ['kælsiəm] calcio m

calcula|te ['kælkjuleit] v/t calcular; **~tion** cálculo m; **~tor** calculadora f

calendar ['kælində] calendario m

calf [kɑːf] zool ternero(a) m (f); anat pantorilla f

calibre ['kælibə] calibre m (t fig)

call [kɔːl] s llamada f, grito m; visita f; **on ~** disponible; **port of ~** puerto m de escala; v/t llamar; proclamar; calificar de; **~ back** volver a llamar; **~ off** cancelar; **~ up** dar voces; **~ at** pasar por, visitar; **~ for** ir por; pedir; **~ on** visitar; v llamar; **~box** cabina f telefónica; **~er** visitante m; **~ing** vocación f

calm [kɑːm] a sereno, tranquilo; s calma f; tranquilidad f; v/t calmar; v/i **~ down** tranquilizarse

calorie ['kæləri] caloría f

camel ['kæməl] camello m

camera ['kæmərə] máquina f fotográfica; TV, cine cámara f

camomile ['kæməmail] manzanilla f

camouflage ['kæmuflɑːʒ] camuflaje m; disfraz m

carafe

camp [kæmp] s campamento m; campo m; v/i acampar; **~ bed** catre m (de tijera); **~ ground** [~graund], [~sait] camping m; **~ stool** silla f plegadiza

campaign [kæm'pein] campaña f

camphor ['kæmfə] alcanfor m

can [kæn] s lata f; bote m; v/t enlatar; **~opener** abrelatas m

can defectivo usado como verbo auxiliar: poder; saber hacer algo

Canada ['kænədə] el Canadá

Canadian [kə'neidjən] a, s canadiense m, f

canal [kə'næl] canal m

canary [kə'nɛəri] canario m

cancel ['kænsəl] v/t cancelar; revocar; **~lation** cancelación f; anulación f

cancer ['kænsə] cáncer m

candid ['kændid] franco; abierto, sincero

candidate ['kændidit] candidato m

candied ['kændid] azucarado

candle ['kændl] candela f; vela f; bujía f; **~stick** candelero m; palmatoria f

candy ['kændi] bombón m; dulce m

cane [kein] caña f; bastón m

canister ['kænistə] bote m; lata f

cannon ['kænən] cañón m

canoe [kə'nuː] canoa f; piragua f

canteen [kæn'tiːn] cantina f

canter ['kæntə] s medio galope m

canvas ['kænvəs] lona f; lienzo m; **~s** v/t solicitar (votos, etc)

canyon ['kænjən] cañón m

cap [kæp] gorra f; tapa f

capa|bility [keipə'biliti] capacidad f; **~ble** capaz; **~city** [kə'pæsiti] capacidad f; cabida f

cape [keip] geog cabo m; capa f

caper ['keipə] alcaparra f

capital ['kæpitl] s com capital m; (ciudad) capital f; arq capitel m; a capital; magnífico; **~ letter** mayúscula f; **~ism** capitalismo m

capitulate [kə'pitjuleit] v/i capitular

capricious [kə'priʃəs] caprichoso

capsize [kæp'saiz] v/t, v/i zozobrar; volcar(se)

capsule ['kæpsjuːl] cápsula f

captain ['kæptin] capitán m

caption ['kæpʃən] encabezamiento m; leyenda f; cine subtítulo m

captiv|ate ['kæptiveit] v/t cautivar; **~e** s, a cautivo; **~ity** [~'tiviti] cautiverio m

capture ['kæptʃə] v/t capturar, apresar; fig cautivar; s captura f

car [kaː] coche m; auto m; LA carro m; f c vagón m

carafe [kə'rɑːf] garrafa f

carat ['kærət] quilate *m*

caravan ['kærə'væn] caravana *f*; remolque *m*

carbon ['ka:bən] carbono *m*; **~ dioxide** *quim* dióxido *m* de carbono

carbuncle ['ka:bʌŋkl] (*piedra*) carbúnculo *m*; *med* carbunclo *m*

carburet(t)or ['ka:bjuretə] carburador *m*

card [ka:d] *s* tarjeta *f*; carta *f*; (*baraja*) naipe *m*; *v/t* cardar; **~board** cartón *m*; **~igan** ['~igən] chaqueta *f* de punto

cardinal ['ka:dinl] cardenal *m*

care [keə] *s* cuidado *m*; atención *f*; preocupación *f*; **in ~ of** al cuidado de; **take ~** tener cuidado; **take ~ of** cuidar a; ocuparse de; *v/i* **~ for** cuidar; querer; **I don't ~** me da igual; **~free** despreocupado; **~ful** cuidadoso; **~less** descuidado; **~taker** guardián *m*; **~worn** agobiado

career [kə'riə] carrera *f*

caress [kə'res] *v/t* acariciar; *s* caricia *f*

cargo ['ka:gəu] carga *f*; cargamento *m*

caricature [kærikə'tjuə] caricatura *f*

carnation [ka:'neiʃən] clavel *m*

carnival ['ka:nivəl] carnaval *m*

carol ['kærəl] villancico *m*

carp [ka:p] *s* carpa *f*; *v/i* criticar

carpenter ['ka:pintə] carpintero *m*

carpet ['ka:pit] alfombra *f*

carriage ['kæridʒ] carruaje *m*; vagón *m*; coche *m*; porte *m* (*t com*)

Carribean [kæri'bi:ən] caribe; **~ Sea** [~si:] mar *m* caribe

carrier ['kæriə] compañía *f* de transportes; *med* portador *m*; *aer* portaaviones *m*

carrot ['kærət] zanahoria *f*

carry ['kæri] *v/t* llevar; transportar; tener (encima); traer consigo; **~ away** llevarse; **~ on** continuar, seguir; **~ out** realizar; *v/i* alcanzar

cart [ka:t] *s* carro *m*; carreta *f*; *v/t* acarrear

cartoon [ka:'tu:n] caricatura *f*; *cine* dibujo *m* animado; **~ist** caricaturista *m, f*

cartridge [ka:'tridʒ] cartucho *m*

carve [ka:v] *v/t, v/i* tallar; esculpir; (*carne*) trinchar; **~ing** escultura *f*

cascade [kæs'keid] cascada *f*

case|e [keis] *s* caso *m*; caja *f*; estuche *m*; cubierta *f*; **for ~** por causa *f*, pleito *m*; **in ~** de todas formas; **just in ~e** por si acaso; **~ement** ventana *f* a bisagra

cash [kæʃ] *s* dinero *m* efectivo; **~ down** al contado; **~ on delivery** pago *m* contra entrega; **~ register** caja *f* registradora; *v/t* cobrar; hacer efectivo; **~ier** [kæˈʃiə] cajero m

cashmere [kæʃˈmiə] cachemira f

cask [kɑːsk] cuba f; barril m; **~et** cofrecito m; ataúd m

cassette [kæˈset] cassette m, f

cassock [ˈkæsək] sotana f

cast [kɑːst] s echada f, tirada f; molde m; teat reparto m; v/t tirar, lanzar; fundir (metales); teat repartir (papeles); echar; **~ iron** hierro m fundido; **~ out** arrojar, expulsar; **~anet** [kæstəˈnet] castañuela f

caste [kɑːst] casta f

castle [ˈkɑːsl] castillo m; (ajedrez) torre f

castor [ˈkɑːstə]: **~ oil** aceite m de ricino

casual [ˈkæʒjuəl] casual; indiferente; **~ty** víctima m/f; mil baja f

cat [kæt] gato(a) m (f)

catalogue [ˈkætəlɔg] s catálogo m; v/t catalogar

cataract [ˈkætərækt] catarata f

catarrh [kəˈtɑː] catarro m

catastrophe [kəˈtæstrəfi] catástrofe f

catcall [ˈkætkɔːl] rechifla f, LA silbatina f

catch [kætʃ] v/t, v/i coger; agarrar, atrapar, captar, entender; **~ cold** resfriarse; **~ fire** prender fuego; encenderse; **~ on** caer en la cuenta; **~ up with** alcanzar; **~ as ~**

can lucha f libre; s cogida f; pesca f; cerradura f; trampa f; **~ing** pegadizo; contagioso; **~word** lema m, mote m

category [ˈkætigəri] categoría f

cater [ˈkeitə]: **~ for** proveer, abastecer

caterpillar [ˈkætəpilə] oruga f

cathedral [kəˈθiːdrəl] catedral f

Catholic [ˈkæθəlik] a, s católico(a) m (f)

cattle [ˈkætl] ganado m

cauldron [ˈkɔːldrən] caldera f

cauliflower [ˈkɔliflauə] coliflor f

cause [kɔːz] s causa f, motivo m; v/t causar, motivar; **~way** arrecife m; calzada f elevada

caution [ˈkɔːʃən] s cautela f; advertencia f; v/t advertir; **~ous** cauteloso, cauto

cavalry [ˈkævəlri] caballería f

cav|e [keiv] s cueva f; v/i: **to ~ in** derrumbarse; **~ern** [ˈkævən] caverna f; **~ity** cavidad f

cease [siːs] v/t suspender, parar; v/i cesar; **~ fire** alto m el fuego; **~less** incesante

cedar [ˈsiːdə] cedro m

cede [siːd] v/t, v/i ceder

ceiling [ˈsiːliŋ] techo m; **to hit the ~** poner el grito en el cielo; **~ price** precio m máximo

celebr|ate [ˈselibreit] v/t celebrar; **~ated** célebre; **~ation** fiesta f; **~ity** [siˈlebriti] celebridad f

celery [ˈseləri] apio m

celestial [si'lestjəl] celestial

celibacy ['selibəsi] celibato *m*

cell [sel] celda *f*; célula *f* (*t elec*)

cellar ['selə] sótano *m*; bodega *f*

Celt [kelt] celta *m*; **~ic** céltico

cement [si'ment] *s* cemento *m*; *v/t* cimentar (*t fig*)

cemetery ['semitri] cementerio *m*

censor ['sensə] *s* censor *m*; *v/t* censurar; **~orship** censura *f*; **~ure** ['~ʃə] *s* censura *f*; *v/t* reprobar, reprender; **~us** censo *m*

cent [sent] céntimo *m*; centavo *m*; **per ~** por ciento; **~enial** *a*, *s* centenario *m*; **~er** = **centre**

centigrade ['sentigreid] centígrado; **~meter**, **~metre** [~mi:tə] centímetro *m*

central ['sentrəl] central, céntrico; **~ral heating** calefacción *f* central; **~ralize** *v/t* centralizar; **~re** centro *m*; **~re-forward** delantero *m* centro; **~re-half** medio *m* centro.

century ['sentʃuri] siglo *m*

ceramic [si'ræmik] cerámico; **~s** cerámica *f*

cereal ['siərial] *a*, *s* cereal *m*

ceremonial [seri'məunjəl] *a*, *s* ceremonial; **~y** ['~məni] ceremonia *f*

certain ['sə:tn] cierto; **~ly** ciertamente, por cierto; **~ty** certeza *f*; certidumbre *f*

certificate [sə'tifikit] certificado *m*; diploma *m*; partida *f* (*de nacimiento, etc*); **~y** ['sə:tifai] *v/t* certificar

chafe [tʃeif] *v/t*, *v/i* rozar(se); irritar(se)

chagrin ['ʃægrin] desazón *f*, mortificación *f*

chain [tʃein] *s* cadena *f*; serie *f*; *v/t* encadenar; **~ reaction** reacción *f* en cadena

chair [tʃeə] silla *f*; cátedra *f* (*de universidad*); presidencia *f*; **~lift** telesilla *f*; **~man**, **~woman** presidente(a) *m(f)*

chalk [tʃɔ:k] creta *f*, tiza *f*

challenge ['tʃælindʒ] *s* desafío *m*; *v/t* desafiar

chamber ['tʃeimbə] cámara *f*, recámara *f*

chamois ['ʃæmwɑ:] gamuza *f*

champagne [ʃæm'pein] champaña *m*

champion ['tʃæmpjən] campeón *m*; **~ship** campeonato *m*

chance [tʃɑ:ns] *a* accidental, casual; *s* casualidad *f*; ocasión *f*; suerte *f*; **by ~** por casualidad; **stand a ~** tener la posibilidad; **to take a ~** aventurarse

chancellery ['tʃɑ:nsələri] cancillería *f*

chandelier [ʃændi'liə] araña *f* de luces

change [tʃeindʒ] *s* cambio *m*; vuelta *f*; **for a ~** para variar; *v/t* cambiar; cambiar de (*ropa, tren, opinión*); **~able** variable; **~less** inmutable

channel ['tʃænl] *s* canal *m* (*t fig*); *v/t* encauzar

chaos ['keiɔs] *s* caos *m*

chap [tʃæp] *s* grieta *f*; *fam* mozo *m*; tipo *m*

chapel ['tʃæpǝl] capilla *f*

chaperon ['ʃæpǝrǝun] *v/t* acompañar

chap|lain ['tʃæplin] capellán *m*; **~ter** ['~tǝ] *relig* cabildo *m*; capítulo *m*

character ['kæriktǝ] carácter *m*; *teat* personaje *m*; **~istic** [~'ristik] característico

charcoal ['tʃɑːkǝul] carbón *m* vegetal

charge [tʃɑːdʒ] *s* carga *f*; cargo *m*; gasto *m*; acusación *f*; **free of ~** gratis; **in ~ of** encargado de; *v/t* cargar; encargar; acusar; *mil* atacar

charit|able ['tʃæritǝbl] caritativo; **~y** caridad *f*

charm [tʃɑːm] *s* gracia *f*; encanto *m*; hechizo *m*; amuleto *m*; *v/t* encantar; **~ing** encantador

chart [tʃɑːt] *s* carta *f* de navegar; gráfica *f*; esquema *m*; **~er** ['~ǝ] *s* carta *f*; *v/t* mar fletar; **~er flight** vuelo *m* chárter

chase [tʃeis] *v/t* cazar; perseguir

chassis ['ʃæsi] *s* armazón *f*; chasis *m*

chast|e [tʃeist] *a* casto, puro; **~ity** ['tʃæstiti] castidad *f*

chat [tʃæt] *s* charla *f*; *v/i* charlar; **~ter** *s* cháchara *f*; *v/i* parlotear; chacharear; **~terbox** parlanchín(ina) *m* (*f*)

chauffeur ['ʃǝufǝ] chófer *m*

cheap [tʃiːp] barato

cheat [tʃiːt] *s* tramposo *m*; trampa *f*; *v/t* defraudar

check [tʃek] *s* freno *m*; impedimento *m*; nota *f*, cuenta *f*; control *m*; talón *m*, contraseña *f*; cuadro *m*; tela *f* de cuadros; (*ajedrez*) jaque *m*; *v/t* controlar; refrenar; comprobar; *v/i* **~ in** registrarse en (*un hotel*); facturar (*el equipaje*); **~ out** pagar la cuenta y salir (*de un hotel*); **~book** talonario *m* de cheques; **~ers** juego *m* de damas; **~mate** (*ajedrez*) jaque *m* mate; **~room** guardarropa *m*; *f c* consigna *f*

cheek [tʃiːk] mejilla *f*; descaro *m*; **~y** descarado

cheer [tʃiǝ] *v/t* aplaudir; alentar; *v/i* **~ up** animarse; **~ful** alegre; **~less** triste; **~s** (*brindis*) ¡salud!

cheese [tʃiːz] queso *m*

chemi|cal ['kemikǝl] *a* químico; *s* producto *m* químico; **~st** químico *m*; farmacéutico *m*; **~stry** química *f*; **~st's shop** farmacia *f*

cheque [tʃek] cheque *m*; talón *m*; **~book** talonario *m* de cheques

chequered ['tʃekǝd] *a* cuadros (*tela, etc*); *fig* variado

cherish ['tʃeriʃ] v/t apreciar; acariciar (esperanza)

cherry ['tʃeri] cereza f

chess [tʃes] ajedrez m; **~board** tablero m de ajedrez

chest [tʃest] cofre m, cajón m; pecho m; **~ of drawers** cómoda f

chestnut ['tʃesnʌt] a castaño; s castaña f

chew [tʃu:] v/t, v/i masticar; **~ing gum** chicle m

chicken ['tʃikin] pollo m; **~-hearted** cobarde; **~ pox** ['~pɔks] varicela f

chickpea ['tʃikpi:] garbanzo m

chief [tʃi:f] a principal; s jefe m; **~tain** ['~tən] cacique m

chilblain ['tʃilblein] sabañón m

child [tʃaild] hijo(a), niño(a) m (f); **~birth** parto m; **~hood** niñez f; **~ish** pueril; **~like** como un niño; **~ren** ['tʃildrən] niños(as), hijos(as) m/pl (f/pl)

Chile ['tʃili] Chile m; **~an** a, s chileno (a) m (f)

chill [tʃil] s frío m; escalofrío m; v/t enfriar; **~y** frío

chime [tʃaim] s repique m; campaneo m; v/i repicar; v/t tocar

chimney ['tʃimni] chimenea f

chin [tʃin] barbilla f

chin|a ['tʃainə] porcelana f; **2a** China f; **2ese** a, s chino(a) m (f)

chip [tʃip] s astilla f; lasca f; v/t astillar; v/i desportillarse; **~munk** [~mʌŋk] ardilla f listada; **~s** patatas f/pl fritas

chirp [tʃə:p] s gorjeo m; v/i piar; chirriar

chisel ['tʃizl] s escoplo m; cincel m; v/t, v/i cincelar

chivalr|ous ['ʃivəlrəs] caballeroso; **~y** caballerosidad f

chive [tʃaiv] cebollino m

chlor|ide ['klɔ:raid] cloruro m; **~ine** ['~in] cloro m; **~oform** cloroformo m

chocolate ['tʃɔkəlit] chocolate m

choice [tʃɔis] a selecto; s elección f; preferencia f

choir ['kwaiə] coro m

choke [tʃəuk] v/t, v/i estrangular, sofocar(se); s tecn estrangulador m

cholera ['kɔlərə] cólera m

choose [tʃu:z] v/t escoger, elegir

chop [tʃɔp] s corte m; tajada f, coc chuleta f; v/t cortar; tajar; coc picar; **~sticks** palillos m/pl

chord [kɔ:d] cuerda f; mús acorde m

chore [tʃɔ:] faena f doméstica; quehacer m

chorus ['kɔ:rəs] coro m; estribillo m; **~ girl** teat corista f

Christ [kraist] Jesucristo m; **2en** ['krisn] v/t bautizar; **~ian** ['kristjən] a, s cristiano(a) m (f); **~mas** ['krisməs]

Navidad *f*; **~mas Eve** Nochebuena *f*

chromium ['krəumjəm] cromo *m*

chronic ['krɔnik] crónico

chron|icle ['krɔnikəl] *s* crónica *f*; **~ological** [krɔnə-'lɔdʒikəl] cronológico

chubby ['tʃʌbi] rechoncho

chuck [tʃʌk] *v/t fam* tirar

chuckle ['tʃʌkl] *s* risa *f* ahogada; *v/i* reírse entre dientes

chum [tʃʌm] *fam* camarada *m, f*

chunk [tʃʌŋk] pedazo *m*; trozo *m*

church [tʃə:tʃ] iglesia *f*; **2 of England** iglesia anglicana; **~yard** cementerio *m*

churn [tʃə:n] *s* mantequera *f*; *v/t (leche)* batir; agitar

cider ['saidə] sidra *f*

cigar [si'gɑ:] cigarro *m*; puro *m*; **~ette** [sigə'ret] cigarrillo *m*; pitillo *m*; **~ette case** pitillera *f*; **~ette holder** boquilla *f*

cinder ['sində] carbonilla *f*; **~s** cenizas *f/pl*

cinema ['sinimə] cine *m*

cinnamon ['sinəmən] canela *f*

cipher ['saifə] *s* cifra *f*; clave *f*; cero *m* (*t fig*); *v/t* cifrar

circle ['sə:kl] *s* círculo *m*; *v/t* rodear, circundar

circuit ['sə:kit] circuito *m*

circula|r ['sə:kjulə] circular; **~te** *v/i* circular; **~tion** circulación *f*

circum|ference [sə'kʌmfə-

rəns] circunferencia *f*; **~scribe** ['~skraib] *v/t* circunscribir

circumstance ['sə:kʌmstəns] circunstancia *f*; condición *f*

circus ['sə:kəs] circo *m*

cistern ['sistən] cisterna *f*; depósito *m*

cit|ation [sai'teiʃən] cita *f*, citación *f*; **~e** *v/t* citar

cit|izen ['sitizn] ciudadano(a) *m (f)*; **~izenship** ciudadanía *f*

city ['siti] ciudad *f*

civic ['sivik] cívico; municipal; **~s** educación *f* cívica; **~il** civil; cortés; **~il service** administración *f* pública; **~ilian** [si'viljən] paisano *m*; **~ility** cortesía *f*, civismo *m*; **~ilization** civilización *f*; **~ilize** ['sivi-laiz] *v/t* civilizar

claim [kleim] *s* reclamación *f*; demanda *f*; *v/t* reclamar, demandar

clam [klæm] almeja *f*

clam|orous ['klæmərəs] ruidoso; **~o(u)r** *s* clamor *m*; ruido *m*; *v/i* gritar, vociferar

clamp [klæmp] *s* grapa *f*; *v/t* sujetar

clan [klæn] clan *m*

clandestine [klæn'destin] clandestino

clap [klæp] *s* palmada *f*; palmada *f*; **~ of thunder** trueno *m*; *v/t* **~ one's hands** dar palmadas; *v/i* aplaudir

clarity ['klæriti] claridad *f*

clash [klæʃ] *s* choque *m*; conflicto *m*; *v/i* chocar

clasp [klɑ:sp] *s* broche *m*; apretón *m* (de manos); ~ **knife** navaja *f* (de muelle); *v/t* abrochar; apretar

class [klɑ:s] *s* clase *f*; *first* ~ primera clase *f*; *economy* ~ clase *f* turista; *lower* ~ clase *f* baja; *v/t* clasificar

classic ['klæsik] *a, s* clásico *m*; ~al clásico

class|**ification** [klæsifi'kei-ʃən] clasificación *f*; ~**ify** ['klæsifai] *v/t* clasificar

class|**mate** ['klɑ:smeit] compañero(a) *m(f)* de clase; ~**room** aula *f*

clatter ['klætə] *s* chacoloteo *m*; *v/i* chacolotear

clause [klɔ:z] cláusula *f*; artículo *m*

claw [klɔ:] *s* garra *f*; *v/t* arañar

clay [klei] arcilla *f*; barro *m*

clean [kli:n] *a* limpio; *v/t* limpiar; ~ *up* poner en orden; ~**ers** tintorería *f*, *LA* lavandería *f*; ~**ing** limpieza *f*; aseo *m*; ~**ness** limpieza *f*; ~**se** [klenz] *v/t* limpiar, purificar

clear [kliə] *a* claro; libre; *v/t* aclarar; despejar (camino, etc); *v/i* despejarse; ~ *out* marcharse; ~**cut** bien definido; ~**ing** claro *m*

cleave [kli:v] *v/t* partir

clef [klef] *mús* clave *f*

clemency ['klemənsi] clemencia *f*

clench [klentʃ] *v/t* cerrar;

apretar

cler|**gy** ['klɔ:dʒi] clero *m*; ~**gyman** clérigo *m*; ~**ical** ['klerikəl] de oficina (error, etc)

clerk [klɑ:k] oficinista *m*

clever ['klevə] hábil; listo; mañoso; inteligente

cliché ['kli:ʃei] cliché *m*; frase *f* hecha

click [klik] golpecito *m* seco; chasquido *m* (de la lengua); *v/t* chasquear

client ['klaiənt] cliente *m, f*

cliff [klif] risco *m*, acantilado *m*

climate ['klaimit] clima *m*

climax ['klaimæks] culminación *f*; punto *m* culminante; colmo *m*

climb [klaim] *s* subida *f*; *v/t, v/i* subir, escalar; trepar

clinch [klintʃ] *s* forcejeo *m* (de boxeadores); *v/t* agarrar; remachar

cling [klin] *v/i* adherirse, pegarse, quedar fiel

clinic ['klinik] clínica *f*

clink [klink] *v/i* tintinear

clip [klip] *s* prendedor *m*; recorte *m*; sujetapapeles *m*; grapa *f*; *v/t* cortar; (ovejas) esquilar; acortar; recortar; ~**pings** recortes *m/pl*

clique [kli:k] pandilla *f*

cloak [kləuk] manto *m*; capa *f* (t fig); ~**room** guardarropa *f*

clock [klɔk] reloj *m*

clog [klɔg] *s* zueco *m*; chanclo *m*; *v/t* atascar

cloister ['klɔistə] claustro *m*; monasterio *m*

clos|e [kləus] *a* estrecho; callado; cercano; exacto; tacaño; *adv* cerca; [kləuz] *s* fin *m*; **draw to a ~** tocar a su fin; *v/t, v/i* cerrar; terminar; **~ed** cerrado; **~e down** cerrar definitivamente; **~-knit** ['kləusnit] muy unido; **~et** ['klɔzit] ropero *m*; **~e-up** ['kləusʌp] primer plano *m*

clot [klɔt] *v/t* coagular

cloth [klɔθ] paño *m*; tela *f*; **~e** [kləuð] *v/t* vestir; **~es** [kləuðz] ropa *f*; **~es-hanger** percha *f*; **~ing** ['kləuðiŋ] ropa *f*

cloud [klaud] *s* nube *f*; **~less** despejado; **~y** nublado

clove [kləuv] *bot* clavo *m*; **~r** trébol *m*

clown [klaun] payaso *m*

club [klʌb] porra *f*; palo *m*; club *m*; **~s** (*naipes*) tréboles *m/pl*

cluck [klʌk] *v/i* cloquear

clue [klu:] indicio *m*; pista *f*

clump [klʌmp] *s* masa *f*; grupo *m*

clumsy ['klʌmzi] desmañado; torpe

cluster ['klʌstə] *s bot* racimo *m*; (*gente*) grupo *m*; *v/i* arracimarse; apiñarse

clutch [klʌtʃ] *s* agarro *m*; garra *f*; *tecn* embrague *m*; *v/t* agarrar

c/o = in care of a cargo de

coach [kəutʃ] *s* coche *m*; *sp* entrenador *m*; *v/t* entrenar; preparar

coal [kəul] carbón *m*

coalition [kəuə'liʃən] *pol* coalición *f*

coarse [kɔ:s] basto; vulgar; tosco

coast [kəust] *s* costa *f*; litoral *m*; **the ~ is clear** no hay moros en la costa; **~guard** guardacostas *m*

coat [kəut] *s* chaqueta *f*; americana *f*; abrigo *m*; capa *f*, mano *f* (*de pintura*); **~ of arms** escudo *m* de armas; *v/t* cubrir; **~ing** capa *f*; revestimiento *m*

coax [kəuks] *v/t* engatusar

cobalt [kəu'bɔ:lt] cobalto *m*

cobweb ['kɔbweb] telaraña *f*

cocaine [kə'kein] cocaína *f*

cock [kɔk] *s* gallo *m*; macho *m*; grifo *m*; llave *f*; *v/t* amartillar (*fusil*); **~-a-doodle-doo** ['kɔkədu:dl'du:] *interj* ¡quiquiriquí!; **~atoo** [~ə'tu:] cacatúa *f*; **~le** ['kɔkl] berberecho *m*; **~pit** *aer* cabina *f* de piloto

cockroach ['kɔkrəutʃ] cucaracha *f*

cocktail ['kɔkteil] cóctel *m*

cocoa ['kəukəu] cacao *m*

coconut ['kəukənʌt] coco *m*; **~ palm** cocotero *m*

cocoon [kə'ku:n] capullo *m*

cod [kɔd] bacalao *m*

code [kəud] *s* código *m*; clave *f*; *v/t* cifrar

coerce [kəu'ə:s] v/t forzar, obligar

coexist ['kəuig'zist] v/i coexistir; **~ence** coexistencia f

coffee ['kɔfi] café m; **~ bean** grano m de café; **~house** café m; **~mill** molinillo m de café; **~pot** cafetera f

coffin ['kɔfin] ataúd m

cog [kɔg] tecn diente m; **~nac** ['kɔnjæk] coñac m; **~wheel** rueda f dentada

coherence [kəu'hiərəns] coherencia f

coiffeur [kwa'fjuə] peluquero m

coil [kɔil] s rollo m; bobina f; espiral f; v/t, v/i enrollar(se)

coin [kɔin] s moneda f; v/t acuñar (t fig)

coincide [kəuin'said] v/i coincidir; **~nce** [kəu'insidəns] coincidencia f

coke [kəuk] coque m; 2 fam Coca Cola f

cold [kəuld] a frío (t fig); s frío m; resfriado m; catarro m; **catch a ~** resfriarse; **have a ~** estar resfriado; **~blooded** zool de sangre fría; fig desalmado; **~ cuts** [**~**kʌts] fiambres m/pl; **~ness** frialdad f, indiferencia f

coleslaw ['kəul'slɔ:] ensalada f de col

colic ['kɔlik] cólico m

collaborat|e [kə'læbəreit] v/t colaborar; **~ion** colaboración f; **~or** colaborador m

collaps|e [kə'læps] s fracaso m; med colapso m; v/i desplomarse; **~ible** plegadizo

collar ['kɔlə] cuello m; collar m (de perro); **~bone** clavícula f

colleague ['kɔli:g] colega m, f

collect [kə'lekt] v/t reunir; coleccionar (sellos, etc); cobrar; **~ion** colección f; **~ive** colectivo; **~or** coleccionista m; recaudador m; elec colector m

college ['kɔlidʒ] colegio m

collide [kə'laid] v/i chocar

collision [kə'liʒən] choque m

colloquial [kə'ləukwiəl] popular; familiar

colon ['kəulən] gram dos puntos m/pl; anat colon m

colonel ['kə:nl] coronel m

colon|ial [kə'ləunjəl] colonial; **~ialism** colonialismo m; **~ist** ['kɔlənist] colono m; **~ize** v/t colonizar; **~y** colonia f

colo(u)r ['kʌlə] s color m; v/t colorar; colorear, teñir; **~ bar** discriminación f racial; **~blind** daltoniano; **~ed** de color (personas); **~ful** lleno de color; **~ing** colorido m; **~less** incoloro; pálido; **~s** colores m/pl de la bandera

colt [kəult] potro m

column ['kɔləm] columna f

comb [kəum] s peine m; v/t peinar

combat ['kɔmbət] s combate

m; *v/t*, *v/i* combatir; **~ant** combatiente *m*

combin|ation [kɔmbi'neiʃən] combinación *f*; **~e** [kəm-'bain] *v/t*, *v/i* combinar(se); ['kɔmbain] *s agr* segadora *f* trilladora

combustion [kəm'bʌstʃən] combustión *f*

come [kʌm] *v/i* venir; *how ~?* ¿y eso?; *~ about* suceder; *~ across* encontrarse con; *~ along!* ¡vamos!; *~ back* volver; *~ by* conseguir; *~ down* bajar; *~ from* venir de; *~ in (to)* entrar (en); *~ in!* ¡pase!; *~ in handy* ser útil; *~ out* salir; *~ to* volver en sí; *~ true* realizarse; *~ up* subir; surgir; salir; **~back** rehabilitación *f*

comed|ian [kə'mi:diən] cómico *m*; **~y** ['kɔmidi] comedia *f*

comet ['kɔmit] cometa *m*

comfort ['kʌmfət] *s* comodidad *f*; consuelo *m*; *v/t* consolar; **~able** cómodo

comic ['kɔmik] gracioso; cómico; *~s*, **~strips** tiras *f/pl* cómicas; tebeos *m/pl*

command [kə'mɑ:nd] *s* mando *m*; orden *f*; dominio *m*; *to be in ~* estar al mando; *v/t* mandar; ordenar; *mil.* comandar; **~er** comandante *m*; **~ment** mandamiento *m*

commemorate [kə'meməreit] *v/t* conmemorar

commence [kə'mens] *v/t*, *v/i* comenzar, empezar; **~ment**

comienzo *m*

commend [kə'mend] *v/t* encomendar; alabar; **~able** loable

comment ['kɔment] *s* comentario *m*; *v/i* comentar; **~ator** ['~enteitə] comentarista *m*; *(radio)* locutor *m*

commerc|e ['kɔmə:rs] comercio *m*; **~ial** [kə'mə:ʃəl] *a* comercial; *s* anuncio *m* publicitario

commission [kə'miʃən] *s* comisión *f*; *mil* nombramiento *m*; *v/t* encargar; nombrar; **~er** comisario *m*

commit [kə'mit] *v/t* cometer; entregar; **~ oneself** comprometerse; **~ment** compromiso *m*

committee [kə'miti] comité *m*; comisión *f*

commodity [kə'mɔditi] mercancía *f*

common ['kɔmən] *a* común; ordinario, corriente; *in ~* en común; **~er** plebeyo *m*; **~ market** mercado *m* común; **~place** *s* cosa *f* común; *a* trivial; **2s** Cámara *f* Baja; **~ sense** sentido *m* común

commotion [kə'məuʃən] tumulto *m*; alboroto *m*

commun|icate [kə'mju:nikeit] *v/t* comunicar; transmitir; **~ication** comunicación *f*; **~icative** [~kətiv] comunicativo; **~ion** [~ʃən] comunión *f*; **~ism** ['kɔmjunizəm] comunismo *m*; **~ist**,

s comunista; **~ity** [kə'mjuː-
niti] comunidad *f*, sociedad *f*

commute [kə'mjuːt] *v/t* con-
mutar; *v/i* viajar (al trabajo)
a diario

compact [kəm'pækt] *a* compacto; ['kɔmpækt] *s* pacto *m*
a diario

companion [kəm'pænjen]
compañero(a) *m* (*f*); **~able**
sociable

company ['kʌmpəni] compañía *f*; (**limited**) **~ com** sociedad *f* anónima

compar|able ['kɔmpərəbl]
comparable; **~ative** [kəm-
'pærətiv] comparativo;
(*ciencia*) comparado; **~e**
[~'pɛə] *s* comparación *f*;
beyond ~e sin igual; *v/t*
comparar; *v/i*: **to ~ (with)**
compararse (con); **~ison**
[~'pærisn] comparación *f*

compartment [kəm'pɑːt-
mənt] compartimiento *m*; *f c*
departamento *m*

compass ['kʌmpəs] *s* brújula
f; alcance *m*; *v/t* circundar;
lograr

compassion [kəm'pæʃən]
compasión *f*; **~ate** [~it] compasivo

compatible [kəm'pætəbl]
compatible

compel [kəm'pel] *v/t* obligar,
forzar

compensat|e ['kɔmpenseit]
v/t compensar, indemnizar;
~ion compensación *f*; indemnización *f*

compet|e [kəm'piːt] *v/i* com-

petir; **~ence** ['kɔmpitəns]
competencia *f*; **~ent** ['kɔm-
pitənt] competente; capaz;
~ition [kɔmpi'tiʃən] compe-
tición *f*; **~itor** [kəm'petitə]
competidor *m*, rival *m*

compile [kəm'pail] *v/t* recopi-
lar

complacent [kəm'pleisənt]
satisfecho de sí mismo

complain [kəm'plein] *v/i* quejarse; **~t** queja *f*; dolencia *f*;
reclamación *f*

complaisant [kəm'pleizənt]
afable, agradable

complet|e [kəm'pliːt] *a* com-
pleto; acabado; *v/t* completar; acabar; **~ion** termina-
ción *f*; cumplimiento *m*

complex ['kɔmpleks] *a*, *s*
complejo *m*; **~ion** [kəm-
'plekʃn] tez *f*; cutis *m*

complicat|e ['kɔmplikeit] *v/t*
complicar; **~ion** complica-
ción *f*

compliment ['kɔmplimənt]
cumplido *m*; piropo *m*, galantería *f*; **~s** saludos *m/pl*

comply [kəm'plai]: **~ (with)**
v/i cumplir (con); acatar

component [kəm'pəunənt] *a*,
s componente *m*

compos|e [kəm'pəuz] *v/t*
componer; poner en orden;
~e oneself calmarse; **~ed** sereno; **~ed of**
compuesto de; **~er** composi-
tor *m*; **~ition** composición *f*;
~ure [kəm'pəuʒə] compostura *f*, serenidad *f*

compound ['kɔmpaund] *a*

compuesto; *s* mezcla *f*;
[kəm'paund] *v/t* componer;
~ **fracture** fractura *f* complicada; ~ **interest** *com* interés
m compuesto

comprehen|d [kɔmpri'hend]
v/t comprender; contener;
~sible inteligible; **~sion**
comprensión *f*; **~sive** extenso

compress [kəm'pres] *v/t*
comprimir; ['kɔmpres] *s med*
compresa *f*

comprise [kəm'praiz] *v/t*
comprender, incluir

compromise ['kɔmprəmaiz]
arreglo *m*, componenda *f*

compuls|ion [kəm'pʌlʃən]
compulsión *f*, coacción *f*;
~ory obligatorio

computer [kəm'pju:tə] ordenador *m*; computador(a) *m*
(*f*); ~ **science** informática *f*

comrade ['kɔmreid] camarada *m, f*

concave ['kɔn'keiv] cóncavo

conceal [kən'si:l] *v/t* ocultar;
~ment ocultación *f*

concede [kən'si:d] *v/t* conceder

conceit [kən'si:t] presunción
f; **~ed** engreído, presumido

conceiv|able [kən'si:vəbl]
concebible; **~e** *v/t, v/i* concebir

concentrat|e ['kɔnsentreit]
v/t, v/i concentrar(se); **~ion**
concentración *f*

conception [kən'sepʃən] concepción *f*

concern [kən'sə:n] *s* interés
m; inquietud *f*; asunto *m*;
empresa *f*; *v/t* concernir, interesar; tratar de; preocupar; **~ed** preocupado; **~ing**
sobre, acerca de; **as ~s** respecto de

concert ['kɔnsət] *s* concierto
m; **in ~ with** de concierto
con; [kən'sə:t] *v/t* concertar;
~ed unido, combinado

concession [kən'seʃən] concesión *f*

conciliate [kən'silieit] *v/t*
conciliar

concise [kən'sais] conciso

conclu|de [kən'klu:d] *v/t*
concluir, terminar; inferir;
deducir; decidir; **~sion**
[-ʒən] conclusión *f*; **~sive**
decisivo

concord ['kɔnkɔ:d] concordia
f; *mús, gram* concordancia *f*

concrete ['kɔnkri:t] *s* hormigón *m*, *LA* concreto *m*; *a*
concreto

concur [kən'kə:r] *v/i* concurrir, coincidir

concussion [kən'kʌʃən] *med*
conmoción *f* cerebral

condemn [kən'dem] *v/t* condenar; censurar; **~ation**
[kɔndem'neiʃən] condenación *f*

condens|e [kən'dens] *v/t, v/i*
condensar(se)

condescend [kɔndi'send] *v/i*
condescender, dignarse

condition [kən'diʃən] *s* condición *f*; *v/t* condicionar, estipular; **on ~ that** a condición (de) que

condolences [kən'dəulənsiz] pésame *m*

condominium ['kɔndə'miniəm] condominio *m*

conduct ['kɔndəkt] *s* conducta *f*; comportamiento *m*, dirección *f*; [kən'dəkt] *v/t* conducir, dirigir; manejar; **~or** *mús* director *m* de orquesta; (*autobús*) cobrador *m*

cone [kəun] cono *m*

confectioner [kən'fekʃənə] repostero *m*; **~'s shop** repostería *f*; **~y** confites *m/pl*, confitura *f*

confedera|cy [kən'fedərəsi], **~tion** confederación *f*; alianza *f*; **~te** *a, s* aliado(a) *m* (*f*); *v/i* aliarse, confederar(se)

confer [kən'fə:] *v/t* conferir, otorgar; *v/i* conferenciar; consultar; **~ence** ['kɔnfərəns] conferencia *f*; congreso *m*

confess [kən'fes] *v/t, v/i* confesar(se); **~ion** confesión *f*; credo *m*

confid|e [kən'faid] *v/t, v/i: to ~ e** in confiar en; fiarse de; **~ence** ['kɔnfidəns] confianza *f*; confidencia *f*; **~ent** seguro; **~ential** [~'denʃəl] confidencial

confine [kən'fain] *v/t* limitar; encerrar; **to be ~d** *med* estar de parto; **~ment** encierro *m*; prisión *f*; *med* sobreparto *m*; **~s** ['kɔnfainz] confines *m/pl*

confirm [kən'fə:m] *v/t* confirmar; ratificar; **~ation** [kɔnfə'meiʃən] confirmación *f*

confiscate ['kɔnfiskeit] *v/t* confiscar

conflict ['kɔnflikt] *s* conflicto *m*; [kən'flikt] *v/i* pugnar; contradecirse; **~ing** antagónico, opuesto

conform [kən'fɔ:m] *v/t, v/i* conformar(se); **~ity** conformidad *f*

confound [kən'faund] *v/t* confundir

confront [kən'frʌnt] *v/t* confrontar; afrontar; **~ation** [kɔnfrʌn'teiʃən] enfrentamiento *m*

confus|e [kən'fju:z] *v/t* confundir; **~ed** confuso; **~ion** [~ʒən] confusión *f*

congeal [kən'dʒi:l] *v/t, v/i* cuajar(se); coagular(se)

congenial [kən'dʒi:niəl] simpático, agradable

congestion [kən'dʒestʃən] *med* congestión *f*; *fig* aglomeración *f*

congratulat|e [kən'grætjuleit] *v/t* felicitar; **~ions!** ¡enhorabuena! *f*

congregat|e ['kɔngrigeit] *v/t, v/i* congregar(se); **~ion** *relig* fieles *m/pl*

congress ['kɔngres] congreso *m*

conifer ['kɔnifə] conífera *f*

conjecture [kən'dʒektʃə] conjetura *f*

conjugal ['kɔndʒugəl] conyugal

constant

conjugat|e ['kɔndʒugeit] v/t
conjugar; ~**ion** conjugación
f

conjunct|ion [kən'dʒʌŋkʃən]
conjunción f; ~**ive** conjunti-
vo m

conjur|e [kən'dʒuə] v/t supli-
car; ['kʌndʒə] v/t, v/i hacer
juegos de manos; ~**e up**
hacer aparecer; ~**er** mago m

connect [kə'nekt] v/t juntar;
unir; conectar; asociar; rela-
cionar; v/i unirse; conectar-
se; empalmar (tren); ~**ed**
unido; conexo; ~**ion** conexión f; f c correspondencia f;
enlace m; relación f

connive [kə'naiv] v/i intrigar;
hacer la vista gorda

connoisseur [kɔni'sə:] cono-
cedor(a) m (f)

conque|r ['kɔŋkə] v/t con-
quistar; fig vencer; ~**ror**
conquistador m; vencedor m;
~**st** ['kɔŋkwest] conquista f

consci|ence ['kɔnʃəns] con-
ciencia f; ~**entious** [~i'enʃəs]
concienzudo; ~**ous** ['kɔnʃəs]
consciente; conscio; con-
ciencia f; med conocimiento
m

conscript ['kɔnskript] recluta
m

consecrate ['kɔnsikreit] v/t
consagrar

consecutive [kən'sekjutiv]
consecutivo

consent [kən'sent] s consenti-
miento m; v/i to ~ to consentir en

consequen|ce ['kɔnsikwəns]
consecuencia f; ~**t** consiguiente; ~**tly** por consiguiente

conserv|ation [kɔnsə'veiʃən]
conservación f; ~**ative** [kən-
'sə:vətiv] a, s conservativo(a)
m (f); conservador(a) m (f);
~**atory** mús conservatorio m;
~**e** v/t conservar; s conserva
f

consider [kən'sidə] v/t considerar; tomar en cuenta;
~**able** considerable; ~**ate**
[~it] considerado, respetuoso; ~**ation** consideración f;
aspecto m; recompensa f

consign [kən'sain] v/t consig-
nar; ~**ment** com consigna-
ción f; envío m

consist [kən'sist] v/i: ~ (**of**)
consistir (en); ~**ence**, ~**ency**
consistencia f; ~**ently** conti-
nuamente

consol|ation [kɔnsə'leiʃən]
consolación f; consuelo m;
~**e** [kən'səul] v/t consolar

consolidate [kən'sɔlideit] v/t,
v/i consolidar(se)

consonant ['kɔnsənənt] consonante f

conspicuous [kən'spikjuəs]
llamativo

conspir|acy [kən'spirəsi]
conspiración f; ~**ator** conspirador m; ~**e** [~'spaiə] v/i
conspirar; v/t urdir

constable ['kʌnstəbl] policía
m

constant ['kɔnstənt] constante; firme

consternation [kɔnstəˈnei-
ʃən] consternación f

constipation [kɔnstiˈpeiʃən]
med estreñimiento m

constituen|cy [kənˈstitjuənsi]
distrito m electoral; **~t** s pol
elector m

constitut|e [ˈkɔnstitjuːt] v/t
constituir; **~ion** pol, med
constitución f; **~ional** cons-
titucional

constrain [kənˈstrein] v/t
constreñir, compeler; obligar; **~t** constreñimiento m;
encierro m

construct [kənˈstrʌkt] v/t
construir; **~ion** construcción
f; obra f; interpretación f;
~ive constructivo

consul [ˈkɔnsəl] cónsul m; **~ar**
[ˈ~julə] consular; **~ate**
[ˈ~julit] consulado m

consult [kənˈsʌlt] v/t consultar; **~ation** [kɔnsəlˈteiʃən]
consulta f; consultación f;
~ing hours horas f/pl de
consulta

consum|e [kənˈsjuːm] v/t
consumir; comerse; beberse;
v/i consumirse; **~er** consu-
midor m; **~er goods** artículos m/pl de consumo; **~mate**
[ˈkɔnsəmeit] v/t consumar;
[kənˈsʌmit] a consumado

consumption [kənˈsʌmpʃən]
consunción f, consumo m;
med tisis f

cont. = continued

contact [ˈkɔntækt] s contacto
m; [kənˈtækt] v/t poner(se)

en contacto con; **~ lenses**
microlentillas f/pl

contagious [kənˈteidʒəs] contagioso

contain [kənˈtein] v/t contener; abarcar; **~er** envase m,
recipiente m

contaminat|e [kənˈtæmineit]
v/t contaminar; **~ion** conta-
minación f

contemplat|e [ˈkɔntempleit]
v/t contemplar; **~ion** con-
templación f; **~ive** contem-
plativo

contemporary [kənˈtempə-
rəri] a, s contemporáneo(a)
m (f)

contempt [kənˈtempt] desprecio m, desdén m; **for** contumacia f; **~ible** despreciable;
~uous [ˈ~juəs] desdeñoso,
despreciativo

contend [kənˈtend] v/t sostener, disputar; v/i conten-
der

content [kənˈtent] a contento,
satisfecho; s satisfacción f;
agrado m; **~ed** satisfecho,
tranquilo; **~ion** contienda f;
argumento m

contents [ˈkɔntents] contenido m; tabla f de materias

contest [ˈkɔntest] s concurso
m; contienda f; disputa f;
[kənˈtest] v/t debatir, disputar; pol ser candidato en;
~ant concursante m, f

context [ˈkɔntekst] contexto
m

continent [ˈkɔntinənt] continente *m*; **~al** [~'nentl] continental

contingent [kən'tindʒənt] contingente; **~ upon** dependiente de

continu|al [kən'tinjuəl] continuo; **~ally** constantemente; **~ation** continuación *f*; **~e** [~u(:)] *v/t* continuar, seguir; *v/i* continuar, durar, proseguir; **to be ~ed** continuará; **~ity** [konti'njuiti] continuidad *f*; **~ous** continuo

contour ['kontuə] contorno *m*

contraceptive [kontrə'septiv] anticonceptivo *m*

contract [kən'trækt] *v/t* contraer; contraerse; encogerse; ['kontrækt] *s* contrato *m*; [kən'træktə] contratista *m*, *f*

contradict [kontrə'dikt] *v/t* contradecir; desmentir; **~ion** contradicción *f*; **~ory** contradictorio

contrary ['kontrəri] *s*, *a* contrario; **on the ~** al contrario

contrast ['kontra:st] *s* contraste *m*; [kən'tra:st] *v/t*, *v/i* contrastar

contribut|e [kən'tribju:(:)t] *v/t*, *v/i* contribuir; **~ion** [kontri'bju:ʃən] contribución *f*; colaboración *f*; **~or** contribuyente *m*, *f*

contrite ['kontrait] contrito

contrive [kən'traiv] *v/t* idear, inventar; lograr

control [kən'trəul] *s* control *m*; mando *m*; comprobación

f, inspección *f*; puesto *m* de control; *v/t* controlar; gobernar; dominar; manejar; **~ tower** *aer* torre *f* de control; **~ler** inspector *m*

controver|sial [kontrə've:ʃəl] contencioso; discutible; **~sy** ['kɔntrəvə:si] controversia *f*

convalesce [konvə'les] *v/i* convalecer; **~nce** convalecencia *f*; **~t** convaleciente

conven|ience [kən'vi:njəns] conveniencia *f*; comodidad *f*; **~ient** conveniente

convent ['konvənt] convento *m*

convention [kən'venʃən] convención *f*; asamblea *f*; convenio *m*; **~al** convencional

convers|ation [konvə'seiʃən] conversación *f*; **~e** [kən'və:s] *v/i* conversar; **~e** ['konvə:s] *a* inverso

conver|sion [kən'və:ʃən] conversión *f*; **~t** *v/t* convertir; transformar; ['konvə:t] *s* converso(a) *m* (*f*); **~tible** *a*, *s* convertible *m*; *aut* descapotable

convey [kən'vei] *v/t* transportar; transmitir; **~ance** transporte *m*; transmisión *f*; vehículo *m*; **~or belt** cinta *f* transportadora

convict [kən'vikt] *s* presidiario *m*; [kən'vikt] *v/t* condenar, declarar culpable; **~ion** convicción *f*; *for* condena *f*

convince [kən'vins] *v/t* convencer

convulsion [kən'vʌlʃən] convulsión *f*; **~s of laughter** paroxismo *m* de risa

coo [ku:] *v/i* arrullar

cook [kuk] *s* cocinero(a) *m* (*f*); *v/t* cocinar; guisar; cocer; *v/i* cocinar; **~ie galleta** *f*, pasta *f*; **~ing** arte *m* de cocinar

cool [ku:l] *a* fresco; *fig* indiferente; sereno; *v/t* enfriar; *v/i* **~ down** enfriarse; calmarse; **~ness** frescura *f*; frialdad *f*

coop [ku:p] gallinero *m*; **~ up** *v/t* encerrar

co-op ['kəuɔp] *fam* = **cooperative** cooperativa *f*

cooperat|e [kəu'ɔpəreit] *v/i* cooperar; **~ion** cooperación *f*; **~ive** [**~**ətiv] *a* cooperativo; *s* cooperativa *f*

co-opt [kəu'ɔpt] *v/t* apropiar

coordinate [kəu'ɔ:dineit] *v/t* coordinar; *s* mat coordenada *f*

copartner ['kəu'pɑ:tnə] *s* consocio *m*, copartícipe *m*, *f*

cope [kəup] *v/i*: **~ with** hacer frente a; arreglárselas con; dar abasto para

copious ['kəupjəs] copioso

cupper ['kɔpə] cobre *m*; caldera *f*; *fam* perra *f* (*moneda*)

copulat|e ['kɔpjuleit] *v/i* copularse; **~ion** cópula *f*

copy ['kɔpi] *s* copia *f*; ejemplar *m*; *v/t* copiar; imitar; **~book** cuaderno *m*; **~cat** *fam* imitador/a *m* (*f*); **~right** derechos *m/pl* de autor

coral ['kɔrəl] coral *m*

cord [kɔ:d] *s* cuerda *f*; cordón *m*; *v/t* encordonar

cordial ['kɔ:djəl] cordial; **~ity** [**~**i'æliti] cordialidad *f*

corduroy ['kɔ:dərɔi] pana *f*

core [kɔ:] *bot* corazón *m*; núcleo *m*, centro *m*; *fig* esencia *f*

cork [kɔ:k] corcho *m*; **~screw** sacacorchos *m*

corn [kɔ:n] grano *m*; trigo *m*; maíz *m*; callo *m* (*de pie*); **~cob** mazorca *f* de maíz

corner ['kɔ:nə] *s* rincón *m*; esquina *f*; *v/t* arrinconar; *cut* **~s** atajar; **~stone** *arq*, *fig* piedra *f* angular

cornet ['kɔ:nit] corneta *f*

corn starch ['kɔ:nstɑ:tʃ] almidón *m* de maíz

corny ['kɔ:ni] gastado; pesado (*broma*, *etc*)

coronation [kɔrə'neiʃən] coronación *f*

coroner ['kɔrənə] *for* pesquisidor *m*

corporal ['kɔpərəl] *a* corporal; físico; *s mil* cabo *m*; **~tion** corporación *f*; sociedad *f* anónima

corpse [kɔ:ps] cadáver *m*

corpuscle ['kɔ:pʌsl] glóbulo *m* (*de sangre*)

correct [kə'rekt] *a* correcto, exacto; *v/t* corregir; calificar; **~ion** corrección *f*; rectificación *f*

correspond [kɔris'pɔnd] *v/i* corresponder; **~ence** correspondencia f; **~ent** a correspondiente; s corresponsal m; **~ing** correspondiente

corridor ['kɔridɔ:] pasillo m

corroborate [kə'rɔbəreit] v/t corroborar

corro|de [kə'rəud] v/t corroer; **~sion** [~ʒən] corrosión f

corrugate ['kɔrugeit] v/t arrugar; acanalar; **~d iron** hierro m ondulado

corrupt [kə'rʌpt] a corrompido, corrupto; v/t corromper; viciar; **~ion** corrupción f

corsage [kɔ:'saːʒ] corpiño m; ramillete m (de flores)

cosmetic [kɔz'metik] a, s cosmético m; **~s** cosmética f

cosmic ['kɔsmik] cósmico

cosmonaut ['kɔzmənɔ:t] cosmonauta m, f

cosmopolitan [kɔsmə'pɔlitən] a, s cosmopolita m, f

cost [kɔst] s coste m; costo m; precio m; v/i costar; valer; **~ly** costoso

Costa Rica ['kɔstə'riːkə] Costa f Rica; **~n** a, s costarriqueño(a) m (f)

costume ['kɔstjuːm] traje m; disfraz m; **~ jewel(l)ery** m bisutería f

cosy ['kɔuzi] cómodo; acogedor

cot [kɔt] cuna f; catre m

cottage ['kɔtidʒ] casita f de campo; **~ cheese** requesón m

cotton ['kɔtn] algodón m

couch [kautʃ] s canapé m; sofá m; v/t expresar

cough [kɔf] s tos f; v/i toser; **~ up** escupir; **~ drop** pastilla f para la tos

council ['kaunsl] s consejo m; relig concilio m; **~(l)or** concejal m

counsel ['kaunsl] consejo m; abogado m; **to take ~** consultar; **~(l)or** ['~silə] consejero(a) m (f)

count [kaunt] s cuenta f; cómputo m; suma f; (noble) conde m; v/t contar; v/i valer; **it doesn't ~** no vale; **~ on** contar con; **~down** cuenta f regresiva (al lanzar un cohete); **~enance** ['~inəns] s semblante m; v/t aprobar; **~er** s mostrador m; ficha f; contador m; v/t combatir; contradecir; v/i oponerse; **run ~er to** oponerse a; **~er-act** [kauntə'rækt] v/t contrarrestar; **~er-espionage** contraespionaje m; **~erfeit** ['~fiːt] falsificado, falso; **~er-part** persona f correspondiente (a uno); **~ess** condesa f; **~less** innumerable

country ['kʌntri] país m; patria f; campo m; i.: **the ~** en el campo; **~man** paisano m; **~side** campo m

county ['kaunti] condado m; **~ seat** cabeza f de partido

coup [kuː] golpe m; **~ d'état** golpe m de estado

couple ['kʌpl] s pareja f; par

m; *v/t* acoplar; juntar; **a married** ~ matrimonio *m*; **a** ~ **of** un par de

courage ['kʌrɪdʒ] valor *m*; ánimo *m*; ~**ous** [kə'reɪdʒəs] valiente

courl|ier ['kurɪə] estafeta *f*; ~**se** [kɔːs] curso *m*; rumbo *m*; vía *f*; ruta *f*; plato *m*; to **change** ~**se** cambiar de rumbo; **in due** ~**se** a su tiempo; **of** ~**se** por supuesto

court [kɔːt] *s* patio *m*; corte *f*; tribunal *m*; *v/t* cortejar; ~**eous** ['kɔːtjes] cortés; ~**esy** ['kɔːtisi] cortesía *f*; ~ **house** palacio *m* de justicia; ~**ier** ['kɔːtje] cortesano *m*; ~**martial** consejo *m* de guerra; ~**ship** cortejo *m*; ~**yard** patio *m*

cousin ['kʌzn] primo(a) *m* (*f*); **first** ~ primo(a) *m* (*f*) carnal

cove [kauv] cala *f*, ensenada *f*

cover ['kʌvə] *s* cubierta *f*, tapa *f*; envoltura *f*; amparo *m*; pretexto *m*; *v/t* cubrir; proteger; tapar; revestir; **under** ~ bajo techo; **to** ~ **up** ocultar; ~ **charge** precio *m* del cubierto

covert ['kʌvət] secreto, disimulado

covet ['kʌvɪt] *v/t* codiciar

cow [kau] *s* vaca *f*; hembra *f* (*de elefante, etc*); *v/t* acobardar; ~**ard** ['kauəd] cobarde *m*; ~**ardice** ['~is] cobardía *f*; ~**boy** vaquero *m*

co-worker ['kəu'wɔːkə] colaborador *m*; compañero *m* de trabajo

coxswain ['kɔkswein] timonel *m*

coy [kɔi] tímido; coqueta

cozy ['kəuzi] = **cosy**

crab [kræb] cangrejo *m*; ~ **apple** manzana *f* silvestre

crack [kræk] *s* grieta *f*; chasquido *m*; *fam* chiste *m*; hendedura *f*; *v/t* agrietar; chasquear (*un látigo*); resquebrajar; hender; *v/i* restallar; henderse; agrietarse; ~ **up** *med* sufrir un colapso nervioso; ~**er** cracker *m*; petardo *m*

cradle ['kreidl] *s* cuna *f*

craft [krɑːft] habilidad *f*; oficio *m*; astucia *f*; embarcación *f*; ~**sman** artesano *m*; ~**y** astuto

crag [kræg] despeñadero *m*, peñasco *m*

cram [kræm] *v/t* rellenar; embutir; *v/i* empollar

cramp [kræmp] calambre *m*; grapa *f*

cranberry ['krænbəri] arándano *m* agrio

crane [krein] *s tecn* grúa *f*; *orn* grulla *f*; *v/t*, *v/i* estirar(se) (*el cuello*)

crank [kræŋk] *s* manubrio *m*; manivela *f*; chiflado(a) *m* (*f*); *v/t* hacer arrancar (*motor*); ~**shaft** eje *m* del cigüeñal

crash [kræʃ] *s* estrépito *m*

choque *m*; *aer* caída *f*; *fig* derrumbe *m*; *com* quiebra *f*; *v/i* estrellarse; **~ into** chocar con

crate [kreit] cajón *m* de embalaje

crater ['kreitə] cráter *m*

crav|e [kreiv] *v/t* implorar; *v/i* **~e for** anhelar; **~ing** antojo *m*, anhelo *m*

crawl [krɔ:l] *v/i* arrastrarse; andar a gatas; *s (natación)* crol *m*

crayfish ['kreifiʃ] cangrejo *m* de río

crayon ['kreiən] creyón *m*

crazy ['kreizi] loco; extravagante

creak [kri:k] *v/i* crujir; chirriar

cream [kri:m] nata *f (de leche)*, crema *f (t fig)*; **~ cheese** queso *m* crema; **~y** cremoso

crease [kri:s] *s* arruga *f*; pliegue *m*; *v/t* arrugar; plegar

creat|e [kri(:)'eit] *v/t* crear; causar; **~ion** creación *f*; **~ive** creativo, creador; **~or** creador(a) *m (f)*; **~ure** ['kri:tʃə] criatura *f*

credentials [kri'denʃəlz] credenciales *f/pl*

credible ['kredəbl] creíble

credit ['kredit] *s* crédito *m*; *t/f* acreditar, abonar en; **~ card** tarjeta *f* de crédito; **~or** acreedor *m*

creed [kri:d] credo *m*

creek [kri:k] cala *f*; riachuelo *m*

creep [kri:p] *v/i* arrastrarse; gatear; **~er** *bot* trepadora *f*

cremate [kri'meit] *v/t* incinerar *(cadáver)*

crescent ['kresnt] *a* creciente; *s (luna)* cuarto *m* creciente

cress [kres] mastuerzo *m*

crest [krest] cresta *f*; cima *f*; **~fallen** abatido

crevice ['krevis] grieta *f*; hendedura *f*

crew [kru:] tripulación *f*; equipo *m*

crib [krib] pesebre *m*; cuna *f (de bebé)*; *fam* chuleta *f*

cricket ['krikit] grillo *m*; criquet *m*

crim|e [kraim] crimen *m*; **~inal** ['kriminl] *a*, *s* criminal *m*

crimson ['krimzn] carmesí

cringe [krindʒ] *v/i* agacharse; encogerse *(de miedo)*

crinkle ['kriŋkl] *v/t* arrugar

cripple ['kripl] *s* lisiado(a) *m (f)*; mutilado(a) *m (f)*; *v/t* lisiar; *fig* incapacitar

crisis ['kraisis] crisis *f*

crisp [krisp] *a* crujiente; crespo; tostado; *v/t* encrespar; **~s** rajas *f/pl* de patatas fritas

crisscrossed ['kriskrɔst] entrelazado

critic ['kritik] *s* crítico *m*; **~al** crítico; **~ism** ['~sizəm] crítica *f*; **~ize** ['~saiz] *v/t*, *v/i* criticar

croak [krəuk] *v/i* graznar; croar

crochet ['krəuʃei] *s* labor *f* de

ganchillo; *v/t* hacer ganchillo

crockery ['krɔkəri] loza *f*

crocodile ['krɔkədail] cocodrilo *m*

crony ['krəuni] compinche *m*

crook [kruk] gancho *m*; *fam* fullero *m*, estafador *m*; **~ed** torcido

crop [krɔp] *s* cosecha *f*; *v/t* cortar; cosechar; *v/i* **~ up** surgir

cross [krɔs] *s* cruz *f*; *v/t* cruzar; atravesar; **~ oneself** santiguarse; **~ out** borrar; tachar; *a* malhumorado; enfadado; **~ country** a campo traviesa; **~eyed** bizco; **~ing** cruce *m*, intersección *f*; **~road** camino *m* transversal; *pl* encrucijada *f*; **~section** sección *f* transversal; **~wise** transverso; **~word puzzle** crucigrama *m*

crouch [krautʃ] *v/i* agacharse

crow [krəu] *s* cuervo *m*; corneja *f*; *v/i* cantar (*gallo*); **~bar** alzaprima *f*

crowd [kraud] *s* gentío *m*; muchedumbre *f*; *v/t* atestar; apiñar; *v/i* apiñarse; **~ed** atestado; concurrido

crown [kraun] *s* corona *f*; *v/t* coronar

crucial ['kru:ʃəl] crucial; decisivo

cruci|fixion [kru:si'fikʃən] crucifixión *f*; **~fy** ['kru:sifai] *v/t* crucificar

crude [kru:d] crudo; grosero

cruel ['kruəl] cruel; **~ty** crueldad *f*

cruet ['kru:it] vinagrera *f*

cruise [kru:z] *s* crucero *m*; *v/i* cruzar; **~r** crucero *m*

crumb [krʌm] miga *f*; **~le** ['~bl] *v/t* desmigajar; *v/i* desmoronarse

crumple ['krʌmpl] *v/t* arrugar; *v/i* contraerse

crunch [krʌntʃ] *v/t* ronzar; *v/i* crujir

crusade [kru:'seid] cruzada *f*; **~r** cruzado *m*

crush [krʌʃ] *s* apretón *m*, apretadura *f*; gentío *m*; *v/t* aplastar; estrujar; abrumar

crust [krʌst] *s* corteza *f*; costra *f*; *v/t* i *v/i* encostrar(se)

crutch [krʌtʃ] muleta *f*

cry [krai] *s* grito *m*; llanto *m*; *v/t*, *v/i* gritar; llorar

crypt [kript] cripta *f*

crystal ['kristl] cristal *m*

cub [kʌb] cachorro *m*

Cuba ['kju:b] Cuba *f*; **~n** *a*, *s* cubano(a) *m* (*f*)

cub|e [kju:b] *s* cubo *m*; *v/t* cubicar; **~ic** cúbico

cuckoo ['kuku:] cuclillo *m*

cucumber ['kju:kʌmbə] pepino *m*

cuddle ['kʌdl] *v/t* acariciar

cudgel ['kʌdʒəl] *s* porra *f*

cue [kju:] apunte *m*; señal *f*; taco *m* (*de billar*)

cuff [kʌf] puño *m* de camisa; bofetada *f*; **~ links** gemelos *m/pl*

culminate ['kʌlmineit] *v/i* culminar

culprit ['kʌlprit] culpable *m, f*

cultivate ['kʌltiveit] *v/t* cultivar; **~ure** ['ʌtʃə] cultura *f*; **~ured** culto

cunning ['kʌniŋ] *a* astuto; *s* ardid *m*; astucia *f*

cup [kʌp] taza *f*; copa *f*; **~board** ['kʌbəd] armario *m*; aparador *m*

curb [kə:b] *s* = **kerb**; *v/t* refrenar

curd [kə:d] cuajada *f*

curdle ['kə:dl] *v/t, v/i* cuajar(se)

cure [kjuə] *s* cura *f*; *v/t, v/i* curar(se)

curfew ['kə:fju:] toque *m* de queda

curio|sity [kjuəri'ɔsiti] curiosidad *f*; **~us** ['~əs] curioso

curl [kə:l] *s* rizo *m*; bucle *m*; *v/t, v/i* rizar(se); arrollar(se); **~y** rizado

currant ['kʌrənt] pasa *f* de Corinto; **red ~** grosella *f*

curren|cy ['kʌrənsi] moneda *f*; **~t** *s* corriente *f*; *a* corriente; actual; **~tly** actualmente

curriculum [kə'rikjuləm] plan *m* de estudios

curse [kə:s] *s* maldición *f*; *v/t* maldecir; *v/i* blasfemar

curt [kə:t] brusco, rudo; breve, lacónico

curtail [kə:'teil] *v/t* acortar; reducir

curtain ['kə:tn] cortina *f*; *teat* telón *m*

curtsy ['kə:tsi] *s* reverencia *f*; *v/i* hacer una reverencia

curve [kə:v] *s* curva *f*; *v/t, v/i* encorvar(se); hacer una curva

cushion ['kuʃən] *s* cojín *m*; almohadón *m*; *v/t* amortiguar; mitigar

custard ['kʌstəd] natillas *f/pl*

custody ['kʌstədi] custodia *f*; **in ~** *for* detenido

custom ['kʌstəm] costumbre *f*; **~ary** acostumbrado; **~er** cliente *m*; **~ize** *v/t* fabricar según especificaciones; **-made** *Am* hecho a la medida; **~s** aduana *f*

cut [kʌt] *a* cortado; **~ off** aislado; *s* cortadura *f*; corte *m*; reducción *f*; **short ~** atajo *m*; *v/t* cortar; tallar; partir; *v/i* cortar; **~ down** talar (*árboles*); reducir (*gastos, precios*); **~ out** recortar; **~e** [kjut] mono; **~lery** cuchillería *f*; **let** chuleta *f*; **~throat** asesino *m*; **~ting** cortante; *fig* mordaz

cyanide ['saiənaid] cianuro *m*

cycle ['saikl] *s* ciclo *m*; bicicleta *f*; *v/i* ir en bicicleta; **~ist** ciclista *m*

cyclone ['saikləun] ciclón *m*

cylinder ['silində] cilindro *m*

cyni|c ['sinik] cínico *m*; **~cal** cínico; **~cism** cinismo *m*

cypress ['saipris] ciprés *m*

cyst [sist] *med* quiste *m*

Czechoslovak ['tʃekəu'sləuvæk] *s, a* checo(e)slovaco(a) *m (f)*; **~ia** Checoslovaquia *f*

D

dab [dæb] pequeña cantidad *f*

dabble ['dæbl]: *v/i* ~ **in** ocuparse superficialmente en

dad [dæd], **~dy** [~i] papá *m*

daffodil ['dæfədil] narciso *m*

daft [dɑ:ft] tonto, chiflado

dagger ['dægə] puñal *m*; daga *f*

daily ['deili] diario, cotidiano

dainty ['deinti] delicado, exquisito, fino

dairy ['dɛəri] lechería *f*; vaquería *f*; ~ **products** productos *m/pl* lácteos

daisy ['deizi] margarita *f*

dam [dæm] *s* embalse *m*; presa *f*; *v/t* represar; embalsar

damage ['dæmidʒ] *s* daño *m*; perjuicio *m*; avería *f*; *v/t* dañar; perjudicar; *v/i* dañarse

dame [deim] dama *f*; *fam* tía *f*

damn [dæm] *v/t* maldecir; ~ **it!** ¡maldito sea!; **I don't give a** ~ no me importa un bledo; ~**ation** [~'neiʃən] condenación *f*

damp [dæmp] *a* húmedo; *v/t* mojar; humedecer; amortiguar; *fig* desanimar; ~**ness** humedad *f*

dance [dɑ:ns] *s* baile *m*; danza *f*; *v/i* bailar; ~**er** bailarín *m*, bailarina *f*; ~**ing** baile *m*

dandelion ['dændilaiən] diente *m* de león

dandruff ['dændrif] caspa *f*

danger ['deindʒə] peligro *m*; riesgo *m*; ~**ous** ['~dʒrəs] peligroso; arriesgado

dangle ['dæŋgl] *v/t* colgar; *v/i* pender

Danish ['deiniʃ] *a, s* danés *m*

dare [dɛə] *v/i* osar; atreverse; *v/t* desfiar; ~**ing** *a* atrevido, temerario; *s* osadía *f*, arrojo *m*

dark [dɑ:k] *a* oscuro; tenebroso; *s* oscuridad *f*, tinieblas *f/pl*; ~**en** *v/t* oscurecer; *v/i* oscurecerse; ~**ness** oscuridad *f*; ~ **room** *foto* cuarto *m* oscuro

darling ['dɑ:liŋ] *a, s* querido(a) *m* (*f*); amor *m*

darn [dɑ:n] *v/t* zurcir

dart [dɑ:t] *s* dardo *m*; *v/i* lanzarse, precipitarse; ~**board** blanco *m*; ~ *s juego m* de dardos

dash [dæʃ] *s* brío *m*; arremetida *f*; pizca *f*; raya *f*; *v/i* lanzarse; ~**board** *aut* salpicadero *m*; ~**ing** brioso; garboso; vistoso

data ['deitə] datos *m/pl*; ~**base** base *f* de datos

date [deit] *s* fecha *f*; plazo *m*; cita *f*; *bot* dátil *m*; **up to** ~ al día; moderno; **out of** ~ anticuado; *v/t* fechar; ~**d** pasado de moda

daughter ['dɔ:tə] hija *f*; ~**in-law** nuera *f*

dawdle ['dɔːdl] *v/i* holgazanear

dawn [dɔːn] *s* alba *f*; *v/i* amanecer; *from ~ to dusk* de sol a sol

day [dei] día *m*; *all ~* todo el día; *by ~* de día; *~ by ~* día por día; *~ in, ~ out* día tras día; *every ~* todos los días; *every other ~* un día sí y otro no; *the ~ after tomorrow* pasado mañana; *the ~ before yesterday* anteayer; *to this ~* hasta hoy; **~break** amanecer *m*; **~dream** ensueño *m*; **~light** luz *f* del día; *in broad ~light* en pleno día

daze [deiz] *v/t* aturdir

dazzle ['dæzl] *v/t* deslumbrar

dead [ded] muerto; difunto; *elec* sin corriente; *the ~* los muertos *m/pl*; **~beat** hecho polvo; **~beat** ['dedbiːt] vago *m*; **~en** *v/t* amortiguar; **~end** callejón *m* sin salida (*t fig*); **~line** fecha *f*, línea *f* tope; **~lock** *fig* punto *m* muerto; **~ly** mortal

deaf [def] sordo; *to turn a ~ ear* hacerse el sordo; **~en** *v/t* ensordecer; **~mute** *a, s* sordomudo(a) *m (f)*; **~ness** sordera *f*

deal [diːl] *s* negocio *m*; trato *m*; pacto *m*; *a good ~* bastante; *a great ~ (of)* mucho; *v/t* distribuir; *v/i ~ in* comerciar en; *~ with* tratar con; ocuparse de; **~er** comerciante *m*

dean [diːn] decano *m*

dear [diə] querido; caro; *~ me!* ¡válgame Dios!; **~ly** profundamente; caramente; **~th** [dəːθ] falta *f*; escasez *f*

death [deθ] muerte *f*; fallecimiento *m*; *freeze to ~* partírsele de frío los huesos; *frightened to ~* muerto de susto; **~ly** sepulcral; mortal; *~ rate* mortalidad *f*

debase [di'beis] *v/t* degradar; envilecer

debate [di'beit] *s* debate *m*; *v/t, v/i* discutir, debatir

debauchery [di'bɔːtʃəri] libertinaje *m*

debit ['debit] *s com* debe *m*; *v/t* cargar en cuenta, adeudar; *~ balance* saldo *m* deudor

debris ['deibri] escombros *m/pl*

debt [det] deuda *f*; **~or** deudor(a) *m (f)*

début ['deibuː] estreno *m*

decade ['dekeid] decenio *m*; década *f*

decadence ['dekədəns] decadencia *f*; **~t** decadente

decaffeinated [di'kæfineitid] descafeinado

decay [di'kei] *s* podredumbre *f*; decaimiento *m*; *v/i* pudrirse; decaer

decease [di'siːs] *s* fallecimiento *m*; *v/i* fallecer; **~d** *a, s* difunto(a) *m (f)*

deceit [di'siːt] engaño *m*; fraude *m*; **~ful** engañoso, falso; **~ve** *v/t* engañar

December [di'sembə] diciembre *m*

decen|cy ['di:snsi] decencia *f*; **~t** decente

decentralize [di:'sentrəlaiz] *v/t* descentralizar

decept|ion [di'sepʃən] engaño *m*; **~ive** engañoso

decide [di'said] *v/t, v/i* resolver; determinar; decidir(se)

decipher [di'saifə] *v/t* descifrar

decision [di'siʒən] decisión *f*; for fallo *m*

deck [dek] *mar* cubierta *f*; **~chair** hamaca *f*

declar|ation [deklə'reiʃən] declaración *f*; **~e** [di'kleə] *v/t* declarar, manifestar

decl|ension [di'klenʃən] *gram* declinación *f*; **~ine** [di'klain] *s* declive *m*; decadencia *f*; *v/t gram* declinar; rehusar; *v/i* declinar, decaer

decontamination [di:kən'tæmineiʃən] descontaminación *f*

decor|ate ['dekəreit] *v/t* decorar, adornar, condecorar; **~ation** adorno *m*; condecoración *f*; **~ator** decorador *m*; **~um** [di'kɔ:rəm] decoro *m*

decrease ['di:kri:s] *s* disminución *f*; *v/t, v/i* disminuir(se), reducir(se)

decree [di'kri:] *s* decreto *m*; edicto *m*; *v/t, v/i* decretar

decrepit [di'krepit] decrépito *f*

dedicat|e ['dedikeit] *v/t* dedicar; consagrar; **~ion** dedicación *f*; (en un libro) dedicatoria *f*

deduce [di'dju:s] *v/t* deducir, inferir

deduct [di'dʌkt] *v/t* restar; descontar; **~ion** deducción *f*; descuento *m*

deed [di:d] acto *m*; hecho *m*; for escritura *f*

deem [di:m] *v/t* juzgar

deep [di:p] profundo, hondo; astuto; subido, oscuro (color); *fig* astuto; **~en** *v/t* profundizar, intensificar; *v/i* intensificarse; **~freeze** congeladora *f*; **~ly** profundamente; **~sea** de alta mar; **~set** hundido (ojos)

deer [diə] ciervo *m*

deface [di'feis] *v/t* desfigurar; estropear

defame [di'feim] *v/t* difamar, calumniar

default [di'fɔ:lt] *v/i* no pagar; *s by ~* for en rebeldía; **~er** moroso(a) *m* (*f*)

defeat [di'fi:t] *s* derrota *f*; *v/t* vencer, derrotar

defect [di'fekt] defecto *m*; **~ive** defectuoso

defen|ce [di'fens] defensa *f*; protección *f*; **~celess** indefenso, desamparado; **~d** [di'fend] *v/t* defender; **~dant** for demandado(a) *m* (*f*); acusado(a) *m* (*f*); **~der** defensor(a) *m* (*f*); **~sive** *s: on the ~sive* a la defensiva

defer [di'fə:] *v/t* diferir, apla-

demand

zar; **~ential** [defə'renʃəl] de- ferente, respetuoso
defiance [di'faiəns] desafío *m*; **in ~ of** en contra de
deficien|cy [di'fiʃənsi] deficiencia *f*; **~t** deficiente; insuficiente
deficit ['defisit] déficit *m*
defin|e [di'fain] *v/t* definir; **~ite** ['definit] exacto; determinado; **~ition** definición *f*; **~itive** [di'finitiv] definitivo
deflate [di'fleit] *v/t* desinflar
deflect [di'flekt] *v/t, v/i* apartar(se), desviar(se)
deform [di'fɔːm] *v/t* deformar; **~ed** deforme, desfigurado; **~ity** deformidad *f*
defrost [diː'frost] *v/t* deshelar, descongelar
deft [deft] diestro, hábil
defunct [di'fʌŋkt] difunto
defy [di'fai] *v/t* desafiar
degenerate [di'dʒenərit] *s, a* degenerado(a) *m (f)*
degrade [di'greid] *v/t* degradar
degree [di'griː] grado *m*; rango *m*; **by ~s** paso a paso, gradualmente
dehydrated [diː'haidreitid] deshidratado; **~ milk** leche *f* en polvo
de-ice ['diː'ais] *v/t* deshelar
deign [dein] *v/i*: **~ to** dignarse
deity ['diːiti] deidad *f*
dejected [di'dʒektid] abatido, desalentado
delay [di'lei] *s* dilación *f*; retraso *m*; tardanza *f*; *v/t* de-

morar, aplazar; dilatar; *v/i* tardar
delegat|e ['deligit] *a, s* delegado(a); diputado; ['deligeit] *v/t* delegar; **~ion** delegación *f*
deliberate [di'libəreit] *v/t, v/i* deliberar; [di'libərit] premeditado; **~ly** a propósito; pausadamente
delica|cy ['delikəsi] delicadeza *f*; (*salud*) delicadez *f*; golosina *f*; **~te** ['~it] delicado, fino; frágil; **~tessen** [delikə'tesn] tienda *f* de ultramarinos
delicious [di'liʃəs] delicioso, rico
delight [di'lait] *s* encanto *m*; deleite *m*; delicia *f*; *v/t* encantar; *v/i* deleitarse; **~ed** encantado; **~ful** delicioso, encantador
delinquen|cy [di'liŋkwənsi] delincuencia *f*; **~t** delincuente
deliver [di'livə] *v/t* librar; entregar; **~ a speech** pronunciar un discurso; **~y** entrega *f*; alumbramiento *m*; **~y room** paritorio *m*; **home ~y** servicio *m* a domicilio
delude [di'luːd] *v/t* engañar; **~ oneself** engañarse
deluge ['deljuːdʒ] diluvio *m*, inundación *f*
delusion [di'luːʒən] ilusión *f*; decepción *f*
de luxe [di'lʌks] de lujo
demand [di'mɑːnd] *s* petición

f; exigencia f; v/t exigir; in ~ solicitado; ~ing exigente

demeano(u)r [di'mi:nə] porte m; conducta f

demilitarized [di:'militaraizd] desmilitarizado

demise [di'maiz] fallecimiento m

demobilize [di:'məubilaiz] v/t desmovilizar

democra|cy [di'mɔkrəsi] democracia f; ~t ['deməkræt] demócrata m, f; ~tic [-'krætik] democrático

demolish [di'mɔliʃ] v/t demoler; derribar

demon ['di:mən] demonio m

demonstra|te ['demənstreit] v/t demostrar, probar; ~tion demostración f; pol manifestación f

demur [di'mə:] v/t poner reparo; ~e [di'mjuə] modesto; púdico

den [den] guarida f; estudio m; gabinete m

denial [di'naiəl] negación f; desmentida f

Denmark ['denmɑ:k] Dinamarca f

denomination [dinɔmi'neiʃən] relig secta f; valor m (de una moneda)

denote [di'nəut] v/t significar

denounce [di'nauns] v/t denunciar

dense [dens] denso; espeso

dent [dent] v/t abollar; s abolladura f; ~al dental

dent|ist ['dentist] dentista m;

~ure ['~tʃə] dentadura f

deny [di'nai] v/t negar, denegar; desmentir

deodorant [di:'əudərənt] desodorante m

depart [di'pɑ:t] v/i partir, irse; marcharse; ~ment departamento m; sección f; ~ment store grandes almacenes m/pl; ~ure [~tʃə] partida f, salida f

depend [di'pend]: v/i ~ on depender de; contar con; that ~s según y conforme; ~able seguro; de confianza; ~ence dependencia f; confianza f; ~ent a, s dependiente; subordinado(a) m (f)

deplor|able [di'plɔ:rəbl] deplorable; ~e v/t deplorar

deployment [di'plɔimənt] mil despliegue m

depopulate [di:'pɔpjuleit] v/t despoblar

deport [di'pɔ:t] v/t deportar; ~ment comportamiento m

depos|e [di'pəuz] v/t deponer; ~it [~'pɔzit] s depósito m; fianza f; sedimento m; v/t depositar

depot ['depəu] depósito m, almacén m

depraved [di'preivd] depravado

depreciate [di'pri:ʃieit] v/i depreciarse, perder valor

depress [di'pres] v/t deprimir; ~ed deprimido; ~ing deprimente; ~ion depresión f (t com)

detachment

deprive [di'praiv] v/t privar, despojar

depth [depθ] profundidad f

deputy ['depjuti] diputado m, delegado m

derail [di'reil] v/t, v/i (hacer) descarrilar

derange [di'reindʒ] v/t desarreglar; ~d trastornado mentalmente; ~ment desarreglo m; trastorno m (mental)

deri|de [di'raid] v/t ridiculizar, mofarse de; ~sion [di'riʒən] mofa f; burla f; ~sive [~'raisiv] burlón; mofador

derive [di'raiv] v/t derivar

derogatory [di'rɔgətəri] despectivo; desdeñoso

descen|d [di'send] v/t, v/i descender, bajar; ~dant a, s descendiente; ~t [di'sent] descenso m; pendiente f; descendencia f

descri|be [dis'kraib] v/t describir; ~ption [dis'kripʃən] descripción f; ~ptive descriptivo

desecrate ['desikreit] v/t profanar

desert ['dezət] a desierto, yermo; s desierto m; [di'zə:t] abandonar; v/i desertar; ~er desertor m; ~ion deserción f

deserve [di'zə:v] v/t merecer

design [di'zain] s designio m; proyecto m; dibujo m, diseño m; v/t proyectar; diseñar, dibujar

designate ['dezigneit] v/t designar; señalar; nombrar

designer [di'zainə] dibujante m, f; diseñador m; **fashion** ~ modista m/f

desir|able [di'zaiərəbl] deseable; ~e [~aiə] s deseo m; v/t desear

desk [desk] escritorio m; (escuela) pupitre m

desolat|e ['desəlit] a solitario; desierto; ~ion desolación f; aflicción f

despair [dis'pɛə] s desesperación f; v/i desesperarse

desperate ['despərit] desesperado

despise [dis'paiz] v/t despreciar

despite [dis'pait] prep a pesar de, a despecho de

despondent [dis'pɔndənt] abatido, alicaído

dessert [di'zə:t] postre(s) m(pl)

destin|ation [desti'neiʃən] destino m; ~e [~in] v/t destinar; ~y destino m

destitute ['destitju:t] indigente; desamparado

destr|oy [dis'trɔi] v/t destrozar; destruir; ~oyer destructor m; ~uction [dis'trʌkʃən] destrucción f; ~uctive destructivo

detach [di'tæʃ] v/t separar, desprender; mil destacar; ~able separable; ~ed separado; imparcial; ~ment separación f; mil destacamento m

detail 70

detail ['di:teil] *s* detalle *m*;
pormenor *m*; **in ~** en detalle;
~ed detallado

detain [di'tein] *v/t* retener; detener

detect [di'tekt] *v/t* descubrir;
averiguar; **~ion** descubrimiento *m*; **~ive** detective *m*;
~ive story novela *f* policíaca

detention [di'tenʃən] detención *f*

deter [di'tə:] *v/t* disuadir; impedir; **~gent** *a, s* detergente
m

deteriorate [di'tiəriəreit] *v/t,
v/i* empeorar(se)

determin|ation [ditə:mi'neiʃən] determinación *f*, empeño *m*; **~e** [di'tə:min] *v/t* determinar; **~ed** resuelto

deterrent [di'terənt] *a* disuasivo

detest [di'test] *v/t* detestar;
~able detestable

detonat|e ['detəuneit] *v/t* hacer detonar; **~ion** detonación *f*

detour ['di:tuə] desvío *m*;
make a ~ dar un rodeo

detract [di'trækt] *v/t:* **~ from**
quitar mérito a

detriment [detrimənt] detrimento *m*; **to the ~ of** en perjuicio de; **~al** perjudicial

devalu|ation [di:vælju'eiʃən]
desvalorización *f*; **~e** ['~-
'vælju:] *v/t* desvalorizar

devastat|e ['devəsteit] *v/t* devastar; **~ing** abrumador

develop [di'veləp] *v/t* desa-

rrollar; revelar; explotar; *v/i*
desarrollarse, desenvolverse; **~ment** desarrollo *m*; suceso *m*; urbanización *f*; foto
revelado *m*

deviat|e ['di:vieit] *v/t, v/i* desviar(se); **~ion** desviación *f*

device [di'vais] aparato *m*,
dispositivo *m*; plan *m*

devil ['devl] diablo *m*, demonio *m*; **raise the ~** *fam* armarla; **~ish** diabólico;
~-may-care *fam* despreocupado

devious ['di:viəs] tortuoso;
intricado

devise [di'vaiz] *v/t* proyectar;
idear

devoid [di'vɔid]: **~ of** desprovisto de

devot|e [di'vəut] *v/t* dedicar;
~ed devoto; dedicado; **~ion**
devoción *f*

devour [di'vauə] *v/t* devorar;
tragar

devout [di'vaut] devoto

dew [dju:] rocío *m*

dexter|ity [deks'teriti] destreza *f*; habilidad *f*

diabetic [daiə'betik] *a, s* diabético(a) *m (f)*

diagnose ['daiəgnəuz] *v/*
diagnosticar

diagram ['daiəgræm] diagrama *m*

dial ['daiəl] *s* cuadrante *m*; esfera *f*; *tel* disco *m* (selector)
v/t tel marcar

dialect ['dailekt] dialecto *m*,
~ics dialéctica *f*

diplomatic

dialogue ['daɪəlɔg] diálogo *m*

diameter [daɪ'æmɪtə] diámetro *m*

diamond ['daɪəmənd] diamante *m*

diaper ['daɪəpə] *Am* pañal *m* (*para bebés*)

diaphragm ['daɪəfræm] diafragma *m*

diarrh(o)ea [daɪə'rɪə] diarrea *f*

diary ['daɪəri] diario *m*

dice [daɪs] dados *m/pl*

dictat|e [dɪk'teɪt] *v/t* dictar; **~ion** dictado *m*; **~or** dictador *m*; **~orship** dictadura *f*

dictionary ['dɪkʃənri] diccionario *m*

die [daɪ] *v/i* morir; **~ down** extinguirse gradualmente; **~hard** intransigente *m, f*

diet ['daɪət] *s* régimen *m* alimenticio, dieta *f*; *v/i* estar a dieta

differ ['dɪfə] *v/i* diferenciarse; distinguirse; **~ence** ['dɪfrəns] diferencia *f*; **it makes no ~ence** lo mismo da; **~ent** diferente

difficult ['dɪfɪkəlt] difícil; **~y** dificultad *f*; **with utmost ~y** a duras penas

diffident ['dɪfɪdənt] tímido

diffuse [dɪ'fjuːs] *a* difuso; [dɪ'fjuːz] *v/t* difundir

dig [dɪg] *v/t* cavar; excavar; **~ out, up** desenterrar

digest ['daɪdʒest] *s* compendio *m*; [daɪ'dʒest] *v/t* digerir (*t fig*); compendiar, resumir;

~ion digestión *f*

digni|fied ['dɪgnɪfaɪd] serio, mesurado; **~ty** dignidad *f*

digress [daɪ'gres] *v/i:* **~ from** apartarse de; **~ion** digresión *f*

dike [daɪk] dique *m*

dilapidated [dɪ'læpɪdeɪtɪd] ruinoso

dilate [daɪ'leɪt] *v/t, v/i* dilatar(se)

diligen|ce ['dɪlɪdʒəns] diligencia *f*; **~t** diligente

dill [dɪl] eneldo *m*

dilute [daɪ'ljuːt] *v/t, v/i* diluir(se)

dim [dɪm] *a* débil; indistinto, oscuro; opaco (*t fig*); *v/t* oscurecer, opacar

dimension [dɪ'menʃən] dimensión *f*

diminish [dɪ'mɪnɪʃ] *v/t, v/i* disminuir(se)

dimple ['dɪmpl] hoyuelo *m*

din [dɪn] estruendo *m*

din|e [daɪn] *v/i* cenar; **~e out** comer fuera de casa; **~ing car** coche-comedor *m*; **~ing room** comedor *m*; **~ner** ['dɪnə] comida *f*, cena *f*; **~ner jacket** esmoquin *m*

dip [dɪp] *s* inclinación *f*, inmersión *f*; *v/t* sumergir; *v/i* sumergirse; inclinarse

diphtheria [dɪf'θɪərɪə] difteria *f*

diploma [dɪ'pləumə] diploma *m*; **~cy** diplomacia *f*; **~t** ['dɪplɔmæt] diplomático *m*; **~tic** [-ɔ'mætɪk] diplomático

dire ['daiə] horrendo

direct [di'rekt] *a* directo; derecho; recto; franco; *v/t* dirigir; mandar; **~ion** dirección *f*; **~ions** instrucciones *f/pl*; **~ions for use** modo *m* de empleo; **~ly** directamente; en seguida; **~or** director *m*

directory *s*: **(telephone)** ~ guía *f* telefónica

dirt [də:t] suciedad *f*; porquería *f*; **~ cheap** baratísimo, regalado; **~y** *a* sucio; indecente; *v/t* ensuciar

disab|ility [disə'biliti] incapacidad *f*, inhabilidad *f*; **~led** [dis'eibld] incapacitado, inválido; mutilado

disadvantage [disəd'vɑːntidʒ] desventaja *f*; detrimento *m*; **~ous** [disædvɑːn'teidʒəs] desventajoso

disagree [disə'gri:] *v/i* discrepar; ~ **with** no estar de acuerdo con; **~able** desagradable; **~ment** desacuerdo *m*; altercado *m*

disappear [disə'piə] *v/i* desaparecer; **~ance** desaparición *f*

disappoint [disə'point] *v/t* decepcionar; defraudar; **~ment** desilusión *f*; decepción *f*

disapprov|al [disə'pru:vəl] desaprobación *f*; **~e** *v/t*, *v/i* desaprobar

disarm [dis'ɑːm] *v/t* desarmar; **~ament** desarme *m*

disarray [disə'rei] *s* desarre-

glo *m*; desorden *m*

disast|er [di'zɑːstə] desastre *m*; **~er area** zona *f* siniestrada; **~rous** desastroso

disbelief ['disbi'li:f] incredulidad *f*

disburse [dis'bəːs] *v/t* desembolsar; **~ment** desembolso *m*, gasto *m*

disc [disk] disco *m*

discard [dis'kɑːd] *v/t* descartar; tirar

discern [di'səːn] *v/t*, *v/i* discernir; percibir; **~ing** perspicaz; **~ment** discernimiento *m*; juicio *m*

discharge [dis'tʃɑːdʒ] *s* descarga *f*; *(arma)* disparo *m*; *com* descargo *m*; *mil* licenciamiento *m*; pago *m*; despedida *f*; *v/t* descargar; disparar; licenciar; desempeñar; despedir; dar de alta; *v/i* descargar

disciple [di'saipl] discípulo *m*

discipline ['disiplin] disciplina *f*

disc jockey ['disk 'dʒɔki] montadiscos *m*

disclaim [dis'kleim] *v/t* negar; **for** renunciar

disclose [dis'kləuz] *v/t* revelar

discomfort [dis'kʌmfət] incomodidad *f*; molestia *f*

disconcert [diskən'səːt] *v/t* desconcertar; confundir

disconnect ['diskə'nekt] *v/t* desconectar; desacoplar; **~ed** inconexo

disconsolate [dis'kɔnsəlit] desconsolado

discontent ['diskən'tent] descontento *m*; desagrado *m*; **~ed** descontento

discontinue ['diskən'tinju] *v/t, v/i* interrumpir, suspender (*pagos*)

discord ['diskɔːd] discordia *f*; desacuerdo *m*; **~ance** [~'kɔːdəns] discordia *f*; *mús* disonancia *f*; **~ant** discordante; *mús* disonante

discotheque ['diskəutek] discoteca *f*

discount ['diskaunt] descuento *m*; rebaja *f*

discourage [dis'kʌridʒ] *v/t* desanimar, desalentar; **~ment** desaliento *m*

discourse ['diskɔːs] discurso *m*

discourteous [dis'kəːtiəs] descortés

discover [dis'kʌvə] descubrir; **~er** descubridor *m*; **~y** descubrimiento *m*

discredit [dis'kredit] *s* descrédito *m*; *v/t* desacreditar

discre|te [dis'kriːt] discreto; **~pancy** [dis'krepənsi] discrepancia *f*; **~tion** [~'kreʃən] discreción *f*

discriminate [dis'krimineit] *v/t:* **~e between** distinguir entre; **~e against** discriminar contra; **~ing** discerniente; **~ion** discriminación *f*

discuss [dis'kʌs] *v/t* discutir; hablar de, tratar de; **~ion** discusión *f*

disdain [dis'dein] *s* desdén *m*; *v/t* desdeñar

disease [di'ziːz] enfermedad *f*; **~d** enfermo

disembark ['disim'baːk] *v/t, v/i* desembarcar(se)

disengage [disin'geidʒ] *v/t* desenganchar; soltar; *aut* desembragar

disentangle ['disin'tæŋgl] *v/t* desenredar

disfavo(u)r [dis'feivə] *s* desaprobación *f*; desgracia *f*

disfigure [dis'figə] *v/t* desfigurar; deformar

disgrace [dis'greis] *s* deshonra *f*; vergüenza *f*; *v/t* deshonrar; **~ful** ignominioso

disgruntled [dis'grʌntld] disgustado, malhumorado

disguise [dis'gaiz] *s* disfraz *m*; *v/t* disfrazar

disgust [dis'gʌst] *s* asco *m*; repugnancia *f*; *v/t* repugnar; **~ing** asqueroso, repugnante

dish [diʃ] plato *m*; fuente *f*; **~es** vajilla *f*; *wash the ~es* fregar los platos; **~cloth** paño *m* de cocina

dishearten [dis'haːtn] *v/t* desalentar

dishevel(l)ed [di'ʃevəld] desgreñado, desmelenado

dishonest [dis'ɔnist] fraudulento; tramposo; falso; **~y** falta *f* de honradez

dishono(u)r [dis'ɔnə] *s* deshonra *f*, deshonor *m*; *v/t* deshonrar; *com* rechazar (*cheque, etc*)

dishwasher ['diʃwɔʃə] *tecn* lavavajillas *m*

disillusion [disi'luʒən] *s* desilusión *f*; *v/t* desilusionar

disinclined ['disin'klaind] renuente, poco dispuesto

disinfect [disin'fekt] *v/t* desinfectar; fumigar; **~ant** *a, s* desinfectante *m*

disinherit ['disin'herit] *v/t* desheredar

disintegrate [dis'intigreit] *v/t* disgregarse; desintegrarse

disinterested [dis'intristid] desinteresado

disk [disk] = *disc*

dislike [dis'laik] *s* aversión *f*; antipatía *f*; *v/t* tener aversión a; no gustarle a uno

dislocate ['disloukeit] *v/t* dislocar

dislodge [dis'lɔdʒ] *v/t* echar fuera; *mil* desalojar

disloyal ['dis'lɔiəl] desleal

dismal ['dizməl] lúgubre; sombrío; deprimente

dismantle [dis'mæntl] *v/t* desmontar

dismay [dis'mei] *s* consternación *f*; *v/t* consternar

dismiss [dis'mis] *v/t* despedir; destituir; dejar ir; **~al** despedida *f*; destitución *f*

dismount ['dis'maunt] *v/t* desmontar; *v/i* apearse

disobedien|ce [disə'bi:djəns] desobediencia *f*; **~t** desobediente

disobey ['disə'bei] *v/t, v/i* desobedecer

disorder [dis'ɔ:də] *s* desorden *m*; disturbio *m*; *med* trastorno *m*; *v/t* desordenar; **~ly** desordenado; alborotado

disown [dis'əun] *v/t* desconocer; negar; repudiar

disparage [dis'pæridʒ] *v/t* menospreciar; **~ment** menosprecio *m*

dispassionate [dis'pæʃənit] desapasionado

dispatch [dis'pætʃ] *s* despacho *m*; prontitud *f*; *v/t* despachar; expedir

dispel [dis'pel] *v/t* disipar; *fig* desvanecer

dispens|able [dis'pensəbl] dispensable; **~e** *v/t* distribuir, repartir; **~e with** pasar sin, prescindir de

disperse [dis'pə:s] *v/t, v/i* dispersar(se)

displace [dis'pleis] *v/t* sacar de su sitio; **~d person** desplazado(a) *m* (*f*); **~ment** desalojamiento *m*; *mar* desplazamiento *m*

display [dis'plei] *s* exhibición *f*, ostentación *f*; **~ window** escaparate *m*; *v/t* exponer; ostentar

displeas|e [dis'pli:z] *v/t, v/i* disgustar, molestar; desagradar; **~ing** desagradable; **~ure** [~eʒə] desagrado *m*, disgusto *m*

dispos|al [dis'pəuzəl] disposición *f*; ajuste *m*; venta *f*; eli minación f; **~e** v/t disponer; v/i **~e of** disponer de; deshacerse de; **~ition** disposición f; propensión f; carácter m

disproportionate [disprə-'pɔːʃnit] desproporcionado

disprove [dis'pruːv] v/t refutar

dispute [dis'pjuːt] s disputa f, controversia f; v/t, v/i disputar

disqualify [dis'kwɔlifai] v/t descalificar; inhabilitar

disquieting [dis'kwaiətiŋ] inquietante

disregard [disri'gɑːd] s descuido m; v/t desatender

disrepair ['disri'peə]: **fall into ~** deteriorarse

disreputable [dis'repjutəbl] de mala fama

disrespectful [disris'pektful] irrespetuoso

disrupt [dis'rʌpt] v/t romper; interrumpir

dissatisfaction ['dissætis-'fækʃən] descontento m; **~ied** [~faid] descontento

dissension [di'senʃən] disensión f, discordia f; **~t** v/i disentir; **~ter** disidente m

disservice [dis'səːvis]: **do a ~ to** perjudicar a

dissipate ['disipeit] v/t, v/i disipar(se)

dissociate [di'səuʃieit] v/t disociar; **~ion** disociación f

dissolute ['disəluːt] disoluto; **~ution** disolución f; **~ve** [di'zɔlv] v/t, v/i disolver(se)

dissuade [di'sweid] v/t disuadir

distance ['distəns] distancia f; **from a ~ce** desde lejos; **in the ~ce** a lo lejos; **keep at a ~ce** no tratar con familiaridad; **~t** distante, apartado; **fig** reservado

distaste [dis'teist] aversión f; repugnancia f; **~ful** desagradable

distend [dis'tend] v/t, v/i hinchar(se); dilatar(se)

distil(l) [dis'til] v/t destilar; **~ery** destilería f

distinct [dis'tiŋkt] distinto; claro; **~ion** distinción f; **~ive** distintivo

distinguish [dis'tiŋgwiʃ] v/t distinguir; **~ed** distinguido, ilustre; marcado

distort [dis'tɔːt] v/t torcer (*t fig*); distorsionar (*sonido, etc*); **~ion** distorsión f; deformación f

distract [dis'trækt] v/t distraer; perturbar; **~ed** aturdido; **~ion** distracción f; diversión f; perturbación f

distress [dis'tres] s angustia f; congoja f; apuro m, peligro m; miseria f; v/t afligir, angustiar; **to be in ~** estar en un apuro; **~ing** penoso

distribute [dis'tribjuː(t)] v/t distribuir, repartir; **~ion** distribución f, reparto m

district ['distrikt] distrito m; comarca f; **~ attorney** Am [~ə'təːni] fiscal m, f

distrust [dis'trʌst] *s* desconfianza *f*; *v/t* desconfiar de; **~ful** desconfiado

disturb [dis'tə:b] *v/t* molestar; inquietar; **~ance** disturbio *m*; tumulto *m*; **~ing** perturbador, inquietante

disuse [dis'ju:s]: **to fall into ~** caer en desuso

ditch [ditʃ] zanja *f*; cuneta *f*

ditto ['ditəu] ídem, lo mismo

dive [daiv] *v/i* bucear; zambullirse; *mar* sumergirse; *aer* picar; *fig* lanzarse; *s* salto *m*; buceo *m*; *aer* picada *f*; **~r** buzo *m*; saltador(a) *m* (*f*)

diverge [dai'və:dʒ] *v/i* divergir

diver|se [dai'və:s] diverso; **~sion** diversión *f*; **~sity** diversidad *f*; **~t** *v/t* desviar; divertir

divide [di'vaid] *v/t* dividir, separar; *v/i* dividirse; **~end** ['dividend] dividendo *m*; **~ing** divisorio

divin|e [di'vain] *a* divino; **~g** ['daivin] **board** trampolín *m*; **~g suit** escafandra *f*; **~ity** [di'viniti] divinidad *f*

division [di'viʒən] división *f*; *com* departamento *m*

divorce [di'vɔ:s] *s* divorcio *m*; *v/t* divorciar; *fig* separar; **get ~d** divorciarse; **~d** divorciado

divulge [dai'vʌldʒ] *v/t* divulgar

dizzy ['dizi] mareado; confundido; vertiginoso

do [du:] *v/t* hacer; ejecutar; rendir; servir; arreglar; recorrer; *v/i* actuar; convenir; estar; **how ~ you ~?** mucho gusto; **that will ~** eso basta; **~ away with** eliminar; **what can I ~ ior you?** ¿en qué puedo servirle?; **~ over** volver a hacer; **make ~ with** contentarse con; **nothing to ~ with** nada que ver con; **~ without** prescindir de

docile ['dəusail] dócil

dock [dɔk] *s* darse *m*; dársena *f*; muelle *m*; *for* banquillo *m*; *v/t* cercenar; acortar; *v/i* atracar; **~er** estibador *m*; **~yard** astillero *m*

doctor ['dɔktə] *s* médico *m*, doctor *m*; *v/t* medicinar; falsificar; **~ate** doctorado *m*

doctrine ['dɔktrin] doctrina *f*

document ['dɔkjumənt] documento *m*; **~ary** *cine* documental *m*

dodge [dɔdʒ] *s* regate *m*; truco *m*; *v/t* regatear; evadir

doe [dəu] gama *f*; coneja *f*; **~skin** ante *m*

dog [dɔg] *s* perro *m*; *v/t* seguir, acosar; **~ days** canícula *f*; **~ged** tenaz

dogma ['dɔgmə] dogma *m*

doings ['du(:)iŋz] *fam* actividades *f/pl*

do-it-yourself ['du:itjə'self] bricolaje *m*

dole [dəul]: *s* **on the ~** subsidio *m* de paro; *v/t* **~ out** repartir; **~ful** triste, lúgubre

drab

doll [dɔl] muñeca f
dollar ['dɔlə] dólar m
dolphin ['dɔlfin] delfín m
dome [dəum] cúpula f
domestic [dəu'mestik] doméstico; casero; **~ate** [~eit] v/t domesticar
domicile ['dɔmisail] for domicilio m
domin|ate ['dɔmineit] v/t dominar; **~ation** dominación f; **~eer** v/t, v/i dominar; tiranizar; **~eering** mandón; **~oes** ['dɔminəuz] juego m de dominó
dona|te [dəu'neit] v/t donar; **~tion** donativo m
done [dʌn] ejecutado; acabado; **well ~!** ¡muy bien hecho!; **well ~** coc bien hecho; **~ for** rendido; perdido
donkey ['dɔŋki] burro m
donor ['dəunə] donante m, f
doom [du:m] s fatalidad f; destino m; v/t condenar; **~sday** día m del juicio final
door [dɔː] puerta f; **next ~** en la casa de al lado; **behind closed ~s** a puertas cerradas; **out of ~s** al aire libre; **~bell** timbre m; **~knob** perilla f; **~man** portero m; **~mat** esterilla f; **~way** portal m
dope [dəup] s fam narcótico m; droga f; tonto m, bobo m; v/t narcotizar
dormitory ['dɔːmitri] dormitorio m
dose [dəus] s dosis f

dot [dɔt] punto m; **on the ~** en punto; **~ted with** salpicado de
double ['dʌbl] a doble; s teat doble m; adv dos veces, doble; v/t doblar; v i doblarse; **at (on) the ~** rápidamente; **~ up** doblarse; **~bass** contrabajo m; **~breasted** cruzado; **~cross** v/t engañar; traicionar; **~decker** fam ómnibus m de dos pisos; **~entry** com partida f doble
doubt [daut] s duda f; v/t, v/i dudar; **no ~** sin duda; **~ful** dudoso; **~less** indudablemente
dough [dəu] masa f; pasta f; **~nut** buñuelo m
dove [dʌv] paloma f; **~tail** v i encajar
dowdy ['daudi] desaliñado; mal vestido
down [daun] adv abajo; hacia abajo; m plumón m; **~ and out** arruinado; **~ to earth** realista; **~ with...!** ¡abajo!; **~cast** cabizbajo, abatido; **~fall** caída f; **~hill** cuesta abajo; **~pour** chaparrón m; **~right** absoluto, completo; **~stairs** abajo; **~town** centro m de la ciudad; **~ward(s)** ['~wəd(z)] hacia abajo; **~y** velloso
dowry ['dauəri] dote f
doze [dəuz] s sueño m ligero; v/i dormitar
dozen ['dʌzn] docena f
drab [dræb] gris; monótono

draft [drɑ:ft] bosquejo *m*; borrador *m*; corriente *f* de aire; *com* letra *f* de cambio, giro *m*; mil quinta *f*; ~ **beer** cerveza *f* de barril; *v/t* bosquejar; hacer un proyecto de; **~sman** dibujante *m*

drag [dræg] *s mar* rastra *f*; *fam* lata *f*; *v/t* arrastrar; *mar* rastrear; *v/i* arrastrarse (*por el suelo*); ~ **on** ser interminable

dragon ['drægən] dragón *m*; **~fly** caballito *m* del diablo

drain [drein] *s* desagüe *m*; desaguadero *m*; *v/t* desaguar; drenar; **~age** desagüe *m*; drenaje *m*

drama ['drɑ:mə] drama *m*; **~tic** [drə'mætik] dramático; **~tist** ['dræmətist] dramaturgo *m*

drape [dreip] *v/t* vestir, cubrir con colgaduras; **~r's shop** pañería *f*; **~s** cortinas *f/pl*

drastic ['dræstik] drástico

draught [drɑ:ft] corriente *f* (*de aire*); tiro *m* de chimenea; trago *m* (*de bebida*); *mar* calado *m*; ~ **animal** animal *m* de tiro

draw [drɔ:] *s sp* empate *m*; atracción *f*; sorteo *m*; *v/t* tirar, arrastrar; dibujar; atraer; sacar; tomar (*aliento*); *com* girar; ~ **aside** apartar a; ~ **back** retirar; ~ **forth** hacer salir; ~ **lots** echar suertes *f/pl*; ~ **money** cobrar; ~ **out** sacar; ~ **up** redactar; *v/i*

atraer, dibujar; *sp* empatar; ~ **near** acercarse; ~ **up** detenerse; **~back** inconveniente *m*; **~bridge** puente *m* levadizo; **~er** ['drɔ:ə] girador *m*; [drɔ:] cajón *m*; **~ing** dibujo *m*; diseño *m*; **~ing pin** chincheta *f*; **~ing room** salón *m*

dread [dred] *s* temor *m*; pavor *m*; espanto *m*; *v/t, v/i* temer; **~ful** espantoso

dream [dri:m] *s* sueño *m*; **day** ~ ensueño *m*; *v/t, v/i* soñar; soñar con; **~y** soñador

dreary ['driəri] monótono

dregs [dregz] heces *f/pl*

drench [drentʃ] *v/t* empapar; calar

dress [dres] *s* vestido *m*; traje *m*; atuendo *m*; *v/t* vestir; ataviar; arreglar; *med* curar; *v/i* vestirse; ~ **circle** galería *f* principal; ~ **coat** frac *m*; **~ing gown** bata *f*; **~ing table** tocador *m*; **~maker** modista *f*; ~ **rehearsal** ensayo *m* general

dribble ['dribl] *v/i* gotear; babear

drift [drift] *s* corriente *f*; rumbo *m*, tendencia *f*; *mar, aer* deriva *f*; *v/t* llevar, arrastrar la corriente; *v/i* ir a la deriva; amontonarse (*arena, nieve*)

drill [dril] *s* taladro *m*; barrena *f*; mil ejercicio *m*; surco *m* (*para siembra*); *v/t* taladrar; ejercitar; mil adiestrar

drink [drink] *s* bebida *f*; trago *m*; *v/t, v/i* beber

drip [drip] s goteo m; v/i gotear; chorrear; ~**dry** de lava y pon

driv|e [draiv] s paseo m, viaje m (en coche); calzada f particular; avenida f; energía f, empuje m; tecn propulsión f; v/t conducir; impulsar; empujar, llevar; v/i conducir; ~**at** querer decir; ~**e-in** servicio m al coche (banco, etc); ~**er** conductor m; ~**ing** conducción f; ~**ing licence** carnet m de conducir; ~**ing school** autoescuela f

drizzle ['drizl] s llovizna f; v/i lloviznar

drone [droun] s zángano m; zumbido m; v/i zumbar

drool [dru:l] v/i babear

droop [dru:p] v/i colgar; pender

drop [drop] s gota f, caída f; pastilla f; v/t dejar caer; v/i bajar, caer; ~ **in** visitar de paso; ~ **off** quedarse dormido

drought [draut] sequía f

drown [draun] v/t ahogar; anegar; v/i ahogarse

drowsy ['drauzi] soñoliento

drudge [drʌdʒ] s esclavo m del trabajo; v/i afanarse

drug [drʌg] s droga f; medicamento m; narcotizar; ~**addict** toxicómano m; ~**gist** ['~gist] farmacéutico m; ~**store** farmacia f

drum [drʌm] s tambor m; cilindro m; anat tímpano m;

v/i tocar el tambor; tamborear (con los dedos); ~**stick** m palillo m; coc muslo m

drunk [drʌŋk] borracho; **get** ~ emborracharse; ~**ard** borracho m

dry [drai] a seco, árido; desecado; fig aburrido; v/t secar, desecar; v/i secarse; ~**clean** v/t limpiar en seco; ~**dock** dique m de carena; ~**er** secador(a) m (f); ~**goods** Am mercería f

dual ['dju:əl] doble

dubious ['djubjəs] dudoso

duchess ['dʌtʃis] duquesa f

duck [dʌk] s pato(a) m (f); v/i agacharse

due [dju:] a debido; merecido; com pagadero; **in** ~ **course** a su debido tiempo; ~ **to** debido a; s derecho m

duel ['dju(:)əl] duelo m

duke [dju:k] duque m

dull [dʌl] a apagado; aburrido; opaco; estúpido; v/t entorpecer; embotar

duly ['dju:li] debidamente

dumb [dʌm] mudo; estúpido; ~**founded** atónito

dummy ['dʌmi] a postizo; s maniquí m; chupete m (de bebé)

dump [dʌmp] s basurero m; mil depósito m; v/t descargar; verter; vaciar

dunce [dʌns] zopenco m

dune [dju:n] duna f

dung [dʌŋ] estiércol m; ~**hill** estercolero m

dungeon ['dʌndʒən] calabozo *m*; mazmorra *f*

dupe [dju:p] *s* incauto *m*; primo *m*; *v/t* engañar

duplicate ['dju:plikit] *a*, *s* duplicado *m*; **~or** multicopista *f*

durable ['djuərəbl] duradero

duration [djuə'reiʃən] duración *f*

duress [djuə'res] compulsión *f*

during ['djuəriŋ] durante

dusk [dʌsk] anochecer *m*; crepúsculo *m*; **~y** obscuro; moreno

dust [dʌst] *s* polvo *m*; *v/t* desempolvar; quitar el polvo; empolvorear; **~bin** cubo *m* para basura; **~er** plumero *m* trapo *m* de polvo; **~pan** cogedor *m*; **~y** polvoriento

Dutch [dʌtʃ] *s*, *a* holandés;

~man holandés *m*; **~woman** holandesa *f*

duty ['dju:ti] deber *m*; obligación *f*; **off** ~ libre (de servicio); **on** ~ de servicio; **~free** libre de derechos de aduana

dwarf [dwɔ:f] enano *m*

dwell [dwel] *v/i* habitar, morar; **~ing** vivienda *f*

dwindle ['dwindl] *v/i* disminuir(se); menguar

dye [dai] *s* tinte *m*; *v/t* teñir; **~r** tintorero *m*

dying ['daiiŋ] moribundo

dynamic [dai'næmik] dinámico; **~s** dinámica *f*

dynamite ['dainəmait] dinamita *f*

dynamo ['dainəmou] dínamo *f*

dysentery ['disntri] disentería *f*

E

each [i:tʃ] *a* cada; *pron* cada uno(a); ~ **other** mutuamente; el uno al otro

eager ['i:gə] ansioso; anhelante; **~ness** ansia *f*, anhelo *m*; afán *m*

eagle ['i:gl] águila *f*

ear [iə] oído *m*; oreja *f*; *bot* espiga *f*; **~drum** tímpano *m*

earl [ə:l] conde *m*

early ['ə:li] temprano; primitivo; ~ **in the morning** muy de mañana; **5 minutes** ~ (con) 5 minutos de anticipación

earmark ['iəmɑ:k] *v/t* destinar; poner aparte

earn [ə:n] *v/t* ganar(se); merecer; **~ings** ['~iŋz] sueldo *m*; ingresos *m/pl*

earnest ['ə:nist] serio, formal; **in** ~ de veras, en serio

earphones ['iəfəunz] auriculares *m/pl*, aretes *m/pl*

earth [ə:θ] *s* tierra *f*; *v/t elec* conectar a tierra; **~en** de barro; **~enware** loza *f* de barro; **~quake** terremoto *m*

ease [i:z] *s* tranquilidad *f*; alivio m; comodidad f; facilidad f; v/t facilitar; aliviar; **ill at ~** incómodo

easel ['i:zl] caballete m

east [i:st] este m, oriente m; **the ♀** el Oriente

Easter ['i:stə] Pascua f de Resurrección; **♀ly** del este; **♀n** oriental

easy ['i:zi] fácil; cómodo; **take it ~** tomarlo con calma; descansar; **~ chair** sillón m; **~going** despreocupado

eat [i:t] v/t comer; **~ up** comerse; acabar

eaves [i:vz] alero m; **~drop** v/i escuchar a escondidas (*a la conversación privada de otros*)

ebb [eb] menguante m; reflujo m; **at a low ~** decaído; **~ tide** marea f menguante

ebony ['ebəni] ébano m

eccentric [ik'sentrik] a, s excéntrico(a) m (f)

ecclesiastical [ikli:zi'æstikəl] eclesiástico

echo ['ekəu] s eco m; v/i reverberar, resonar

eclipse [i'klips] eclipse m

ecolo|gy [i'kɔlədʒi] ecología f; **~gist** ecologista m, f

economi|c [i:kə'nɔmik] económico; **~cal** económico, frugal; **~cs** economía f política; **~st** [i(:)'kɔnəmist] economista m; **~ze** v/t, v/i economizar, ahorrar

economy [i(:)'kɔnəmi] economía f

ecstasy ['ekstəsi] éxtasis m

Ecuador [ekwə'dɔ:] El Ecuador m; **~ian** s, a ecuatoriano(a) m (f)

edge [edʒ] s canto m; filo m; borde m; on **~e** de canto; *fig* ansioso; nervioso; **~ing** borde m; ribete m

edible ['edibl] comestible

edifice ['edifis] edificio m

edit ['edit] v/t editar; dirigir; redactar; **~ion** [i'diʃən] edición f; tirada f; **~or** redactor m; **~orial** [~'tɔ:riəl] s artículo m de fondo; **~orial staff** redacción f

educat|e ['edju(:)keit] v/t educar; instruir; **~ion** educación f, instrucción f; **~ional** educacional; docente

eel [i:l] anguila f

effect [i'fekt] s efecto m; impresión f; v/t efectuar, ejecutar; **go into ~** entrar en vigor; **~ive** efectivo, eficaz; vigente; **~s** efectos m/pl

effeminate [i'feminit] afeminado

effervescent [efə'vesnt] efervescente

efficien|cy [i'fiʃənsi] eficiencia f; eficacia f; **~t** eficiente

effort ['efət] esfuerzo m; **to make an ~** esforzarse por

effusive [i'fju:siv] efusivo

egg [eg] huevo m; **to ~ on** v/t incitar; **~cup** huevera f; **~head** *fam* intelectual m; **~nog** ponche m de huevo;

~plant berenjena *f*; **~shell** cáscara *f* de huevo

ego ['egou] (el) yo; **~tist** egoísta *m, f*

Egypt ['i:dʒipt] Egipto *m*; **~ian** [i'dʒipʃən] *a, s* egipcio(a) *m (f)*

eiderdown ['aidədaun] edredón *m*

eight [eit] ocho

either ['aiðə] *a, pron* uno u otro; ambos; *adv (en negación)* tampoco

eject [i(:)'dʒekt] *v/t* expulsar; echar; **~ion** expulsión *f*

elaborate [i'læbərit] *a* elaborado; detallado; [~eit] *v/t* elaborar

elapse [i'læps] *v/i* transcurrir, pasar

elastic [i'læstik] *a, s* elástico *m*

elated [i'leitid] *a:* **to be** ~ regocijarse

elbow ['elbəu] *s* codo *m*; *v/i* codear

elde|r ['eldə] *a, s* mayor *m*; *bot* saúco *m*; **~rly** *a* entrado en años; *s* la gente mayor; **~st** *a, s* (el, la) mayor *(de todos)*

elect [i'lekt] *a* elegido; *v/t* elegir; ~ **to** optar por; **~ion** elección *f*; **~or** elector *m*; **~orate** electorado *m*

electr|ic [i'lektrik] eléctrico; **~ical** *a* eléctrico; **~ician** [~'triʃən] electricista *m*; **~icity** [~'trisiti] electricidad *f*; **~ify** *v/t* electrificar; *fig*

electrizar

electron [i'lektrɔn] electrón *m*; **~ic** electrónico; **~ics** electrónica *f*

elegan|ce ['eligəns] elegancia *f*; **~t** elegante

element ['elimənt] elemento *m*; **~ary** [~'mentəri] elemental; **~ary school** escuela *f* primaria

elephant ['elifənt] elefante *m*

elevat|e ['eliveit] *v/t* elevar, ascender; **~ion** elevación *f*; altura *f*; **~or** *Am* ascensor *m*

eligible ['elidʒəbl] elegible

eliminat|e [i'limineit] *v/t* eliminar; descartar; **~ion** eliminación *f*

elitist [ei'li:tist] *a, s* elitista *m, f*

elk [elk] alce *m*

ellipse [i'lips] elipse *f*

elm [elm] olmo *m*

elongate ['i:lɔŋgeit] *v/t* alargar

elope [i'ləup] *v/i* fugarse *(con un amante)*

eloquen|ce ['eləukwəns] elocuencia *f*; **~t** elocuente

else [els] *a* otro; más; *everyone* ~ todos los demás; *nobody* ~ ningún otro; *nothing* ~ nada más; *somebody* ~ otra persona; *what* ~? ¿qué más?; *~where* en otra parte; a otra parte

elu|de [i'lu:d] *v/t* eludir, esquivar; **~sion** evasión *f*; **~sive** evasivo

emaciated [i'meiʃieitid] demacrado

enamel

emanate ['eməneit] v/i emanar

emancipate [i'mænsipeit] v/t emancipar

embalm [im'ba:m] v/t embalsamar; fig preservar

embankment [im'bæŋkmənt] terraplén m; dique m

embark [im'ba:k] v/t, v/i embarcar(se); ~ **upon** emprender; lanzarse a

embarrass [im'bærəs] v/t desconcertar, avergonzar; estorbar; ~**ing** embarazoso; molesto; ~**ment** desconcierto m; perplejidad f; embarazo m; **financial** ~**ment** apuros m/pl

embassy ['embəsi] embajada f

embed [im'bed] v/t empotrar

embellish [im'beliʃ] v/t embellecer

embers ['embəz] rescoldo m

embezzle [im'bezl] v/t desfalcar; ~**ment** desfalco m

embitter [im'bitə] v/t amargar

emblem ['embləm] emblema m

embody [im'bɔdi] v/t encarnar; incorporar

embrace [im'breis] s abrazo m; v/t abrazar; abarcar

embroider [im'brɔidə] v/t bordar; ~**y** bordado m

embryo ['embriəu] embrión m

emerald ['emərəld] esmeralda f

emerge [i'mə:dʒ] v/i salir, surgir; ~**ncy** [~ənsi] emergencia f; **in an** ~**ncy** en caso de urgencia; ~**ncy exit** salida f de emergencia; ~**ncy landing** aer aterrizaje m forzoso

emigra|nt ['emigrənt] emigrante m; ~**te** [~eit] v/i emigrar; ~**tion** emigración f

eminent ['eminənt] eminente

emit [i'mit] v/t emitir, despedir

emotion [i'məuʃən] emoción f; ~**al** emocional; impresionable

emperor ['empərə] emperador m

empha|sis ['emfəsis] énfasis m; ~**size** destacar, recalcar; ~**tic** [im'fætik] enfático; categórico

empire ['empaiə] imperio m

employ [im'plɔi] s puesto m, empleo m; v/t emplear; ~**ee** [emplɔi'i:] empleado m; ~**er** patrón m; ~**ment** empleo m; oficio m; ~**ment agency** agencia f de colocaciones

empress ['empris] emperatriz f

empt|iness ['emptinis] vacío m; vacuidad f; ~**y** a vacío; v/t vaciar

enable [i'neibl] v/t capacitar; permitir

enact [i'nækt] v/t decretar, promulgar; ~**ment** promulgación f (de una ley)

enamel [i'næməl] s esmalte m; v/t esmaltar

enchant [in't∫ɑ:nt] v/t encantar; **~ing** encantador

encircle [in'sɜ:kl] v/t cercar; circundar; ceñir

encl. = *enclosed*

enclos|e [in'kləuz] v/t encerrar; incluir, adjuntar; **~ed** adjunto; **~ure** carta f adjunta; [-ʒə] cercado m; recinto m; carta f adjunta

encore [ɔŋ'kɔ:] teat ¡ bis!

encounter [in'kauntə] s encuentro m; choque m; v/t, v/i encontrar; dar con

encourage [in'kʌridʒ] v/t animar; alentar; **~ement** estímulo m; aliento m; **~ing** animador, alentador

encumber [in'kʌmbə] v/t recargar; estorbar; **~ed with** tener que cargar con

end [end] s fin m; extremo m; cabo m; final m; conclusión f; **in the** ~ al fin y al cabo; **for hours on** ~ horas seguidas; **put to an** ~ poner fin a; on ~ de punta; **stand on** ~ erizarse (pelo); **to be at an** ~ tocar a su fin; **to what** ~? ¿ a qué propósito?; v/t, v/i terminar, acabar; cesar; ~ **up at** ir a parar en

endanger [in'deindʒə] v/t arriesgar; poner en peligro

endear [in'diə] v/t hacer querer; **~ment** cariño m

endeavo(u)r [in'devə] s esfuerzo m; empeño m; v/i esforzarse

ending ['endiŋ] conclusión f; desenlace m (de un libro); ter-

minación f; final m; **~ive** ['endiv] endibia f; **~less** interminable

endorse [in'dɔ:s] v/t endosar; aprobar; **~ment** aprobación f

endow [in'dau] v/t dotar, fundar; **~ment** fundación f

endur|ance [in'djuərəns] aguante m, resistencia f; **~e** v/t soportar, aguantar; tolerar

enemy ['enimi] a, s enemigo(a) m (f)

energ|etic [enə'dʒetik] enérgico; **~y** ['enədʒi] energía f

enfold [in'fəuld] v/t envolver; abrazar

enforce [in'fɔ:s] v/t imponer; hacer cumplir (ley); poner en vigor; **~ment** ejecución f de una ley

engage [in'geidʒ] v/t contratar; emplear; ocupar; comprometer; v/i tecn engranar con; comprometerse; **~d** comprometido (en matrimonio); ocupado; tel comunicando; **~ment** compromiso m; contrato m; mil combate m; noviazgo m; **~ment ring** anillo m de prometida

engine ['endʒin] motor m; locomotora f; **~driver** maquinista m; **~er** [endʒi'niə] s ingeniero m; v/t fam agenciar, gestionar; **~ering** ingeniería f

England ['iŋglənd] Inglaterra f

entreat

English ['ɪŋglɪʃ] *a* inglés; *s* (*idioma*) inglés *m*; **the ~** los ingleses; **~ Channel** Canal *m* de la Mancha; **~man** inglés *m*; **~woman** inglesa *f*

engrav|e [in'greiv] *v/t* grabar; **~er** grabador *m*; **~ing** grabado *m*

engross [in'grəus] *v/t* absorber (*atención, etc*); **~ing** fascinante

engulf [in'gʌlf] *v/t* sumergir, hundir

enigma [i'nigmə] enigma *m*

enjoin [in'dʒɔin] *v/t* mandar; prescribir

enjoy [in'dʒɔi] *v/t* gozar de; disfrutar de; gustarle a uno; **~ oneself** divertirse; **~able** agradable; **~ment** goce *m*, uso *m*

enlarge [in'lɑ:dʒ] *v/t foto* ampliar; extender; **~ment** aumento *m*; *foto* ampliación *f*

enlighten [in'laitn] *v/t* instruir; ilustrar; **~ment** ilustración *f*

enlist [in'list] *v/t* alistar

enliven [in'laivn] *v/t* avivar, vivificar; animar

enmity ['enmiti] enemistad *f*

enormous [i'nɔ:məs] enorme

enough [i'nʌf] bastante

enrage [in'reidʒ] *v/t* enfurecer

enrapture [in'ræptʃə] *v/t* embelesar

enrich [in'ritʃ] *v/t* enriquecer

enrol(l) [in'rəul] *v/t, v/i* inscribir(se), matricular(se);

~ment inscripción *f*

en route [ɔn 'ru:t] en camino

ensign ['ensin, *mar* 'ensain] bandera *f*; alférez *m*

enslave [in'sleiv] *v/t* esclavizar

ensure [in'ʃuə] *v/t* asegurar

entail [in'teil] *v/t* suponer; ocasionar

entangle [in'tæŋgl] *v/t* enredar; **~ment** enredo *m*

enter ['entə] *v/t* entrar en; afiliarse a; anotar; *v/i* entrar; **~ into** establecer; tomar parte en; **~ upon** emprender

enterpris|e ['entəpraiz] empresa *f*; **~ing** emprendedor

entertain [entə'tein] *v/t* entretener; divertir; agasajar; **~er** artista *m, f*; **~ing** divertido, entretenido; **~ment** entretenimiento *m*; espectáculo *m*

enthusias|m [in'θju:ziæzəm] entusiasmo *m*; **~tic** [~'æstik] entusiástico

entice [in'tais] *v/t* atraer, seducir; tentar

en:ire [in'taiə] entero, íntegro; **~ly** enteramente

entitled [in'taitld]: **to be ~ to** tener derecho a

entourage [ɔntu'rɑ:ʒ] séquito *m*

entrails ['entreilz] entrañas *f/pl*

entrance ['entrəns] entrada *f*; admisión *f*; [in'trɑ:ns] *v/t* encantar, hechizar

entreat [in'tri:t] *v/t* rogar, suplicar

entrepreneur [ɔntrəprə'nɔ:] impresario *m*

entrust [in'trʌst]: *v/t* **to ~ something to someone** confiar algo a uno

entry ['entri] entrada *f*; acceso *m*; **no ~** prohibido el paso

enumerate [i'nju:məreit] *v/t* enumerar

envelop [in'veləp] envolver; **~e** ['envələup] sobre *m*

envi|ous ['enviəs] envidioso; **~y** ['envi] *s* envidia *f*; *v/t* envidiar

environment [in'vaiərənmənt] medio ambiente *m*

envisage [in'vizidʒ] *v/t* contemplar; prever

envoy ['envɔi] enviado *m*

epidemic [epi'demik] *a* epidémico; *s* epidemia *f*

epilepsy ['epilepsi] epilepsia *f*

episode ['episəud] episodio *m*

epoch ['i:pɔk] época *f*

equal ['i:kwəl] *a*, *s* igual *m*; **to be ~ to** estar a la altura de; **~ity** [i(:)'kwɔliti] igualdad *f*; **~ize** *v/t* igualar

equa|nimity [ekwə'nimiti] ecuanimidad *f*; **~te** [i'kweit] considerar equivalente (a)

equation [i'kweiʒən] ecuación *f*

equator [i'kweitə] ecuador *m*

equestrianism [i'kwestriənizəm] *sp* hípica *f*

equilibrium [i:kwi'libriəm] equilibrio *m*

equinox ['i:kwinɔks] equinoccio *m*

equip [i'kwip] *v/t* equipar; **~ped with** *tecn* dotado de; **~ment** equipo *m*; material *m*

equivalent [i'kwivələnt] *a*, *s* equivalente *m*

era ['iərə] época *f*; era *f*

eras|e [i'reiz] *v/t* borrar; **~er** goma *f* de borrar; **~ure** [-ʒə] borradura *f*

erect [i'rekt] *a* derecho; erguido; *v/t* erigir; levantar; **~ion** construcción *f*; erección *f*

ermine ['ə:min] armiño *m*

erotic [i'rɔtik] erótico

err [ə:] *v/i* errar; equivocarse

errand ['erənd] mandado *m*, recado *m*; **run ~s** hacer los mandados

erratic [i'rætik] irregular, inconstante

erroneous [i'rəunjəs] erróneo

error ['erə] error *m*, equivocación *f*

eruption [i'rʌpʃən] erupción *f*

escalat|ion [eskə'leiʃən] intensificación *f*; **~or** escalera *f* móvil

escape [is'keip] *v/t* escapar de, evitar; *v/i* escapar, huir; *s* fuga *f*; escape *m* (*de gas*)

escort ['eskɔ:t] *s* escolta *f*; [is'kɔ:t] *v/t* escoltar

Eskimo ['eskiməu] esquimal *m*, *f*

esophagus [i'sɔfəgəs] esófago *m*

esoteric [esəu'terik] esotérico, recóndito

espadrille ['espədril] alpargata *f*

especially [is'peʃəli] especialmente

espionage [espiə'nɑːʒ] espionaje *m*

essay [esei] ensayo *m*; **~ist** ['eseiist] ensayista *m*

essen|ce [esns] esencia *f*; **~tial** [i'senʃəl] esencial

establish [is'tæbliʃ] *v/t* establecer; instituir; probar; **~ment** establecimiento *m*

estate [is'teit] finca *f*; hacienda *f*; propiedad *f*, bienes *m/pl*; caudal *m* hereditario

esteem [is'tiːm] *v/t* estimar; apreciar

estimat|e ['estimit] *s* estimación *f*, tasa *f*; ['~eit] *v/t* estimar, valorar, tasar; **~ion** estimación *f*; **in my ~ion** según mis cálculos

estrange [is'treindʒ] *v/t* enajenar

estuary ['estjuəri] estuario *m*, ría *f*

etching ['etʃiŋ] grabado *m*; aguafuerte *f*

etern|al [i(ː)'təːnl] eterno; **~ity** eternidad *f*

ether ['iːθə] éter *m*

ethic|al ['eθikl] ético; honrado; **~s** ['eθiks] ética *f*

etiquette [eti'ket] etiqueta *f*

eulogize ['juːlədʒaiz] *v/t* elogiar; preconizar

euphemism ['juːfimizm] eufemismo *m*

Europe ['juərəp] Europa *f*; **~an** [ˌ~'pi(ː)ən] *a, s* europeo(a) *m* (*f*)

evacuat|e [i'vækjueit] *v/t* evacuar; **~ion** evacuación *f*

evade [i'veid] *v/t* evadir, eludir

evaluate [i'væljueit] *v/t* evaluar

evangelist [i'vændʒilist] evangelizador *m*

evaporate [i'væpəreit] *v/t, v/i* evaporar(se)

evasion [i'veiʒən] evasión *f*

eve [iːv] víspera *f*; **on the ~ of** en vísperas de

even ['iːvn] llano, liso; igual; constante; *mat* par; *adv* aun, hasta; siquiera; **~ so** aun así; **~ though** aunque; **not ~** ni siquiera; *v/t* igualar, nivelar; **break ~** ni ganar ni perder; **get ~** ajustar cuentas

evening ['iːvniŋ] *s* tarde *f*; anochecer *m*; noche *f*; **good ~!** ¡buenas tardes!; ¡buenas noches!; **~ dress** traje *m* de etiqueta

event [i'vent] suceso *m*, acontecimiento *m*; *sp* contienda *f*; **at all ~s** en todo caso; **~ful** memorable, notable; **~ual** subsiguiente; **~ually** finalmente

ever ['evə] siempre, jamás; alguna vez; nunca *(con verbo negativo)*; **for ~ and ~** para siempre jamás; **if ~** si alguna vez; **better than ~** mejor que nunca; **~ since** desde entonces; **~green** de hoja perenne; **~lasting** eterno

every ['evri] a cada; todo, todos los; **~ other day** un día sí y otro no; **~body, ~one** todo el mundo; **~day** cada día; **~thing** todo; **~where** en todas partes

eviden|ce ['evidəns] evidencia f; for prueba f; testimonio m; **~t** evidente, patente

evil ['i:vl] a malo; maligno; s maldad f; mal m

evoke [i'vəuk] v/t evocar

evolution [i:və'lu:ʃən] evolución f; desarrollo m

evolve [i'vɒlv] v/t desenvolver; v/i desarrollarse

ewe [ju:] oveja f hembra

exact [ig'zækt] a exacto; v/t exigir; **~ing** exigente; **~ly** en punto (hora)

exaggerate [ig'zædʒəreit] v/t exagerar

exalt [ig'zɔ:lt] v/t exaltar

examin|ation [igzæmi'neiʃən] examen m; med reconocimiento m; **~e** [ig'zæmin] v/t examinar; for interrogar

example [ig'za:mpl] ejemplo m; ejemplar m; **for ~** por ejemplo

exasperate [ig'za:spəreit] v/t exasperar

excavate ['ekskəveit] v/t excavar

exceed [ik'si:d] v/t exceder; **~ingly** sumamente

excel [ik'sel] v/t, v/i superar; sobresalir; **~lence** ['eksə-

ləns] excelencia f; **~lent** excelente

except [ik'sept] prep excepto, salvo; **~ for** dejando aparte; sin contar; v/t exceptuar; **~ing** prep excepto, menos; **~ion** excepción f; **with the ~ion of** a excepción de; **~ional** excepcional

excess [ik'ses] exceso m; **~ luggage** exceso m de equipaje; **~ive** excesivo

exchange [iks'tʃeindʒ] s cambio m; intercambio m; tel central f (telefónica); v/t cambiar; **~rate** tipo m de cambio

excite [ik'sait] v/t excitar; emocionar; **~ment** emoción f

excla|im [iks'kleim] v/t, v/i exclamar; **~mation** [ekskləˈmeiʃən] exclamación f; **~mation point** signo m de admiración

exclu|de [iks'klu:d] v/t excluir; **~sion** [-ʒən] exclusión f; **~sive** [-siv] exclusivo; selecto

excrement ['ekskrimənt] excremento m

excruciating [iks'kru:ʃieitiŋ] agudísimo, atroz

excursion [iks'kə:ʃən] excursión f

excuse [iks'kju:z] s excusa f, disculpa f; pretexto m; v/t excusar, disculpar, perdonar; **~ me!** ¡perdóneme!

execut|e ['eksikju:t] v/t ejecutar; llevar a cabo; cumplir; **~ion** ejecución *f*; cumplimiento *m*; **~ive** [ig'zekjutiv] *a*, *s* ejecutivo *m*; **~or** for albacea *m*; ejecutor *m* testamentario

exempt [ig'zempt] *a* exento; *v/t* eximir; **~ion** exención *f*

exercise ['eksəsaiz] *s* ejercicio *m*; *v/t* ejercer; *v/i* hacer ejercicios

exert [ig'zə:t] *v/t* ejercer; **~ oneself** *v/r* esforzarse, afanarse; **~ion** esfuerzo *m*

exhale [eks'heil] *v/t* exhalar; *v/i* disiparse

exhaust [ig'zɔ:st] *s* (tubo de) escape *m*; **~ fumes** gases *m/pl* de escape; *v/t* agotar; cansar; **~ed** agotado; **~ing** agotador; **~ion** agotamiento *m*; **~ive** exhaustivo, detallado

exhibit [ig'zibit] *s* objeto *m* expuesto; for prueba *f* instrumental; *v/t* manifestar; exponer; presentar; **~ion** [eksi'biʃən] exposición *f*

exhilarate [ig'ziləreit] *v/t* regocijar; vivificar

exile ['eksail] *s* destierro *m*; exilio *m*; *v/t* desterrar, exiliar

exist [ig'zist] *v/i* existir, vivir; **~ence** existencia *f*, vida *f*; **~ent**, **~ing** existente

exit ['eksit] *s* salida *f*

exonerate [ig'zɔnəreit] *v/t* exculpar

exotic [ig'zɔtik] exótico

expand [iks'pænd] *v/t*, *v/i* extender(se); **~se** [~s] exten-

sión *f*; **~sion** expansión *f*; **~sive** expansivo

expect [iks'pekt] *v/t* esperar; suponer; contar con; **~ation** [ekspek'teiʃən] expectativa *f*; **~ing: to be ~ing** estar encinta

expedient [iks'pi:djənt] *a* conveniente; *s* expediente *m*, recurso *m*

expedition [ekspi'diʃən] expedición *f*

expel [iks'pel] *v/t* expulsar; expeler

expend [iks'pend] *v/t* gastar, derrochar; **~able** prescindible; **~iture** [~ditʃə] gastos *m/pl*; desembolso *m*; **~se** [~s] gasto *m*; **~se account** cuenta *f* de gastos; **~sive** caro

experience [iks'piəriəns] *s* experiencia *f*; *v/t* experimentar; sufrir

experiment [iks'perimənt] *s* experimento *m*; *v/i* experimentar

expert ['ekspə:t] *a* experto; *s* perito *m*, experto *m*

expiration [ekspaiə'reiʃən] expiración *f*; com vencimiento *m*; **~e** [iks'paiə] *v/i* expirar; com vencer

explain [iks'plein] *v/t* explicar; **~nation** [eksplə'neiʃən] explicación *f*; **~natory** [iks'plænətəri] explicativo

explicit [iks'plisit] explícito

explode [iks'pləud] *v/t* detonar, volar; hacer saltar; *v/i* estallar; *fig* reventar

exploit ['eksplɔit] s hazaña f, proeza f; [iks'plɔit] v/t explotar; **~ation** explotación f

explor|ation [eksplɔː'reiʃən] exploración f; **~e** [iks'plɔː] v/t explorar; **~er** explorador m

explo|sion [iks'plouʒən] explosión f; **~sive** [~siv] explosivo

export ['ekspɔːt] s exportación f; [eks'pɔːt] v/t exportar; **~er** exportador m

expose [iks'pouz] v/t exponer; descubrir; poner al descubierto; **~ition** [ekspou'ziʃən] exposición f; **~ure** [~ʒə] exposición f; revelación f; **~ure meter** foto fotómetro m

express [iks'pres] a, s expreso m; (tren) rápido m; v/t exprimir; expresar; **~ion** expresión f; **~ive** expresivo; **~ly** expresamente

expulsion [iks'pʌlʃən] expulsión f

exquisite ['ekskwizit] exquisito

exten|d [iks'tend] v/t extender, alargar; prolongar; diluir; v/i extenderse; proyectarse; **~sion** extensión f; anexo m; com prórroga f; **~sive** extenso; amplio; **~t** extensión f; alcance m; **to some ~t** hasta cierto punto

exterior [eks'tiəriə] a, s exterior m

exterminat|e [iks'tə:mineit]

v/t exterminar; **~ion** exterminación f

external [eks'tə:nl] externo, exterior

extin|ct [iks'tiŋkt] extinto; **~ction** extinción f; **~guish** [~'tiŋgwiʃ] v/t extinguir, apagar

extra ['ekstrə] a de más; de sobra; extraordinario; adicional; s recargo m; extra m; gasto m extraordinario

extract [ekstrækt] s extracto m; [iks'trækt] v/t extraer; **~ion** extracción f

extraordinary [iks'trɔ:dnri] extraordinario

extravagan|ce [iks'trævigəns] extravagancia f; despilfarro m; **~t** extravagante

extrem|e [iks'tri:m] a extremo; extremado; s extremo m, extremidad f; **~e unction** [~'ʌŋkʃən] extremaunción f; **~ely** extremadamente; sumamente; **~ity** [~'tremiti] extremidad f

extricate ['ekstrikeit] v/t desenredar; sacar (de una dificultad)

exuberant [ig'zju:bərənt] exuberante

exult [ig'zʌlt] v/i exultar, alborozarse

eye [ai] s ojo m; bot yema f; **to turn a blind ~** hacer la vista gorda; **to see ~ to ~** estar de acuerdo; **to keep an ~ on** vigilar; **with an ~ to** con miras a; v/t ojear, mirar; **~ball** globo *m* del ojo; **~brow** ceja *f*; **~glasses** gafas *f/pl*, lentes *m/pl*; **~lash** pestaña *f*; **~let** ojete *m*; **~lid** párpado *m*; **~**

shadow sombreador *m* (de ojos); **~sight** vista *f*; **~ tooth** colmillo *m*; **~witness** testigo *m* ocular

F

fable ['feibl] *s* fábula *f*
fabric ['fæbrik] tejido *m*; tela *f*; **~ation** invención *f*
fabulous ['fæbjuləs] fabuloso *a*
façade [fə'sɑːd] fachada *f*
fac|e [feis] *s* cara *f*; rostro *m*, semblante *m*; esfera *f* (*del reloj*); **lose ~e** desprestigiarse; **save ~e** salvar las apariencias; **~e down** boca abajo; **~e to ~e** cara a cara; **to make o pull ~es** hacer muecas; *v/t* hacer frente a; mirar hacia; encararse con; **~e lift** cirugía *f* estética; **~e value** valor *m* nominal
facil|itate [fə'siliteit] *v/t* facilitar; **~ity** facilidad *f*
facing ['feisiŋ] frente *m* (a)
fact [fækt] hecho *m*; realidad *f*; **in ~** en realidad; **~-finding** de investigación
factor ['fæktə] factor *m*
factory ['fæktəri] fábrica *f*
faculty ['fækəlti] facultad *f*; aptitud *f*
fad [fæd] novedad *f* pasajera
fade [feid] *v/i* marchitarse; descolorarse; **~ away** desvanecerse
fail [feil] *v/t* suspender; no aprobar; *v/i* acabarse; fallar; fracasar; *com* quebrar; ser

suspendido; **without ~** sin falta; **~ to** dejar de; **~ure** ['~jə] fracaso *m*; *com* quiebra *f*
faint [feint] *a* débil; casi imperceptible; **to feel ~** sentirse mareado; *s* desmayo *m*; *v/i* desmayarse; **~hearted** tímido, medroso
fair [fɛə] *a* claro; rubio; equitativo, justo; regular; favorable; **it's not ~!** ¡no hay derecho!; **~ play** juego *m* limpio; *s* feria *f*; **~ly** bastante; **~ness** rectitud *f*
fairy ['fɛəri] hada *f*; **~ tale** cuento *m* de hadas
faith [feiθ] fe *f*; confianza *f*; **~ful** fiel, leal; **~fully yours** atentamente le saluda; **~fulness** fidelidad *f*, lealtad *f*; **~less** desleal, pérfido
fake [feik] *s* falsificación *f*; impostor *m*; *v/t* falsificar; fingir
falcon ['fɔːlkən] halcón *m*
fall [fɔːl] *s* caída *f*; *com* baja *f*; otoño *m*; *v/i* caer(se); bajar; disminuir; **~ back on** recurrir a; **~ behind** quedarse atrás; **~ due** *com* vencerse; **~ for** dejarse engañar por; **~ in love with** enamorarse de; **~ out**

reñir; **~ short of** no llegar a; **~ through** fracasar; **~out** ['fɔ:laut] lluvia f (radiactiva)

false [fɔ:ls] falso, incorrecto; falsificado; **~e teeth** dentadura f postiza; **~ehood** falsedad f

falter ['fɔ:ltə] v/i vacilar

fame [feim] fama f; **~d** famoso, afamado

familiar [fə'miljə] familiar; conocido; **to be ~iar with** estar enterado de; **~iarity** [ˌfə'i'æriti] familiaridad f; confianza f; **~y** ['fæmili] familia f; **~y name** apellido m; **~y tree** árbol m genealógico

famine ['fæmin] hambre f; **~shed** hambriento

famous ['feiməs] famoso, célebre

fan [fæn] s abanico m; ventilador m; aficionado m; v/t abanicar; avivar

fanatic(al) [fə'nætik(əl)] a fanático; s fanático(a) m (f)

fancy ['fænsi] s fantasía f; capricho m; gusto m; a de adorno; **~ ball** baile m de disfraces; **~ dress** disfraz m; **to take a ~** to aficionarse a

fang [fæŋ] colmillo m.

fantastic [fæn'tæstik] fantástico

far [fɑ:] a lejano, remoto; adv lejos; **as ~ as** hasta; **by ~** con mucho; **~ and wide** por todas partes; **~ better** mucho mejor; **~ off** a lo lejos; **to go too ~** extralimitarse; **~away**

lejano

farce [fɑ:s] farsa f

fare [fɛə] precio m (del billete); tarifa f; pasaje m; **~well** adiós m; despedida f

far-fetched ['fɑ:'fetʃid] improbable; **~flung** ['~'flʌŋ] extenso

farm [fɑ:m] s granja f; v/t cultivar; **~er** granjero m; **~hand** labriego m, LA peón m; **~house** alquería f; **~ing** cultivo m; labranza f

far-sighted ['fɑ:'saitid] présbita; fig previsor

fart [fɑ:t] (tabu) s pedo m; v/i soltar pedos

farther ['fɑ:ðə] más lejos

fascinate ['fæsineit] v/t fascinar; **~ing** fascinador; **~ion** fascinación f

fascism ['fæʃizəm] fascismo m; **~t** a, s fascista m, f

fashion ['fæʃən] s moda f; uso m; out of **~** pasado de moda; **to be in ~** estar de moda; **~able** de moda

fast [fɑ:st] a rápido, veloz; firme; (reloj) adelantado; disoluta (mujer); adv rápidamente; de prisa; **hold ~** mantenerse firme; s ayuno m; v/i ayunar; **~en** ['fɑ:sn] v/t fijar; atar; **~ener** cierre m

fastidious [fəs'tidiəs] delicado; quisquilloso

fat [fæt] a gordo, grueso; fig pingüe; **to get ~** engordar; s grasa f

fat|al ['feitl] fatal; funesto;

~ality [fə'tæliti] fatalidad f; **~ally injured** herido a muerte; **~e** hado m, destino m; suerte f

father ['fɑːðə] s padre m; v/t engendrar; **~hood** paternidad f; **~-in-law** suegro m; **~land** patria f; **~ly** paternal

fathom ['fæðəm] s mar braza f; v/t sondear; fig comprender; **~less** insondable

fatigue [fə'tiːg] s fatiga f; v/t cansar, fatigar

fat|ten ['fætn] v/t cebar; v/t, v/i engordar; **~ty** grasiento

faucet ['fɔːsit] grifo m

fault [fɔːlt] s falta f; defecto m; culpa f; **to be at ~** tener la culpa; **to find ~ with** criticar, desaprobar; **~less** sin defecto, impecable; **~y** defectuoso

favo(u)r ['feivə] s favor m; apoyo m; aprobación f; **do a ~** hacer un favor; **in ~ of a favor de**; v/t favorecer; **~able** favorable; **~ite** ['~rit] a favorito, predilecto; s favorito m; **~itism** favoritismo m

fawn [fɔːn] s cervato m; v/i **~ on** lisonjear

fear [fiə] s miedo m; temor m; aprensión f; v/t, v/i temer; tener miedo; **~ful** miedoso; tímido; **~less** audaz

feast [fiːst] s fiesta f; banquete m; v/t festejar

feat [fiːt] hazaña f, proeza f

feather ['feðə] s pluma f; tecn cuña f; lengüeta f; **birds of a ~**

fig lobos m/pl de una camada; v/t emplumar; **~-bed** plumón m

feature ['fiːtʃə] s rasgo m, característica f; película f o artículo m principal; v/t hacer resaltar; **~s** facciones f/pl

February ['februəri] febrero m

federal ['fedərəl] federal

federation [fedə'reiʃən] federación f

fed up [fed ʌp]: **to be ~** estar harto

fee [fiː] honorarios m/pl; cuota f de ingreso; derechos m/pl

feeble ['fiːbl] débil; **~minded** imbécil

feed [fiːd] v/t nutrir, alimentar; dar de comer a; v/i pastar; alimentarse; **~er** tecn alimentador m

feel [fiːl] v/t tocar, palpar; sentir; experimentar; v/i sentirse, encontrarse; resultar (al tacto); **~ cold** tener frío; **~ for** compadecerse de; **~ like** tener ganas de; **~ up to** creerse capaz de; **~er** tentáculo m; sondeo m; **~ing** tacto m; sentimiento m; sensación f; **hard ~ings** rencor; **hurt one's ~ings** ofenderle

feign [fein] v/t, v/i fingir

fell [fel] v/t talar (árbol)

fellow ['felou] compañero m; socio m; fam tipo m, tío m; mozo m; **~being** prójimo m; **~ citizen** conciudadano m; **~ship** compañerismo m;

beca f; ~ **travel(l)er** compañero m de viaje; ~ **worker** colega m, f

felon ['felən] criminal m; ~**y** delito m mayor

felt [felt] fieltro m; ~**-tip pen** rotulador m

female ['fi:meil] a, s hembra f

femini|ne ['feminin] femenino; ~**st** feminista m, f

fenc|e [fens] s valla f, cerca f; v/t cercar; guardar; v/i esgrimir; ~**ing** esgrima f

fend [fend] (off) v/t parar; repeler; ~**er** aut guardabarro m

ferment ['fə:ment] s fermento m; [fə(:)'ment] v/i fermentar; ~**ation** fermentación f

fern [fə:n] helecho m

ferocity [fə'rɔsiti] ferocidad f

ferry ['feri] transbordador m; ~**man** barquero m

fertil|e ['fə:tail] fértil, fecundo; ~**ity** [~'tiliti] fertilidad f; ~**ize** ['~ilaiz] v/t fertilizar, agr abonar; ~**izer** abono m f

fervent ['fə:vənt] fervoroso, ardiente

fester ['festə] v/i ulcerarse

festiv|al ['festəvəl] fiesta f, mús festival m; a festivo; ~**ity** [~'tiviti] festividad f

fetch [fetʃ] v/t ir a buscar; ir por; v/i venderse a (cierto precio); ~**ing** atractivo

fetter ['fetə] v/t encadenar, trabar; ~**s** grillos m/pl

feud [fju:d] enemistad f (entre familias); odio m de sangre;

~**alism** feudalismo m

fever ['fi:və] fiebre f, calentura f; ~**ish** febril

few [fju:] a, s pocos(as); unos(as), algunos(as); **a** ~ unos(as) cuantos(as); ~**er** menos

fiancé [fi'ɑ:nsei] novio m; ~**e** novia f

fib [fib] mentirilla f

fiber = **fibre**

fibr|e ['faibə] fibra f; ~**eglass** fibra f de vidrio

fickle ['fikl] inconstante

ficti|on ['fikʃən] ficción f; novelas f/pl; ~**tious** [~'tiʃəs] ficticio

fiddle ['fidl] s violín m; **to be fit as a** ~ estar de buena salud; **to play second** ~ hacer el papel de segundón; v/i tocar el violín; ~ **with** jugar con; ~**r** violinista m, f; ~**sticks!** ¡tonterías!

fidelity [fi'deliti] fidelidad f

fidget ['fidʒit] v/i moverse nerviosamente

field [fi:ld] campo m; prado m; esfera f (de actividades); ~ **glasses** gemelos m/pl; ~**-gun** cañón m de campaña; ~ **marshal** mariscal m de campo

fiend [fi:nd] demonio m, diablo m; ~**ish** diabólico

fierce [fiəs] feroz; violento, intenso

fiery ['faiəri] ardiente; fig apasionado

fifth [fifθ] quinto

firearm

fifty ['fifti] cincuenta; *to go* ~~ ir a medias

fig [fig] higo *m*; **~ tree** higuera *f*

fight [fait] *s* lucha *f*; pelea *f*; *v/t* combatir; *v/i* luchar, pelear; **~er** combatiente *m*; avión *m* de caza; **~ing** lucha *f*, combate *m*

figur|ative ['figjurɔtiv] figurado; **~e** ['figɔ] *s* figura *f*; ilustración *f*; cifra *f*, número *m*; personaje *m*; *v/t* representar; imaginar; **~e out** entender; *v/i* figurar; **~e skating** patinaje *m* artístico

file [fail] *s* lima *f*, carpeta *f*; archivo *m*; fila *f*, hilera *f*; in **single** ~ en fila india; **on** ~ archivado; *v/t* limar; clasificar; archivar

fill [fil] *v/t* llenar; rellenar; empastar (*diente*); **~ in** llenar, completar; *v/i* llenarse

fil(l)et ['filit] filete *m*

filling ['filiŋ] relleno *m*; **~station** estación *f* de servicio

film [film] *s* película *f*; *v/t* filmar; rodar (*una escena, etc*); **~ star** estrella *f* de cine

filter ['filtɔ] *s* filtro *m*; *v/t* filtrar

filth [filθ] suciedad *f*; obscenidad *f*; **~y** sucio; obsceno

fin [fin] aleta *f*

final ['fainl] final, último; ~ **exam** reválida *f*; **~ly** finalmente, por último

financ|e [fai'næns] *s* finanzas *f/pl*; *v/t* financiar; **~ing** fi- nanciación *f*, financiamiento *m*; **~ial** [~ʃɔl] financiero; financiero *m*; **~ier** [~siɔ] financiero *m*

find [faind] *v/t* encontrar, hallar; descubrir; averiguar; *s* hallazgo *m*; **~ out** descubrir *m*; **~er** hallador *m*; **~ing** descubrimiento *m*; *for* fallo *m*

fine [fain] *a* fino; bello; **~ weather** buen tiempo; *that is* ~! ¡de acuerdo!; *adv fam* muy bien; *s* multa *f*; *v/t* multar; ~ **arts** bellas artes *f/pl*; **~ry** ['~ɔri] adrezo *m*, galas *f/pl*; **~sse** [fi'nes] sutileza *f*

finger ['fiŋgɔ] *s* dedo *m* (de la *mano*); manecilla *f* (del reloj); *not lift a* ~ no hacer nada; *little* ~ dedo *m* meñique; *middle* ~ dedo *m* del corazón; *ring* ~ dedo *m* anular; *v/t* manosear, tocar; teclear; **~nail** uña *f*; **~prints** huellas *f/pl* dactilares; **~tip** punta *f* del dedo

finish ['finiʃ] *s* fin *m*; final *m*, remate *m*; acabado *m*; *v/t* acabar, terminar; **~ off** acabar con; *v/i* acabar; **~ing touch** última mano *f*

Finland ['finlɔnd] Finlandia *f*

Finnish ['finiʃ] *a, s* finlandés(esa) *m* (*f*)

fir [fɔ:] abeto *m*

fire ['faiɔ] *s* fuego *m*; incendio *m*; *to be on* ~ estar en llamas; *to set on* ~ incendiar; *v/t* encender; incendiar; *fig* excitar; *fam* despedir; disparar; **~arm** arma *f* de fuego; **~ bri-**

gade, *Am* **department** cuerpo *m* de bomberos; **~engine** bomba *f* de incendios; **~escape** escalera *f* de escape de incendios; **~man** bombero *m*; **~place** chimenea *f*; **~proof** a prueba de fuego; **~works** fuegos *m/pl* artificiales

firm [fə:m] *a* firme; *s* casa *f* comercial; empresa *f*; **~ness** firmeza *f*

first [fə:st] *a* primero; primitivo; original; *adv* primero; **~of all** ante todo; **(the) ~s** (el) primero; **at ~** al principio; **~aid** primeros auxilios *m/pl*; **~aid kit** botiquín *m*; **~born** primogénito; **~class** excelente, de primera clase; **~cousin** primo hermano *m*; **~hand** de primera mano; **~ly** en primer lugar; **~name** nombre *m* de pila; **~night** *teat* estreno *m* (de primera clase); **~rate** de primera

firth [fə:θ] brazo *m* de mar

fish [fiʃ] *s* pez *m*; peces *m/pl*; pescado *m*; *v/t*, *v/i* pescar; **~bone** espina *f* de pescado; **~bowl** pecera *f*; **~erman** ['fiʃəmən] pescador *m*; **~ing** pesca *f*; **~ing rod** caña *f* de pescar; **~ing tackle** aparejo *m* de pesca; **~monger's** pescadería *f*; **~y** a pescado (*sabor, olor*); *fig* dudoso, sospechoso

fission ['fiʃən] fisión *f*; **~ure** ['fiʃə] *s* grieta *f*, hendedura *f*; *v/i* agrietarse

fist [fist] puño *m*; **~ful** puñado *m* de bomberos

fit [fit] *a* en buen estado físico; *sp* en forma; a propósito; apropiado; adecuado, digno; **to see ~** juzgar conveniente; *s* ataque *m*; ajuste *m*; *v/t* acomodar; cuadrar con; sentar bien a (*ropa*); **~out** equipar; *v/i* ajustarse; **~in** caber; **~in with** llevarse bien con; **~ness** aptitud *f*; buena salud *f*; **~ter** ajustador *m*; **~ting** a conveniente; *s* ajuste *m*; prueba *f*; **~tings** guarniciones *f/pl*

five [faiv] cinco

fix [fiks] *s* apuro *m*; **in a ~** en un aprieto; *v/t* fijar; asegurar; arreglar; **~up** arreglar; reparar; **~ed** fijo; **~tures** instalaciones *f/pl*

flabbergasted ['flæbəgɑ:stid] pasmado

flabby ['flæbi] flojo; gordo

flag [flæg] *s* bandera *f*; pabellón *m*; *v/i* flaquear; *fig* aflojar (*interés, etc*); **~pole** asta *f* de bandera; **~ship** capitana *f*; **~stone** losa *f*

flagrant ['fleigrənt] notorio

flair [flɛə] aptitud *f* especial

flake [fleik] *s* escama *f*; copo *m* (*de nieve*); *v/i* desprenderse en escamillas

flamboyant [flæm'bɔiənt] extravagante; flamante

flame [fleim] *s* llama *f*; *fig* novio(a) *m* (*f*); *v/i* **to ~up** inflamarse

flit

flank [flæŋk] s lado m, costado m; flanco m; x/t mil flanquear

flannel ['flænl] franela f

flap [flæp] s faldilla f; solapa f (del sobre); aletazo m; palmada f; x/i aletear; sacudirse; x/t batir

flare [fleə] s llamarada f; señal f luminosa; x/i fulgurar; brillar; ~ **up** encenderse

flash [flæʃ] s destello m; fogonazo m de cañón; instante m; foto flash m; x/i relampaguear; x/t blandir; fam ostentar; ~**light** linterna f eléctrica; ~**y** chillón, llamativo

flask [flɑːsk] frasco m

flat [flæt] a llano, liso; insípido; apagado; mús bemol; desafinado; adv **to fall** ~ caer mal; s piso m, LA departamento m; aut pinchazo m; ~**footed** de pies planos; ~**iron** plancha f; ~**ten** x/t allanar, aplastar; x/i aplanarse

flatter ['flætə] x/t adular, lisonjear; ~**ing** halagüeño; ~**y** adulación f, lisonja f

flaunt [flɔːnt] x/t ostentar, lucir

flavo(u)r ['fleivə] s sabor m, gusto m; aroma m; x/t sazonar; condimentar

flaw [flɔː] falta f, defecto m; grieta f; ~**less** intachable

flax [flæks] lino m

flay [flei] x/t desollar

flea [fliː] pulga f

flee [fliː] x/i huir

fleece [fliːs] s vellón m; lana f; x/t esquilar; fig desplumar, pelar

fleet [fliːt] s flota f; a veloz; ~**ing** fugaz; pasajero

flesh [fleʃ] carne f; pulpa f (de una fruta); **in the** ~ en persona; **of** ~ **and blood** de carne y hueso

flexible ['fleksəbl] flexible

flexitime ['fleksitaim] horario m flexible

flick [flik] s golpecito m; x/t dar un capirotazo a

flicker ['flikə] s parpadeo m; luz f oscilante; x/i flamear; vacilar

flight [flait] huida f, fuga f; vuelo m; ~ **of stairs** tramo m de escalera; ~**y** frívolo, casquivano

flimsy ['flimzi] débil, frágil

flinch [flintʃ] x/i acobardarse, echarse atrás

fling [fliŋ] x/t arrojar, tirar; ~ **open** abrir de golpe (puerta, etc)

flint [flint] pedernal m; piedra f

flip [flip] x/t dar la vuelta a; (moneda) echar a cara o cruz

flippant ['flipənt] impertinente; poco serio

flipper ['flipə] aleta f

flirt [fləːt] s coqueta f; galanteador m; x/i coquetear, flirtear, galantear; ~**ation** coqueteo m, flirteo m

flit [flit] x/i volar, revolotear

float [fləut] *s* boya *f*; balsa *f*; *v/i* flotar

flock [flɔk] *s* congregación *f*; rebaño *m* (*de ovejas*); *v/i* congregarse, afluir

flog [flɔg] *v/t* azotar

flood [flʌd] *s* inundación *f*; diluvio *m*; pleamar *f*; *fig* flujo *m*; torrente *m*; *v/t* inundar; *v/i* desbordar; **~ gate** compuerta *f* de esclusa; **~ light** faro *m*

floor [flɔ:] *s* suelo *m*; piso *m*; **ground ~,** *Am* **first ~** planta *f* baja; *v/t* solar; *fig* derribar, vencer

flop [flɔp] *s* fracaso *m*; *v/i* aletear; moverse bruscamente; *fig* fracasar; **~ down** dejarse caer pesadamente

florist ['flɔrist] florista *m*, *f*

flour ['flauə] harina *f*

flourish ['flʌriʃ] *v/t* blandir; *v/i* florecer; prosperar; **~ing** floreciente

flow [fləu] *s* corriente *f*; flujo *m*; *v/i* correr, fluir

flower ['flauə] *s* flor *f*; **~bed** macizo *m*; **~ bowl, ~ vase** florero *m*; **~pot** tiesto *m*, maceta *f*

flu [flu:] *fam* gripe *f*

fluctuate ['flʌktjueit] *v/i* fluctuar

fluent ['flu(:)ənt] fluido, fácil; corriente

fluff [flʌf] pelusa *f*; **~y** velloso

fluid ['flu(:)id] fluido *m*; líquido *m*

flurry ['flʌri] ráfaga *f*, remoli-

no *m* (*de viento*); agitación *f*

flush [flʌʃ] *a* parejo, igual; **~ with** a ras de; **~ with money** adinerado; *s* rubor *m*, sonrojo *m*; flujo *m* rápido; *v/i* fluir, brotar (*agua*); ruborizarse

fluster ['flʌstə] *s* agitación *f*, confusión *f*; *v/t* confundir

flut|e [flu:t] *s* flauta *f*; *arq* estría *f*; *v/t* acanalar; **~ist** flautista *m*, *f*

flutter ['flʌtə] *s* revoloteo *m*; aleteo *m*; palpitación *f*; *v/i* palpitar; aletear; agitarse

flux [flʌks] flujo *m*

fly [flai] *s* mosca *f*; bragueta *f*; *v/i* volar; huir; ir en avión; **~ into a rage** montar en cólera; **~ off** desprenderse; **~catcher** papamoscas *m*; **~ing:** **~ing boat** hidroavión *m*; **with ~ing colors** con gran éxito; **~ing saucer** platillo *m* volante; **~ swatter** atrapamoscas *m*; **~wheel** volante *m*

foal [fəul] *s* potro *m*; *v/t*, *v/i* parir (*una yegua*)

foam [fəum] *s* espuma *f*; *v/i* espumar; **~y** espumoso

focus ['fəukəs] *s* foco *m*; **in ~** enfocado; *v/t* enfocar

foe [fəu] enemigo *m*

f(o)etus ['fi:təs] feto *m*

fog [fɔg] *s* niebla *f*; *fig* nebulosidad *f*; *v/t* obscurecer; **~gy** brumoso; *fig* nebuloso

foible ['fɔibl] punto *m* débil, flaqueza *f*

foil [fɔil] s hojuela f; fig contraste m; v/t frustrar

fold [fəuld] s pliegue m, arruga f; corral m, aprisco m; relig rebaño m; v/t doblar; plegar; cruzar (brazos); v/i doblarse, plegarse; ~er carpeta f; folleto m; ~ing bed cama f plegadiza; ~ing chair silla f de tijera; ~ing door puerta f plegadiza; ~ing screen biombo m

foliage ['fəuliidʒ] follaje m

folk [fəuk] gente f; nación f; pueblo m; ~lore ['~lɔ:] folklore m; ~s fam parentela f; ~song canción f folklórica

follow ['fɔləu] v/t, v/i seguir; resultar; ~ through llevar hasta el fin; ~er seguidor(a) m (f), partidario m; ~ing a siguiente; s partidarios m/pl; séquito m

folly ['fɔli] locura f

fond [fɔnd] cariñoso, afectuoso; **to be ~ of** tener cariño a; ser aficionado a

fondle ['fɔndl] v/t acariciar

food [fu:d] comida f, alimento m; provisiones f/pl; ~stuffs comestibles m/pl

fool [fu:l] s tonto(a) m (f); **to make a ~ of oneself** ponerse en ridículo; v/t engañar; v/i bromear, chancear; ~ **around** malgastar el tiempo; ~hardy temerario; ~ish tonto; imprudente; ~ishness tontería f, disparate m; ~proof a prueba de imperi-

cia; infalible

foot [fut] pie m; pata f (de animal); **on** ~ de pie; **to put one's** ~ **in it** meter la pata; ~ball fútbol m; ~baller futbolista m; ~ brake freno m de pie; ~hold pie m firme; ~ing fig posición f; ~lights candilejas f/pl; ~note nota f (al pie de la página); ~print huella f; ~step paso m; ~wear calzado m

for [fɔ:, fə] prep para, con destino a; por, a causa de; **as** ~ en cuanto a; **what** ~? ¿para qué?; ~ **good** para siempre; conj pues, porque; **as** ~ **me** por mi parte

forbear [fɔ:'bɛə] v/t, v/i abstenerse (de)

forbid [fə'bid] v/t prohibir; ~ding lúgubre

force [fɔ:s] s fuerza f; **by** ~ a la fuerza; **in** ~ en vigor; v/t forzar; violar; ~d landing aterrizaje m forzoso; ~ful vigoroso, enérgico

forceps ['fɔ:seps] tenazas f/pl

forcible ['fɔ:səbl] forzado

ford [fɔ:d] s vado m; v/t vadear

fore [fɔ:] delantero; ~arm antebrazo m; ~boding presagio m; ~cast s pronóstico m; v/t predecir; ~fathers antepasados m/pl; ~finger índice m; ~front vanguardia f; ~going anterior; ~ground primer plano m; ~head ['fɔrid] frente f

foreign ['fɔrin] extranjero, exterior; extraño; **~er** extranjero(a) *m* (*f*); **~ exchange** divisas *f/pl*, moneda *f* extranjera; **~ policy** política *f* exterior

fore|man ['fɔːmən] capataz *m*; **~most** primero; **~runner** precursor *m*; **~see** *v/t* prever; **~sight** previsión *f*

fore|st ['fɔrist] *s* bosque *m*; **~ stall** *v/t* prevenir

fore|taste ['fɔːteist] anticipo *m*; **~thought** prevención *f*

forever [fə'revə] para siempre

foreword ['fɔːwəːd] prefacio *m*

forfeit ['fɔːfit] *s* prenda *f*; multa *f*; *v/t* perder (derecho a)

forge [fɔːdʒ] *s* fragua *f*; *v/t* fraguar; forjar; falsificar; **~ ahead** seguir avanzando; **~ry** falsificación *f*

forget [fə'get] *v/t* olvidar; **~ful** olvidadizo; descuidado; **~me-not** *bot* nomeolvides *f*

forgiv|e [fə'giv] *v/t* perdonar; **~eness** perdón *m*

fork [fɔːk] *s* tenedor *m*; *agr* horca *f*; bifurcación *f* (*de caminos, etc*); *v/i* bifurcarse

forlorn [fə'lɔːn] abandonado; desamparado

form [fɔːm] *s* forma *f*; figura *f*; formulario *m*; banco *m*; clase *f*; *v/t* formar; constituir; **in top ~** en plena forma

formal ['fɔːməl] formal; ceremonioso; **~ity** [~'mæliti] formalidad *f*; etiqueta *f*

formation [fɔː'meiʃən] formación *f*

former ['fɔːmə] *a* anterior; precedente; **the ~** *pron* aquél *m*, aquélla *f*; **~ly** antiguamente, antes

formidable ['fɔːmidəbl] formidable

formulate ['fɔːmjuleit] *v/t* formular

forsake [fə'seik] *v/t* dejar, abandonar

fort [fɔːt] fuerte *m*, fortaleza *f*

forth [fɔːθ]: **back and ~** de acá para allá; **and so ~** etcétera; **~coming** próximo, venidero; **~right** franco; directo

fortify ['fɔːtifai] *v/t* fortificar

fortitude ['fɔːtitjuːd] fortaleza *f*

fortnight ['fɔːtnait] quincena *f*; **~ly** quincenal

fortress ['fɔːtris] fortaleza *f*

fortunate ['fɔːtʃnit] afortunado, feliz; **~ly** afortunadamente

fortune ['fɔːtʃən] fortuna *f*

forward ['fɔːwəd] *a* adelantado, delantero; *s sp* delantero *m*; *v/t* promover, fomentar; reexpedir; **~s** adelante, hacia adelante

foster| brother ['fɔstə-] hermano *m* de leche; **~ mother** madre *f* adoptiva; **~ sister** hermana *f* de leche

foul [faul] *a* sucio, asqueroso; vil; malo, desagradable; obsceno, grosero; *s sp* falta *f*; *v/t* ensuciar

found [faund] v/t fundar; *teen* fundir; **~ation** fundación f; **~er** fundador m; **~ling** niño m expósito

fountain ['fauntin] fuente f; **~pen** pluma f estilográfica

four [fɔː] cuatro; **~fold** ['fɔːfauld] cuádruple; **~square** firme; sincero

fowl [faul] ave f (*de corral*)

fox [fɔks] zorro m (*t fig*); **~glove** *bot* dedalera f; **~y** *fig* astuto

foyer ['fɔiei] vestíbulo m

fraction ['frækʃən] fracción f

fracture ['fræktʃə] s fractura f; v/t, v/i fracturar(se)

fragile ['frædʒail] frágil

fragment ['frægmənt] fragmento m

fragran|ce ['freigrəns] fragancia f; **~t** fragante

frail [freil] delicado, frágil; quebradizo

frame [freim] s marco m; *teen* armazón f, m; estructura f; cuerpo m; v/t formar; formular; enmarcar; **~s** (*para gafas*) montura f

France [frɑːns] Francia f

franchise ['fræntʃaiz] sufragio m; derecho m político

frank [fræŋk] franco, abierto

frankfurter ['fræŋkfətə] perrito m caliente

frantic ['fræntik] frenético, furioso

fratern|al [frə'təːnl] fraternal; **~ity** fraternidad f

fraud [frɔːd] fraude m, timo

m; **~ulent** fraudulento

fray [frei] s refriega f, riña f; v/i desgastarse

freak [friːk] rareza f; monstruosidad f; tipo m excéntrico

freckle ['frekl] peca f

free [friː] a libre; liberal; suelto; gratuito; **get off scot ~** salir impune; **set ~** poner en libertad; **~ and easy** despreocupado; **~ of charge** gratis; **~ on board** franco a bordo; v/t liberar, libertar; eximir; desembarazar; **~dom** libertad f; inmunidad f; **~hand** hecho a pulso; **~ly** sin reserva; libremente; **2mason** francmasón m; **~ port** puerto m franco; **~ trade** librecambio m; **~way** *Am* autopista f; **~ will** libre albedrío m

freez|e [friːz] v/t helar, congelar; v/i congelarse; *fig* helarse; **~er** congelador m; **~ing point** punto m de congelación

freight [freit] s flete m; carga f; v/t cargar; fletar; **~er** buque m de carga

French [frentʃ] a, s francés; **the ~** los franceses m/pl; **~man** francés m; **~ window** puerta f ventana; **~woman** francesa f

frenzy ['frenzi] frenesí m

frequen|cy ['friːkwənsi] frecuencia f; **~t** frecuente

fresh [freʃ] fresco; nuevo;

dulce (*agua*); **~en** v/t, v/i refrescar(se); **~ness** frescura f

fret [fret] v/t rozar, raer; v/i inquietarse; **~ful** irritable, enojadizo; **~fully** de mala gana

friar ['fraiə] fraile m

friction ['frikʃən] fricción f; *fig* rozamiento m

Friday ['fraidi] viernes m

fridge [fridʒ] *fam* refrigeradora f

fried [fraid] frito

friend [frend] amigo(a) m (f); *to make ~s* hacerse amigos; **~ly** amistoso; **~ship** amistad f

fright [frait] susto m; **~en** v/t asustar, espantar; **~en away** ahuyentar; **~ened of** tener miedo a; **~ful** espantoso, terrible

frigid ['fridʒid] frío; hostil; *med* frígido

frill [fril] volante m

fringe [frindʒ] fleco m; borde m; periferia f; grupo m marginal

frisk [frisk] v/i brincar; cabriolar; **~y** juguetón, retozón

fritter ['fritə] **~ away** desperdiciar

frivolous ['frivələs] frívolo

fro [frəu]: *to and ~* de una parte a otra

frog [frɔg] rana f

frolic ['frɔlik] v/i juguetear

from [frɔm, frəm] de, desde; **~ day to day** de día en día

front [frʌnt] s frente f; fachada f; *in ~ of* delante de; *a* delantero; frontero; **~ door** puerta f principal; dar [-j-lə] frontera f; **~ page** primera plana f

frost [frɔst] s helada f; escarcha f; v/t cubrir con escarcha; escarchar (*pasteles, etc*); **~bite** congelación f

froth [frɔθ] espuma f

frown [fraun] s ceño m; v/i fruncir el entrecejo

frozen ['frəuzn] congelado, helado

frugal ['fru:gəl] frugal

fruit [fru:t] fruta f; fruto m; producto m, resultado m; **~ful** provechoso; **~ion** [fru'iʃn]: *to come to ~ion* verse logrado; **~ juice** zumo m (*LA* jugo m) de frutas; **~less** infructuoso

frustrate [frʌs'treit] v/t frustrar; **~d** frustrado

fry [frai] v/t, v/i freír(se); **~ing pan** sartén f

fuel [fjuəl] combustible m

fugitive ['fju:dʒitiv] fugitivo

fulfil(l) [ful'fil] v/t cumplir; realizar; **~ment** cumplimiento m; satisfacción f

full [ful] lleno, repleto; completo; máximo; pleno; *in ~* (*citar*) íntegramente; **~-length** de cuerpo entero; **~ moon** luna f llena; **~ness** plenitud f; **~ stop** punto m final; **~ time** de jornada completa; **~y** completamente

gallant

fumble ['fʌmbl] v/t, v/i manosear o tentar torpemente

fume [fju:m] v/i humear; fig echar rayos; **~s** humo m

fun [fʌn] diversión f; alegría f; **for ~, in ~** en broma; **to have ~** divertirse; **to make ~ of** burlarse de

function ['fʌŋkʃən] s función f; v/i funcionar; **~al** funcional; **~ary** funcionario m

fund [fʌnd] s fondo m; v/t proveer de fondos

fundamental [fʌndə'mentl] fundamental

funeral ['fju:nərəl] entierro m; **~ service** funerales m/pl

funnel ['fʌnl] embudo m; mar chimenea f

funny ['fʌni] gracioso; raro

fur [fə:] piel f; pelo m; **~ coat** abrigo m de pieles

furious ['fjuəriəs] furioso

furl [fə:l] v/t aferrar

furnace ['fə:nis] horno m

furnish ['fə:niʃ] v/t amueblar; suministrar; **~ture** ['fə:nitʃə] muebles m/pl

furrier ['fʌriə] peletero m

furrow ['fʌrəu] surco m

furth|er ['fə:ðə] a más distante; adicional; adv más allá; además; v/t fomentar; **~ermore** además; **~est** a más lejano; adv más lejos

furtive ['fə:tiv] furtivo

fury ['fjuəri] furia f, rabia f

fuse [fju:z] s espoleta f; elec fusible m; v/t, v/i fundir(se)

fuselage ['fju:zilɑ:ʒ] aer fuselaje m

fusion ['fju:ʒən] fusión f

fuss [fʌs] s agitación f; conmoción f; lío m; **make a ~** armar un lío; v/i agitarse por pequeñeces; **~y** exigente

futile ['fju:tail] inútil

future ['fju:tʃə] a futuro, venidero; s futuro m

fuzz [fʌz] borra f; vello m

G

gab [gæb] fam parloteo m; **to have the gift of the ~** tener mucha labia

gable ['geibl] arq aguilón m

gadfly ['gædflai] tábano m

gadget ['gædʒit] aparato m; artilugio m

gag [gæg] s mordaza f; teat morcilla f; fam chiste m; v/t amordazar

gaiety ['geiəti] alegría f

gaily ['geili] alegremente

gain [gein] s ganancia f; beneficio m; v/t ganar, conseguir, lograr; v/i crecer; engordar; **ganar terreno**

gait [geit] marcha f, paso m

gale [geil] vendaval m; ventarrón m

gall [gɔ:l] hiel f; bilis f; fig rencor m; descaro m; **~ bladder** vejiga f de la bilis

gallant ['gælənt] valiente;

garboso; **~ry** valentía f; galantería f

gallery ['gæləri] galería f

galley ['gæli] galera f

gallon ['gælən] galón m (ingl. 4,5 litros; EU: 3,8 litros)

gallop ['gæləp] s galope m; v/i galopar

gallows ['gæləuz] horca f

gallstone ['gɔːlstəun] cálculo m biliar

galore [gə'lɔː] en abundancia

gamble ['gæmbl] s jugada f arriesgada; v/t apostar; v/i jugar al azar; **~er** jugador m; tahúr m

game [geim] s juego m; partida f (de naipes); partido m (de fútbol, etc); caza f; **big ~** caza f mayor; **~keeper** guardabosque m

gang [gæŋ] s banda f; pandilla f; cuadrilla f; ~ **up on** v/i atacar en conjunto contra

gangster ['gæŋstə] pistolero m, gánster m

gangway ['gæŋwei] pasillo m; mar portalón m

gaol [dʒeil] = **jail**

gap [gæp] abertura f; brecha f; vacío m; intervalo m

gape [geip] v/i estar boquiabierto

garage ['gærɑːdʒ] s garaje m; v/t guardar en un garaje

garbage ['gɑːbidʒ] basura f

garden ['gɑːdn] jardín m; huerto m; huerta f; **~er** jardinero m; **~ing** jardinería f

gargle ['gɑːgl] v/i hacer gárgaras

garland ['gɑːlənd] guirnalda f

garlic ['gɑːlik] ajo m

garment ['gɑːmənt] prenda f de vestir

garnish ['gɑːniʃ] v/t adornar, guarnecer

garrison ['gærisn] s guarnición f

garter ['gɑːtə] liga f

gas [gæs] s gas m; Am gasolina f; **~eous** ['~jəs] gaseoso; **~ket** tecn junta f; **~mask** careta f antigás

gasp [gɑːsp] v/i boquear; jadear

gas-station ['gæsteiʃən] gasolinera f; **~stove** ['gæsstəuv] cocina f de gas

gate [geit] puerta f, portal m; taquilla f; **~keeper** portero m; **~way** puerta f, entrada f

gather ['gæðə] v/t recoger; reunir; deducir; cobrar (velocidad, fuerzas, etc); entender; v/i reunirse, congregarse; **~ing** reunión f; agrupación f

gaudy ['gɔːdi] llamativo, chillón

ga(u)ge [geidʒ] s medida f; calibre m; f c entrevía f; tecn calibrador m; v/t medir; calibrar; estimar

gaunt [gɔːnt] flaco; sombrío; **~let** ['gɔːntlit] run the **~let** correr baquetas; **throw down the ~let** arrojar el guante

gauze [gɔːz] gasa f

gay [gei] s alegre; jovial, festivo; *fam* homosexual

gaze [geiz] s mirada f, fija; v/i mirar fijamente

gear [giə] s prendas f/pl; equipo m; pertrechos m/pl; *mar* aparejo m; *tecn* engranaje m; transmisión f; *aut* marcha f; ~ in ~ engranado; ~box caja f de engranajes; ~shift cambio m de velocidades

gelatine ['dʒelətin] gelatina f

gem [dʒem] gema f; *fig* joya f

gender ['dʒendə] género m

gene [dʒi:n] gen m

general ['dʒenərəl] a general; s general m; in ~ en general, por lo general; ~ize v/i generalizar; ~ly general

generate ['dʒenəreit] v/t engendrar; procrear; producir; *elec* generar; ~ion generación f; ~or generador m

genero|sity [dʒenə'rositi] generosidad f; ~us ['dʒenərəs] generoso

genetics [dʒi'netiks] genética f

genial ['dʒi:njəl] afable; suave

genitals ['dʒenitlz] órganos m/pl genitales

genitive ['dʒenitiv] genitivo m

genius ['dʒi:njəs] genio m

gentle ['dʒentl] suave, dulce; manso; cortés, fino; de buen nacido; noble; ~man caballero m; señor m; ~ness bondad f; mansedumbre f; dulzura f

gently ['dʒentli] suavemente

gentry ['dʒentri] alta burguesía f

genuine ['dʒenjuin] genuino, auténtico

geography [dʒi'ɔgrəfi] geografía f

geolog|ist [dʒi'ɔlədʒist] geólogo m; ~y geología f

geometry [dʒi'ɔmitri] geometría f

geophysics [dʒiəu'fiziks] geofísica f

geranium [dʒi'reinjəm] geranio m

geriatrics [dʒeri'ætriks] geriatría f

germ [dʒə:m] germen m; ~ warfare guerra f bacteorológica

German [dʒə:mən] a, s alemán(ana) m (f); ~ measles rubéola f; ~y Alemania f

germinate ['dʒə:mineit] v/i germinar

gest|iculate [dʒes'tikjuleit] v/i gesticular; ~ure ['dʒestʃə] gesto m

get [get] v/t conseguir, lograr; obtener; recibir; traer; aprender, comprender; v/i volverse, ponerse; ~ about andar; viajar; ~ across hacer entender; ~ ahead prosperar; ~ along marcharse; progresar; ~ along with llevarse bien; ~ along without pasarse sin; ~ away escaparse; ~ back recobrar; ~ back at pagar en la misma moneda; ~ **by** ir tirando; ~ **down** bajar; ~ **going** ponerse en marcha; ~ **in** entrar; subir; **to** ~ **it** fam caer en la cuenta; ~ **lost** perderse; ~ **off** bajar, apearse de; ~ **on** progresar; subir; ~ **on with** congeniar con; ~ **out** salir; interj ¡fuera!; ~ **over** reestablecerse de; ~ **ready** prepararse; ~ **up** levantarse; **have got** tener; **have got to** ... tener que, deber ...

geyser ['gaizə] géiser m; ['gi:zə] calentador m

ghastly ['ga:stli] horrible, espantoso; pálido

gherkin ['gə:kin] pepinillo m

ghost [gəust] fantasma m; espectro m; **to give up the** ~ rendir el alma

giant ['dʒaiənt] gigante m

gibe [dʒaib] v/i mofarse de; **giblets** ['dʒiblits] menudillos m/pl

giddy ['gidi] mareado; vertiginoso; atolondrado

gift [gift] regalo m; dádiva f; don m, dote f; talento m; ~**ed** talentoso, dotado

gigantic [dʒai'gæntik] gigantesco

giggle ['gigl] s risita f tonta; v/i reírse tontamente

gild [gild] v/t dorar

gilt [gilt] dorado

gin [dʒin] s ginebra f

ginger ['dʒindʒə] s jengibre m; fam brío m, vivacidad f; ~**bread** pan m de jengibre;

~**ly** cautelosamente

gipsy ['dʒipsi] a, s gitano(a) m (f)

giraffe [dʒi'ra:f] jirafa f

gird [gə:d] v/t ceñir; ~**er** viga f maestra; ~**le** ['gə:dl] s cinturón m; faja f; v/t ceñir

girl [gə:l] muchacha f; chica f; moza f; ~**ish** de niña

girth [gə:θ] cincha f; circunferencia f

gist [dʒist] lo esencial

give [giv] v/t dar; entregar; causar (enfermedad); indicar (temperatura, etc); ~ **away** regalar; revelar; ~ **back** devolver; ~ **birth to** dar a luz; ~ **off** emitir; ~ **up** renunciar a; ~**oneself up** rendirse, entregarse; ~**n to** propenso a; v/i dar, hacer regalos; ceder; ~ **in** ceder; ~ **up** darse por vencido; ~**-and-take** ['givən'teik] toma y daca m

glacier ['glæsjə] glaciar m

glad [glæd] contento, alegre; **to be** ~ alegrarse; estar contento; ~**ly** con mucho gusto; ~**den** v/t alegrar

glamou(r ['glæmə] encanto m; ~**ous** encantador

glance [gla:ns] s mirada f; vistazo m; **at first** ~ a primera vista; v/i echar un vistazo; ~ **at** dar un vistazo a

gland [glænd] glándula f

glare [gleə] s relumbrón m; mirada f feroz; v/i relumbrar; ~ **at** mirar con ira

glass [glɑːs] *s* cristal *m*; vidrio *m*; vaso *m*; espejo *m*; barómetro *m*; catalejo *m*; **~es** gafas *f/pl*, *LA* anteojos *m/pl*; *a* de cristal, de vidrio; **~house** invernadero *m*; **~y** vítreo; vidrioso (*ojos*, *etc*)

glaze [gleiz] *s* barniz *m*; *v/t* barnizar; lustrar; poner vidrios a (*una ventana*); **~ier** ['~jə] vidriero *m*

gleam [gliːm] *s* destello *m*; brillo *m*; *v/i* brillar, centellear

glee [gliː] júbilo *m*

glen [glen] hoya *f*

glib [glib] suelto de lengua

glide [glaid] *s* deslizamiento *m*; *v/i* deslizarse; *aer* planear; **~r** *aer* planeador *m*

glimmer ['glimə] *s* vislumbre *f*; *fig* rastro *m*; *v/i* rielar, brillar

glimpse [glimps] *s* ojeada *f*, vista *f* fugaz; *v/t* vislumbrar

glint [glint] *s* destello *m*; *v/i* destellar

glisten ['glisn] *v/i* relucir, brillar

glitter ['glitə] *s* brillo *m*; *v/i* brillar; relucir

gloat [gləut]: **~ over** *v/i* saborear maliciosamente

glob|al ['gləubl] mundial; global; **~e** globo *m*; **~e trotter** trotamundos *m*, *f*

gloom [gluːm] lobreguez *f*, tristeza *f*; *v/y* obscuro, tenebroso; triste, abatido

glor|ify ['glɔːrifai] *v/t* glorifi-

car; **~ious** glorioso; **~y** gloria *f*

gloss [glɔs] *s* lustre *m*, brillo *m*; glosa *f*; **~ary** ['~əri] glosario *m*; **~y** lustroso; satinado

glove [glʌv] guante *m*

glow [gləu] *s* brillo *m*; luminosidad *f*; *v/i* brillar, fulgurar; **~er** ['glauə]: **~er at** *v/i* mirar con ceño; **~worm** luciérnaga *f*

glue [gluː] *s* cola *f*; goma *f*; *v/t* pegar, encolar

glut [glʌt] *s* superabundancia *f*; *v/t* inundar (*el mercado*)

glutt|on ['glʌtn] glotón *m*; **~ony** gula *f*

glycerine ['glisərin] glicerina *f*

gnarled [nɑːld] nudoso

gnash [næʃ] *v/t* rechinar (*dientes*)

gnat [næt] mosquito *m*

gnaw [nɔː] *v/t* roer

go [gəu] *v/i* ir; irse; andar; viajar; funcionar; pasar; correr (*el tiempo*); alcanzar; **~ ahead** seguir adelante; **~ away** irse, marcharse; **~ back** regresar; **~ between** mediar; **~ by** pasar (por); **~ down** ponerse (*sol*); bajar; **~ for** ir a buscar, ir por; **~ home** volver a casa; **~ in for** dedicarse a; **~ into** entrar en; investigar; **~ off** irse; dispararse; **~ on** seguir, continuar; **~ out** salir; extinguirse; apagarse; **~ over** recorrer; repasar; **~ through** pasar por; sufrir; **~ through with** llevar a cabo; **~ to bed** acostarse; **~ to school** ir al colegio; **to be ~ing to** ir a (hacer); **~ under** hundirse; perderse; **~ with** hacer juego con; **~ without** pasarse sin; s energía f, fuerza f; empuje m; **no ~** es inútil; **on the ~** en actividad; activo; **have a ~ at** probar suerte con

goad [gəud] v/t aguijonear; incitar

go-ahead ['gəuəhed] fig luz f verde

goal [gəul] meta f, gol m; **~keeper** guardameta m, portero m

goat [gəut] cabra f; macho m cabrío

go-between ['gəu-bitwi:n] mediador(a) m (f)

gobble ['gɔbl] v/t **~ up** engullirse

goblet ['gɔblit] copa f

goblin ['gɔblin] duende m

God [gɔd] Dios m; 2 deidad f, dios m; **~ forbid!** ¡ por Dios!; **~ willing** si Dios quiere

god|child ahijado(a) m (f); **~dess** diosa f; **~father** padrino m; **~less** descreído; **~like** (de aspecto) divino; **~liness** santidad f; **~mother** madrina f; **~parents** padrinos m/pl; **~send** don m del cielo

goggles ['gɔglz] gafas f/pl submarinas

going ['gəuiŋ] s ida f, partida

f; a en marcha; existente; **the ~ rate** la tarifa en vigor; **~s-on** actividades f/pl dudosas

gold [gəuld] oro m; **~ digger** buscador m de oro; fig Am aventurera f; **~en** de oro; **~fish** pez m de colores; **~smith** orfebre m

golf [gɔlf] golf m; **~ course** campo m de golf; **~er** jugador m de golf

gone [gɔn] perdido; ido, arruinado; pasado; muerto

good [gud] a bueno; **for ~** para siempre; **to make ~** cumplir (promesa); reparar; prosperar; **as ~ as** tan bueno como; casi; **a ~ deal** mucho; **~ afternoon** buenas tardes; **~ at** hábil en; **~ breeding** buena educación f; **~ for ser** vir para; 2 **Friday** Viernes m Santo; **in ~ time** a tiempo; **~ luck!** ¡buena suerte!; **~ morning** buenos días; s bien m; **it's no ~** no vale para nada, es inútil; **for the ~ of** para el bien de; **~bye** adiós m; **~-for-nothing** haragán m; **~-looking** guapo; **~-natured** bondadoso; **~ness** bondad f; benevolencia f; **~s** [gudz] bienes m/pl; **~ turn** favor m; **~ will** buena voluntad f

goose [gu:s] ganso m; **~berry** ['guzbəri] grosella f espina; **~flesh**, Am **~bumps** fig carne f de gallina

gore [gɔ:] v/t cornear

grapevine

gorge [gɔ:dʒ] s *anat, geog* garganta *f*; barranco *m*; *v/t* engullir; *v/i* hartarse; **~ous** ['~əs] magnífico, hermosísimo

gorilla [gəˈrilə] gorila *m*

gory ['gɔ:ri] sangriento

gospel ['gɔspəl] evangelio *m*

gossip ['gɔsip] s chismorreo *m*; chisme *m*; chismoso(a) *m* (*f*); *v/i* chismear

gourd [guəd] calabaza *f*

gout [gaut] gota *f*; **~y** gotoso

govern ['gʌvən] *v/t* gobernar; dirigir; regir, guiar; *v/i* gobernar; **~ess** institutriz *f*; **~ing board** junta *f* directiva; **~ment** gobierno *m*; **~or** gobernador *m*; director *m*

gown [gaun] vestido *m* de mujer; toga *f*

grab [græb] *v/t* agarrar; arrebatar; coger

grace [greis] s gracia *f*; finura *f*; *relig* bendición *f*; **to say ~** bendecir la mesa; *v/t* adornar; favorecer; **~ful** agraciado; elegante; **~ note** *mús* nota *f* de adorno

gracious ['greiʃəs] benigno; grato, ameno; **good ~!** ¡válgame Dios!

grade [greid] s grado *m*; pendiente *f*; clase *f*; nota *f*; **~e crossing** /c paso *m* a nivel; *v/t* graduar; nivelar; **~ient** ['~jənt] pendiente *f*; **~ual** ['grædʒuəl] gradual; **~uate** ['grædʒueit] *v/t*, *v/i* graduar(se); ['~dʒuət] s gradua-

do *m*; **~uation** [~dʒu'eiʃən] graduación *f*

graft [grɑ:ft] s *med* injerto *m*; soborno *m*; *v/i* injertar; transferir

grain [grein] s grano *m*; (*de tejido*) fibra *f*; cereales *m/pl*; **against the ~** a contrapelo

grammlar ['græmə] gramática *f*; **~atical** [grə'mætikəl] gramático

gram(me) [græm] gramo *m*

gramophone ['græməfəun] gramófono *m*

grand [grænd] grandioso, ilustre; magnífico; **~daughter** ['~ndɔ:tə] nieta *f*; **~eur** ['~ndʒə] magnificencia *f*; **~father** ['~dfʌ] abuelo *m*; **~father clock** reloj *m* de péndulo; **~ma** ['~nmɑ:] abuelita *f*; **~mother** ['~nm~] abuela *f*; **~pa** ['~npɑ:] abuelito *m*; **~parents** ['~np~] abuelos *m/pl*; **~son** nieto *m*; **~stand** tribuna *f* principal

granny ['græni] *fam* abuelita *f*

grant [grɑ:nt] s concesión *f*; otorgamiento *m*; donación *f*; beca *f*; *v/t* conceder, otorgar; permitir; **to take for ~ed** dar por sentado; **~ed that** dado que

granulated ['grænjuleitid] **sugar** azúcar *m* granulado

grape [greip] uva *f*; **sour ~s** *fam* envidia *f*; **~fruit** pomelo *m*; toronja *f*; **~shot** metralla *f*; **~vine** vid *f*

graph 110

graph [græf] gráfica *f*; **~ic**
gráfico

grapple ['græpl]: *v/i* **~ with**
esforzarse por resolver

grasp [gra:sp] *v/t* empuñar,
asir; agarrar; *s* asimiento *m*;
alcance *m*; **~ing** codicioso

grass [gra:s] hierba *f*; yerba *f*;
césped *m*; **~hopper** salta-
montes *m*; **~land** pradera *f*;
~ roots *pol* básico; popular

grate [greit] *s* parrilla *f* de
hogar; *v/t* rallar; enrejar; *v/i*
~ on *fig* irritar

grateful ['greitful] agradecido, reconocido

grati|fication [grætifi'keiʃən]
satisfacción *f*; **~fy** ['~fai] *v/t*
satisfacer, complacer

grating ['greitiŋ] *s* verja *f*, reja
f; *a* áspero; irritante

gratitude ['grætitju:d] agra-
decimiento *m*

gratuit|ous [grə'tju(:)itəs]
gratuito; **~y** *gratificación f*

grave [greiv] *a* grave, serio;
importante; *s* tumba *f*, sepul-
tura *f*; **~digger** sepulturero
m

gravel ['grævəl] grava *f*

graveyard ['greivja:d] cementerio *m*

gravitation [grævi'teiʃən]
gravitación *f*

gravity ['græviti] gravedad *f*;
seriedad *f*

gravy ['greivi] jugo *m* de carne; salsa *f*

gray [grei] = **grey**

graze [greiz] *v/t* apacentar;

rozar; *v/i* pacer

greas|e [gri:s] *f* grasa *f*; lubri-
cante *m*; [~z] *v/t* engrasar; **~y**
['~zi] grasiento, pringoso

great [greit] grande; importante; estupendo; largo;
principal; **a ~ deal** mucho; **a**
~ many muchos(as); **~aunt**
tía *f* abuela; **~ Britain** [~
'britn] Gran Bretaña *f*; **~est**
mayor, máximo; **~grand-
child** bisnieto(a) *m* (*f*);
~grandfather bisabuelo *m*;
~grandmother bisabuela *f*;
~ly mucho; muy; **~ness**
grandeza *f*

Greece [gri:s] Grecia *f*

greed [gri:d] codicia *f*, avidez
f; gula *f*; voracidad *f*; **~y** codicioso, avaro; goloso; vo-
raz

Greek [gri:k] *a*, *s* griego(a) *m*
(*f*)

green [gri:n] *a* verde; fresco; *s*
pradera *f*; césped *m*; **~ bean**
judía *f* verde; **~grocer** ver-
dulero *m*; **~horn** bisoño *m*;
novato *m*; **~house** invernadero *m*; **~s** verduras *f*/*pl*

greet [gri:t] *v/t* saludar; **~ing**
saludo *m*

gregarious [gri'gɛəriəs] gre-
gario

grenade [gri'neid] granada *f*

grey [grei] gris; **~ hair** canas
f/*pl*; **~haired** canoso; **~
hound** galgo *m*; **~ish** par-
dusco

grid [grid] *s* rejilla *f*; **~iron**
parrilla *f*

grie|f [griːf] s pesar m; pena f; dolor m; **to come to ∼f** fracasar; **∼vance** agravio m; motivo m para quejarse; **∼ve** v/t afligir; v/i apenarse; **∼vous** penoso; doloroso

grill [gril] s parrilla f; v/t asar a la parrilla

grim [grim] ceñudo, torvo; sombrio; severo; siniestro

grimace [grɪˈmeɪs] s mueca f; v/i hacer muecas

grim|e [graim] mugre f; **∼y** sucio; mugriento

grin [grin] v/i sonreír bonachonamente o abiertamente

grind [graind] s trabajo m pesado y aburrido; v/t moler; afilar; hacer rechinar (los dientes)

grip [grip] s apretón m; agarro m; v/t apretar, agarrar; **come to ∼s with** luchar a brazo partido

grisly [ˈgrizli] espantoso, horrible

grit [grit] arena f, cascajo m; valor m

groan [grəun] s gemido m; quejido m; v/i gemir

grocer [ˈgrəusə] tendero m (de ultramarinos); abacero m; **∼y** tienda f de comestibles; LA tienda f de abarrotes

groin [grɔin] ingle f

groom [grum] s mozo m de cuadra; m; v/t cuidar

groove [gruːv] s ranura f, surco m; v/t acanalar

grope [grəup] v/t, v/i ir a tientas; **∼ for** buscar a tientas

gross [grəus] a grueso; denso; grosero; com bruto; s gruesa f (doce docenas); **∼ly** excesivamente

grotesque [grəuˈtesk] grotesco

grotto [ˈgrɔtəu] gruta f

grouch [grautʃ] fam, Am quejoso(a) m (f)

ground [graund] s suelo m, tierra f; causa f; mar fondo m; v/t fundar; v/i mar encallar; **∼ control** aer control m desde tierra; **∼floor** planta f baja; **∼less** sin fundamento; **∼nut** cacahuete m; **∼** terreno m; poso m; **∼work** cimientos m/pl

group [gruːp] s grupo m; v/t, v/i agrupar(se)

grove [grəuv] arboleda f

grow [grəu] v/t cultivar; v/i crecer; volverse; **∼ dark** obscurecer; **∼ fat** engordar; **∼ into** llegar a ser; **∼ old** envejecer; **∼ up** crecer; salir de la niñez; **∼er** cultivador m; **∼ing** a creciente

growl [graul] s gruñido m; v/i gruñir

grown-up [ˈgrəunʌp] adulto

growth [grəuθ] crecimiento m; desarrollo m; vegetación f; med tumor m

grub [grʌb] s larva f; gusano m; v/t, v/i desarraigar; desyerbar; **∼by** sucio; desaliñado

grudge [grʌdʒ] s rencor m; inquina f; *bear a ~e* guardar rencor; **~ingly** de mala gana

gruel [gruəl] s gachas f/pl; **~(l)ing** duro, riguroso

gruff [grʌf] áspero; ceñudo; bronco

grumble ['grʌmbl] v/i refunfuñar, regañar; **~r** gruñón m

grunt [grʌnt] s gruñido m; v/i gruñir

guarantee [gærən'tiː] s garantía f; v/t garantizar, responder por; **~or** [~'to] garante m; fiador m; **~y** ['gærənti] garantía f; fianza f

guard [gɑːd] s guarda m, f; mil guardia m; centinela m, f; protección f; *off ~* desprevenido; *on ~* en guardia; v/t, v/i guardar, proteger; custodiar; **~ian** guardián m; for tutor m

Guatemala [gwɑːti'mɑːlə] Guatemala f; **~n**, a, s guatemalteco(a) m (f)

guess [ges] s suposición f, conjetura f; v/t, v/i suponer, conjeturar

guest [gest] huésped(a) m (f); invitado(a) m (f); **~house** casa f de huéspedes

guffaw [gʌ'fɔː] carcajada f

guid|ance ['gaidəns] s gobierno m, dirección f; **~e** guía m, f; v/t guiar, conducir; **~e book** guía f del viajero; **~e lines** normas f/pl generales

guild [gild] gremio m

guile [gail] astucia f; maña f; **~less** inocente, cándido

guilt [gilt] culpa f, culpabilidad f; **~less** inocente; **~y** culpable

guinea pig ['ginipig] conejillo m de Indias

guise [gaiz] apariencia f; *under the ~ of* so capa de

guitar [gi'tɑː] guitarra f

gulf [gʌlf] golfo m, bahía f

gull [gʌl] gaviota f

gullet ['gʌlit] esófago m; **~ible** ['gʌləbl] crédulo; **~y** barranco m

gulp [gʌlp] s trago m; v/t tragar; *~ down* engullir

gum [gʌm] s goma f; v/t engomar; **~s** encías f/pl

gun [gʌn] s fusil m; cañón m; Am fam revólver m, pistola f; *jump the ~* precipitarse; **~man** pistolero m; **~metal** bronce m de cañón; **~ner** artillero m; **~powder** pólvora f; **~shot** cañonazo m, escopetazo m

gurgle ['gəːgl] v/i gorgotear

gush [gʌʃ] s chorro m; fam efusión f; v/i salir en chorros

gust [gʌst] ráfaga f

guts [gʌts] intestinos m/pl, tripas f/pl; *to have ~* fig tener agallas f/pl

gutter ['gʌtə] arroyo m, zanja f; gotera f

guy [gai] fam tipo m; tío m; *wise ~* fam sabelotodo m

guzzle ['gʌzl] v/t engullir

gymnas|ium [dʒim'neizjəm] gimnasio *m*; **~tics** [~'næstiks] gimnasia *f*

gyn(a)ecologist [gaini'kɔ-ladʒist] ginecólogo *m*

gypsum ['dʒipsəm] yeso *m*

gyr|ate [dʒaiə'reit] *v/i* girar: **~ation** giro *m*, vuelta *f*

H

haberdashery ['hæbədæʃəri] mercería *f*

habit ['hæbit] hábito *m*; costumbre *f*; **~able** habitable

habitual [hə'bitjuəl] habitual, acostumbrado

hack [hæk] *s* caballo *m* de alquiler; corte *m*; *v/t* picar; machetear; **~ney coach** coche *m* de alquiler; **~neyed** trillado; **~saw** sierra *f* para metales

h(a)emorrhage ['heməridʒ] hemorragia *f*

h(a)emorrhoids ['hemərɔidz] hemorroides *f/pl*

hag [hæg] bruja *f*

haggard ['hægəd] emaciado, trasnochado, ojeroso

haggle ['hægl] *v/i* discutir; regatear (*el precio*)

hail [heil] *s* granizo *m*; pedrisco *m*; saludo *m*; *v/i* granizar; *v/t* llamar a; aclamar; **~storm** granizada *f*

hair [heə] pelo *m*; cabello *m*; vello *m* (*de brazo o pierna*); **let one's ~ down** comportarse con desenvoltura; **make one's ~ stand on end** ponerle los pelos de punta; **split ~s** andar en quisquillas; **~curlers** rulos *m/pl*; **~cut** corte *m*

de pelo; **~do** peinado *m*; **~dresser** peluquero(a) *m* (*f*); **~drier** secador *m*; **~net** redecilla *f*; **~pin** horquilla *f*; **~raising** horripilante; **~splitting** quisquilloso; **~y** peludo

half [hɑːf] *s* mitad *f*; **in ~** en dos mitades; **cut in ~** cortar por la mitad; *a, adv* medio (a); semi; casi; a medias; **~an hour** media hora; **an hour and a ~** hora y media; **~blood** mestizo *m*; **~brother** medio hermano *m*; **~caste** mestizo(a) *m* (*f*); **~hearted** con poco entusiasmo; **~price** a mitad del precio; **~sister** media hermana *f*; **~time** *sp* intermedio *m*; **~way** a medio camino; en el medio; **~witted** bobo; imbécil

hall [hɔːl] vestíbulo *m*; sala *f*

hallo [hə'ləu] ¡hola!

hallow ['hæləu] *v/t* santificar; **~ed** sagrado

hallucinate [hə'luːsineit] *v/t* alucinar

halo ['heiləu] halo *m*; aureola *f*

halt [hɔːlt] *s* alto *m*; parada *f*; *v/t* parar; detener; *v/i* detenerse, hacer alto

halter ['hɔːltə] cabestro *m*; dogal *m*

halve [hɑːv] *v/t* dividir en dos partes iguales

ham [hæm] jamón *m*

hamburger ['hæmbəːgə] hamburguesa *f*

hamlet ['hæmlit] caserío *m*; aldea *f*

hammer ['hæmə] *s* martillo *m*; *v/t* martillar

hammock ['hæmək] hamaca *f*

hamper ['hæmpə] *s* canasta *f*, cesta *f* grande; *v/t* estorbar

hand [hænd] *s* mano *f*; obrero *m*; *mar* tripulante *m*; manecilla *f* (*de reloj*); aplausos *m/pl*; escritura *f*; **at ~** a la mano; inminente; **at first ~** de primera mano; **by ~** a mano; **~ in ~** cogidos de la mano; **on ~** disponible; **on the one ~** por una parte; **on the other ~** por otra parte; **to change ~s** mudar de manos; **to get out of ~** desmandarse; **to have the upper ~** dominar la situación; **to lend a ~** echar una mano a; *v/t* dar; entregar, pasar; **~ in** presentar; **~ over** entregar; **~bag** bolsa *f* de mano; **~ball** balonmano *m*; **~bill** volante *m*; **~book** manual *m*; **~cuffs** esposas *f/pl*; **~ful** manojo *m*

handi|cap ['hændikæp] *s* handicap *m*; *fig* desventaja *f*; *v/t* estorbar; **the ~capped** los minusválidos *m/pl*; **~craft** artesanía *f*; **~craftsman** artesano *m*

handkerchief ['hæŋkətʃif] pañuelo *m*

handl|e ['hændl] *s* mango *m*, puño *m*; tirador *m*; picaporte *m*; **~ebar** manillar *m* (*de bicicleta*); **~ing** manejo *m*

hand|made ['hændmeid] hecho a mano; **~rail** pasamano *m*; **~shake** apretón *m* de manos; **~some** ['hænsəm] guapo; **~writing** escritura *f*; **~y** a mano; diestro; práctico; **come in ~y** venir bien

hang [hæŋ] *v/t* colgar; suspender; ahorcar (*el criminal*); *v/i* pender, colgar

hangar ['hæŋə] hangar *m*

hanger ['hæŋə] percha *f*

hangman ['hæŋmən] verdugo *m*

hangover ['hæŋəuvə] *fam* resaca *f*

haphazard ['hæp'hæzəd] *a* casual; fortuito

happen ['hæpən] *v/i* suceder, acontecer, ocurrir, pasar; **~ to (do) ...** (hacer) por casualidad; **~ing** acontecimiento *m*; espectáculo *m* improvisado

happ|ily ['hæpili] *adv* felizmente; **~iness** felicidad *f*; **~y** feliz; dichoso; **~y-go-lucky** despreocupado

harass ['hærəs] *v/t* acosar; hostigar

harbo(u)r ['hɑːbə] *s* puerto *m*; *v/t* abrigar; albergar

hard [hɑːd] *a* duro; sólido; firme; inflexible; riguroso, severo; difícil; **~ luck** mala suerte *f*; **~ of hearing** duro de oído; *adv* fuertemente; duramente, muy; **~ by** muy cerca; **~ up** apurado; **~en** *v/t* endurecer; **~headed** testarudo; poco sentimental; **~hearted** duro de corazón; insensible; **~ly** apenas; **~ness** dureza *f*; **~ship** penuria *f*; penas *f/pl*; **~ware** quincalla *f*, ferretería *f*; **~y** robusto; audaz

hare [heə] liebre *f*; **~brained** casquivano

harm [haːm] *s* daño *m*; perjuicio *m*; *v/t* dañar, perjudicar; herir; **~ful** dañino, perjudicial; **~less** inofensivo

harmon|ious [haːˈməunjəs] armonioso; atono *f*; *v/i* armonizar; **~y** armonía *f*

harness [ˈhaːnis] *s* arreos *m/pl*, guarniciones *f/pl*; *v/t* enjaezar; *fig* utilizar

harp [haːp] *s* arpa *f*; *v/i* **to ~ on** repetir constantemente

harpoon [haːˈpuːn] *s* arpón *m*; *v/t* arponear

harrow [ˈhærəu] *s* grada *f*; *v/t* gradar; **~ing** horroroso

harsh [haːʃ] áspero, duro; chillón (*color*)

hart [haːt] ciervo *m*

harvest [ˈhaːvist] *s* cosecha *f*, recolección *f*; *v/t* cosechar, recoger; **~er** segador(a) *m* (*f*); cosechadora *f*

hash [hæʃ] *s* picadillo *m*

hashish [ˈhæʃiːʃ] hachís *m*

hassle [ˈhæsl] *Am s* riña *f*; *v/t*

molestar a

hast|e [heist] prisa *f*; **to make ~e** darse prisa; **~en** [ˈ~sn] *v/i* darse prisa; *v/t* apresurar; apremiar; **~y** apresurado; precipitado

hat [hæt] sombrero *m*

hatch [hætʃ] *s* pollada *f*, nidada *f*; compuerta *f*; *mar* escotilla *f*; *v/t* empollar, incubar; tramar; *v/i* empollarse; (*ideas*) madurarse

hatchet [ˈhætʃit] machado *m*; hacha *f*; **bury the ~** hacer las paces

hat|e [heit] *s* odio *m*; *v/t* odiar, detestar; **~eful** odioso; **~red** [ˈ~rid] odio *m*

haughty [ˈhɔːti] altanero; altivo

haul [hɔːl] *s* redada *f* (*de peces*); botín *m*; tirón *m*; trayecto *m*; *v/t* arrastrar, tirar de; transportar

haunt [hɔːnt] *s* guarida *f*; lugar *m* favorito; *v/t* frecuentar; **~ed** visitado por fantasmas; **~ed house** casa *f* de fantasmas

have [hæv, həv] *v/t* tener; poseer; *v/aux* haber; **to ~ a mind to** tener ganas de; **to had it** no poder más; **to ~ it out** poner las cosas en claro; **to ~ on** llevar puesto; **to ~ to** tener que

haven [ˈheivn] puerto *m*; *fig* refugio *m*

havoc [ˈhævək] estrago *m*;

destrucción f; **to play ~ with** causar estragos en

hawk [hɔːk] s halcón m; v/t pregonar

hawthorn ['hɔːθɔːn] espino m

hay [hei] heno m; **~ fever** fiebre f del heno; **~loft** henil m; **~stack** almiar m; **~wire** en desorden

hazard ['hæzəd] s azar m; v/t arriesgar; **~ous** arriesgado

haze [heiz] calina f

hazel ['heizl] avellano m; **~nut** avellana f; neblina f

hazy ['heizi] calinoso; nebuloso; confuso

he [hiː] pron él; **~ who** el que, quien

head [hed] s cabeza f; cara f (de moneda); jefe m; geog cabo m; tecn cabezal m; **not to make ~ nor tail of it** no verle ni pies ni cabeza; **~ or tails** cara o cruz; **~ over heels** precipitadamente; **off one's ~** loco; v/t dirigir; encabezar; encaudillar; v/i adelantarse, dirigirse; **~ache** ['~eik] dolor m de cabeza; **~ing** título m; **~land** promontorio m; **~lights** faros m/pl; **~line** titular m; **~master** director m (de colegio); **~ office** central f; oficina f principal; **~phones** auriculares m/pl; **~quarters** cuartel m general; **~rest** reposacabezas m; **~strong** voluntarioso; **~way: make ~way** avanzar

heal [hiːl] v/t curar; v/i cicatrizarse

health [helθ] salud f; sanidad f; **~ful** sano; **~y** sano, saludable

heap [hiːp] s montón m; v/t amontonar, acumular; colmar de

hear [hiə] v/t oír; sentir; escuchar; v/i oír decir; **~er** oyente m, f; **~ing** oído m; audiencia f; **within ~ing** al alcance del oído; **~say** rumores m/pl

hearse [hɔːs] coche m fúnebre

heart [hɑːt] corazón m; fig fondo m; copa f (de naipes); **at ~** en el fondo; **by ~** de memoria; **to lose ~** descorazonarse; **to take ~** cobrar ánimo; **~ attack** ataque m cardíaco; **~beat** latido m del corazón; **~breaking** desgarrador; **~burn** acedía f; **~en** v/t alentar, animar

hearth [hɑːθ] fogón m

heartily ['hɑːtili] sinceramente; cordialmente; **~less** ['hɑːtlis] despiadado; **~y** cordial; sincero; sano

heat [hiːt] s calor m; ardor m, vehemencia f; celo m (animales); v/t calentar; fig acalorar; v/i calentarse; **~er** calentador m

heath [hiːθ] brezal m; brezo m

heathen ['hiːðən] a, s pagano(a) m (f)

heather ['heðə] brezo m

heating ['hiːtiŋ] calefacción f

heave [hi:v] v/t levantar; elevar; alzar

heaven ['hevn] cielo m; **good ~s!** ¡cielos!; **~ly** divino, celeste

heavy pesado; denso; fuerte; fig importante; **~duty** resistente (producto); **~handed** opresivo

Hebrew ['hi:bru:] a, s hebreo(a) m (f)

hectic ['hektik] agitado

hedge [hedʒ] s seto m vivo; v/t cercar; rodear; dar respuestas evasivas; **~hog** erizo m

heed [hi:d] s **take ~** hacer caso; v/t hacer caso de, atender a; escuchar; v/i prestar atención; **~less** descuidado

heel [hi:l] talón m; tacón m (de zapato); **to take to one's ~s** largarse, poner pies en polvorosa

hefty ['hefti] fornido; fuerte

heifer ['hefə] novilla f

height [hait] altura f; altitud f; talle f; geog cerro m; cima f, cumbre f; fig colmo m; **~en** v/t realzar; aumentar

heinous ['heinəs] horrendo

heir [ɛə] heredero m; **~ess** heredera f

helicopter ['helikɔptə] helicóptero m

hell [hel] infierno m

hello ['heˈləu] ¡hola!; tel ¡diga!

helm [helm] timón m

helmet ['helmit] casco m

help [help] s ayuda f; socorro m; remedio m; ayudante m; **~!** ¡socorro!; v/t ayudar, socorrer; **to ~ oneself** servirse; **it can't be ~ed** no hay más remedio; **~er** ayudante m; **~ful** útil; servicial; **~ing** porción f; **~less** desvalido; impotente; indefenso

helter-skelter ['heltəskeltə] a troche y moche

hem [hem] s dobladillo m; v/t dobladillar; **~ in** cercar, encerrar

hemisphere ['hemisfiə] hemisferio m

hemlock ['hemlɔk] cicuta f

hemp [hemp] cáñamo m

hen [hen] gallina f

hence [hens] adv de aquí; por esto; por lo tanto; **~forth** de aquí en adelante

hen|coop ['henku:p] gallinero m; **~peck** v/t tiranizar (al marido)

her [hə:] pron pos su (de ella); pron pers la, le, a ella; ella (después de preposición)

herald ['herəld] s heraldo m; precursor m; v/t anunciar; **~ry** heráldica f

herb [hə:b] hierba f

herd [hə:d] s hato m; rebaño m; manada f; fig tropel m; **~sman** vaquero m

here [hiə] adv aquí, acá; **~!** ¡presente!; **~ and there** aquí y allá; **~ goes!** ¡ahí va!; **~ you are!** ¡tenga!; **~'s to you!** ¡a su salud!; **in ~** aquí dentro; **over ~** por aquí; **right ~** aquí mismo; **~abouts** por aquí; **~after** en lo futuro; **~by** por la presente

heredity [hi'rediti] herencia f

here|sy ['herəsi] herejía f; **~tic** hereje m, f

here|upon ['hiərə'pɔn] en seguida; **~with** con esto

heritage ['heritidʒ] herencia f

hermit ['hə:mit] ermitaño m; **~age** ermita f

hernia ['hə:njə] hernia f

hero ['hiərəu] héroe m; protagonista m, **~ic** [hi'rəuik] heroico; **~in** ['herəuin] heroína f farm; **~ine** ['herəuin] heroína f; **~ism** heroísmo m

heron ['herən] garza f

herring ['heriŋ] arenque m; **~ red ~** pista f falsa

hers [hə:z] pron pos suyo, suya; el suyo, la suya; los suyos, las suyas (de ella); **~elf** [hə:'self] ella misma; sí misma; se

hesita|te ['heziteit] v/i vacilar, titubear; **~tion** vacilación f; hesitación f

heterosexual [hetərəu-'seksjuəl] a, s heterosexual m, f

hew [hju:] v/t cortar; talar (árboles); labrar (piedra)

hey [hei] ¡oiga!; ¡eh!

heyday ['heidei] auge m; apogeo m

hi [hai] ¡hola!

hiccup ['hikʌp] hipo m

hid|den ['hidn] escondido,

oculto; **~e** [haid] v/t, v/i esconder(se), ocultar(se); s cuero m; piel f; **~e-and-seek** escondite m

hideous ['hidiəs] horrible; feo; deforme

hid|e-out ['haidaut] escondrijo m; **~ing** fam paliza f; **go into ~ing** ocultarse; **~ing place** escondrijo m

hierarchy ['haiərɑ:ki] jerarquía f

hi-fi ['hai'fai] (de) alta fidelidad f

high [hai] alto; elevado; fuerte; extremo; **it is ~ time** ya es hora; **~ and dry** en seco; **~ and mighty** encopetado; **~ altar** altar m mayor; **~brow** intelectual m, f; **~ chair** silla f alta; **~class** de clase superior; **~ command** alto mando m; **~ diving** saltos m/pl de palanca; **~fidelity** (de) alta fidelidad f; **~handed** despótico; **~heeled** de tacón alto; **~ jump** salto m de altura; **~lights** puntos m/pl salientes; **~ly** altamente; muy bien; **~ness** altura f; **2ness** Alteza f; **~-pitched** agudo; **~-powered** de gran potencia; **~ pressure** de alta presión; **~ rise** edificio m de muchos pisos; **~ school** Am colegio m de segunda enseñanza; **~ season** temporada f alta; **~-spirited** animado; **~ tide** marea f alta; **~way** carretera f

hobgoblin

hijack ['haidʒæk] v/t secuestrar (avión)

hike [haik] v/i hacer excursiones; s caminata f; excursión f; **~r** excursionista m

hilarious [hi'lɛəriəs] hilarante; muy chistoso

hill [hil] colina f; cerro m; cuesta f; **~side** ladera f; **~y** ondulado, montuoso

hilt [hilt] puño m; empuñadura f

him [him] pron pers le; lo; él (después de preposición); **~self** [~'self] él mismo; sí mismo; se

hind [haind] s cierva f; a trasero, posterior

hind|er ['hində] v/t impedir, estorbar; **~rance** impedimento m, estorbo m, obstáculo m

hinge [hindʒ] s bisagra f; v/t engoznar

hint [hint] s indirecta f; sugestión f; take the **~** darse por aludido; v/t insinuar, sugerir; v/i echar una indirecta

hinterland ['hintəlænd] traspaís m

hip [hip] cadera f

hippopotamus [hipə'pɒtəməs] hipopótamo m

hire ['haiə] s alquiler m; arriendo m; sueldo m; v/t alquilar, arrendar

his [hiz] pron pos su, de él; (el) la suya; (los) suyos, (las) suyas (de él)

Hispanic [his'pænik] his-

pánico

hiss [his] s siseo m; silbido m; v/t, v/i silbar; sisear (hablando)

histor|ian [his'tɔːriən] historiador(a) m (f); **~ic(al)** [~'tɔrik(əl)] histórico; **~y** ['~əri] historia f

hit [hit] s golpe m; choque m; acierto m; mús, teat éxito m; v/t pegar, golpear; dar con; **~** or miss a la buena ventura; **~** the nail on the head dar en el clavo; it **~s** you in the eye le salta a la vista

hitch [hitʃ] s tropiezo m, dificultad f; v/t atar; mar amarrar; **~hike** v/i hacer autostop

hither ['hiðə] lit acá, hacia acá; **~to** hasta ahora

hive [haiv] s colmena f

hoard [hɔːd] s provisión f; v/t, v/i acumular y guardar; acaparar; **~ing** acaparamiento m; atesoramiento m

hoarfrost ['hɔː'frɒst] escarcha f

hoarse [hɔːs] ronco; **~ness** ronquera f

hoax [həuks] s engaño m; trampa f; v/t chasquear, engañar

hobble ['hɒbl] v/t manear; poner trabas a; v/i cojear

hobby ['hɒbi] pasatiempo m; afición f; **~horse** caballito m de madera

hobgoblin ['hɒbgɒblin] duende m

hobo ['həubəu] *Am* vagabundo *m*

hock [hɔk] *v/t* einpeñar

hockey ['hɔki] hockey *m*

hoe [həu] s azada *f*, azadón *m*; *v/t* azadonar

hog [hɔg] s cerdo *m*, puerco *m*; *v/t* fig acaparar

hoist [hɔist] s montacargas *m*; *v/t* alzar, elevar; levantar; izar (*bandera*)

hold [həuld] s presa *f*; fig posesión *f*; dominio *m*; autoridad *f*; mar bodega *f* (*de un barco*); **to catch (get) ~ of** coger, agarrar; *v/t* tener; poseer; ocupar; sostener; **~ one's own** mantenerse firme; **~ up** levantar; mostrar; detener; asaltar; *v/i* no ceder; ser válido; **~ on** agarrarse bien; **~ out for** insistir en; **~ the line!** *tel* ¡no cuelgue!; **~er** titular *m/f*; arrendatario *m*; **~ing** posesión *f*; propiedad *f*; **~up** atraco *m*

hole [həul] agujero *m*, hoyo *m*; boquete *m*; fig aprieto *m*; **~ puncher** ['~pʌntʃə] perforadora *f*

holiday ['hɔlədi] día *m* de fiesta; **~s** vacaciones *f/pl*

Holland ['hɔlənd] Holanda *f*

hollow ['hɔləu] a hueco; vacío; hundido; s cavidad *f*; hondonada *f*; *v/t* excavar; ahuecar

holly ['hɔli] acebo *m*

holster ['həulstə] pistolera *f*

holy ['həuli] santo; 2 **Ghost,**

2 **Spirit** Espíritu *m* Santo; 2 **Land** Tierra *f* Santa; **~ water** agua *f* bendita; **the** 2 **Writ** la Sagrada Escritura

homage ['hɔmidʒ] homenaje *m*; **to pay ~** rendir homenaje

home [həum] casa *f*; hogar *m*; domicilio *m*; residencia *f*; asilo *m*; **at ~** en casa; **to make oneself at ~** ponerse cómodo; **to strike ~** dar en lo vivo; **~less** sin hogar; **~ly** acogedor; sencillo; feo; **~-made** casero, de fabricación casera; **~maker** ama *f* de casa; **~ rule** autonomía *f*; **~sick** nostálgico; **to be ~sick** tener morriña; **~ team** *sp* equipo *m* de casa; **~town** ciudad *f* natal; **~ward(s)** a casa, hacia casa; **~work** deberes *m/pl*

homicide ['hɔmisaid] homicidio *m*; homicida *m*, *f*

homosexual ['hɔuməu'seksjuəl] *a*, *s* homosexual *m*, *f*

Hondura|n [hɔn'djuərən] *a*, *s* hondureño(a) *m* (*f*); **~s** Honduras *f*

honest ['ɔnist] honrado; recto; probo; honesto; **~ly** honradamente; **~y** honradez *f*; rectitud *f*

honey ['hʌni] miel *f*; **~comb** panal *m*; **~moon** luna *f* de miel; **~suckle** madreselva *f*

honk [hɔŋk] *aut* bocinazo *m*; *zool* graznido *m*

honorary ['ɔnərəri] honorario

hono(..)r ['ɔnə] s honor m; honra f; v/t honrar; respetar; condecorar; com aceptar; **~able** honorable

hood [hud] capucha f; tecn capota f; Am capó m

hoodlum ['hu:dləm] maleante m, matón m

hoodwink ['hu:dwiŋk] v/t engañar

hoof [hu:f] casco m; pezuña f

hook [huk] s gancho m; anzuelo m (de pescar); **by ~ or by crook** por fas o por nefas; v/t enganchar, encorvar; **~ed** ganchudo; **~y: play ~y** hacer novillos

hoop [hu:p] aro m

hoot [hu:t] s ululación f; grito m; bocinazo m (de coche); v/i ulular; gritar; tocar la bocina

hop [hɔp] s brinco m, salto m; bot lúpulo m; v/i brincar, saltar

hope [houp] s esperanza f; confianza f; v/t y v/i esperar, confiar; **~ful** lleno de esperanzas; prometedor; **~less** sin esperanza, desesperado

horizon [hə'raizn] horizonte m; **~tal** [hɔri'zɔntl] horizontal

hormone ['hɔːməun] hormona f

horn [hɔːn] cuerno m; asta f; mús cuerno m; trompa f; aut bocina f

hornet ['hɔːnit] avispón m

horny ['hɔːni] córneo; calloso

horoscope ['hɔrəskəup] horóscopo m

horr|ible ['hɔrəbl] horrible; espantoso; **~id** ['~id] espantoso; **~ify** ['~ifai] v/t horrorizar; **~or** horror m, espanto m; **~or film** película f de terror

horse [hɔːs] caballo m; mil caballería f; **on ~back** a caballo; **~ chestnut** castaño m de Indias; **~hair** crin f; **~man** jinete m; **~play** payasadas f/pl; **~power** caballo m de fuerza; **~ race** carrera f de caballos; **~radish** rábano m picante; **~shoe** herradura f; **~whip** látigo m; **~woman** amazona f

horticulture ['hɔːtikʌltʃə] horticultura f

hose [həuz] manguera f

hosiery ['həuziəri] calcetería f

hospi|table ['hɔspitəbl] hospitalario; **~tal** hospital m; **~tality** [~'tæliti] hospitalidad f

host [həust] anfitrión m; multitud f; relig hostia f

hostage ['hɔstidʒ] rehén m

hostel ['hɔstəl] posada f; **youth ~** albergue m juvenil

hostess ['həustis] anfitriona f; **~ air** azafata f

hostil|e ['hɔstail] hostil; **~ity** [~'tiliti] hostilidad f

hot [hɔt] muy caliente; caluroso; fig acalorado, ardiente; (comida) picante; **it is ~** hace mucho calor; **to be ~** tener calor; **~-blooded** apasionado

hotel [həu'tel] hotel *m*

hot|head ['hɔthed] exaltado *m*; **~house** invernadero *m*

hound [haund] *s* perro *m* de caza; sabueso *m*; *v/t* acosar, perseguir

hour ['auə] hora *f*; **by the ~** por horas; **rush ~** hora(s) *f/pl* punta; **keep late ~s** trasnochar; **wee ~s** (*of the morning*) altas horas *f/pl* (*de la madrugada*); **~ly** cada hora

house [haus] *s* casa *f*; residencia *f*; *teat* sala *f*; **it's on the ~** va por cuenta de la casa; **to keep ~** llevar la casa; *v/t* [hauz] alojar; almacenar; **~coat** bata *f*; **~hold** casa *f*; familia *f*; **~keeper** ama *f* de llaves; **~maid** sirvienta *f*, criada *f*; **~warming party** fiesta *f* de estreno de casa; **~wife** ama *f* de casa; **~work** quehaceres *m/pl* domésticos

housing ['hauziŋ] alojamiento *m*; **~estate** urbanización *f*

hover ['hɔvə] *v/i* revolotear, cernerse; **~craft** aerodeslizador *m*; **~ing** revoloteo *m*

how [hau] *adv* cómo; (*exclamación ante adjetivo o adverbio*) qué, cuán(to, -ta, -tos, -tas); **~ about that?** ¿qué te parece?; **~ are you?** ¿qué tal?; **~ do you do?** mucho gusto; **~ far?** ¿a qué distancia?; **~ long?** ¿cuánto tiem-

po?; **~ many?** ¿cuántos(as)?; **~ much?** ¿cuánto?; **~ much is it?** ¿cuánto cuesta?

however [hau'evə] *conj* no obstante; sin embargo; *adv* por muy ... que sea; aunque sea

howl [haul] *s* aullido *m*, alarido *m*; *v/i* aullar, dar alaridos (*animales*); bramar (*viento*); berrear (*niños*)

hub [hʌb] cubo *m* (*de rueda*); eje *m*, centro *m*

hubbub ['hʌbʌb] alboroto *m*, tumulto *m*

hubcap ['hʌbkæp] tapacubos *m*

huddle ['hʌdl] *v/t* amontonar; *v/i* (**up**) acurrucarse

hue [hju:] color *m*; matiz *m*; **~ and cry** alarma *f*

huff [hʌf]: **get into a ~** ofenderse

hug [hʌg] *s* abrazo *m* fuerte; *v/t* abrazar

huge [hju:dʒ] enorme, vasto, inmenso

hull [hʌl] *s* vaina *f*; casco *m* (*de un buque*); *v/t* mondar, descascarar

hullaballoo [hʌləbə'lu:] alboroto *m*, jaleo *m*

hullo ['hʌ'ləu] ¡hola!

hum [hʌm] *s* zumbido *m*; *v/t* tararear; *v/i* zumbar

human ['hju:mən] humano, **~e** [~'mein] humano, humanitario; **~itarian** [~'mæni-'teəriən] humanitario; **~ity** [~'mæniti] humanidad *f*

humble ['hʌmbl] *a* humilde; *v/t* humillar

humbug ['hʌmbʌg] *s* farsa *f*; patraña *f*; (*persona*) farsante *m*, embustero *m*

humdrum ['hʌmdrʌm] monótono; rutinario

humidity [hju(:)'miditi] humedad *f*

humili|ate [hju(:)'milieit] *v/t* humillar; **~ation** humillación *f*; **~ty** [~'militi] humildad *f*

hummingbird ['hʌmiŋ'bə:d] colibrí *m*

humo(u)r ['hju:mə] *s* humor *m*; genio *m*; humorismo *m*; **in a good (bad)** ~ de buen (mal) humor; *v/t* complacer; **~ist** humorista *m*; **~ous** gracioso, chistoso

hump [hʌmp] joroba *f*

hunch [hʌntʃ] presentimiento *m*; **~back** jorobado *m*

hundred ['hʌndrəd] *a* ciento, cien; *s* ciento *m*

Hungar|ian [hʌŋ'geəriən] *a*, *s* húngaro(a) *m* (*f*); **~y** Hungría *f*

hung|er ['hʌŋgə] *s* hambre *m*; *v/i* tener hambre; ansiar; **~ry** ['hʌŋgri] hambriento; **to be ~ry** tener hambre

hunt [hʌnt] *s* caza *f*; cacería *f*; *v/t* cazar; **~ for** buscar; **~er** cazador *m*; **~ing** caza *f*, cacería *f*, montería *f*

hurdle ['hə:dl] *sp* valla *f*

hurl [hə:l] *v/t* tirar, lanzar

hurrah! [hu'ra:] ¡viva!

hurricane ['hʌrikən] huracán *m*

hurried ['hʌrid] apresurado; precipitado

hurry ['hʌri] *s* prisa *f*; **to be in a** ~ tener prisa; *v/i* apresurarse; *v/t* acelerar

hurt [hə:t] *s* daño *m*; herida *f*; *v/t* lastimar; dañar; hacer mal a; **get** ~ lastimarse; *v/i* doler

husband ['hʌzbənd] *s* marido *m*, esposo *m*; *v/t* economizar; **~ry** labranza *f*, agricultura *f*

hush [hʌʃ] *s* silencio *m*; *v/t* apaciguar; aquietar; *interj* ~**!** ¡chito!; ¡silencio!; ~ **up** callar; encubrir

husk [hʌsk] *s* cáscara *f*; vaina *f*; pellejo *m*; *v/t* descascarar; desvainar

husky [hʌski] *s* ronco; robusto, fornido

hustle ['hʌsl] *s* ajetreo *m*; *v/t* empujar; apresurar; *v/i fam* menearse

hut [hʌt] cabaña *f*, choza *f*

hutch [hʌtʃ] conejera *f*

hyacinth ['haiəsinθ] jacinto *m*

hybrid ['haibrid] *a*, *s* híbrido *m*

hydrant ['haidrənt] boca *f* de riego

hydraulic [hai'drɔ:lik] hidráulico

hydro|carbon ['haidrəu'kɑ:bən] hidrocarburo *m*; ~**chloric** [~'klɔrik] clorhídrico; **~gen** ['~ədʒən] hidrógeno m; **~gen bomb** bomba f de hidrógeno; **~plane** hidroavión m

hyena [hai'i:nə] hiena f

hygiene ['haidʒi:n] higiene f

hymn [him] himno m

hyphen ['haifən] guión m

hypnotize ['hipnətaiz] v/t hipnotizar

hypocri|sy [hi'pɔkrisi] hipocresía f; **~te** ['hipəkrit] hipócrita m, f; **~tical** [hipəu'kritikəl] hipócrita

hypothesis [hai'pɔθisis] hipótesis f

hysteri|a [his'tiəriə] histeria f, histerismo m; **~cal** [~'terikəl] histérico; **~cs** paroxismo m histérico

I

I [ai] yo

Iberian [ai'biəriən] a ibérico; s ibero(a) m (f)

ice [ais] s hielo m; v/t helar; alcorzar; v/i **~ over**, **~ up** helarse; **~berg** ['~bə:ɡ] iceberg m; **~box** nevera f; LA refrigerador m; **~cream** helado m; **~cube** cubito m de hielo; **~ hockey** hockey m sobre hielo

Iceland ['aislənd] Islandia f

ice|rink ['aisriŋk] pista f de hielo; **~ skating** patinaje m sobre hielo

ic|icle ['aisikl] carámbano m; **~ing** alcorza f; **~y** helado

idea [ai'diə] idea f; concepto m; **~l** a, s ideal m; **~list** idealista m, f

identi|cal [ai'dentikəl] idéntico; **~fication** [aidentifi'keiʃən] identificación f; **~fy** [~'dentifai] v/t identificar; **~ty** [~'dentiti] identidad f

ideology [aidi'ɔlədʒi] ideología f

idiom ['idiəm] lenguaje m; modismo m

idiot ['idiət] idiota m, f, necio m; **~ic** [~'ɔtik] idiota, tonto

idle ['aidl] a ocioso; perezoso; inútil; frívolo; **~ hours** f/pl desocupadas; v/t **~ away the time** malgastar el tiempo; v/i holgazanear; tecn marchar en vacío; **~ness** ociosidad f

idol ['aidl] ídolo m; **~atry** idolatría f; **~ize** ['~əulaiz] v/t idolatrar

idyll ['idil] idilio m

if [if] conj si; aunque; **as ~** como si; **~ so** de ser así

igloo ['iglu] iglú m

ign|ite [iɡ'nait] v/t encender; v/i inflamarse; **~ition** [iɡ'niʃən] ignición f; aut encendido m

ignoble [iɡ'nəubl] innoble

ignoran|ce ['iɡnərəns] ignorancia f; **~nt** ignorante; **~nt of** ignorar, desconocer

imperfect

ignore [ig'no:] v/t pasar por alto; desatender

ill [il] a enfermo; malo; **fall ~** ponerse enfermo; **feel ~** sentirse mal; **~ly** difícilmente; adv mal; dificilmente; **~advised** malaconsejado; **~-at-ease** incómodo; **~bred** malcriado

il|legal [i'li:gǝl] ilegal; **~legible** [i'ledʒǝbl] ilegible; **~legitimate** ilegítimo; **~l-fated** malogrado; **~licit** [i'lisit] ilícito; **~literate** [i'litǝrit] a, s analfabeto m

ill-mannered ['il'mænǝd] maleducado; **~ness** enfermedad f; **~ogical** ilógico; **~tempered** de mal genio; **~timed** inoportuno

illuminat|e [i'lju:mineit] v/t iluminar; **~ion** iluminación f; alumbrado m

illus|ion [i'lu:ʒǝn] ilusión f; **~ory** [~sǝri] ilusorio

illustrat|e [i'lʌstreit] v/t ilustrar; explicar; **~ion** ilustración f; grabado m; lámina f; **~ive** ilustrativo

illustrious [i'lʌstriǝs] ilustre

imag|e ['imidʒ] imagen f; **~inary** [i'mædʒinǝri] imaginario; **~ination** [~æinǝ-] imaginación f; fantasía f; **~ine** [~ædʒin] v/t imaginar; imaginarse

imbecile ['imbisi:l] a, s imbécil m, f

imitat|e ['imiteit] v/t imitar; **~ion** imitación f

immature [imǝ'tjuǝ] inmaduro

immediate [i'mi:djǝt] inmediato; **~ly** inmediatamente, en seguida

im|mense [i'mens] inmenso, vasto; **~merse** [i'mǝ:s] v/t sumergir, hundir

immigra|nt ['imigrǝnt] inmigrante m, f; **~te** ['~eit] v/i inmigrar

im|mobile ['imǝubail] ingmóvil; **~modest** [i'mɔdist] impúdico; **~moral** inmoral; **~mortal** inmortal; **~mortality** [imɔ:'tæliti] inmortalidad f; **~movable** inmóvil; **~mune** [i'mju:n] inmune

imp [imp] diablillo m

impact ['impækt] impacto m

impair [im'pεǝ] v/t perjudicar; deteriorar; debilitar

impart [im'pɑ:t] v/t comunicar, impartir; **~ial** [~'pɑ:ʃǝl] imparcial

im|passable [im'pɑsǝbl] intransitable; **~passive** impasible; **~patience** impaciencia f; **~patient** impaciente; **~peccable** impecable

imped|e [im'pi:d] v/t estorbar, dificultar; **~iment** impedimento m

impending [im'pendiŋ] inminente

imperative [im'perǝtiv] a imperioso; s gram imperativo m

imperfect [im'pǝ:fikt] a imperfecto, defectuoso; s gram imperfecto m

imperial [im'piəriəl] imperial; ~**ism** imperialismo m

imperil [im'peril] v/t arriesgar; poner en peligro

impersonate [im'pə:səneit] v/t teat hacer el papel de; ~**pertinent** [~'pə:tinənt] impertinente; ~**pervious** [~'pə:vjəs] to insensible a

impetuous [im'petjuəs] impetuoso

impetus ['impitəs] ímpetu m

impinge [im'pindʒ] v/t ~ **on** abusar de

implausible [im'plɔ:zəbl] inverosímil

implement ['implimənt] instrumento m; herramienta f; utensilio m

implicate [im'plikeit] v/t implicar; ~**ion** implicación f; inferencia f

implicit [im'plisit] implícito

implore [im'plɔ:] v/t suplicar, implorar

imply [im'plai] v/t implicar; significar

impolite [impə'lait] descortés

import [im'pɔ:t] v/t com importar; v/i importar; ['impɔ:t] s com importación f; significado m

importance [im'pɔ:təns] importancia f; ~**t** importante

importer [im'pɔ:tə] importador m

impose [im'pəuz] v/t imponer; ~**e upon** molestar; ~**ing** imponente; ~**ition** molestia f; carga f

impossibility [impɔsə'biliti] imposibilidad f; ~**le** [~'pɔsibl] imposible

impostor [im'pɔstə] impostor m

impotence ['impətəns] impotencia f

impoverish [im'pɔvəriʃ] v/t empobrecer; ~**ed** necesitado

impractical [im'præktikəl] poco práctico

impregnate [im'pregneit] v/t impregnar

impress [im'pres] v/t impresionar; imprimir; estampar; ~**ion** impresión f; marca f; ~**ive** impresionante

imprint ['imprint] s impresión f; huella f; [im'print] v/t imprimir; grabar

imprison [im'prizn] v/t encarcelar; ~**ment** encarcelamiento m

improbable [im'prɔbəbl] improbable

impromptu [im'prɔmtju:] improvisado

improper [im'prɔpə] impropio; incorrecto

improve [im'pru:v] v/t mejorar; v/i mejorar; mejorarse; ~**ment** mejora f; progreso m

improvise ['imprəvaiz] v/t, v/i improvisar; ~**prudent** [im'pru:dənt] imprudente

impudence ['impjudəns] descaro m; ~**t** descarado

impulse ['impʌls] impulso

m; **impulsión** *f*; **~ive** [im'pʌlsiv] impulsivo

impur|e [im'pjuə] impuro; adulterado; **~ity** impureza *f*

in [in] *prep* dentro de; en; *adv* dentro; de moda; **~ the distance** a lo lejos; **~ the house** en la casa; **~ the morning** por la mañana; **~ this way** de este modo; **to go ~ for** dedicarse a; **the ~s and outs** recovecos *m/pl*

in|accessible [inæk'sesəbl] inasequible, inaccesible; **~accurate** inexacto; **~adequate** insuficiente; **~advertent** [~əd'vəːtənt] inadvertido; accidental; **~advisable** no aconsejable; **~ane** [i'nein] necio, fatuo; **~animate** [~ænimit] inanimado; **~appropriate** inoportuno; **~articulate** incapaz de expresarse

inasmuch [inəz'mʌtʃ]: **~ as** puesto que, ya que

inattentive [inə'tentiv] distraído; desatento

inaugurat|e [i'nɔːgjureit] *v/t* inaugurar; **~ion** inauguración *f*

in|born ['in'bɔːn] innato; **~capable** [in'keipəbl] incapaz

Inc. = *incorporated Am* sociedad *f* anónima

incapacitate [inkə'pæsiteit] *v/t* incapacitar

incendiary [in'sendjəri] *a*, *s* incendiario *m*

incense ['insens] *s* incienso *m*; [in'sens] *v/t* encolerizar

incentive [in'sentiv] estímulo *m*

incessant [in'sesnt] incesante

incest ['insest] incesto *m*

inch [intʃ] pulgada *f* (2,54 cm); **within an ~ of** a dos dedos de; **~ by ~** palmo a palmo

inciden|t ['insidənt] incidente *m*; **~tal** [~'dentl] no esencial, accesorio; **~tally** a propósito, de paso

incis|ion [in'siʒn] incisión *f*; corte *m*; **~ive** penetrante; tajante; **~or** incisivo *m* (*diente*)

incite [in'sait] *v/t* incitar, provocar

inclin|ation [inkli'neiʃən] inclinación *f*; declive *m*; tendencia *f*; **~e** [in'klain] *v/t* inclinar; *v/i* inclinarse; tender a

inclu|de [in'kluːd] *v/t* incluir; comprender; **~sive** inclusivo

incoherent [inkəu'hiərənt] incoherente

incom|e ['inkəm] ingresos *m/pl*; entrada *f*; **~ tax** impuesto *m* sobre la renta; **~ing** entrante

incompa|rable [in'kɔmpərəbl] incomparable; sin igual; **~tible** incompatible

in|competent [in'kɔmpitənt] incompetente; **~complete** incompleto; **~comprehensible** [~'kɔmpri'hensəbl] incomprensible; **~conceiva-**

ble inconcebible; **conclusive** inconcluyente; **congruous** [in'kongruəs] absurdo; disonante; **considerate** desconsiderado

inconsistent [inkən'sistənt] inconsistente; contradictorio

inconspicuous [inkən'spikjuəs] poco llamativo; modesto

inconstant [in'konstənt] inconstante, variable

inconvenien|ce [inkən'vi:njəns] s inconvenientes m/pl; v/t incomodar; **a** incómodo, inoportuno

incorporate [in'kɔ:pəreit] v/t incorporar; agregar; **ed com** sociedad f anónima; **ion** incorporación f

in|correct [inkə'rekt] incorrecto; **corrigible** [in'kɔ:ridʒəbl] incorregible

increas|e [in'kri:s] s aumento m; v/t aumentar, incrementar; v/i crecer; multiplicarse; **ingly** cada vez más

incredible [in'kredəbl] increíble; **it seems** parece mentira

incredulous [in'kredjuləs] incrédulo

incriminate [in'krimineit] v/t incriminar

incumbent [in'kʌmbənt] s ocupante m/f; **a to be ~ upon** incumbir a uno

incur [in'kɔ:] v/t incurrir en; contraer (*deuda*)

indebted [in'detid] adeudado; **to be ~ to** estar en deuda con; **ness** deuda f; obligación f

indecent [in'di:sənt] indecente

indecisive [indi'saisiv] indeciso; incierto

indeed [in'di:d] en efecto; **~?** ¿de veras?; **yes, ~!** ¡sí, por cierto!

indefatigable [indi'fætigəbl] incansable

in|definite [in'definit] indefinido; incierto; **delible** [~'delibl] indeleble; imborrable

indelicate [in'delikit] indelicado; indecoroso

indemni|fy [in'demnifai] v/t indemnizar; **ty** indemnización f

indent [in'dent] v/t (en)dentar; *impr* sangrar; **ation** mella f; *impr* sangría f

independent [indi'pendənt] independiente

in-depth [in'depθ] detallado; completo; trabajado

indescribable [indis'kraibəbl] indescriptible

indeterminate [indi'tə:minit] indeterminado

index ['indeks] índice m; **~ card** ficha f; **~ finger** índice m

India ['indjə] India f; **n a, s** indio(a) m f; **n corn** maíz m; **n summer** veranillo m de San Martín

indicat|e ['indikeit] v/t indicar; **~ion** un indicio m; señal f; **~ive** indicativo m; **~or** indicador m

indict [in'dait] v/t acusar; procesar; **~ment** acusación f; **for** sumaria f

indifferen|ce [in'difrəns] indiferencia f; **~t** indiferente; imparcial

indigenous [in'didʒinəs] indígena

indigent ['indidʒənt] indigente, pobre

indigest|ible [indi'dʒestəbl] indigestible; **~on** indigestión f; empacho m

indignant [in'dignənt] indignado; **~ation** indignación f; **~ity** indignidad f; ultraje m

indirect [indi'rekt] indirecto

indiscre|et [indis'kri:t] indiscreto; **~tion** indiscreción f

indiscriminate [indis'kriminit] promiscuo; sin criterio; indistinto

indispensable [indis'pensəbl] imprescindible

indisposed [indis'pəuzd] indispuesto

indisputable [indis'pju:təbl] incontestable

indistinct [indis'tiŋkt] indistinto, confuso

individual [indi'vidjuəl] a individual; s individuo(a) m (f); **~ist** individualista m/f

indolent ['indələnt] indolente, haragán

indomitable [in'dɔmitəbl] indomable; invincible

indoor ['indɔ:] interior; de casa; sp en sala; **~s** en casa; (a)dentro; bajo techado

induce [in'dju:s] v/t inducir; **~ment** aliciente m

induct [in'dʌkt] v/t instalar; admitir; **~ion** elec inducción f

indulge [in'dʌldʒ] v/t consentir a; v/i **~ in** darse a, permitirse; **~nce** indulgencia f; **~nt** indulgente

industr|ial [in'dʌstriəl] industrial; **~ialist** industrial m; **~ialize** v/t industrializar; **~ious** aplicado; **~y** ['indʌstri] industria f

inedible [in'edibl] incomestible

ineffective [ini'fektiv] ineficaz

inefficient [ini'fiʃənt] ineficaz

inept [i'nept] inepto

inequality [ini'kwɔliti] desigualdad f; disparidad f

inert [i'nə:t] inerte

in|evitable [in'evitəbl] inevitable; **~excusable** imperdonable; **~exhaustible** inagotable; **~expensive** económico; **~experienced** inexperto; **~explicable** [~'eksplikəbl] inexplicable

inexpressible [iniks'presəbl] indecible

infallible [in'fæləbl] infalible

infam|ous ['infəməs] infame; **~y** infamia f

infan|cy ['infənsi] infancia f;

~t criatura *f*; **~tile** ['~tail] infantil, pueril

infantry ['infantri] infantería *f*

infatuat|e [in'fætjueit] *v/t* amartelar; atontar; **~ed with** encaprichado con; enamorado de

infect [in'fekt] *v/t* infectar; contagiar; **~ion** infección *f*; **~ious** infeccioso; contagioso

infer [in'fə:] inferir, deducir; **~ence** ['infərəns] deducción *f*

inferior [in'fiəriə] *a, s* inferior *m*; **~ity** [~'ɔriti] inferioridad *f*

infernal [in'fə:nl] infernal

infertile [in'fə:tail] estéril

infest [in'fest] *v/t* infestar; **~ed with** plagado de

infidelity [infi'deliti] infidelidad *f*

infiltrate ['infiltreit] *v/t, v/i* infiltrar(se), penetrar

infinit|e ['infinit] infinito; **~ive** [~'finitiv] *gram* infinitivo *m*; **~y** infinidad *f*

infirm [in'fə:m] enfermizo; **~ity** debilidad *f*; enfermedad *f*

inflame [in'fleim] inflamar (*t fig*)

inflamma|ble [in'flæməbl] inflamable; **~tion** [~ə'meiʃən] inflamación *f*; **~tory** [~'flæmətəri] *med* inflamatorio; *fig* incitante

inflat|e [in'fleit] *v/t* inflar; **~ion** inflación *f*

inflect [in'flekt] *v/t* torcer; doblar; **~ion** inflexión *f*

inflexible [in'fleksəbl] inflexible

inflict [in'flikt] *v/t* infligir; imponer

influen|ce ['influəns] *s* influencia *f*; influjo *m*; *v/t* influir sobre, en; **~tial** [~'enʃəl] influente

influenza [influ'enzə] gripe *f*

inform [in'fɔ:m] *v/t* informar; avisar; **to be ~ed about** estar al corriente de; *v/i* **~ against** denunciar; familiar; **~ation** información *f*; informes *m/pl*; conocimientos *m/pl*; **~er** denunciante *m*

infraction [in'frækʃn] infracción *f*

infrequent [in'fri:kwənt] poco frecuente

infringe [in'frindʒ] *v/i* **~ on** abusar de

infuriate [in'fjuərieit] *v/t* enfurecer

infuse [in'fju:z] *v/t* infundir; inculcar

ingenious [in'dʒi:njəs] ingenioso; inventivo

ingenu|ity [indʒi'nju(:)iti] ingeniosidad *f*; **~ous** ingenuo

ingot ['iŋgət] lingote *m*; barra *f*

ingrained ['in'greind] arraigado; innato

ingrati|ate [in'greiʃieit] *v/r* **~ate oneself** congraciarse; **~tude** [~'grætitju:d] ingratitud *f*

ingredient [in'gri:djənt] ingrediente m

inhabit [in'hæbit] v/t habitar; **~ant** habitante m

inhale [in'heil] v/t inhalar

inherit [in'herit] v/t heredar; **~ance** herencia f

inhibit [in'hibit] v/t inhibir; **~ion** inhibición f

in|hospitable [in'hospitəbl] inhospitalario; **~human** inhumano; **~imitable** inimitable

initia|l [i'niʃəl] a, s inicial f; **~te** [~ʃieit] v/t iniciar; **~tive** [~ʃiətiv] iniciativa f

inject [in'dʒekt] v/t inyectar; **~ion** inyección f

injunction [in'dʒʌŋkʃn] for entredicho m

injur|e ['indʒə] v/t lastimar; herir; dañar; lesionar; **~ious** [in'dʒuəriəs] dañoso; **~y** herida f; lesión f; daño m

injustice [in'dʒʌstis] injusticia f

ink [iŋk] tinta f

inkling ['iŋkliŋ] atisbo m; noción f vaga

ink|pot ['iŋkpot], **~well** ['~wel] tintero m

inland ['inlənd] a interior; adv tierra adentro

in-laws ['inlɔːz] parientes m/pl políticos

inlay [in'lei] v/t embutir; taracear

inlet [inlet] cala f

inmate ['inmeit] inquilino m; paciente m; preso m

inmost ['inmoust] más íntimo; más profundo

inn [in] posada f; fonda f

inner ['inə] interior; interno; **~ tube** aut cámara f

innocen|ce ['inəsns] inocencia f; **~t** inocente

innovation ['inəuveiʃən] novedad f

innuendo [inju'endəu] insinuación f

inoffensive [inə'fensiv] inofensivo

inordinate [i'nɔːdinit] desmesurado

in-patient ['inpeiʃənt] paciente m (f) interno(a)

inquest ['inkwest] pesquisa f judicial

inquir|e [in'kwaiə] v/t, v/i pedir informes; **~e about** preguntar por; **~e into** indagar; **~y** consulta f; investigación f

inquisit|ion [inkwi'ziʃn] inquisición f; **~ive** [~'kwizitiv] inquisitivo; preguntón

inscri|be [in'skraib] v/t inscribir; **~ption** [~ipʃən] inscripción f; dedicatoria f

insect [insekt] insecto m

insecure [insi'kjuə] inseguro

insensitive [in'sensətiv] insensible

insert [in'sɔːt] v/t insertar; intercalar; introducir

inside [in'said] a interior; interno; s interior m; parte f de dentro; **on the ~** por dentro; **~ out** al revés; **~ and out** por dentro y por fuera; **~s** entrañas *f/pl*

insight ['insait] perspicacia *f*

in|significant [insig'nifikənt] insignificante; **~sincere** [insin'siə] poco sincero, falso; **~sinuate** [~'sinjueit] *v/t* insinuar; **~sipid** [~'sipid] insípido

insist [in'sist] *v/i* insistir; persistir; **~ence** insistencia *f*; empeño *m*

insolent ['insələnt] descarado, insolente

in|soluble [in'səljubl] insoluble; **~solvent** insolvente

insomnia [in'səmniə] insomnio *m*

inspect [in'spekt] *v/t* inspeccionar; **~ion** inspección *f*; **~or** inspector *m*

inspir|ation [inspə'reiʃən] inspiración *f*; **~e** [in'spaiə] *v/t* inspirar

install [in'stɔ:l] *v/t* instalar; **~ation** [~ə'leiʃən] instalación *f*

instal(l)ment [in'stɔ:lmənt] entrega *f*; *com* plazo *m*; **~plan** pago *m* a plazos

instance ['instəns] ejemplo *m*; caso *m*; **for ~ce** por ejemplo; **~t** *a* inmediato; instantáneo; *s* instante *m*; momento *m*; **~t coffee** café *m* en polvo; **~tly** en seguida

instead [in'sted] *adv* en cambio; **~ of** *prep* en vez de; en lugar de

instep ['instep] empeine *m*

instigate ['instigeit] *v/t* instigar

instil(l) [in'stil]: *v/t* **~ into** inculcar en

instinct ['instiŋkt] instinto *m*; **~ive** [in'stiŋktiv] instintivo

institut|e ['institju:t] *s* instituto *m*; *v/t* instituir; establecer; **~ion** institución *f*; establecimiento *m*

instruct [in'strʌkt] *v/t* instruir; mandar; **~ion** instrucción *f*; **~ions for use** modo *m* de empleo; **~ive** instructivo; aleccionador; **~or** instructor *m*

instrument ['instrumənt] instrumento *m*

in|subordinate [insə'bɔ:dnit] insubordinado; **~sufferable** [~'sʌfərəbl] insufrible; **~sufficient** insuficiente

insular ['insjulə] insular; *fig* de miras estrechas

insulat|e ['insjuleit] *v/t* tecn aislar; dar aislamiento *m*

insulin ['insjulin] insulina *f*

insult ['insʌlt] *s* insulto *m*; [in'sʌlt] *v/t* insultar; injuriar

insur|ance [in'ʃuərəns] seguro *m*; **~ance policy** póliza *f* de seguro; **~e** *v/t* asegurar

insurrection [insə'rekʃən] insurrección *f*

intact [in'tækt] intacto

intake ['inteik] *tecn* toma *f*; cantidad *f* admitida

intangible [in'tænʒəbl] intangible

integrate ['intigreit] v/t, v/i integrar(se); **~rity** [in'tegriti] entereza f; integridad f

intellect ['intilekt] intelecto m; **~ual** [~'lektjuəl] a, s intelectual m, f

intelligence [in'telidʒəns] inteligencia f; información f; **~t** inteligente

intend [in'tend] v/t proponerse; querer hacer; pensar en; **~ for** destinar a

intense [in'tens] intenso; **~ity** intensidad f; **~ive** intensivo

intent [in'tent] a atento; empeñado; s propósito m; intento m; **~ion** intención f; **~ionally** adrede

inter [in'tə:] v/t enterrar

interact [intər'ækt] v/i influirse mutuamente

intercede [intə(:)'si:d] v/t interceder; **~cept** [~'sept] v/t interceptar

interchange ['intə(:)'tʃeindʒ] s intercambio m; [intə(:)'tʃeindʒ] v/t, v/i alternar(se); trocar(se)

intercourse ['intə(:)kɔ:s] trato m; comercio m; coito m

interest ['intrist] s interés m; beneficio m; **to earn ~** devengar intereses; **take an ~ in** interesarse por; v/t interesar; **~ing** interesante

interfere [intə'fiə] v/i entremeterse; **~e with** estorbar;

~ence intromisión f; elec interferencia f

interim ['intərim]: **in the ~** entretanto

interior [in'tiəriə] a interior; interno; s interior m

interlude [intə(:)'lu:d] intervalo m; teat. intermedio m

intermediary [intə(:)'mi:djəri] intermediario m

intermission [intə'miʃn] teat descanso m

intermittent [intə'mitənt] intermitente

internal [in'tə:nl] interno

international [intə(:)'næʃənl] internacional; **~play** interacción f

interpret [in'tə:prit] v/t interpretar; **~ation** interpretación f; **~er** intérprete m, f

interrogate [in'terəugeit] v/t interrogar

interrupt [intə'rʌpt] v/t interrumpir; **~ion** interrupción f

intersect [intə'sekt] v/t, v/i cruzar(se); **~ion** cruce m

intertwine [intə'twain] v/t, v/i entrelazar(se)

interval ['intəvəl] intervalo m

intervene [intə(:)'vi:n] v/i intervenir; sobrevenir; **~tion** intervención f

interview ['intəvju:] s entrevista f; interviú f; v/t entrevistar(se con)

intestine [in'testin] intestino m

intimacy ['intiməsi] intimi

dad f; **~te** ['~it] a íntimo; [~'eit] v/t insinuar

Intimidate [in'timideit] v/t intimidar

Into ['intu, 'intə] en; a; hacia dentro; adentro

Intolerant [in'tɔlərənt] intolerante

Intoxicate [in'tɔksikeit] v/t embriagar; med intoxicar; **~d** embriagado

Intransigent [in'trænsidʒənt] intransigente

Intravenous [intrə'vi:nəs] intravenoso

Intrepid [in'trepid] intrépido

Intricate ['intrikit] intrincado

Intrigue [in'tri:g] s intriga f; trama f; v/i intrigar; v/t fascinar; **~ing** intrigante

Introduce [intrə'dju:s] v/t introducir; presentar; **~tion** [~'dʌkʃən] introducción f; **~tory** [~'dʌktəri] preliminar

Intrude [in'tru:d] v/i entremeterse; **~sion** [~ʒən] intrusión f

Intuition [intju(:)'iʃən] intuición f

Invade [in'veid] v/t invadir; **~r** invasor m

Invalid [in'invəli:d] s inválido m; [in'vælid] a inválido, nulo; **~ate** [~eit] v/t invalidar

Invaluable [in'væljuəbl] inestimable

Invariable [in'vɛəriəbl] invariable

Invasion [in'veiʒən] invasión f

Invent [in'vent] v/t inventar; idear; **~ion** invento m; invención f; **~ory** [in'ventri] inventario m

Inverse [in'vəːs] inverso; **~sion** inversión f; **~t** v/t invertir; **~ted commas** comillas f/pl

Invest [in'vest] com invertir

Investigate [in'vestigeit] v/t investigar; examinar; **~ion** investigación f; **~or** investigador m

Investment [in'vestmənt] com inversión f; **~or** com inversionista m, f

Invigorate [in'vigəreit] v/t vigorizar; fig estimular; **~ing** vigorizador

Invincible [in'vinsəbl] invencible

Inviolable [in'vaiələbl] inviolable

Invisible [in'vizibl] invisible

Invitation [invi'teiʃən] invitación f; convite m; **~e** [in'vait] v/t invitar; convidar; instar; **~ing** atractivo; tentador

Invoice ['invɔis] com factura f

Invoke [in'vəuk] v/t invocar; apelar a; **~voluntary** involuntario; **~volve** [~'vɔlv] v/t envolver; implicar; **~volved** complicado; **get ~volved in** embrollarse en

Inward ['inwəd] interno; interior; **~ly** para sí

Iodine ['aiədi:n] yodo m

I.O.U. ['aiəu'ju:] com pagaré m

irascible [i'ræsibl] irascible

irate [ai'reit] airado; enojado

Ireland [ai'ǝlǝnd] Irlanda *f*

iris ['aiǝris] *anat* iris *m*; *bot* lirio *m*

Irish ['airiʃ] *a, s* irlandés *m*; **the ~** los irlandeses; **~man**, **~woman** irlandés *m*, irlandesa *f*

iron ['aiǝn] *s* hierro *m*; plancha *f*; *a* férreo; de hierro; *v/t* planchar; **~clad** acorazado; **~ curtain** telón *m* de acero

iron|ic(al) [ai'rɔnik(ǝl)] irónico; **~ing board** tabla *f* de planchar; **~monger** ['aiǝn-mʌŋgǝ] ferretero *m*; **~y** ['airǝni] ironía *f*

ir|rational [i'ræʃǝnl] irracional; **~reconcilable** irreconciliable

irregular [i'regjulǝ] irregular; desigual

ir|relevant [i'relivǝnt] ajeno al caso; inaplicable; **~replaceable** [iri'pleisǝbl] irreemplazable

irreproachable [iri'prǝutʃǝbl] intachable

irresistible [iri'sistǝbl] irresistible

irresolute [i'rezǝlu:t] indeciso

irrespective [iris'pektiv]: **~ of** sin consideración a

irresponsible [iris'pɔnsǝbl] irresponsable; poco serio

irrevocable [i'revǝkǝbl] irrevocable; inalterable

irrigat|e ['irigeit] *v/t* regar; *med* irrigar; **~ion** riego *m*;

med irrigación *f*

irritate ['iriteit] *v/t* irritar

Islam ['izlɑːm] islam *m*

island ['ailǝnd] *s* isla *f*; *a* isleño

isolat|e ['aisǝleit] *v/t* aislar, separar; **~ion** aislamiento *m*

Israel ['izreil] Israel *m*; **~i** *a, s* israelí *m, f*

issue ['iʃjuː] *s* cuestión *f*; resultado *m*; sucesión *f*; prole *f*; emisión *f* (*de bonos, moneda, etc*); edición *f*; número *m* (*de revista, etc*); **at ~** en discusión; **evade the ~** esquivar la pregunta; *v/t* emitir; extender (*cheque, etc*); impartir (*orden, etc*); publicar (*libro, etc*); *v/i* salir; surtir; provenir

isthmus ['ismǝs] istmo *m*

it [it] *pron* él; ella; ello; *acc* la, lo; *dat* le; *impers* (*no se traduce cuando es sujeto gramatical*); **~ is hot** hace calor; **~ is late** es tarde; **~ is impossible** es imposible; **who is ~?** ¿quién es?

Italian [i'tæljǝn] *a, s* italiano(a) *m(f)*

italics [i'tæliks] *impr* letra *f* bastardilla

Italy ['itǝli] Italia *f*

itch [itʃ] *s* picazón *m*; *v/i* picar

item ['aitǝm] artículo *m*; detalle *m*; asunto *m* a tratar

itinerary [ai'tinǝrǝri] itinerario *m*

its [its] *pron pos* su, sus (de él,

de ello, de ella); **~elf** [it'self]
pron él mismo, ella misma;
ello mismo; **by ~elf** sólo; separado

ivory ['aivəri] marfil *m*

ivy ['aivi] hiedra *f*

J

jab [dʒæb] *s* pinchazo *m*; codazo *m*; *v/t* dar un codazo a;
golpear

jack [dʒæk] *aut* gato *m*; sota *f*
(*de cartas*)

jackal ['dʒækɔːl] chacal *m*

jackdaw ['dʒækdɔː] grajo *m*

jacket ['dʒækit] americana *f*;
chaqueta *f*

jackknife ['dʒæknaif] navaja *f*

jade [dʒeid] jade *m*; **~d** hastia-
do

jagged ['dʒægid] dentado

jail [dʒeil] cárcel *f*, prisión *f*;
~er carcelero *m*

jam [dʒæm] *s* confitura *f*; *fam*
enredo *m*, lío *m*; *v/t* apretar;
apiñar; obstruir; (*radio*) perturbar; *v/i* atascarse

janitor ['dʒænitə] portero *m*,
conserje *m*

January ['dʒænjuəri] enero *m*

Japan [dʒə'pæn] Japón *m*;
~ese [dʒæpə'niːz] *a*, *s* japo-
nés(esa) *m* (*f*)

jar [dʒɑː] *s* tarro *m*; jarra *f*;
cántaro *m*; sacudida *f*; choque *m*; *v/t* sacudir

jargon ['dʒɑːgən] jerga *f*

jaundice ['dʒɔːndis] ictericia
f

jaunt [dʒɔːnt] excursión *f*; **~y**
alegre

javelin ['dʒævlin] jabalina *f*

jaw [dʒɔː] *s* mandíbula *f*; quijada *f*

jealous ['dʒeləs] celoso, envi-
dioso; **~y** celos *m/pl*; envidia
f

jeans [dʒiːnz] pantalones
m/pl vaqueros

jeer [dʒiə] *v/i* burlarse, mofar;
s burla *f*, mofa *f*

jelly ['dʒeli] jalea *f*; gelatina *f*;
~fish medusa *f*

jeopardize ['dʒepədaiz] *v/t*
arriesgar; comprometer

jerk [dʒɜːk] *s* sacudida *f*; tirón
m; *v/t* sacudir; tirar; *v/i* mover a empujones

jersey ['dʒɜːzi] jersey *m*

jest [dʒest] *s* broma *f*, burla *f*;
v/i bromear, burlar; **~er**
bufón *m*

jet [dʒet] azabache *m*; chorro
m; surtidor *m*; mechero *m*
(*de gas*); avión *m* a reacción
(*de gas*); **~ fighter** caza *m* a (de) reacción; **~ lag** síndrome *m* de
los vuelos intercontinenta-
les; **~propelled** a reacción;
a chorro

jetty ['dʒeti] muelle *m*

Jew [dʒuː] judío(a) *m* (*f*)

jewel ['dʒuːəl] joya *f*; alhaja *f*;
rubí *m* (*de reloj*); **~(l)er** joye-
ro *m*; **~(l)er's** joyería *f*;
~(l)ery joyas *f/pl*

Jewish judío
jiffy ['dʒifi]: *in a ~* en un santiamén
jigsaw ['dʒigsɔ:]: *~ puzzle* rompecabezas *m*
jingle ['dʒiŋgl] *s* tintineo *m*, retintín *m*; *v/i* retiñir
job [dʒɔb] *s* tarea *f*, empleo *m*, puesto *m*; asunto *m*
jocular ['dʒɔkjulə] jocoso
jog [dʒɔg] *v/t* empujar; *v/i* hacer footing; *s* empujón *m*, trote *m* corto; *~ging suit* chandal *m*; *LA* sudadera *f*
join [dʒɔin] *v/t* juntar, unir, acoplar; anexar; *com* asociarse a; *v/i* unirse; juntarse; confluir; *~ in* participar en; *~er* ebanista *m*; *~t* *s* junta *f*, juntura *f*; *anat* articulación *f*; asado *m* (*de carne*); *a* unido, junto; colectivo; común; *by ~t agreement* por común acuerdo; *~tly* en común
joke [dʒəuk] *s* chiste *m*, broma *f*; *play a ~ on* gastar una broma a; *v/i* bromear, hacer chistes; *~r* bromista *m*; comodín *m* (*de naipes*)
jolly ['dʒɔli] *a* alegre; divertido; jovial; *adv* muy
jolt [dʒəult] *v/t*, *v/i* sacudir, traquetear; *s* traqueteo *m*
jostle ['dʒɔsl] *v/t*, *v/i* empujar; codear
jot [dʒɔt] *s* pizca *f*, jota *f*; *v/t* *~ down* apuntar
journal ['dʒə:nl] *s* diario *m*; periódico *m* (*diario*); revista *f*; *~ism* ['-əlizəm] periodis-

mo *m*; *~ist* periodista *m*, *f*
journey ['dʒə:ni] *s* viaje *m*; pasaje *m*; *v/i* viajar
joy [dʒɔi] alegría *f*, júbilo *m*; *~ful* alegre, jubiloso
jubilant ['dʒu:bilənt] jubiloso; *~ation* júbilo *m*; *~ee* aniversario *m*; *relig* jubileo *m*
judge [dʒʌdʒ] *s* juez *m*; árbitro *m*; conocedor *m*; *v/i* juzgar, opinar; *v/t* juzgar, sentenciar; *~ment* juicio *m*; fallo *m*; sentencia *f*; *~ment Day* día *m* del juicio final
judic|ial [dʒu(:)'diʃəl] judicial; *~ious* juicioso
jug [dʒʌg] jarro *m*
juggle ['dʒʌgl] *v/i* hacer juegos malabares; *~ with* engañar; falsificar; *~r* malabarista *m*, *f*
Jugoslav ['ju:gəu'sla:v] *a*, *s* yugoeslavo(a) *m* (*f*)
juic|e [dʒu:s] jugo *m*; zumo *m*; *~er* exprimidor *m*; *~y* jugoso, suculento; *fig* picante, sabroso
juke-box ['dʒu:k-] tocadiscos *m* automático
July [dʒu(:)'lai] julio *m*
jumble ['dʒʌmbl] *s* confusión *f*, mezcla *f*; *v/t* mezclar, confundir
jump [dʒʌmp] *s* salto *m*, brinco *m*; *v/i* saltar, brincar; sobresaltarse; *~y* nervioso
junction ['dʒʌŋkʃən] unión *f*; *elec*, *f* *c* empalme *m*
juncture ['dʒʌŋktʃə] coyuntura *f*

June [dʒuːn] junio *m*

jungle ['dʒʌŋgl] jungla *f*; selva *f*

junior ['dʒuːnjə] *s* joven *m*; *a* menor, más joven

juniper ['dʒuːnipə] enebro *m*

junk [dʒʌŋk] junco *m* (*barca*); *fam* trastos *m/pl* viejos

juri|sdiction [dʒuəris'dikʃən] jurisdicción *f*; **~sprudence** ['~pruːdəns] jurisprudencia *f*; **~st** jurista *m*

jury ['dʒuəri] jurado *m*

just [dʒʌst] *a* justo, recto; merecido; genuino, legítimo; *adv* precisamente; exactamente; apenas; solamente; ~ **about** poco más o menos; ~ **as** en el momento en que; ~ **as well** menos mal; ~ **like that** así como así; ~ **now** ahora mismo; **he has** ~ **come** acaba de venir

justice ['dʒʌstis] justicia *f*; juez *m*

justi|fication [dʒʌstifi'keiʃən] justificación *f*; **~y** ['~fai] *v/t* justificar

justly ['dʒʌstli] justamente; debidamente

jut [dʒʌt] *v/i* sobresalir; ~ **out** proyectarse

juvenile ['dʒuːvinail] juvenil *m*

juxtapose [dʒʌkstə'pəuz] *v/t* yuxtaponer

K

kaleidoscope [kə'laidəskəup] cal(e)idoscopio *m*

kangaroo [kæŋgə'ruː] canguro *m*

keel [kiːl] *s* quilla *f*; *v/i* ~ **over** dar de quilla

keen [kiːn] agudo; afilado; sutil, vivo; entusiasta, interesado; ~ **on** aficionado a; **~ness** agudeza *f*; entusiasmo *m*

keep [kiːp] *s* mantenimiento *n*; **earn one's** ~ ganarse la vida; *v/t* guardar, conservar; mantener; llevar; proteger; seguir por; cumplir con, observar; ~ **back** retener; ~ **from doing** no dejar hacer; ~ **in mind** tener presente, recordar; ~ **up** mantener; ~ **waiting** hacer esperar; *v/i* quedar(se); conservarse; continuar, seguir; ~ **aloof** away mantenerse apartado; ~ **on** continuar; ~ **out!** prohibida la entrada!; ~ **to** adherirse a; ~ **up** mantenerse firme; ~ **up with** ir al paso de; **~er** guardián *m*; **~ing** preservación *f*; custodia *f*; **in ~ing with** en conformidad con; **~sake** ['kiːpseik] recuerdo *m*

kennel ['kenl] perrera *f*

kerb [kəːb] bordillo *m*

kerchief ['kəːtʃif] pañuelo *m*

kernel ['kəːnl] grano *m*; meollo *m*, núcleo *m*

ketchup ['ketʃəp] salsa *f* dulce de tomate

kettle ['ketl] caldera *f*; **a pretty ~ of fish** bonito lío *m*; **~drum** atabal *m*; timbal *m*

key [ki:] *s* llave *f*; clave *f*; *mús* tono *m*; tecla *f* (*de piano o máquina de escribir*); *v/t tecn* enchavetar; **~board** teclado *m*; **~hole** ojo *m* de la cerradura; **~ring** llavero *m*; **~stone** *arq* piedra *f* clave

khaki ['kɑːki] caqui

kick [kik] *s* coz *f*, patada *f*, puntapié *m*; *fig* fuerza *f*, vigor *m*; **for ~s** para divertirse; *v/t* dar coces a; dar una patada.a; **~ the bucket** *fam* morirse; *v/i* dar coces

kid [kid] *s* cabrito *m*; *fam* niño(a) *m* (*f*); chico(a) *m* (*f*); *v/i fam* bromearse; **no ~ding!** ¡en serio!; **~ gloves** guantes *m/pl* de cabritilla; **~nap** ['kidnæp] *v/t* secuestrar, raptar; **~napper** secuestrador *m*; **~napping** secuestro *m*

kidney ['kidni] riñón *m*; **~ bean** judía *f*, frijol *m*

kill [kil] *v/t* matar; destruir; **~er** asesino *m*; **~ing** matanza *f*; asesinato *m*

kiln [kiln] horno *m*

kilogram ['kiləʊgræm] kilo *m*, kilogramo *m*

kilometre ['kiləʊmiːtə] kilómetro *m*

kilt [kilt] tonelete *m* escocés

kin [kin] parentela *f*; linaje *m*; **~ship** parentesco *m*

kind [kaind] *a* amable; cordial; bondadoso; cariñoso; **~ regards** muchos recuerdos *m/pl*; *s* clase *f*, especie *f*; **in ~** en especie

kindergarten ['kindəgɑːtn] jardín *m* de infancia

kind-hearted [kaind'hɑːtid] bondadoso

kindle ['kindl] *v/t* encender; *v/i* arder

kind|ly ['kaindli] *a* bondadoso; *adv* amablemente; **~ness**

kindred ['kindrid] semejante; afín

king [kiŋ] rey *m*; **~dom** ['kiŋdəm] reino *m*; **~ly** real; regio; **~-size** de tamaño extra

kinky [kiŋki] enroscado; *fam* excéntrico; pervertido

kipper ['kipə] arenque *m* ahumado

kiss [kis] *s* beso *m*; *v/t* besar

kit [kit] equipo *m*; caja *f* de herramientas

kitchen ['kitʃin] cocina *f*; **~ette** [~'net] cocina *f* pequeña

kite [kait] cometa *f*

kitten ['kitn] gatito *m*

knack [næk] destreza *f*; treta *f*, truco *m*

knapsack ['næpsæk] mochila *f*

knave [neiv] bribón *m*, pícaro *m*; sota *f* (*de naipes*)

knead [niːd] *v/t* amasar

knee [niː] rodilla *f*; **~cap**

['niːkæp] rótula f; **~l** [niːl] v/i: **~l down** arrodillarse

knickerbockers ['nikəbɔkəz], **knickers** ['nikəz] pantalones m/pl bombachos; bragas f/pl

knick-knack ['niknæk] baratija f

knife [naif] s cuchillo m; navaja f; tecn cuchilla f; v/t acuchillar

knight [nait] s caballero m; caballo m (de ajedrez); v/t armar caballero

knit [nit] v/i hacer punto, tejer, hacer calceta; fruncir (el entrecejo); fig unir; **~ting** ting punto; **~ting needle** aguja f de hacer punto; **~wear** géneros m/pl de punto

knob [nɔb] botón m; perilla f; bulto m

knock [nɔk] s golpe m; llamada f (a la puerta); v/t, v/i golpear, pegar; llamar (a la puerta); **~ down** tumbar, derribar; atropellar; **~ out** sin sentido; **~er** aldaba f; llamador m; **~ing** golpeto m

knot [nɔt] s nudo m; lazo m; grupo m; mar nudo m; v/t atar, anudar; **~ty** nudoso; fig dificil

know [nəu] v/t saber; conocer; comprender; v/i saber; estar informado; **~ about** estar enterado de; **~how** pericia f; **~ing** hábil; sagaz; **~ingly** a sabiendas; **~ledge** ['nɔlidʒ] conocimiento m; saber m; fig **~ledge** que yo sepa; **to my ~n** conocido, sabido; **to make ~n** dar a conocer, hacer saber

knuckle ['nʌkl] s nudillo m, artejo m; v/i **~ under** someterse

Koran [kɔ'raːn] Alcorán m, Corán m

L

label ['leibl] s etiqueta f, rótulo m; v/t poner etiqueta a, rotular

laboratory [lə'bɔrətəri] laboratorio m

laborious [lə'bɔːriəs] laborioso

labo(u)r ['leibə] s labor f; trabajo m; fatiga f; tarea f; faena f; mano f de obra; dolores m/pl de parto; **hard ~** trabajos m/pl forzados; **to be in ~** estar de parto; v/i trabajar; fatigarse; **~er** trabajador m; obrero m; **~-saving** que ahorra trabajo

lace [leis] s encaje m; cordón m de zapato; v/t atar

lack [læk] s falta f, carencia f; v/t carecer de; faltarle a uno; **~ing** carente de

laconic [lə'kɔnik] lacónico

lacquer ['lækə] laca f

lad [læd] muchacho *m*, joven *m*

ladder ['lædə] *s* escalera *f*; carrera *f* (*de media*); *v/i* correrse, desmallarse (*la media*)

laden ['leidn] cargado

ladle ['leidl] *s* cucharón *m*, cazo *m*; *v/t* sacar con cucharón

lady ['leidi] señora *f*; señorita *f*; **~bird** mariquita *f*; **~-in-waiting** dama *f* de honor; **~like** elegante, bien educada

lag [læg] *s* retraso *m*; *v/i* **~ behind** quedarse atrás

lager ['lɑ:gə] cerveza *f* (añeja)

lagoon [lə'gu:n] laguna *f*

lair [lɛə] guarida *f*

lake [leik] lago *m*

lamb [læm] *s* cordero *m*; *v/i* parir (*la oveja*); **~ chop** chuleta *f* de cordero

lame [leim] cojo; lisiado; *fig* débil, insatisfactorio

lament [lə'ment] *s* lamento *m*, queja *f*; *v/t* lamentar(se) (de); **~able** ['læməntəbl] lamentable, deplorable; **~ation** lamentación *f*

lamp [læmp] lámpara *f*; **~oon** [læm'pu:n] *v/t* satirizar; **~post** poste *m* de farol; **~shade** pantalla *f* de lámpara

lance [lɑ:ns] *s* lanza *f*; *v/t* lancear; **~r** lancero *m*; **~t** lanceta *f*

land [lænd] *s* tierra *f*; terreno *m*; finca *f*; campo *m*; país *m*; **by ~** por tierra; *v/t* desem-

barcar; *v/i* desembarcar; aterrizar; **~ed** hacendado; **~ing** desembarque *m*; aterrizaje *m*; **~ing field** *aer* campo *m* de aterrizaje; **~ing gear** tren *m* de aterrizaje; **~lady** patrona *f*; **~locked** cercado de tierra; **~lord** patrón *m*; **~mark** mojón *m*; hito *m*; **~scape** paisaje *m*; **~slide** desprendimiento *m* de tierra

lane [lein] senda *f*; callejuela *f*; carril *m* (*de carretera*)

language ['læŋgwidʒ] idioma *m*; lengua *f*; lenguaje *m*

langu|id ['læŋgwid] lánguido; **~ish** *v/i* languidecer, consumirse; **~or** ['læŋgə] languidez *f*; **~orous** lánguido

lank [læŋk] flaco; lacio (*pelo*); **~y** delgaducho, larguirucho

lantern ['læntən] linterna *f*

lap [læp] *s* regazo *m*; falda *f*; *v/t*, *v/i* traslapar(se); **~el** [lə'pel] solapa *f*

lapse [læps] *s* lapso *m*; desliz *m*; transcurso *m* de tiempo; *v/i* transcurrir, pasar (*tiempo*); recaer; *for* caducar

larceny ['lɑ:səni] hurto *m*, robo *m*

lard [lɑ:d] manteca *f* de cerdo; **~er** despensa *f*

large [lɑ:dʒ] grande; amplio; vasto; grueso; *at* **~** en libertad; **~ly** en buena parte, mayormente; **~-scale** en gran escala

lark [lɑ:k] alondra *f*; *fam* travesura *f*

larynx ['lærɪŋks] laringe f

lascivious [lə'sɪvɪəs] lascivo

lash [læʃ] s tralla f (del látigo); latigazo m; azote m (eye); pestaña f; v/t azotar; mar amarrar; v/i ~ **out** atacar violentamente

lass [læs, 'ɪ] muchacha f, mozuela f

lasso [læ'su:] s lazo m; v/t lazar

last [lɑ:st] a último; pasado; final; extremo; ~ **but one** penúltimo; ~ **night** anoche; ~ **week** la semana pasada; the ~ **time** la última vez; **this is the** ~ **straw!** ¡no faltaba más que esto!; adv por último; finalmente; s último m; **at** ~ por fin; ~ **but not least** no hay que olvidar; v/i durar; continuar; subsistir; sobrevivir; ~**ing** duradero, permanente; ~**ly** por último; ~**name** apellido m

latch [lætʃ] s aldaba f; picaporte m; v/i cerrar con aldaba; ~**key** llavín m

late [leɪt] a tarde; tardío; difunto; último; antiguo; **to get** ~ hacerse tarde; adv tarde; **to come** ~ llegar tarde; **at night** por la noche; ~ **in life** a una edad avanzada; ~**r on** más tarde; **at the** ~**st** a más tardar; ~**ly** últimamente

lathe [leɪð] torno m

lather ['lɑ:ðə] s espuma f (de jabón); v/t enjabonar

Latin ['lætɪn] a latino; s latín m; ~ **American** a, s latinoamericano(a) m (f)

latitude ['lætɪtjuːd] latitud f

latter ['lætə] a posterior; último; segundo (de dos); pron the ~ éste, ésta, esto

lattice ['lætɪs] celosía f

laudable ['lɔːdəbl] laudable

laugh [lɑːf] s risa f; v/i reír; reírse; ~ **at** reírse de; ~ **off** tomar a risa; ~**able** risible; ~**ing stock** hazmerreír m; ~**ter** risa f

launch [lɔːntʃ] s lancha f; v/t botar; lanzar; ~**ing** lanzamiento m (de cohetes); mar botadura f; ~**ing pad** plataforma f de lanzamiento

launderette [lɔːndə'ret] lavandería f automática; ~**ry** lavadero m; lavandería f; ropa f de lavar; ropa f lavado o por lavar

laurel ['lɔrəl] laurel m

lavatory ['lævətəri] lavabo m; retrete m

lavender ['lævɪndə] lavanda f

lavish ['lævɪʃ] a profuso; pródigo; v/t ~ **on** colmar a

law [lɔː] ley f; derecho m, jurisprudencia f; sp regla f; ~ **and order** orden m público; ~ **court** tribunal m de justicia; ~**ful** legal, lícito, legítimo; ~**less** ilegal; anárquico

lawn [lɔːn] césped m; ~**mower** ['~məuə] cortacésped m

law|suit ['lɔ:sjuːt] pleito *m*; **~yer** ['~jə] abogado *m*

lax [læks] laxo, flojo; **~ative** ['~ətiv] *a*, *s* laxante *m*

lay [lei] *s* laico *m*; *v/t* poner; colocar; tumbar; **~ aside** dejar a un lado; **~ bare** poner al descubierto; **~ before** exponer a; **~ out** tender; gastar; planificar; **~ up** acumular; guardar; **to be laid up** guardar cama; *v/i* poner (*huevos*); **~ off** *fam* quitarse de encima

layer ['leiə] capa *f*

layette [lei'et] ajuar *m* (*de niño*)

layman ['leimən] lego *m*

lay|off ['leiɔf] despido *m* provisional; **~out** trazado *m*; *impr* composición *f*

lazy ['leizi] perezoso, holgazán

lead [liːd] *s* delantera *f*; dirección *f*; *teat* papel *m* principal; *elec* conducción *f*; traílla *f*; *v/t* guiar, conducir; acaudillar; *v/i* ir primero; **~ to** llevar a; **~ nothing** no dar resultado; **~ up to** conducir a

lead [led] plomo *m*; mina *f* (*de lápiz*); *mar* sonda *f*; **~en** plomoso

lead|er ['liːdə] guía *m*, *f*; líder *m*, caudillo *m*; editorial *m*; **~ing** principal

leaf [liːf] *s* hoja *f*; **turn over a new** **~** reformarse; *v/i* **~ through** hojear; **~let** folleto *m*; **~y** frondoso

league [liːg] *s* liga *f*

leak [liːk] *s* gotera *f*; escape *m*; *v/i* gotear; salirse; escaparse; **~age** goteo *m*; escape *m*, fuga *f*; **~y** agujereado; lluvedizo (*techo, etc*)

lean [liːn] *a* flaco; magro; *v/i* apoyarse; inclinarse; **~ out** asomarse; **~ing** propensión *f*, inclinación *f*

leap [liːp] *s* salto *m*, brinco *m*; *v/i* saltar, brincar; **~ year** año *m* bisiesto

learn [ləːn] *v/t*, *v/i* aprender; enterarse de; **~ed** ['~id] docto, erudito; **~er** principiante *m*, *f*; estudiante *m*, *f*; **~ing** saber *m*

lease [liːs] *s* arriendo *m*; *v/t* arrendar

leash [liːʃ] *s* traílla *f*; correa *f*

least [liːst] *a* mínimo; menor; más pequeño; **that's the ~ of it** eso es lo de menos; *s* lo menos; **at ~** por lo menos; **not in the ~** de ninguna manera; *adv* menos

leather ['leðə] cuero *m*

leave [liːv] *s* permiso *m*, vacaciones *f/pl*; *mil* licencia *f*; **to take (one's) ~** despedirse; *v/t* dejar; abandonar, salir de; **~ out** omitir

leaven ['levn] levadura *f*

lecherous ['letʃərəs] lascivo

lecture ['lektʃə] *s* conferencia *f*; reprimenda *f*; *v/i* dictar conferencias, disertar; sermonear; **~r** conferenciante *m*

ledge [ledʒ] repisa f; reborde m

ledger ['ledʒə] com libro m mayor

lee [li:] sotavento m

leech [li:tʃ] s sanguijuela f

leek [li:k] puerro m

leer [liə] v/i mirar de reojo (maliciosa o socarronamente); s mirada f de soslayo

left [left] a izquierdo; s izquierda f; **to be ~ over** sobrar; **on the ~** a la izquierda; **to the ~** a la izquierda; **~-handed** zurdo; **~ist**, s izquierdista m, f

left-luggage office ['left-'lʌgidʒ'ɔfis] consigna f

leg [leg] pierna f; pata f (de animales); **to pull one's ~** tomarle el pelo a alguien

legacy ['legəsi] herencia f, legado m

legal ['li:gəl] legal, jurídico; legítimo, lícito; **to take ~ action** entablar juicio; **~ize** v/t legitimar, legalizar

legation [li'geiʃən] legación f

legend ['ledʒənd] leyenda f; **~ary** legendario, fabuloso

legible ['ledʒəbl] legible

legion ['li:dʒən] legión f

legislat|ion [ledʒis'leiʃən] legislación f; **~ive** ['~lətiv] legislativo; **~or** ['~leitə] legislador m

legitimate [li'dʒitimit] a legítimo; [~eit] v/t legitimar

leisure ['leʒə] ocio m; tiempo m libre; **at ~** con sosiego; **a**

life of ~ una vida regalada; **~ time** ratos m/pl libres; **~ly** pausadamente; despacio

lemon ['lemən] limón m; **~ade** [~'neid] limonada f

lend [lend] v/t prestar; **~ing library** biblioteca f circulante

length [leŋθ] s longitud f, largo m; trozo m; duración f; **at ~** por fin; **~en** v/t, v/i alargar(se), estirar(se); prolongar(se); **~wise** ['~waiz] de largo; **~y** largo; extenso

lenient ['li:njənt] indulgente, clemente

lens [lenz] lente f

Lent [lent] cuaresma f

lentil ['lentil] lenteja f

leopard ['lepəd] leopardo m

leprosy ['leprəsi] lepra f

less [les] a menor; menos; adv menos; **to grow ~** disminuir, menguar; **~ and ~** cada vez menos; **more or ~** más o menos

less|en ['lesn] v/t disminuir, reducir; **~er** menor, más pequeño

lesson ['lesn] lección f

lest [lest] conj para que no; no sea que; por miedo de

let [let] v/t dejar, permitir; alquilar; **~ alone** menos aún; **~ down** bajar; fam decepcionar; **~ go** soltar; **~ in** admitir; **~ off** disparar, descargar; **~ out** dejar salir; v/i alquilarse; **~ up** moderarse; **to ~** se alquila; **~down** decepción f

lethal ['li:θǝl] mortal
letter ['letǝ] s carta f; letra f; **~ of credit** carta de crédito; **to the ~** al pie de la letra; v/t estampar con letras; **~ box** buzón m; **~head** membrete m
lettuce ['letis] lechuga f
level ['levl] s nivel m, altura f; llanura f; a/on the ~ fam honesto; a llano; igual, plano; **~ crossing** paso m a nivel; v/t nivelar; igualar; derribar; allanar; **~-headed** sensato
lever ['li:vǝ] palanca f
levity ['leviti] ligereza f
levy ['levi] s leva f; recaudación f (de impuestos); v/t imponer tributo; mil reclutar
lewd [lu:d] lascivo; obsceno
liab|lity [laiǝ'biliti] responsabilidad f; obligación f; pl com pasivo m; **~le** ['laiǝbl] responsable; expuesto (a)
liaison [li:'eizɔn] enlace m
liar ['laiǝ] mentiroso(a) m (f)
libel ['laibǝl] s difamación f; v/t difamar; calumniar
liberal ['libǝrǝl] a liberal, generoso; s liberal m, f; **~ism** liberalismo m
liberate ['libǝreit] v/t liberar; **~ion** liberación f
liberty ['libǝti] libertad f; **at ~** libre, en libertad; **take the ~ of** tomarse la libertad de
librar|ian [lai'brɛǝriǝn] bibliotecario(a) m (f); **~y** ['~ǝri] biblioteca f

lice [lais] pl de **louse** piojos m/pl
licen|ce ['laisǝns] licencia f; permiso m; autorización f; título m; **~ce plate** placa f de matrícula; **~se** ['~sǝns] v/t licenciar, autorizar; **~see** [~'si:] concesionario m
lick [lik] s lamedura f; lamer; fam cascar; derrotar; **~ing** fam paliza f
licorice ['likǝris] regaliz m
lid [lid] tapa f; anat párpado m
lie [lai] s mentira f; embuste m; **white ~** mentirilla f; v/i mentir
lie [lai] s posición f; v/i estar acostado; yacer; estar colocado, situado; **~ down** acostarse, echarse
lieu [lju:]: **in ~ of** en lugar de
lieutenant [lef'tenǝnt, Am lu:'tenǝnt] teniente m
life [laif] vida f; existencia f; **for ~** de por vida; **never in my ~** en mi vida; **~ annuity** renta f vitalicia; **~belt** cinturón m salvavidas; **~boat** bote m salvavidas; **~guard** vigilante m de playa; **~ jacket** chaleco m salvavidas; **~less** exánime; muerto; **~like** natural; **~long** de toda la vida; **~time** el curso de la vida f
lift [lift] s ascensor m; montacargas m; alza f; **to give someone a ~** llevar a uno en auto; v/t elevar, subir, levantar; v/i disiparse; **~off** aer despegue m

light [lait] *s* luz *f*; claridad *f*;
lumbre *f*; día *m*; **have you
got a ~?** ¿tiene fuego?; *a* ligero; claro; *v/t* encender;
alumbrar, iluminar; **~ bulb**
bombilla *f*; **~en** *v/t* alumbrar; aligerar (*peso*); aliviar;
~er mechero *m*, encendedor
m; **~headed** ligero de cas-
cos; **~house** faro *m*; **~ing**
alumbrado *m*; **~ly** ligera-
mente; **~ning** [´~niŋ] relámpago *m*; **~ning conductor** pararrayos *m*; **~weight**
peso *m* ligero

like [laik] *a* semejante, parecido; **what is he ~?** ¿cómo es?;
prep como, a manera de; tal
como; *s* semejante; **and
the ~** *s* cosas por el estilo; *v/t*
querer, tener afecto a; gus-
tar; **I ~ tea** me gusta el té; **~
better** preferir; **~able** simpático; **~lihood** [´laiklihud]
probabilidad *f*; **~ly** probable; verosímil; **~ness** parecido *m*, semejanza *f*; retrato *m*; **~wise** [´~waiz] igualmente

liking [laikiŋ] simpatía *f*;
agrado *m*

lilac [´lailək] lila *f*

lily [´lili] lirio *m*

limb [lim] *anat* miembro *m*;
bot rama *f*

lime [laim] *s* cal *f*; *bot* lima *f*;
v/t encalar, abonar con cal;
~light luz *f* de calcio; **to be in
the ~light** *fig* ser el centro de
atención; **~ tree** limero *m*;

tilo *m*

limit [´limit] *s* límite *m*; **that's
the ~!** *fam* ¡esto es el colmo!;
to the ~ hasta no más; *v/t*
limitar, restringir; **~ation** li-
mitación *f*

limousine [´limuzi:n] limusina *f*

limp [limp] *a* flojo; *v/i* cojear

line [lain] *s* línea *f*; raya *f*, hilera *f*; cuerda *f*; *c* vía *f*, impr
renglón *m*; *com* especialidad
f, ramo *m*; **draw the ~** fijar
límites; detenerse; **to stand
in ~** hacer cola; *v/t* alinear;
rayar; revestir, forrar; *v/i* **~
up** ponerse en fila; **~age**
[´liniidʒ] linaje *m*; **~ar** linear,
lineal

linen [´linin] hilo *m*, lino *m*;
lienzo *m*; lencería *f*; ropa *f*
blanca

liner [´lainə] transatlántico *m*;
vapor *m* de línea

line-up [´lainʌp] alineación *f*

linger [´liŋgə] *v/i* tardar, de-
morarse

lingerie [´lænʒəri] ropa *f* interior de mujer

lining [´lainiŋ] forro *m*

link [liŋk] *s* eslabón *m*; enlace
m; *v/t* enlazar, unir; **~ up** en-
lazarse; *aer* acoplarse

lion [´laiən] león *m*; **~ess** leo-
na *f*

lip [lip] labio *m*; **to lick one's
~s** chuparse los dedos;
~stick barra *f* de labios

liquid [´likwid] *a*, *s* líquido *m*;
~ate *v/t* liquidar

liquor ['likə] licor m; bebidas f/pl alcohólicas

liquorice ['likəris] regaliz m

lisp [lisp] s ceceo m; v/i cecear

list [list] s lista f; v/t catalogar; registrar; inscribir

listen ['lisn] v/i escuchar; oír; **~er** oyente m, f (de radio)

listless ['listlis] indiferente

litany ['litəni] letanía f

liter = **litre**

literal ['litərəl] literal

litera|ry ['litərəri] literario; **~ture** ['~ritʃə] literatura f

lithe [laið] ágil; flexible

litre ['li:tə] litro m

litter ['litə] s litera f; camilla f; camada f; desechos m/pl; v/t esparcir

little ['litl] a pequeño; poco; a ~ un poquito m; ~ **finger** meñique m; s poco m; ~ **by** ~ poco a poco; adv poco

live [laiv] a vivo; elec cargado; TV vivo; [liv] v/i vivir; **long ~!** ¡viva!; **~e and learn** vivir para ver; v/t llevar; tener; pasar; a. of; **~e it up** darse la buena vida; **~ellihood** ['laivlihud] sustento m; **~ely** animado

liver ['livə] hígado m

livestock ['laivstɔk] ganado m

livid ['livid] lívido; furioso

living ['liviŋ] a vivo; s **make a ~** ganarse la vida; ~ **room** sala f de estar

lizard ['lizəd] lagarto m

load [ləud] s carga f; v/t cargar; colmar

loaf [ləuf] s barra f de pan; v/i holgazanear

loam [ləum] marga f

loan [ləun] s préstamo m, empréstito m; **on ~** prestado; v/t prestar

loath [ləuθ] renuente; **~e** v/t detestar; **~some** ['~ðsəm] repugnante

lobby ['lɔbi] vestíbulo m, antesala f; **~ing** cabildeo m

lobe [ləub] lóbulo m

lobster ['lɔbstə] langosta f

loca|l ['ləukəl] a; local; s fam taberna f del barrio; **~lity** [~'kæliti] localidad f; **~lize** v/t localizar; **~te** [~'keit] v/t situar, localizar; **~tion** colocación f; localidad f; cine **on ~tion** (rodaje) exterior

loch [lɔk] lago m, laguna f

lock [lɔk] s cerradura f; cerrojo m (del fusil); sp llave f; esclusa f; v/t cerrar con llave; entrelazar; **~er** armario m; **~jaw** trismo m; **~out** cierre m forzoso (de fábrica, etc) por los patronos; **~smith** cerrajero m

locomotive ['ləukəməutiv] locomotora f

locust ['ləukəst] cigarra f

lodg|e [lɔdʒ] s casita f (del portero); casa f de campo; v/t alojar; **~er** huésped m; **~ings** hospedaje m; habitación f

loft [lɔft] desván *m*; **~y** elevado; altivo; eminente

log [lɔg] tronco *m*; **~book** *aer* libro *m* de vuelo

logic ['lɔdʒik] *s* lógica *f*; *a* lógico; **~al** lógico

loin [lɔin] ijada *f*; *coc* lomo *m*

loiter ['lɔitə] *v/i* holgazanear, vagar

London ['lʌndən] Londres; **~er** londinense *m*, *f*

loneliness ['ləunlinis] soledad *f*; **~y** solitario

long [lɔŋ] *a* largo; prolongado; *in the ~* run a la larga; *adv* mucho tiempo; *all day ~* todo el santo día; *as ~ as* mientras; *before ~* en breve; *~ ago* hace mucho; *~ before* mucho antes; *how ~?* ¿cuánto tiempo?; *~ since* hace mucho; *so ~!* ¡hasta luego!; *to take ~* tardar mucho; *v/i ~ for* anhelar, ansiar; **~distance** de larga distancia; *tel* interurbano; **~ing** anhelo *m*; **~itude** ['lɔndʒitu:d] longitud *f*; **~playing** de larga duración; **~range** de gran alcance; **~standing** de mucho tiempo; **~suffering** sufrido; **~term** *com* a largo plazo; **~winded** verboso

look [luk] *s* mirada *f*; *pl* aspecto *m*; *to take a ~ at* echar una mirada a; *v/t* mirar, contemplar; *~ over* examinar; *v/i* mirar; tener aspecto de; *~ after* cuidar (de); *~ at* mirar,

observar; *~ back* mirar hacia atrás; *~ down on* despreciar; *~ for* buscar; *~ forward to* esperar con ilusión; *~ in* entrar al pasar; *~ into* investigar; *~ like* parecerse a; *~ out!* ¡ojo!; ¡cuidado!; *~ up to* respetar, admirar; *~ well* tener buen aspecto; **~ing glass** espejo *m*; **~out** vigía *f*; atalaya *f*; *fig* perspectiva *f*; asunto *m*

loom [lu:m] *s* telar *m*; *v/i* asomarse en forma vaga

loop [lu:p] *s* lazo *m*; presilla *f*; *aer* rizo *m*; **~hole** escapatoria *f*

loose [lu:s] suelto; flojo; disoluto; **~n** ['~sn] *v/t* soltar, desatar, aflojar

loot [lu:t] *s* botín *m*; *v/t* pillar, saquear

lop [lɔp] *v/t* desmochar; *~ off* cortar; **~sided** desequilibrado

loquacious [ləu'kweiʃəs] locuaz

lord [lɔ:d] señor *m* (*título*); **♀'s Prayer** padrenuestro *m*; **~ly** señorial; **~ship** señoría

lorry ['lɔri] camión *m*

lose [lu:z] *v/t* perder; *v/i* sufrir una pérdida; perder; **~s** [lɔs] pérdida *f*; *to be at a ~* no saber qué hacer; **~t** [lɔst] perdido; *to get ~t* perderse

lot [lɔt] lote *m*; suerte *f*; parcela *f*; *a ~* mucho

lotion ['ləʊʃən] loción f

lottery ['lɒtəri] lotería f

loud [laud] alto; fuerte; ruidoso; chillón; **~ly** en alta voz, fuertemente; **~speaker** altavoz m, LA altoparlante m

lounge [laundʒ] s salón m; v/i haraganear; reposar

lous|e [laus] piojo m; **~y** piojoso; ['lauzi] fam pésimo, miserable

lout [laut] patán m, gamberro m

lov|e [lʌv] s amor m; cariño m; **to fall in ~e** enamorarse; v/t amar, querer; **~e affair** aventura f amorosa; amorío m; **~e letter** carta f de amor; **~ely** encantador, bello, hermoso; **~er** amante m, f; **~ing** cariñoso, afectuoso

low [ləʊ] a bajo; abatido; débil; estrecho; escotado; adv bajo; en voz baja; v/i mugir; s meteor área f de baja presión; fam punto m bajo; **~cost** económico; **~er** a más bajo, inferior; v/t bajar; reducir; disminuir; v/i bajar; menguar; **~land** tierra f baja; **~liness** humildad f; **~ly** humilde; **~ tide** marea f baja

loyal ['lɔiəl] leal, fiel; **~ty** s lealtad f; fidelidad f

lozenge ['lɒzindʒ] pastilla f

Ltd. = **limited company** S.A.

lubricant ['lu:brikənt] a, s lubri(fi)cante m; **~te** ['~eit] v/t lubri(fi)car, engrasar

lucid ['lu:sid] lúcido

luck [lʌk] suerte f, ventura f; **good ~** buena suerte f; **~y** afortunado, dichoso

ludicrous ['lu:dikrəs] ridículo, absurdo

lug [lʌg] s tirón m; v/t tirar; arrastrar

luggage ['lʌgidʒ] equipaje m; **~ rack** portaequipajes m, rejilla f

lukewarm ['lu:kwɔ:m] tibio (t fig)

lull [lʌl] s momento m de calma; v/t arrullar, adormecer; calmar; **~aby** ['~əbai] canción f de cuna; nana f

lumber ['lʌmbə] s maderos m/pl; madera f aserrada; fam trastos m/pl; v/i andar pesadamente; **~jack** leñador m

luminous ['lu:minəs] luminoso

lump [lʌmp] s bulto m; pedazo m; terrón m (de azúcar); nudo m (en la garganta); v/t **~ together** amontonar; **~ sum** cantidad f global

lunacy ['lu:nəsi] locura f

lunar ['lu:nə] lunar

lunatic ['lu:nətik] a, s loco m, demente m; **~ asylum** manicomio m

lunch [lʌntʃ] s almuerzo m; comida f; v/i almorzar; comer; **~ hour** pausa f para almorzar

lung [lʌŋ] pulmón m

lunge [lʌndʒ] v/i arremeter; **~ at** abalanzarse sobre

lurch

lurch [ləːtʃ] s sacudida f; *to leave in the* ~ dejar a uno plantado; v/i dar tumbos

lure [ljuə] s atractivo m; señuelo m; v/t atraer, seducir

lurk [ləːk] v/i estar al acecho; *fig* estar latente

luscious ['lʌʃəs] suculento, sabroso; delicioso

lust [lʌst] s lujuria f; codicia f; v/i ~ *after* codiciar; ~y robusto; vigoroso

luster = **lustre**

lustre ['lʌstə] lustre m, brillo m; ~ous lustroso

lute [luːt] laúd m

luxurious [lʌg'zjuəriəs] lujoso, suntuoso; ~y ['lʌkʃəri] lujo m

lye [lai] lejía f

lying ['laiiŋ] falso, mentiroso; yacente, situado; ~**in** parto m

lymph [limf] linfa f

lynch [lintʃ] v/t linchar

lynx [liŋks] lince m

lyric ['lirik] a lírico; s poema m lírico; ~s letra f (*de una canción*)

M

macaroni [mækə'rəuni] macarrones m/pl

machine [mə'ʃiːn] s máquina f; mecanismo m; v/t trabajar, acabar a máquina; ~ **gun** ametralladora f; ~**ry** maquinaria f; ~ **tool** máquina f herramienta

mackintosh ['mækintəʃ] impermeable m

mad [mæd] loco; demente; furioso; *to be* ~ *about* estar loco por; *to get* ~ enfadarse; *to go* ~ volverse loco; enloquecerse

madam ['mædəm] señora f

madden ['mædn] v t, v i enloquecer

made [meid] hecho; fabricado; ~**-to-order** hecho a la medida; ~**up** ficticio

madman ['mædmən] loco m; ~**ness** locura f

magazine [mægə'ziːn] *impr* revista f; *mil* recámara f (*del cañón*); almacén m de explosivos

maggot ['mægət] gusano m

magic ['mædʒik] s magia f; a: ~ **wand** varita f mágica; ~**al** mágico; ~**ian** [mə'dʒiʃən] mago m

magistrate ['mædʒistreit] magistrado m

magnanimous [mæg'næniməs] magnánimo

magnet ['mægnit] imán m; ~**ic** [~'netik] magnético

magnificence [mæg'nifisns] magnificencia f; ~**ficent** magnífico; ~**fy** ['~fai] v/t amplificar; exagerar; ~**fying glass** lupa f; ~**tude** [~'tjuːd] magnitud f

magpie ['mægpai] urraca *f*

mahogany [mə'hɔgəni] caoba *f*

maid [meid] criada *f*; **~en** *a* virgen; soltera; *s* doncella *f*; joven *f* virgen; **~en name** nombre *m* de soltera

mail [meil] *s* correo *m*; correspondencia *f*; *v/t* despachar; echar al correo; **~bag** valija *f* (postal); **~box** buzón *m*; **~man** cartero *m*; **~order house** almacén *m* de ventas por correo

maim [meim] *v/t* mutilar; *fig* estropear

main [mein] principal; mayor; **~land** tierra *f* firme; **~s** tubería *f* maestra (*de gas, agua*); red *f* eléctrica; **~stay** *fig* pilar *m*; **~stream** corriente *f* principal

maintain [mein'tein] *v/t* mantener; sostener; **~enance** ['meintənəns] mantenimiento *m*

maize [meiz] maíz *m*

majestic [mə'dʒestik] majestuoso; **~y** ['mædʒisti] majestad *f*

major ['meidʒə] *a* mayor; más importante; *s* comandante *m*

Majorca [mə'dʒɔːkə] Mallorca *f*

majority [mə'dʒɔriti] mayoría *f*; mayor parte *f*

make [meik] *s* marca *f*; fabricación *f*; *v/t* hacer; crear; producir; ganar (*dinero*);

obligar; causar; *fam* recorrer (*distancia*); **~ do with** contentarse con; **~ fun of** burlarse de; **~ known** dar a conocer; **~ the most of** aprovechar; **~ out** descifrar; comprender; divisar; extender (*documento*); **~ over** traspasar; **~ up** formar; inventar; arreglar; **~ up one's mind** resolverse; **~ it up** hacer las paces; **~ use of** servirse de; *v/i* **~ for** ir hacia; **~ off** largarse; **~ ready** prepararse; **~believe** *a* fingido; *s* ficción *f*; invención *f*; **~r** fabricante *m*; **~shift** improvisado; provisional; **~up** maquillaje *m*

malady ['mælədi] enfermedad *f*

male [meil] *s* varón *m*; *a* masculino

malevolent [mə'levələnt] malévolo

malfunction [mæl'fʌŋkʃn] funcionamiento *m* defectuoso

malice ['mælis] malicia *f*; **~ious** [mə'liʃəs] malicioso

malignant [mə'lignənt] maligno

mallet ['mælit] mazo *m*

malnutrition [ˌmælnju(ː)-'triʃən] desnutrición *f*

malpractice [ˌmæl'præktis] procedimientos *m/pl* impropios o injuriosos (*esp. de médicos*)

malt [mɔːlt] malta *f*

mam(m)a [mə'mɑː] mamá *f*

mammal ['mæməl] mamífero
m

man [mæn] *s* hombre *m*; el
hombre *m*, la humanidad *f*;
sirviente *m*; *the* ~ *in the
street* hombre *m* corriente;
v/t tripular; guarnecer

manage ['mænidʒ] *v/t* manejar; manipular; dirigir; arreglar; administrar; *v/i* arreglárselas; **~able** manejable;
dócil; **~ment** dirección *f*;
manejo *m*; *com* gerencia *f*; **~r**
com gerente *m*; director *m*;
empresario *m*

mandatory ['mændətəri] obligatorio

mane [mein] crin *f*; melena *f*

manger ['meindʒə] pesebre *m*

mangle ['mæŋgl] *v/t* mutilar;
magullar

mangy ['meindʒi] sarnoso,
roñoso

manh|andle ['mænhændl] *v/t*
maltratar; **~ood** [~hud] viri-
lidad *f*; edad *f* adulta

mania ['meinjə] manía *f*; **~c**
['~iæk] *a, s* maníaco *m*

manicure ['mænikjuə] manicura *f*

manifest ['mænifest] *a* manifiesto; evidente; *v/t* manifestar; revelar

manifold ['mænifould] múltiple; vario; variado

man|kind [mæn'kaind] la hu-
manidad; **~ly** varonil

manner ['mænə] manera *f*;
modo *m*; conducta *f*; **~s** modales *m/pl*; *bad* **~s** mala edu-

cación *f*

manœuvre [mə'nu:və] *s* maniobra *f*; *v/t, v/i* maniobrar

manor ['mænə] casa *f* solarie-
ga

manpower ['mænpauə]
mano *f* de obra

mansion ['mænʃən] casa *f*
señorial

manslaughter ['mænslɔ:tə]
for homicidio *m* no premeditado

mantelpiece ['mæntlpi:s] repisa *f* de chimenea

manual ['mænjuəl] *a, s* manual *m*

manufactur|e [mænju'fæk-
tʃə] *s* fabricación *f*; *v/t* fabricar

manure [mə'njuə] *s* estiércol
m; *v/t* abonar

many ['meni] muchos; *a
great* ~ muchísimos; *as* ~ *as*
tantos como; *how* ~?
¿cuántos?; *too* ~ demasiados

map [mæp] *s* mapa *m*; plano
m (*de una ciudad*); *v/t* ~ *out*
planear

maple ['meipl] arce *m*

marble ['mɑ:bl] mármol *m*;
canica *f*

March [mɑ:tʃ] marzo *m*; 2 *v/i*
marchar; *s* marcha *f*

mare [mɛə] yegua *f*

margarine [mɑ:dʒə'ri:n]
margarina *f*

margin ['mɑ:dʒin] margen *m*;
in the ~ al margen

marine [mə'ri:n] *a* marino; *s*
marina *f*; *merchant* ~ mari-

na *f* mercante; **~r** ['mærinə] marinero *m*; **~s** infantería *f* de marina

marital ['mæritl]: **~ status** estado *m* civil

maritime ['mæritaim] marítimo

mark [mɑːk] *s* marca *f*; señal *f*; impresión *f*; huella *f*; calificación *f*; blanco *m*; *v/t* marcar; notar; señalar; **~down** rebaja *f*; **~ed** ['mɑːkit] marcado, pronunciado

market ['mɑːkit] *s* mercado *m*; *v/t* llevar al mercado; vender; **~able** vendible; **~ing** marketing *m*, compra *f* y venta *f*; **~ place** plaza *f* del mercado

marksman ['mɑːksmən] tirador *m* (certero)

marmalade ['mɑːməleid] mermelada *f* de frutas cítricas

marmot ['mɑːmət] marmota *f*

marquee [mɑːˈkiː] entoldado *m*; marquesina *f*

marri|age ['mæridʒ] matrimonio *m*; boda *f*; **~age certificate** partida *f* de matrimonio; **~ed** casado; **to get ~ed** casarse

marrow ['mærəu] médula *f*; calabacín *m*

marry ['mæri] *v/t* casar; casarse con; *v/i* casarse

marsh [mɑːʃ] pantano *m*; marisma *f*

marshal ['mɑːʃəl] *s* mariscal

m; *v/t* dirigir; ordenar, formar (*las tropas*)

marshmallow ['mɑːʃˈmæləu] malvavisco *m*

martial ['mɑːʃəl] marcial; **~ law** ley *f* marcial

martyr ['mɑːtə] mártir *m*, *f*

marvel ['mɑːvəl] *s* maravilla *f*; *v/i* admirarse; **~lous** maravilloso

mascara [mæsˈkɑːrə] rímel *m*

masculine ['mæskjulin] masculino

mash [mæʃ] *s* masa *f*; *v/t* majar; **~ed potatoes** puré *m* de patatas, *LA* de papas

mask [mɑːsk] máscara *f*

mason ['meisn] albañil *m*; **~ry** mampostería *f*

mass [mæs] *s* masa *f*; montón *m*; muchedumbre *f*; *relig* misa *f*; **~ media** los media *m/pl*; **~ production** fabricación *f* en serie; *v/t*, *v/i* juntar(se)

massacre ['mæsəkə] matanza *f*

massage ['mæsɑːʒ] *s* masaje *m*; *v/t* dar masaje a

massive ['mæsiv] macizo; grande, grueso

mast [mɑːst] palo *m*; mástil *m*

master ['mɑːstə] *s* amo *m*; dueño *m*; maestro *m*; **~ of ceremonies** presentador *m*; *v/t* superar; domar; dominar; **~ly** magistral; **~piece** obra *f* maestra; **~y** maestría *f*

mat [mæt] *s* estera *f*; felpudo *m*; *v/i* enredarse; *a* mate

match [mætʃ] s cerilla f, fósforo m; partido m; matrimonio m; v/t aparear; emparejar; igualar; v/i hacer juego, corresponderse; **~box** cajita f de fósforos; **~less** sin igual

mate [meit] s cónyuge m, f; compañero(a) m (f); mar maestre m; (ajedrez) mate m; v/t, v/i casar; parear(se)

material [mə'tiəriəl] s material m; materia f; tejido m; tela f; a material; esencial; **~ize** v/i concretarse; realizarse

matern|al [mə'tə:nl] maternal; materno; **~ity** maternidad f

mathematic|ian [mæθimə'tiʃən] matemático(a) m (f); **~s** [~'mætiks] matemáticas f/pl

matinée ['mætinei] función f de tarde

matriculate [mə'trikjuleit] v/t, v/i matricular(se)

matrimony ['mætriməni] matrimonio m

matron ['meitrən] matrona f

matter ['mætə] s materia f; sustancia f; asunto m; **as a ~ of course** por rutina; **as a ~ of fact** en realidad; **for that ~** en cuanto a eso; **no ~** no importa; **what's the ~?** ¿qué pasa?; v/i importar; **it doesn't ~** no importa; **~-of-fact** prosaico; práctico

mattress ['mætris] colchón m

mature [mə'tjuə] a maduro; v/i madurar; com vencer; **~ity** madurez f; com vencimiento m

mauve [məuv] color m de malva

maxim ['mæksim] máxima f; **~um** ['~əm] máximo m

May [mei] mayo m

may [mei] v/i poder; ser posible; **~ I come in?** ¿puedo entrar?; **~be** quizá

mayonnaise [meiə'neiz] mayonesa f

mayor [mɛə] alcalde m

maze [meiz] laberinto m

me [mi:, mi] pron pers me, mí; **with ~** conmigo

meadow ['medəu] pradera f

meager = **meagre**

meagre ['mi:gə] magro; pobre

meal [mi:l] comida f (preparada); **~time** hora f de comer

mean [mi:n] a mezquino; humilde; tacaño; v/t querer decir; significar; v/i tener (buenas, malas) intenciones; s medio m; término m medio; **~s** medios m/pl; recursos m/pl; **by all ~s** de todos modos; **by no ~s** de ninguna manera; **by ~s of** mediante

meaning ['mi:niŋ] significado m; **~ful** significativo; **~less** sin sentido

mean|time ['mi:n'taim], **~while** [~'wail]: **in the ~** mientras tanto

measles ['mi:zlz] med sarampión m; **German ~** rubéola f

measur|e ['meʒə] s medida *f*;
cantidad *f*; **beyond ~e** excesivamente; *v/t, v/i* medir;
~ement dimensión *f*

meat [miːt] carne *f*; **~ball**
albóndiga *f*; **~y** carnudo; *fig*
substancioso

mechan|ic [miˈkænik] mecánico *m*; **~s** mecánica *f*; **~sm**
['mekənizəm] mecanismo *m*;
~ze [*'~*naiz] *v/t* mecanizar

medal ['medl] medalla *f*

meddle ['medl] *v/i* entrometerse

mediat|e ['miːdieit] *v/t, v/i*
mediar; **~ion** mediación *f*

medic|al ['medikəl] *a* médico;
~ament [məˈdikəmənt] medicamento *m*; **~ine** ['medsin]
medicina *f*

mediocre [miːdiˈəukə] mediocre; mediano

meditat|e ['mediteit] *v/i* meditar; **~ion** meditación *f*;
~ive [*'~*ətiv] meditativo

Mediterranean [meditəˈreinjən] **(Sea)** (Mar *m*) mediterráneo *m*

medium ['miːdjəm] *a* mediano; regular; *s* medio *m*

medley ['medli] mezcolanza *f*; *mús* potpurri *m*

meek [miːk] manso, dócil

meet [miːt] *v/t* encontrar(se)
(con); tropezar con; esperar;
conocer; hacer frente a;
cumplir; satisfacer; *v/i* encontrarse; reunirse; **~ with**
toparse con; sufrir; **~ing** reunión *f*; junta *f*

melancholy ['melənkəli] melancolía *f*

meld [meld] *v/t, v/i* unir(se),
fusionar(se)

melee ['melei] pelotera *f*;
confusión *f*

mellow ['meləu] maduro;
suave

melod|ious [miˈləudjəs] melodioso; **~y** ['melədi] melodía
f

melon ['melən] melón *m*

melt [melt] *v/t* derretir; *v/i*
fundirse; **~ away** esfumarse

member ['membə] miembro
m; socio *m*; **~ship** calidad *f*
de socio

membrane ['membrein]
membrana *f*

memo|irs ['memvɑːz] *pl* memorias *f/pl*; **~rial** [miˈmɔːriəl] conmemorativo; **~rize**
['meməraiz] *v/t* aprender de
memoria

memory ['meməri] memoria
f; recuerdo *m*

menace ['menəs] *s* amenaza
f; *v/t, v/i* amenazar

mend [mend] *v/t* componer;
remendar; reparar; *v/i* curarse

menial ['miːnjəl] *a* servil

mental ['mentl] mental; **~ity**
[*~*'tæliti] mentalidad *f*

mention ['menʃən] *s* mención
f; *v/t* mencionar; **don't ~ it!**
¡no hay de qué!

menu ['menjuː] menú *m*, minuta *f*

meow [mi:'au] s maullido m; v/i maullar

mercantile ['mə:kəntail] mercantil

mercenary ['mə:sinəri] a, s mercenario m

merchandise ['mə:tʃəndaiz] mercancías f/pl; LA mercadería f; **~t** comerciante m

merciful ['mə:siful] clemente; compasivo; **~less** despiadado

mercury ['mə:kjuri] mercurio m

mercy ['mə:si] misericordia f; piedad f; **at the ~ of** a la merced de

mere [miə] mero; puro

merge [mə:dʒ] v/t unir; v/i fundirse; **~t for, com** fusión f

meridian [mə'ridiən] meridiano m

meringue [mə'ræŋ] merengue m

merit ['merit] s mérito m; v/t merecer

mermaid ['mə:meid] sirena f

merriment ['merimənt] alegría f; **~y** alegre; feliz; **to make ~y** divertirse; **~y-go--round** tiovivo m

mesh [meʃ] s malla f; tecn engranaje m; v/i engranar

mess [mes] s lío m; confusión f; mil comedor m; v/t **~ up** desordenar

message ['mesidʒ] mensaje m; recado m; **~enger** mensajero m

messy ['mesi] desordenado

metal ['metl] s metal m; a de metal; **~lic** [mi'tælik] metálico

mete [mi:t] v/t **~ out** repartir; imponer (castigo)

meteor ['mi:tjə] meteoro m; **~ology** [~'rɔlədʒi] meteorología f

meter ['mi:tə] = **metre**; contador m (gas, etc); medidor m

method ['meθəd] método m; **~ical** [mi'θɔdikəl] metódico

meticulous [mi'tikjuləs] meticuloso

metre ['mi:tə] metro m; **~ical** ['metrikəl] métrico

metropolitan [metrə'pɔlitən] metropolitano

mew [mju:] s maullido m; lugar m de reclusión; v/i maullar

Mexican ['meksikən] a, s mexicano(a) m (f); **~o** ['~əu] México m

mezzanine ['mezəni:n] entresuelo m

miaow [mi(:)'au] = **meow**

microphone ['maikrəfəun] micrófono m; **~processor** microprocesador m; **~scope** microscopio m; **~wave oven** horno m microondas

mid [mid] medio; pleno; **in ~ winter** en pleno invierno; **~day** mediodía m

middle ['midl] a medio; intermedio; mediano; s centro m; mitad f; **~e-aged** de mediana edad; **2e Ages** pl

Edad f Media; **~eman** intermediario m; **~e name** segundo nombre m; **~ing** mediano

midget ['midʒit] enano m

midnight ['midnait] medianoche f

mid|st [midst]: *in the ~st of* entre; en medio de; **~way** a mitad del camino

midwife ['midwaif] comadrona f

might [mait] poder m; poderío m; **~y** a poderoso; potente; *adv* sumamente

migrane ['miːgrein] jaqueca f

migra|te [mai'greit] v/i emigrar; **~tion** migración f; **~tory** ['~ətəri] migratorio

mild [maild] suave, benigno, templado; manso

mildew ['mildjuː] moho m

mile [mail] milla f

mil(e)age ['mailidʒ] millaje m; recorrido m en millas

milestone ['mailstəun] piedra f miliaria; hito m (t fig)

militant ['militənt] militante

military ['militəri] militar

milk [milk] s leche f; v/t ordeñar; **~man** lechero m; **~shake** batido m de leche; **~y** lechoso; **2y Way** Vía f Láctea

mill [mil] s molino m; fábrica f de tejidos; v/t moler; **~er** molinero m

millet ['milit] mijo m

milliner ['milinə] modista f de sombreros

million ['miljən] millón m; **~aire** [~'nɛə] millonario m

mime [maim] mimo m; mímica f

mimeograph ['mimiəɡrɑːf] mimeógrafo m

mimic ['mimik] a mímico; s remedador m; v/t imitar

mince [mins] v/t desmenuzar; picar (*carne*); **~ no words** no tener pelos en la lengua; v/i andar con pasos menuditos; **~meat** carne f picada

mind [maind] s mente f; inteligencia f; opinión f; intención f; *out of one's ~* loco, fuera de su juicio; *to bear in ~* tener en cuenta; *to change one's ~* cambiar de opinión; *to cross one's ~* ocurrírsele; *to have a ~ to* tener ganas de; *to make up one's ~* decidirse; v/t fijarse en; cuidar; oponerse a; tener inconveniente en; *~ your own business!* ¡no se meta en cosas ajenas!; *I don't ~* me es igual; *never ~!* ¡no importa!; **~blowing** fam alucinante; **~boggling** abrumador; **~ful of** consciente de; **~less** estúpido

mine [main] *pron pos* mío, mía, míos, mías, el mío, la mía, los míos, las mías, lo mío

min|e [main] s mina f; v/t minar; extraer (*mineral, etc*); **~er** minero m

mineral ['minərəl] mineral m; **~ water** agua f mineral

mingle ['miŋgl] v/t, v/i mezclar(se)

miniature ['minjətʃə] miniatura f

minimum ['miniməm] mínimo m

mining ['mainiŋ] minería f

miniskirt ['miniskə:t] minifalda f

minist|er ['ministə] s pol, relig ministro m; v/t relig administrar (sacramento); v/i ayudar; **~ry** ministerio m; relig sacerdocio m

mink [miŋk] visón m

minor ['mainə] a menor (t mús); inferior; negativo; s menor m, f de edad; **~ity** [~'noriti] minoría f

minster ['minstə] catedral f

minstrel ['minstrəl] juglar m; trovador m

mint [mint] bot menta f; casa f de la moneda

minus ['mainəs] prep menos; a negativo; fam sin, desprovisto de

minute [mai'nju:t] a menudo; diminuto; [ˈminit] s minuto m; momento m; at the last **~** a última hora; **~ hand** minutero m; **~s** pl actas f/pl

miracle ['mirəkl] milagro m; **~ulous** [mi'rækjuləs] milagroso

mirage ['mira:ʒ] espejismo m

mire ['maiə] cenagal m

mirror ['mirə] s espejo m; v/t reflejar

mirth [mə:θ] regocijo m; alegría f

misadventure ['misəd'ventʃə] desgracia f

misapprehen|d ['misæpri'hend] v/t malentender; **~sion** equivocación f

misbehav|e ['misbi'heiv] v/i portarse mal; **~io(u)r** mala conducta f

miscarr|iage [mis'kæridʒ] aborto m; error m; fracaso m; **~y** v/i abortar; malparir; malograrse

miscellaneous [misi'leinjəs] misceláneo

mischie|f ['mistʃif] travesura f; daño m; **~vous** ['~vəs] travieso; malicioso

misconception ['miskən-'sepʃən] concepto m erróneo

misdeed ['mis'di:d] delito m

misdemeanour [misdi-'mi:nə] for delito m menor

miser ['maizə] avaro m; **~able** ['mizərəbl] desastido; despreciable; **~y** miseria f

misfit ['misfit] malajuste m; inadaptado(a) m (f)

mis|fortune [mis'fɔ:tʃən] desgracia f; infortunio m; percance m; **~giving** recelo m; desconfianza f; **~guided** equivocado, mal aconsejado

mishandle ['mis'hændl] v/t manejar mal; maltratar

mishap ['mishæp] contratiempo m; accidente m

model

mislay [mis'lei] *v/t* extraviar; traspapelar

mislead [mis'li:d] *v/t* engañar; despistar

mismanage ['mis'mænidʒ] *v/t* administrar mal; **~ment** desgobierno *m*; mala administración *f*

misplace [mis'pleis] *v/t* colocar mal; extraviar

misprint [mis'print] *s impr* errata *f*; *v/t* imprimir mal

misrepresent ['misrepri-'zent] *v/t* tergiversar; desfigurar, falsificar

miss [mis] señorita *f*

miss [mis] *v/t* perder; no acertar; fallar; echar de menos; *v/i* errar el blanco

missal ['misəl] misal *m*

misshapen ['mis'ʃeipən] deforme

missile ['missail] proyectil *m*; cohete *m*

missing ['misiŋ] *mil* desaparecido; perdido; **to be ~** faltar

mission ['miʃən] *relig, pol* misión *f*; mil tarea *f*; **~ary** ['~ʃnəri] misionero(a) *m (f)*

mist [mist] *s* neblina *f*; niebla *f*; vaho *m*; *v/t* empañar

mistake [mis'teik] *s* equivocación *f*; error *m*; **by ~** por equivocación; *v/t* confundir; entender mal; **~n** erróneo; **to be ~n** estar equivocado

mister ['mistə] señor *m*

mistletoe ['misltəu] muérdago *m*

mistress ['mistris] maestra *f*; dueña *f*; querida *f*

mistrust ['mis'trast] *s* desconfianza *f*; *v/t* desconfiar de; dudar de

misty ['misti] nebuloso

misunderstand ['misʌndə-'stænd] *v/t* entender mal; **~ing** malentendido *m*

misuse [mis'ju:s] *s* abuso *m*; ['~'ju:z] *v/t* abusar de; maltratar; *com* malversar (*fondos*)

mite [mait] pizca *f*

mitigate ['mitigeit] *v/t* mitigar

mitten ['mitn] manopla *f*

mix [miks] *v/t* mezclar; **~ up** *fig* confundir; **~** mezclarse; asociarse; **~ed** mixto; mezclado; **~er** batidora *f*; **~ture** ['~tʃə] mezcla *f*; mescolanza *f*; **~up** confusión *f*

moan [məun] *s* gemido *m*; *v/i* quejarse; gemir

moat [məut] *mil* foso *m*

mob [mɔb] chusma *f*; gentío *m*; muchedumbre *f*

mobile ['məubail] móvil; movible; **~ze** ['məubilaiz] *v/t* movilizar

mock [mɔk] *a* imitado; fingido; *v/t, v/i* mofarse (de); burlarse (de); **~ery** mofa *f*; burla *f*

mode [məud] moda *f*; manera *f*; modo *m*

model ['mɔdl] *a* modelo; *s* modelo *m, f*; patrón *m*; maqueta *f*; *v/t* modelar

moderat|e ['mɔdərit] *a* moderado; ['mɔdəreit] *v/t* moderar; **~ion** [~'reiʃən] moderación *f*

modern ['mɔdən] moderno; **~ize** *v/t* modernizar

modest ['mɔdist] modesto; **~y** modestia *f*; pudor *m*

modif|ication [mɔdifi'keiʃən] modificación *f*; **~y** [~fai] *v/t* modificar

modul|ate ['mɔdjuleit] *v/t* modular; **~e** ['~u:l] módulo *m* (*lunar, etc*)

mohair ['məuheə] mohair *m*

Mohammedan [məu'hæmidən] *a, s* mahometano(a) *m* (*f*)

moist [mɔist] húmedo; **~en** ['~sn] *v/t* humedecer; **~ure** ['~stʃə] humedad *f*

molar ['məulə] muela *f*

mole [məul] *zool* topo *m*; lunar *m*; muelle *m*

molecule ['mɔlikju:l] molécula *f*

molest [məu'lest] *v/t* molestar; importunar; **~ation** [~'teiʃən] molestia *f*

mollify ['mɔlifai] *v/t* apaciguar

moment ['məumənt] momento *m*; instante *m*; importancia *f*; **at the ~** de momento, por ahora; **~ary** momentáneo; **~ous** [məu'mentəs] importante

monarch ['mɔnək] monarca *m*; **~y** monarquía *f*

monastery ['mɔnəstəri] monasterio *m*

Monday ['mʌndi] lunes *m*

monetary ['mʌnitəri] monetario

money ['mʌni] dinero *m*; moneda *f*; **make ~** ganar dinero; **~ ready** fondos *m/pl* disponibles; **~ed** adinerado; **~ lender** prestamista *m*; **~ order** giro *m* postal

monitor ['mɔnitə] *s* monitor *m*; *TV* receptor *m*; *v/t* controlar; vigilar

monk [mʌŋk] monje *m*, fraile *m*

monkey ['mʌŋki] *s* mono *m*

monologue ['mɔnələg] monólogo *m*

monopol|ize [mə'nɔpəlaiz] monopolizar (*t fig*); **~y** monopolio *m*

monotone ['mɔnətəun] monotonía *f*; **speak in a ~** hablar en un solo tono

monotonous [mə'nɔtnəs] monótono

monsoon [mɔn'su:n] monzón *m, f*

monst|er ['mɔnstə] monstruo *m*; **~rous** enorme; monstruoso

month [mʌnθ] mes *m*; **~ly** mensual

monument ['mɔnjumənt] monumento *m*

moo [mu:] *v/i* mugir

mood [mu:d] humor *m*; disposición *f*; **to be in a good (bad) ~** estar de buen (mal) humor; **~y** malhumorado; caprichoso

moon [mu:n] luna *f*; **~light** luz *f* de la luna

Moor [muə] moro(a) *m (f)*

moor [muə] *s* páramo *m*; brezal *m*; *v/t mar* amarrar; *v/i* atracar; **~ings** *pl* amarras *f/pl*; amarradero *m*

moose [mu:s] alce *m*

mop [mɔp] *s* fregona *f*; greña *f*; *v/t* fregar; enjugar, *LA* trapear

mope [məup] *v/i* estar abatido; **~ around** andar alicaído

moral ['mɔrəl] *a* virtuoso; moral; recto; *s* moraleja *f*; **~e** [mɔ:'rɑ:l] estado *m* de ánimo; **~ity** [mə'ræliti] moralidad *f*; **~ize** ['mɔrəlaiz] *v/t, v/i* moralizar

morass [mə'ræs] ciénaga *f*

morbid ['mɔ:bid] morboso

more [mɔ:] *a* (*compar de much, many*) más; *adv* más; además; **~ and ~** cada vez más; **~ or less** más o menos; **once ~** una vez más; **the ~ the merrier** cuanto más, ... tanto mejor; **morgue** [mɔ:g] depósito *m* de cadáveres

morning ['mɔ:niŋ] *s* mañana *f*; **early ~** madrugada *f*; **good ~!** ¡buenos días!; **this ~** esta mañana; **tomorrow ~** mañana por la mañana; *a* matutino; matinal

Moroccan [mə'rɔkən] *a, s* marroquí *m, f*; **~o** Marruecos *m*

morose [mə'rəus] malhumo-

rado; hosco

morphine ['mɔ:fi:n] morfina *f*

morsel ['mɔ:səl] pedacito *m*, bocado *m*

mortal [mɔ:tl] *a, s* mortal *m*; **~ity** [~'tæliti] mortalidad *f*

mortar ['mɔ:tə] *mil, arq* mortero *m*

mortgage ['mɔ:gidʒ] *s* hipoteca *f*; *v/t* hipotecar

mortify ['mɔ:tifai] *v/t* mortificar, humillar

mortuary ['mɔ:tjuəri] depósito *m* de cadáveres

mosaic [məu'zeiik] mosaico *m*

Moslem ['mɔzlem] *a, s* musulmán(ana) *m (f)*

mosque [mɔsk] mezquita *f*

mosquito [mɔs'ki:təu] mosquito *m*

moss [mɔs] musgo *m*

most [məust] *a* (*superl de much, many*) el, la, los, las más; la mayor parte de; *adv* más; muy; sumamente; *at* (*the*) **~** a lo más; **~ likely** muy probable; **make the ~ of** sacar el mejor partido de; **~ly** principalmente

moth [mɔθ] polilla *f*; **~eaten** apolillado

mother ['mʌðə] *s* madre *f*; **~hood** maternidad *f*; **~-in-law** suegra *f*; **~less** huérfano de madre; **~ly** maternal; **~-of-pearl** nácar *m*; **~ tongue** lengua *f* materna

motif [məu'ti:f] motivo *m*

motion ['məuʃən] *s* movimiento m; gesto m; ademán m; moción f; v/t indicar con un gesto de la mano; **~less** inmóvil; **~ picture** película f

motiv|ate ['məutiveit] v/t motivar; **~e** motivo m

motor ['məutə] s motor m; automóvil m; v/i ir en coche; **~bike** moto f; **~car** automóvil m; coche m; **~cycle** motocicleta f; **~cyclist** motociclista m, f; **~ing** automovilismo m; **~ist** automovilista m, f; **~ize** motorizar; **~way** autopista f

motto ['mɔtəu] lema m; divisa f

mo(u)ld [məuld] s molde m; moho m; v/t moldear; formar; **~er** v/i desmoronarse; **~y** mohoso

mound [maund] montículo m

mount [maunt] s monte m; montura f; v/t montar; elevar; subir, escalar; v/i subir; crecer; montar a caballo

mountain ['mauntin] montaña f; **~ chain**, **~ range** cordillera f; sierra f; **~eer** [~'niə] alpinista m; montañés m; **~ous** montañoso

mourn [mɔːn] v/t llorar; lamentar; v/i lamentarse; **~er** doliente m, f; plañidera f; **~ful** triste; doloroso; **~ing** luto m; **to be in ~ing** estar de luto

mouse [maus] ratón m; **~trap** ratonera f

moustache [məs'taːʃ] bigote m

mouth [mauθ] s boca f; desembocadura f (de río); [mauð] v/t pronunciar; **~ful** bocado m; **~piece** boquilla f; portavoz m; **~wash** enjuague m; **~watering** apetitoso

mov|e [muːv] s movimiento m; paso m; jugada f; v/t mover; trasladar; conmover; v/i moverse; mudarse; **~e into** (casa) instalarse en; **~e on** seguir caminando; **~ement** movimiento m; **~ies** fam cine m; **~ing** conmovedor

mow [mau] v/t segar; **~er** segador(a) m (f)

much [mʌtʃ] a mucho; adv mucho; muy; as **~** as tanto como; **how ~ is it?** ¿cuánto es?; **so ~ the better** tanto mejor; **so ~ the worse** tanto peor; **too ~** demasiado; **very ~** muchísimo

mucus ['mjuːkəs] moco m

mud [mʌd] barro m; fango m; lodo m

muddle ['mʌdl] s embrollo m; perplejidad f; v/t confundir; **~ up** embrollar

mud|dy ['mʌdi] lodoso; **~guard** guardabarros m

muezzin [muː(ː)'ezin] almuecín m

muff [mʌf] manguito m

muffin ['mʌfin] mollete m

muffle ['mʌfl] v/t tapar; embozar; amortiguar (sonido, etc); **~r** bufanda f; aut silenciador m

mug [mʌg] cubilete *m*; *v/t* asaltar para robar; **~ging** asalto *m*; **~gy** bochornoso

mulberry ['mʌlbəri] mora *f*; moral *m*

mule [mju:l] mulo *m*; mula *f*; **~teer** [~i'tiə] arriero *m*

mull [mʌl] *v/t* **~ over** meditar sobre

multicolored ['mʌltikʌləd] multicolor

multifarious ['mʌlti'fɛəriəs] múltiple, vario

multipl|e ['mʌltipl] *a* múltiple; *s* múltiplo *m*; **~y** [~plai] *v/t*, *v/i* multiplicar(se)

multitude ['mʌltitju:d] multitud *f*

mumble ['mʌmbl] *v/t*, *v/i* hablar entre dientes

mummy ['mʌmi] momia *f*; mami *f*

mumps [mʌmps] paperas *f/pl*

munch [mʌntʃ] *v/t* mascar

mundane [mʌn'dein] mundano

municipal [mju:(')nisipəl] municipal; **~ity** [~'pæliti] municipio *m*

mural ['mjuərəl] *a*, *s* mural *m*

murder ['mə:də] *s* asesinato *m*; *v/t* asesinar; **~er** asesino *m*; **~ous** asesino; homicida; *fig* feroz

murmur ['mə:mə] *s* murmullo *m*; *v/t*, *v/i* murmurar

muscl|e ['mʌsl] músculo *m*; **~ular** [~'kjulə] musculoso; muscular

muse [mju:z] *v/i* reflexionar;

meditar; *s* musa *f*

museum [mju:(')ziəm] museo *m*

mush [mʌʃ] gachas *f/pl*

mushroom ['mʌʃrum] seta *f*; champiñón *m*

music ['mju:zik] música *f*; **~al** musical; músico; **~ hall** teatro *m* de variedades; **~ian** [~'ziʃən] músico(a) *m* (*f*)

musk [mʌsk] almizcle *m*

Muslim ['mʌslim] *a*, *s* musulmán(ana) *m* (*f*)

muslin ['mʌslin] muselina *f*

mussel ['mʌsəl] mejillón *m*

must [mʌst] *v/aux* deber, tener que, haber de, deber de; *I* **~ write** debo escribir; *it* **~ be late** debe de ser tarde; *s* **it's a ~** es imprescindible

must [mʌst] mosto *m*; moho *m*

mustard ['mʌstəd] mostaza *f*

muster ['mʌstə] *v/t* reunir; *v/i* juntarse; *s* asamblea *f*

musty ['mʌsti] mohoso; rancio

mute [mju:t] silencioso; mudo; **~d** sordo, apagado

mutilate ['mju:tileit] *v/t* mutilar

mutin|eer [mju:ti'niə] amotinado *m*; **~ous** ['~nəs] sedicioso; **~y** ['~ni] motín *m*

mutter ['mʌtə] *v/t*, *v/i* murmurar; rezongar

mutton ['mʌtn] carne *f* de carnero

mutual ['mju:tʃuəl] mutuo

muzzle ['mʌzl] *s* hocico *m*;

bozal *m*; boca *f* (*de arma de fuego*); *v/t* amordazar

my [mai] *pron pos* mi, mis

myopic ['mai'ɔpik] miope

myrrh [mə:] mirra *f*

myrtle ['mə:tl] mirto *m*

myself [mai'self] *pron* yo mis-

mo; me; mí

myst|erious [mis'tiəriəs] misterioso; **~ery** ['~təri] misterio *m*; **~ic** ['mistik] *a*, *s* mistico(a) *m* (*f*); **~ify** ['~tifai] *v/t* mistificar; desconcertar

myth [miθ] mito *m*

N

nab [næb] *v/t* arrestar, atrapar

nag [næg] *v/t*, *v/i* regañar

nail [neil] *s* uña *f*; clavo *m*; **to hit the ~ on the head** dar en el clavo; *v/t* clavar; **~ file** lima *f* para las uñas; **~ polish** laca *f* de uñas

naïve [nai'i:v] ingenuo

naked ['neikid] desnudo

name [neim] *s* nombre *m*; apellido *m*; título *m*; *v/t* poner nombre a; apellidar; designar; mencionar; **maiden ~** nombre *m* de soltera; **what's your ~?** ¿cómo se llama?; **~less** sin nombre; anónimo

namely ['neimli] a saber

nanny ['næni] niñera *f*; **~ goat** cabra *f*

nap [næp] sueño *m* ligero; **to take a ~** echar una siesta

nape [neip] nuca *f*

nap|kin ['næpkin] servilleta *f*; **~py** *fam* pañal *m*

narcotic [nɑ:'kɔtik] *a*, *s* narcótico *m*; **~s** estupefacientes *m/pl*

narrat|e [næ'reit] *v/t* narrar;

~ion narración *f*; **~ive** ['~ətiv] narrativa *f*

narrow ['nærəu] *a* estrecho; limitado; *v/t* estrechar; limitar; *v/i* estrecharse; **~ly** por poco; **~minded** intolerante, de miras estrechas

nasty ['nɑ:sti] horrible; sucio; repulsivo; peligroso

nation ['neiʃən] nación *f*; **~al** ['næʃənl] nacional; **~ality** ['~'næliti] nacionalidad *f*; **~alize** ['næʃənəlaiz] *v/t* nacionalizar; **~wide** ['~waid] a nivel nacional

native ['neitiv] *a* nativo; natural; indígena; *s* natural *m*, *f*, nacional *m*, *f*, nativo(a) *m* (*f*); **~ity** [nə'tiviti] natividad *f*

natural ['nætʃrəl] natural; **~ize** *v/t* naturalizar; **~ly** naturalmente; desde luego

nature ['neitʃə] naturaleza *f*; carácter *m*; índole *f*

naught [nɔ:t] nada *f*; cero *m*

naughty ['nɔ:ti] travieso; desobediente

nause|a ['nɔ:sjə] náusea *f*; **~ate** ['~ieit] *v/t* dar asco; **~ating** nauseabundo

nautical ['nɔːtikəl] náutico; **~ mile** milla *f* marina

naval ['neivəl] naval

nave [neiv] *relig* nave *f*

navel ['neivəl] ombligo *m*

naviga|te ['nævigeit] *v/i, v/t* navegar; **~tor** navegante *m*

navy ['neivi] marina *f*; armada *f*; **~ blue** azul marino

near [niə] *prep* cerca de; junto a; próximo a; *adv* cerca; *a* cercano; próximo; contiguo; íntimo; inmediato; *v/t* acercarse a; **~by** cerca; **~ly** casi; por poco; **~ness** proximidad *f*; inminencia *f*; **~sighted** miope

neat [niːt] pulcro; ordenado; **~ness** pulcritud *f*

necessary ['nesisəri] necesario; preciso

necessit|ate [ni'sesiteit] *v/t* necesitar, requerir; **~y** necesidad *f*; requisito *m*

neck [nek] cuello *m*; pescuezo *m*; gollete *m* (*de una botella*); **~lace** ['~lis] collar *m*; **~tie** corbata *f*

née [nei] nacida

need [niːd] *s* necesidad *f*; carencia *f*; urgencia *f*; pobreza *f*; **in ~** necesitado; *v/t* necesitar; precisar

needle ['niːdl] aguja *f*

needless ['niːdlis] innecesario, inútil; **~ to say** huelga decir

needy ['niːdi] necesitado

negati|on [ni'geiʃən] negación *f*; **~ve** ['negətiv] *s* nega-

tiva *f*; *foto* negativo *m*; *a* negativo

negl|ect [ni'glekt] *s* descuido *m*; abandono *m*; *v/t* descuidar; abandonar; **~igent** ['neglidʒənt] negligente, descuidado; **~igible** insignificante

negotia|te [ni'gəuʃieit] *v/i* negociar; tratar; *v/t* negociar; tramitar; **~tion** negociación *f*; **~tor** negociador(a) *m (f)*

neigh [nei] *v/i* relinchar

neighbo(u)r ['neibə] vecino(a) *m (f)*; **~hood** vecindad *f*; barrio *m*; **~ing** cercano, vecino; **~ly** sociable

neither ['naiðə] *a* ningún (*de dos*); *pron* ninguno(a) (*de dos*); ni uno ni otro; *conj* ni; tampoco; **~ ... nor** ni ... ni

neon ['niːən] neón *m*

nephew ['nevju(ː)] sobrino *m*

nerv|e [nəːv] nervio *m*; valor *m*; descaro *m*; **what ~e!** ¡qué caradura!; *it gets on my ~es* me crispa los nervios; **~ous** nervioso

nest [nest] *s* nido *m*

net [net] *s* red *f*; redecilla *f* (*para el pelo*); *a* neto; *v/t* coger con la red

Netherlands ['neðələndz] Países *m/pl* Bajos

nettle ['netl] ortiga *f*

network ['netwəːk] *radio*, *TV* red *f* de emisoras

neuter ['njuːtə] *a* neutro; **~ral** ['~trəl] *a, s* neutral *m, f*;

~rality [~'træliti] neutralidad f

neutron ['nju:trɔn] neutrón m

never ['nevə] nunca; jamás; **~ending** interminable; **~more** nunca más; **~theless** no obstante; sin embargo

new [nju:] nuevo; fresco; novicio; reciente; **~born** recién nacido; **~comer** recién llegado m; novato m; **~ly** nuevamente; **~lyweds** recién casados m/pl; **~ness** novedad f

news [nju:z] noticia f; noticias f/pl; **~cast** (radio, TV) telediario m; **~paper** periódico m; **~reel** noticiario m; actualidades f/pl; **~stand** quiosco m de periódicos

New! Year ['nju:'jə:] año m nuevo; **~ Year's Eve** Nochevieja f

next [nekst] a siguiente, venidero; próximo; **~ time** la próxima vez; **~ to** junto a; **~ year** el año que viene; adv luego; después; en seguida; **~door** al lado

nibble [nibl] v/t mordiscar

Nicaragua [nikə'rægjuə] Nicaragua f; **~n** a, s nicaragüense m, f

nice [nais] simpático; amable; agradable; bonito; **~ly** muy bien; agradablemente; **~ness** amabilidad f; **~ties** ['~itiz] sutilezas f/pl

niche [nitʃ] nicho m

nick [nik] s mella f; v/t mellar

nickel ['nikl] níquel m

nickname ['nikneim] apodo m; mote m

nicotine ['nikəti:n] nicotina f

niece [ni:s] sobrina f

niggardly ['nigədli] tacaño

night [nait] noche f; **at ~** por la noche; **by ~** de noche; **good ~!** ¡buenas noches!; **last ~** anoche; **tomorrow ~** mañana por la noche; **~cap** gorro m de dormir; fam último trago m (de la noche); **~fall** anochecer m; **~gown** camisón m, **~ingale** ['~ingeil] ruiseñor m; **~ly** de noche; todas las noches; **~mare** ['~mɛə] pesadilla f; **~school** escuela f nocturna; **~time** noche f

nil [nil] nada

nimble [nimbl] ágil, ligero

nine [nain] nueve

nip [nip] s pellizco m; traguito m; v/t pellizcar

nipple ['nipl] pezón m.

nit|rate ['naitreit] nitrato m; **~rogen** ['~trədʒən] nitrógeno m

no [nəu] adv no; a ninguno; **~ one** nadie

nobility [nəu'biliti] nobleza f

noble ['nəubl] noble; **~man** noble m

nobody ['nəubədi] nadie; **~ else** nadie más

nod [nɔd] s seña f con la cabeza; v/i afirmar con la cabeza; inclinar la cabeza; dormitar

noise [nɔiz] ruido m; **~less** silencioso; **~y** ruidoso

notice

nomad ['nɔmæd] *a, s* nómada *m, f*

nomina|l ['nɔminl] nominal; **~te** ['~eit] *v/t* proponer; nombrar; **~tion** nombramiento *m*; **~tive** ['~ətiv] nominativo *m*

non ['nɔn] prefijo no; des...; in...; falta de; **~acceptance** rechazo *m*; **~aligned** (*país*) neutral; **~chalant** [nɔnʃə'lɑ:nt] indiferente; **~committal** evasivo; **~descript** ['~diskript] indefinido; indeterminado

none [nʌn] nadie, ninguno

non|entity [nɔ'nentiti] nulidad *f*; **~etheless** [nʌnðəles] no obstante; **~fiction** no ficción; **~observance** incumplimiento *m*; **~plus** [~'plʌs] *v/t* dejar perplejo; **~profit** sin fin lucrativo

nonsense ['nɔnsəns] disparate *m*; tontería *f*

non|reflecting ['nɔnri'flektiŋ] antirreflejo; **~skid** ['nɔn'skid] antideslizante; **~smoker** no fumador; **~stop** directo (*tren*); sin escalas

noodle ['nu:dl] fideo *m*

nook [nuk] rincón *m*

noon [nu:n] mediodía *m*

nor [nɔ:] tampoco; ni

norm [nɔ:m] norma *f*; **~al** normal

north [nɔ:θ] *s* norte *m*; *a* del norte; septentrional; *adv* hacia el norte; ♀ **America** América *f* del Norte; ♀

American *a, s* norteamericano(a) *m* (*f*); **~ern** del norte; ♀ **Pole** Polo *m* Norte; ♀ **Sea** Mar *m* del Norte; **~wards** ['~wədz] hacia el norte

Norw|ay ['nɔ:wei] Noruega *f*; **~egian** [~'wi:dʒən] *a, s* noruego(a) *m* (*f*)

nose [nəuz] *s* nariz *f*; olfato *m*; **blow one's ~** sonarse; *v/i* **~ about** curiosear; **~dive** *v/i aer* lanzarse de morro; **~gay** ['~gei] ramillete *m* de flores

nostalgia [nɔs'tældʒiə] nostalgia *f*, añoranza *f*

nostril ['nɔstril] ventana *f* de la nariz

nosy ['nəuzi] *fam* curioso

not [nɔt] no; **why ~?** ¿por qué no?; **~ at all** de ninguna manera; en absoluto; **~ yet** todavía no

notable ['nəutəbl] notable

notary ['nəutəri] notario *m*

notch [nɔtʃ] *s* muesca *f*

note [nəut] *s* nota *f*; billete *m*; señal *f*; apunte *m*; distinción *f*; *con* vale *m*; *v/t* apuntar; observar; advertir; **~book** libreta *f*; cuaderno *m*; **~d** afamado, conocido; **~paper** papel *m* de carta; **~worthy** notable

nothing ['nʌθiŋ] nada *f*; cero *m*; **for ~** gratis; **~ if not** más que todo; **~ to do with** nada que ver con; **to say ~ of** sin mencionar

notice ['nəutis] *s* aviso *m*;

atención f; **take ~ of** hacer caso de; **to give ~** despedir (a uno); informar; **short ~** corto plazo m; v/t notar; advertir; **~able** perceptible; evidente

notify ['nəutifai] v/t notificar

notion ['nəuʃən] noción f; idea f; opinión f

notorious [nəu'tɔːriəs] notorio

notwithstanding [nɔtwiθ-'stændiŋ] prep a pesar de; adv no obstante

nought [nɔːt] nada f; cero m

noun [naun] nombre m, sustantivo m

nourish ['nariʃ] v/t nutrir, alimentar; **~ing** nutritivo; **~ment** alimento m, sustento m

novel ['nɔvəl] a nuevo; s novela f; **~ist** novelista m, f; **~ty** novedad f

November [nəu'vembə] noviembre m

now [nau] ahora; **right ~** ahora mismo; **~ and then** de vez en cuando; **~adays** ['~ədeiz] hoy en día

nowhere ['nəuwεə] en ninguna parte

noxious ['nɔkʃəs] nocivo

nozzle ['nɔzl] boquilla f; tecn tobera f

nuclear ['njuːkliə] nuclear; **~us** ['njuːkliəs] núcleo m

nude [njuːd] a, s desnudo m

nudge [nadʒ] s codazo m; v/t dar un codazo

nudism ['njuːdizm] naturismo m

nugget ['nagit] pepita f (de oro)

nuisance ['njuːsns] fastidio m; molestia f

null [nal] nulo; **~ and void** nulo, sin efecto ni valor

numb [nam] entumecido; v/t entumecer, entorpecer

number ['nambə] s número m; v/t numerar; **~ plate** aut placa f de matrícula

numer|al ['njuːmərəl] a numeral; s número m, cifra f; **~ous** numeroso

nun [nan] monja f

nuptials ['napʃəlz] nupcias f|pl

nurs|e [nəːs] s enfermera f; niñera f; v/t criar; cuidar; **~ery** cuarto m de los niños; **~ery rhyme** canción f infantil; **~ery school** parvulario m; **~ing** crianza f; cuidado m; **~ing home** clínica f de inválidos

nut [nat] nuez f; tecn tuerca f; fam loco m; **~cracker** cascanueces m; **~meg** nuez f moscada; **~shell** cáscara f de nuez; **in a ~shell** en resumidas cuentas

nutritious [njuː'triʃəs] nutritivo

nylon ['nailən] nilón m

O

oak [əuk] roble *m*

oar [ɔ:] remo *m*

oasis [əu'eisis] oasis *m*

oat [əut] avena *f*

oath [əuθ] juramento *m*; **to take an** ~ prestar juramento

oatmeal ['əut'mi:l] harina *f* de avena

obedien|ce [ə'bi:dʒəns] obediencia *f*; sumisión *f*; **~t** obediente; sumiso

obes|e [əu'bi:s] obeso; **~ity** obesidad *f*

obey [ə'bei] *v/t* obedecer; cumplir

obituary [ə'bitjuəri] necrología *f*

object ['ɔbdʒikt] *s* objeto *m*; materia *f*; propósito *m*; *gram* complemento *m*; [əb'dʒekt] *v/t* objetar; *v/i* oponerse; **~ion** objeción *f*, reparo *m*; **to have no ~ion** no ver ningún inconveniente; **~ionable** ofensivo; **~ive** *a*, *s* objetivo *m*

obligat|ion [ɔbli'geiʃən] obligación *f*; **~ory** [ɔ'bligətəri] obligatorio

oblig|e [ə'blaidʒ] *v/t* obligar; complacer; **much ~ed** muy agradecido; **~ing** servicial, atento

oblique [ə'bli:k] oblicuo; indirecto

obliterate [ə'blitəreit] *v/t* obliterar, borrar; aniquilar

obliv|ion [ə'bliviən] olvido *m*; **~ous: to be ~ous of** inconsciente de

oblong ['ɔblɔŋ] *s* figura *f* oblonga; *a* oblongo

obnoxious [əb'nɔkʃəs] ofensivo, detestable

obscene [əb'si:n] obsceno

obscure [əb'skjuə] *a* oscuro; vago; confuso; *v/t* oscurecer; anublar

obsequious [əb'si:kwiəs] obsequioso; servil

observ|ance [əb'zə:vəns] prática *f*; **~t** observador

observation [ɔbzə(:)'veiʃən] observación *f*; **under ~ation** vigilado; **~atory** [əb'zə:vətri] observatorio *m*; **~e** *v/t* observar; **~er** observador *m*

obsess [əb'ses] *v/t* obsesionar; **~ion** obsesión *f*

obsolete ['ɔbsəli:t] anticuado, desusado

obstacle ['ɔbstəkl] obstáculo *m*; inconveniente *m*

obstina|cy ['ɔbstinəsi] terquedad *f*; **~te** [~it] terco; obstinado

obstruct [əb'strʌkt] *v/t* obstruir; estorbar; bloquear; **~ion** obstrucción *f*; obstáculo *m*; estorbo *m*

obtain [əb'tein] *v/t* obtener, conseguir; **~able** asequible

obtrusive [əb'tru:siv] intruso; importuno

obvious [ˈɔbviəs] obvio; evidente; patente

occasion [əˈkeiʒən] s ocasión f, oportunidad f; acontecimiento m; motivo m; v/t ocasionar; **on the ~ of** con motivo de; **~al** poco frecuente; **~ally** de vez en cuando

occupant [ˈɔkjupənt] ocupante m; inquilino m

occup|ation [ɔkjuˈpeiʃən] ocupación f; tenencia f; empleo m; profesión f; **~y** [ˈ~pai] v/t ocupar; vivir en; emplear

occur [əˈkəː] v/i ocurrir; suceder; **~rence** [əˈkʌrəns] ocurrencia f; acontecimiento m; caso m

ocean [ˈouʃən] océano m; **~ liner** transatlántico m

o'clock [əˈklɔk]: **it is two** ~ son las dos

octane [ˈɔktein] octano m

octave [ˈɔktiv] octava f

October [ɔkˈtoubə] octubre m

octopus [ˈɔktəpəs] pulpo m

ocul|ar [ˈɔkjulə] ocular; **~ist** oculista m, f

odd [ɔd] impar; y tanto; suelto; sobrante; raro; estrambótico; ocasional; **~ numbers** impares m/pl; **thirty ~** treinta y tantos; **~ity** rareza f; **~ly** curiosamente; **~s** ventaja f; probabilidad f; **at ~s** en desacuerdo; **~s and ends** retazos m/pl

odious [ˈoudjəs] odioso

odorous [ˈoudərəs] oloroso

odo(u)r [ˈoudə] olor m; **~less** inodoro

of [ɔv, əv] prep de; **all ~ them** todos ellos; **most ~ all** más que nada; **a cup ~ coffee** una taza de café; **it smells ~ fish** huele a pescado; **I dream ~ you** sueño contigo; **a friend ~ mine** un amigo mío; **~ late** últimamente; **~ course** por supuesto

off [ɔf] prep lejos de; fuera de; **a day ~** un día libre; **10% ~** 10 % de descuento; **~ the road** fuera de la carretera; adv lejos; fuera de servicio; **to take ~** quitarse; despegar (el avión); **to go ~** marcharse; **~ and on** a intervalos; **~ with you!** ¡lárgate! a tecn desconectado; apagado (luz)

offen|ce, ~se [əˈfens] ofensa f; delito m; **to take ~ce** ofenderse; **~d** v/t ofender; v/i **~d against** pecar contra; **~der** ofensor m; delincuente m; **~sive** ofensiva f

offer [ˈɔfə] s oferta f; propuesta f; proposición f; v/t ofrecer; proponer; v/i ofrecerse; presentarse; **~ing** relig ofrenda f; sacrificio m

offhand [ˈɔfˈhænd] adv de improviso; a espontáneo

office [ˈɔfis] oficina f; despacho m; oficio m; empleo m; **to take ~** asumir un cargo; **~r** oficial m; funcionario m; policía m

official [əˈfiʃəl] a oficial; s funcionario *m*; **~dom** burocracia *f*

offing ['ɔfiŋ]: **to be in the ~** estar en perspectiva

off│shoot ['ɔfʃuːt] vástago *m*; *fig* ramal *m*; **~shore** cerca de la costa; **~side** *sp* fuera de juego

offspring ['ɔfspriŋ] descendiente *m*, *f*; descendencia *f*

often ['ɔfn] *adv* muchas veces; frecuentemente; a menudo; **how ~?** ¿cuántas veces?

oil [ɔil] *s* aceite *m*; petróleo *m*; *v/t* aceitar, lubri(fi)car; engrasar; **~cloth** encerado *m*; **~ gauge** *aut* medidor *m* del aceite; **~ painting** pintura *f* al óleo; **~skin** impermeable *m*, chubasquero *m*; **~ well** pozo *m* de petróleo; **~y** aceitoso; grasiento

ointment ['ɔintmənt] ungüento *m*

OK, okay ['ou'kei] *interj fam* muy bien; ¡vale!; *s* visto *m* bueno

old [ould] viejo; antiguo; añejo; **grow ~** envejecer; **how ~ is he?** ¿cuántos años tiene?; **~ age** vejez *f*; **~est** el (la) más viejo(a); **~-fashioned** pasado de moda; **~maid** solterona *f*; **♀ Testament** Antiguo Testamento *m*

olive ['ɔliv] aceituna *f*; **~ tree** olivo *m*

Olympic [ou'limpik] **games** juegos *m/pl* olímpicos

omelet(te) ['ɔmlit] tortilla *f*

omen ['oumen] agüero *m*; augurio *m*

ominous ['ɔminəs] siniestro; de mal agüero

omi│ssion [ə'miʃən] omisión *f*; olvido *m*; **~ v/t** omitir; pasar por alto

omni│potent [ɔm'nipətənt] omnipotente; **~scient** [~'sient] omnisciente

on [ɔn] *prep* encima de; sobre; en; **~account of** a causa de; **~ Monday** el lunes; **~ foot** a pie; **~ holiday** de vacaciones; **~ horseback** a caballo; **~ purpose** a propósito; *adv* adelante; sucesivamente; encima; puesto; encendido (*gas, luz, etc*); **go ~!** ¡siga!; **to go ~** seguir adelante; **come ~!** ¡vamos!; ¡venga!; **and so ~** y así sucesivamente; **from then ~** desde entonces

once [wʌns] una vez; antiguamente; **all at ~** de repente; **at ~** en seguida; **~ in a while** de vez en cuando; **~ more** otra vez; **~ upon a time** érase una vez

one [wʌn] *a* un, uno(a); único; cierto; un tal; **~ hundred** ciento, cien; *s, pron* uno *m*; una *f*; la una (hora) *f*; **this ~** éste(a); **that ~** ése(a), aquél(la); **~ another** el uno al otro; **~ by ~** uno a uno; **~'s** su, sus; **~'self** uno(a) mismo(a); sí mismo(a); **~-armed** manco; **~-sided**

parcial; **~way street** calle f de dirección única; **~way ticket** billete m de ida

onion ['ʌnjən] cebolla f

onlooker ['ɒnlukə] espectador(a) m (f)

only ['əunli] a único; solo; **an ~ child** un hijo m único; adv solamente, sólo; únicamente; recién; **~ just** apenas; conj sólo que; pero

onrush ['ɒnrʌʃ] arremetida f

onset ['ɒnset] ataque m; comienzo m

onward ['ɒnwəd] a progresivo; **~(s)** adv adelante

ooze [u:z] s cieno m; v/t exudar

opaque [əu'peik] opaco

open ['əupən] a abierto; libre; franco; manifiesto; descubierto; susceptible de; **com** pendiente; v/t abrir; descubrir; dar comienzo a; **in the ~** al aire libre; **bring into the ~** hacer público; **~er** abridor m; **~ing** abertura f; comienzo m; oportunidad f; **~ly** abiertamente; **~-minded** imparcial; **~ness** franqueza f

opera ['ɒprə] ópera f; **~ glasses** gemelos m/pl de teatro

operate ['ɒpəreit] v/t impulsar; hacer funcionar; v/i operar; obrar, actuar; med operar; **~ing room** sala f de operaciones; **~ion** operación f; funcionamiento m; **~ive** ['~ətiv] a eficaz; activo; **~or**

operador m

opinion [ə'pinjən] opinión f; juicio m; parecer m; **in my ~a** mi parecer; **~ated** testarudo (en sus opiniones)

opium ['əupjəm] opio m

opponent [ə'pəunənt] antagonista m; adversario m

opportunity [ɒpə'tju:niti] oportunidad f

oppose [ə'pəuz] v/t oponerse a; **~d** opuesto; **~ing** contrario; divergente; **~ite** ['ɒpəzit] de enfrente; opuesto; **~ition** [ɒpə'ziʃən] oposición f; resistencia f

oppress [ə'pres] v/t oprimir; **~ion** opresión f; **~ive** opresivo; agobiante

optic(al) ['ɒptik(əl)] a óptico; **~ian** [ɒp'tiʃən] óptico m; **~s** óptica f

optimism ['ɒptimizəm] optimismo m

or [ɔ:] conj o; u; **~ else** de otro modo; si no; **either ... ~ o ...** o

oral ['ɔ:rəl] oral

orange ['ɔrindʒ] naranja f; **~ade** ['~eid] naranjada f

orator ['ɔrətə] orador m

orbit ['ɔ:bit] órbita f

orchard ['ɔ:tʃəd] huerto m

orchestra ['ɔ:kistrə] orquesta f

orchid ['ɔ:kid] orquídea f

ordeal [ɔ:'di:l] prueba f dura

order ['ɔ:də] s mandato m; orden m; arreglo m; com pedido m; orden f (militar o reli-

giosa); condecoración f; in ~
that para que; in ~ to para; in
short ~ en breve plazo; on ~
por encargo; out of ~ estro-
peado; "no funciona"; to
put in ~ arreglar; v/t ordenar,
mandar; dirigir; com pedir;
~ly a ordenado; metódico; s
mil ordenanza m
ordinary ['ɔːdnri] ordinario;
común; corriente
ore [ɔː] mineral m
organ ['ɔːgən] órgano m
organic [ɔːˈgænik] orgánico
organiz|ation [ɔːgənaiˈzei-
ʃən] organización f; ~e
['~aiz] v/t, v/i organizar(se)
Orient ['ɔːriənt] Oriente m;
Ωation orientación f
origin ['ɔridʒin] origen m;
principio m; procedencia f;
~al [əˈridʒənl] a original, primitivo; legítimo; s original
m; prototipo m; ~ality
[əridʒiˈnæliti] originalidad f;
~ate [əˈridʒineit] v/t crear;
ocasionar; v/i originarse;
provenir
orna|ment ['ɔːnəmənt] s or-
namento m; adorno m;
[~'ment] v/t adornar; deco-
rar; ~mental ornamental
orphan ['ɔːfən] huérfano(a) m
(f); ~age orfanato m
ortho|dox ['ɔːθədɔks] ortodo-
xo; ~pedic [~'pidik] orto-
pédico
oscillate ['ɔsileit] v/i oscilar;
~ion oscilación f
ostentatious [ɔstenˈteiʃəs]

ostentativo; aparatoso
ostrich ['ɔstritʃ] avestruz m
other ['ʌðə] a otro(a, os, as);
adv ~ than otra cosa que;
pron el otro, la otra; **one
after the** ~ uno tras otro;
~wise ['~waiz] de otra manera
ought [ɔːt] v/aux deber; **he** ~
to write debería escribir
ounce [auns] onza f
our ['auə] a nuestro(a, os, as);
Ω **Father** padrenuestro m; ~s
pron pos el nuestro, la nues-
tra, los nuestros, las nues-
tras; ~selves nosotros(as)
mismos(as)
oust [aust] v/t desalojar, expulsar
out [aut] adv fuera; afuera; de
fuera; ausente; terminado;
apagado; de huelga; pasado
de moda; al descubierto; **get**
~! ¡fuera!; prep ~ of fuera de;
~ **of danger** fuera de peligro;
to go ~ salir
out|board fuera de borda;
~break erupción f; estallido
m; ~burst explosión f; esta-
llido m; ~cast paria m, f; ~come resultado
m; ~cry protesta f; ~do v/t
superar, exceder; ~doors al
aire libre; ~er externo; ~fit s
equipo m; pertrechos m/pl;
v/t equipar; ~flow efusión f;
~going saliente; extrovertido; ~grow v/t superar; salirse de; ~ing excursión f; ~law
s proscrito m; v/t proscribir;
~lay gasto m; ~let salida f;

desahogo m; **~line** s contorno m; v/t trazar; **~live** v/t sobrevivir a; **~look** perspectiva f; **~lying** remoto; **~moded** anticuado; **~number** v/t exceder en número; **~patient** paciente m, f externo/a; **~post** puesto m de avanzada; **~put** producción f; **~rage** s ultraje m; atrocidad f; v/t ultrajar; **~rageous** [aut'reidʒəs] escandaloso; **~right** ['aut'rait] a completo; definitivo; adv de una vez; **~run** v/t correr más que; **~set** principio m; **~side** a externo, exterior; s exterior m; adv fuera; prep fuera de; **~sider** extraño m; forastero m; **~skirts** alrededores m/pl; **~spoken** franco; **~standing** destacado; com pendiente; **~strip** v/t aventajar; **~ward** [~'wəd] a exterior; externo; **~wards** adv hacia fuera; **~weigh** v/t exceder; valer más que; **~wit** v/t ser más listo que

oval ['əuvəl] oval, ovalado

oven [ʌvn] horno m

over ['əuvə] prep sobre; encima de; por encima de; durante; por; adv encima; **~ here** acá; **~ there** allá; **it's all ~!** ¡se acabó!; **~ and out** mil cambio y corte; **~ and ~** repetidamente; **~alls** mono m; **~bearing** despótico; **~board** al agua; **~booking** sobreocupación f; **~cast**

anublado; **~charge** v/t cobrar en demasía; **~coat** abrigo m; **~come** v/t vencer; **~crowding** sobrepoblación f; **~do** v/t excederse en; exagerar; **~dose** sobredosis f; **~draw** v/t girar en descubierto; **~due** retrasado; **~flow** v/t desbordarse; derramarse; **~haul** v/i revisar (coche etc); **~head** a de arriba; s com gastos m/pl generales; **~hear** v/t oír por casualidad; **~joyed** contentísimo; **~lap** v/i traslaparse; **~load** v/t sobrecargar; **~look** v/t dominar (con la vista); pasar por alto; no hacer caso de; **~night** durante la noche; **~pass** f c paso m superior; **~power** v/t subyugar; vencer; **~rate** v/t sobrestimar; **~rule** v/t for denegar; **~run** v/t invadir; **~seas** ultramar; **~seer** capataz m; superintendente m; **~shadow** v/t obscurecer; fig eclipsar; **~sight** inadvertencia f; descuido m; **~sleep** quedarse dormido; **~state** v/t exagerar; **~strung** muy tenso; **~take** v/t alcanzar; aut adelantar; **~throw** v/t volcar; derribar; **~time** horas f/pl extraordinarias

overture ['əuvətjuə] mús obertura f

over|turn ['əuvə'tə:n] v/t volcar; derribar; v/i volcar; **~weight** exceso m de peso;

pal

~**whelm** [~'welm] v/t abrumar; aplastar; ~**work** v/i trabajar en exceso

owe [əu] v/t deber

owing ['əuin] **to** debido a

owl [aul] búho m; lechuza f

own [əun] v/t poseer; reconocer; a propio; **on one's ~** por su propia cuenta; ~**er** propietario m; ~**ership** posesión f; propiedad f

ox [ɔks] buey m

ox|ide ['ɔksaid] óxido m; ~**ygen** ['ɔksidʒən] oxígeno m

oyster ['ɔistə] ostra f

ozone ['əuzəun] ozono m

P

pace [peis] s paso m; marcha f; v/i to ~ **up and down** pasearse de un lado a otro; ~**maker** med marcapasos m

pacif|ic [pə'sifik] pacífico m; ~**ist** ['pæsifist] a, s pacifista m, f; ~**y** ['·fai] v/t pacificar; apaciguar

pack [pæk] s paquete m; fardo m; cajetilla f (de cigarrillos); baraja f (de naipes); pandilla f (de ladrones); jauría f (de perros); manada f (de lobos); v/t empaquetar; embalar; ~ **off** despachar; v/i hacer las maletas

pack|age ['pækidʒ] paquete m; bulto m; ~**er** embalador m; ~**et** ['·it] paquete m pequeño; ~**ing** embalaje m

pact [pækt] pacto m

pad [pæd] s almohadilla f; ~ **of paper** bloc m; v/t forrar; rellenar

paddle ['pædl] s canalete m; paleta f; v/t remar (con paleta)

paddock ['pædək] corral m

padlock ['pædlɔk] candado m

pagan ['peigən] a, s pagano(a) m (f)

page [peidʒ] s página f (de libro); plana f (de periódico); paje m (chico); botones m; v/t paginar

pageant ['pædʒənt] desfile m espectacular; ~**ry** pompa f, boato m

pail [peil] cubo m, balde m

pain [pein] s dolor m; v/t doler; dar lástima; **to feel ~** sentir dolor; sufrir; **to take ~s** empeñarse; ~**ful** doloroso; ~**less** sin dolor; ~**staking** esmerado; concienzudo

paint [peint] s pintura f; v/t pintar; v/i ser pintor; maquillarse; ~**er** pintor(a) m (f); ~**ing** pintura f; cuadro m

pair [peə] s par m; pareja f; yunta f (de bueyes); ~ **of scissors** tijeras f/pl; ~ **of glasses** gafas f/pl; ~ **of trousers** pantalones m/pl; v/t ~ **off** aparear; acoplar

pajamas [pə'dʒæməz] Am pijama m, LA f

pal [pæl] fam compañero m

palace ['pælis] palacio *m*

palate ['pælit] paladar *m*

pal|e [peil] *a* pálido; *to grow* **~e** palidecer; *s* estaca *f*; **~ing** estacada *f*, **~isade** [pæli-'seid] palizada *f*

pallor ['pælə] palidez *f*

palm [pa:m] palma *f*; palmera *f*; **♀ Sunday** Domingo *m* de Ramos

palpitation [pælpi'teiʃən] palpitación *f*

paltry ['pɔ:ltri] baladí

pamper ['pæmpə] *v/t* mimar

pamphlet ['pæmflit] folleto *m*

pan [pæn] cacerola *f*; *frying* **~** sartén *f*

Panama ['pænəma:] Panamá *m*; **~nian** *a, s* panameño(a) *m (f)*

pancake ['pænkeik] hojuela *f*, tortita *f*, *LA* panqueque *m*

pane [pein] cristal *m*; hoja *f* de vidrio

panel ['pænl] *s* entrepaño *m*; tablero *m*; panel *m*; *v/t* cubrir de paneles; **~(l)ing** paneles *m/pl*

pang [pæŋ] dolor *m* agudo; punzada *f*; **~s of conscience** remordimiento *m*

panic ['pænik] *s* pánico *m*; terror *m*; *v/t, v/i* aterrar(se); **~-stricken** despavorido

pansy ['pænzi] *bot* pensamiento *m*

pant [pænt] *v/i* jadear

panther ['pænθə] pantera *f*

panties ['pæntiz] *fam* bragas *f/pl*; *LA* pantaletas *f/pl*

pantry ['pæntri] despensa *f*

pants ['pænts] calzoncillos *m/pl; Am* pantalones *m/pl*; **~ suit** traje *m* pantalón

panty ['pænti] *hose* media *f* panty

papa [pə'pa:] papá *m*

papacy ['peipəsi] papado *m*

paper ['peipə] *s* papel *m*; documento *m*; artículo *m*; *v/t* empapelar; **~back** libro *m* de bolsillo; **~ clip** sujetapapeles *m*, clip *m*; **~hanger** empapelador *m*; **~ money** papel *m* moneda; **~ towels** papel *m* de cocina; **~ weight** pisapapeles *m*; **~ work** papeleo *m*

par [pa:] par *f*; *sp m*; *on a* **~** *with* estar a la par con

parachut|e ['pærəʃu:t] *s* paracaídas *m*; *v/i* saltar con paracaídas; **~ist** paracaidista *m*

parade [pə'reid] *s* desfile *m*; *v/t* ostentar; *v/i* desfilar

paradise ['pærədais] paraíso *m*

paragraph ['pærəgra:f] párrafo *m*

Paraguay ['pærəgwai] el Paraguay; **~an** *a, s* paraguayo(a) *m (f)*

parallel ['pærəlel] *a* paralelo; *s* paralela *f*; paralelo *m*

paraly|se ['pærəlaiz] *v/t* paralizar; **~sis** [pə'rælisis] parálisis *f*; **~tic** [pærə'litik] *a*, *s* paralítico(a) *m (f)*

paramount ['pærəmaunt] sumo; supremo

pass

parasite ['pærəsait] parásito *m*

parcel ['pɑ:sl] *s* paquete *m*; lío *m*; bulto *m*; parcela *f* (*de tierra*); *v/t* **~ out** parcelar; repartir

parch [pɑ:tʃ] *v/t* (re)secar; **~ment** pergamino *m*

pardon ['pɑ:dn] *s* perdón *m*; *for* indulto *m*; *v/t* perdonar; *I beg your* ~ perdone

pare [peə] *v/t* cortar; mondar; ~ *down* reducir

parent ['peərənt] padre *m*; madre *f*; **~s** padres *m/pl*

parenthesis [pə'renθisis] paréntesis *m*

parings ['peəriŋz] peladuras *f/pl*, mondaduras *f/pl*

parish ['pæriʃ] parroquia *f*; **~ioner** [pə'riʃənə] parroquiano *m*

parity ['pæriti] paridad *f*

park [pɑ:k] *s* parque *m*; *v/t*, *v/i* estacionar; **~ing:** **~ing attendant** guardacoches *m*; **~ing lot** estacionamiento *m*; aparcamiento *m*; *no* **~ing** prohibido estacionarse; **~ing meter** parquímetro *m*

Parliament ['pɑ:ləmənt] parlamento *m*; **£ary** [~'mentəri] parlamentario

parlo(u)r ['pɑ:lə] salón *m*

parody ['pærədi] parodia *f*

parole [pə'rəul]: *on* ~ *for* libre bajo palabra

parquet ['pɑ:kei] parqué *m*

parrot ['pærət] loro *m*; papagayo *m*

parsley ['pɑ:sli] perejil *m*

parson ['pɑ:sn] clérigo *m*

part [pɑ:t] *s* parte *f*; porción *f*; trozo *m*; paraje *m*; *teat* papel *m*; *for my* ~ en cuanto a mí; *to take* ~ *in* tomar parte en; *v/t* dividir; repartir; *v/i* separarse; partir; ~ *from* despedirse de; ~ *with* privarse de; deshacerse de

partial ['pɑ:ʃəl] parcial; **~ity** [~ʃi'æliti] parcialidad *f*

particip|ant [pɑ:'tisipənt] participante *m, f*; **~ate** [~eit] *v/t* participar; **~ate** *in* tomar parte (en); **~ation** participación *f*

participle ['pɑ:tisipl] participio *m*

particle ['pɑ:tikl] partícula *f*

particular [pə'tikjulə] particular; especial; quisquilloso; **~ity** [~'læriti] particularidad *f*; peculiaridad *f*

parting ['pɑ:tiŋ] separación *f*; *v/t* dividir; ~ **wall** tabique *m*

partition [pɑ:'tiʃən] *s* división *f*; *v/t* repartir; dividir; ~ **wall** tabique *m*

partly ['pɑ:tli] en parte

partner ['pɑ:tnə] socio(a) *m* (*f*); pareja *f*; **~ship** asociación *f*; sociedad *f*; *to enter into* ~**ship** with asociarse con

partridge ['pɑ:tridʒ] perdiz *f*

part-time ['pɑ:t'taim] de media jornada; por horas (*trabajo etc*)

party ['pɑ:ti] partido *m*; grupo *m*; partida *f*; fiesta *f*

pass [pɑ:s] *s* puerto *m* (*de*

montaña); sp pase *m;* permiso *m,* licencia *f; v/t* pasar; traspasar; llevar; superar; aprobar *(examen);* ~ **out** distribuir; ~ **over** pasar por alto; ~ **up** no aprovechar; *v/i* pasar; ser aceptable; ~ **away** fallecer; ~ **out** *fam* desmayarse; ~ **through** estar de paso por; ~**able** transitable; tolerable; ~**age** paso *m;* pasaje *m;* travesía *f;* corredor *m;* ~**enger** ['pæsindʒə] pasajero *m;* ~**er-by** ['pɑːsə'bai] transeúnte *m;* ~**ing** pasajero

passion ['pæʃən] pasión *f;* cólera *f;* ~**ate** ['~it] apasionado; colérico

passive ['pæsiv] *a, s* pasivo *m;* ~**ity** [~'siviti] pasividad *f*

pass|port ['pɑːspɔːt] pasaporte *m;* ~**word** contraseña *f*

past [pɑːst] *s* pasado *m; a* pasado; último; concluido; *prep* más de, más allá de; *half* ~ **six** las seis y media

paste [peist] *s* pasta *f;* engrudo *m; v/t* empastar; pegar; ~**board** cartón *m*

pastime ['pɑːstaim] pasatiempo *m;* recreo *m*

pastry ['peistri] pasteles *m/pl;* pastas *f/pl*

pasture ['pɑːstʃə] *s* pasto *m;* dehesa *f; v/t* apacentar; *v/i* pacer

pat [pæt] *s* palmadita *f,* golpecillo *m* de mano; *v/t* acariciar; dar golpecitos con la mano

patch [pætʃ] *s* remiendo *m;* parche *m; agr* terreno *m; v/t* remendar; ~ **up** reparar; chapucear; ~**work** obra *f* de retazos; ~**y** desigual

patent ['peitənt] *a* patente; manifiesto; *s* patente *f (de invención);* privilegio *m; v/t* patentar; ~ **leather** charol *m;* ~**ly** evidentemente

patern|al [pə'təːnl] paterno; paternal; ~**ity** paternidad *f*

path [pɑːθ] senda *f,* sendero *m;* camino *m*

pathetic [pə'θetik] patético, conmovedor

patien|ce ['peiʃəns] paciencia *f;* ~**t** *a* paciente; *s* paciente *m, f*

patio ['pɑːtiəu] patio *m*

patriot ['peitriət] *a, s* patriota *m, f;* ~**ic** [pætri'ɔtik] patriótico; ~**ism** ['pætriətizəm] patriotismo *m*

patrol [pə'trəul] *s* patrulla *f;* ronda *f; v/t, v/i* patrullar; ~ **car** coche *m* patrullero

patron ['peitrən] cliente *m;* patrocinador *m;* ~ **saint** patrono(a) *m (f);* ~**age** ['pætrənidʒ] patrocinio *m;* ~**ize** *v/t* patrocinar; frecuentar

patter ['pætə] *s* pasos *m/pl* ligeros; *v/i* andar con pasos ligeros; tamborilear

pattern ['pætən] *s* modelo *m;* dibujo *m; costura* patrón *m; v/t* modelar

paunch [pɔːntʃ] panza *f*

pause [pɔːz] *s* pausa *f*; *v/i* cesar; hacer una pausa

pave [peiv] *v/t* pavimentar; **~ment** pavimento *m*

pavilion [pə'viljən] pabellón *m*

paw [pɔː] *s* pata *f*, zarpa *f*; garra *f*; *v/t* piafar; manosear

pawn [pɔːn] *s* (*ajedrez*) peón *m*; *v/t* empeñar; **~broker** prestamista *m*; **~shop** casa de préstamos *f*; prendería *f*; monte de piedad

pay [pei] *s* paga *f*; sueldo *m*; *v/t* pagar; abonar; *it doesn't ~* no vale la pena; **~ back** reembolsar; **~ cash** pagar al contado; **~ down** pagar a cuenta; *in advance* adelantar; **~ off** amortizar; **~ a visit** hacer una visita; **~able** pagadero; **~ee** [~'iː] tenedor *m*; **~er** pagador *m*; **~load** carga *f* útil; **~ment** pago *m*; *make a ~ment* efectuar un pago; *stop ~ment* detener el cobro; **~roll** nómina *f*, LA planilla *f*

pea [piː] guisante *m*

peace [piːs] paz *f*; **~able** apacible, pacífico; sosegado; **~maker** pacificador *m*

peach [piːtʃ] melocotón *m*; LA durazno *m*

peacock ['piːkɔk] pavo *m* real

peak [piːk] *s* pico *m*; cumbre *f*; *a* máximo; **~ hours** horas *f/pl* punta

peal [piːl] *v/i* repicar; *s* repique *m* (*de las campanas*)

peanut ['piːnʌt] cacahuete *m*

pear [pɛə] pera *f*; **~ tree** peral *m*

pearl [pɔːl] perla *f*

peasant ['pezənt] campesino *m*

peat [piːt] turba *f*

pebble ['pebl] guijarro *m*

peck [pek] *s* picotazo *m*; *v/t*, *v/i* picotear

peculiar [pi'kjuːljə] raro; peculiar; especial; **~ity** [~æriti] peculiaridad *f*; singularidad *f*

pedal ['pedl] *s* pedal *m*; *v/i* pedalear

pedant ['pedənt] pedante *m*

pedestal ['pedistl] pedestal *m*

pedestrian [pi'destriən] *s* peatón *m*; **~ crossing** paso *m* de peatones

pedigree ['pedigriː] linaje *m*

peek [piːk] *s* mirada *f* furtiva; *v/i* mirar furtivamente

peel [piːl] *v/t* pelar; *s* cáscara *f*; corteza *f*

peep [piːp] *s* pío *m* (*pájaros*); atisbo *m*; *v/i* piar; atisbar

peer [piə] *s* par *m*; igual *m*; *v/t* mirar de cerca; **~age** nobleza *f*; **~less** sin par

peevish ['piːviʃ] malhumorado; irritable

peg [peg] *s* clavija *f*; gancho *m*; pretexto *m*; pinzas *f/pl*; *v/t* estaquillar; fijar

pejorative ['piːdʒərətiv] peyorativo

pelican ['pelikən] pelícano *m*

pelt [pelt] *v/t* lanzar, arrojar

pen [pen] s pluma f; corral m; v/t ~ (**up**) encerrar

penal ['pi:nl] penal; **~ty** ['penlti] pena f, castigo m

penance ['penəns] penitencia f

pencil ['pensl] lápiz m; **~ sharpener** sacapuntas m

pendant ['pendənt] medallón m; pendiente m

pending ['pendiŋ] a pendiente; prep antes de

penetrate ['penitreit] v/t penetrar

penguin ['peŋgwin] pingüino m

penicillin [peni'silin] penicilina f

peninsula [pi'ninsjulə] península f

penis ['pi:nis] pene m

penitent ['penitənt] s penitente m; a arrepentido; **~tiary** cárcel f

penknife ['pennaif] cortaplumas m, navaja f

penniless ['penilis] indigente; sin dinero

pennant ['penənt] banderola f

penny ['peni] penique m

pension ['penʃən] s pensión f; retiro m; jubilación f; v/t pensionar; **~er** pensionado(a) m (f); pensionista m, f

pensive ['pensiv] pensativo

penthouse ['penthaus] apartamento m de azotea

pent-up ['pent'ʌp] contenido; reprimido

people ['pi:pl] s gente f; pueblo m; v/t poblar

pep [pep] s ánimo m, vigor m; v/t ~ **up** animar

pepper ['pepə] pimienta f; **green** ~ pimiento m; **~mint** menta f; pastilla f de menta

per [pə:] por

perceive [pə'si:v] v/t percibir; comprender

per cent [pə'sent] por ciento m; **~centage** porcentaje m

percept|ible [pə'septəbl] perceptible; **~ion** percepción f; perspicacia f

perch [pə:tʃ] s percha f; v/i posarse

percussion [pə'kʌʃən] percusión f

peremptory [pə'remptəri] perentorio, terminante

perfect ['pə:fikt] a perfecto; acabado; [pə'fekt] v/t perfeccionar; **~ion** perfección f; **~ly** perfectamente

perforat|e ['pə:fəreit] v/t perforar; **~ion** perforación f; agujero m

perform [pə'fɔ:m] v/t ejecutar; llevar a cabo; cumplir; v/i actuar, representar; **~ance** ejecución f, teat, mús función f; actuación f

perfume ['pə:fju:m] s perfume m; fragancia f; [pə'fju:m] v/t perfumar

perhaps [pə'hæps, præps] quizá, quizás; tal vez; **~ not** puede que no

peril ['peril] peligro m; riesgo

m; **~ous** peligroso; arriesgado

period ['piəriəd] período *m*; época *f*; punto *m*; *med* regla *f*; **~ical** [~'ɔdikəl] *a*, *s* periódico *m*

perish ['periʃ] *v/i* perecer; **~able** perecedero

perjury ['pə:dʒəri] perjurio *m*

perk [pə:k] *v/i* erguirse; **~ up** animarse; sentirse mejor

perm [pə:m] *fam* permanente *f*; **~anence** [~ənəns] permanencia *f*; **~anent** permanente, duradero

permeate ['pə:mieit] *v/t* penetrar; impregnar

permi|ssion [pə:'miʃən] permiso *m*; **~ssive** tolerante, permisivo; **~t** [~'mit] *v/t* permitir; ['pə:mit] *s* permiso *m*; licencia *f*

perpendicular [pə:pən'dikjulə] perpendicular

perpetual [pə'petʃuəl] perpetuo, continuo

perplex [pə'pleks] *v/t* confundir; **~ed** perplejo

persecu|te ['pə:sikju:t] *v/t* perseguir; acosar; **~ion** persecución *f*

persevere [pə:si'viə] *v/i* perseverar, persistir

Persian ['pə:ʃn] *a*, *s* persa *m*, *f*

persist [pə'sist] *v/i* persistir; empeñarse; **~ence** persistencia *f*, empeño *m*; **~ent** persistente, tenaz

person ['pə:sn] persona *f*; **in ~** en persona; **~age** personaje

m; **~al** personal; particular; **~ality** [~sə'næliti] personalidad *f*; **~ify** [~'sɔnifai] *v/t* personificar; **~nel** [~sə'nel] personal *m*

perspective [pə'spektiv] perspectiva *f*

perspir|ation [pə:spə'reiʃən] transpiración *f*; sudor *m*; **~e** [pəs'paiə] *v/t* transpirar, sudar

persua|de [pə'sweid] *v/t* persuadir; **~sion** [~ʒən] persuasión *f*; **~sive** [~siv] persuasivo

pert [pə:t] descarado, fresco; respondón

pertain [pə:'tein] *v/i*: **~ to** referirse a

Peru [pə'ru:] el Perú

perus|al [pə'ru:zəl] lectura *f* cuidadosa; **~e** *v/t* leer; examinar

Peruvian [pə'ru:viən] *a*, *s* peruano(a) *m* (*f*)

pervade [pə:'veid] *v/t* penetrar; saturar

perver|se [pə'və:s] perverso; **~sion** perversión *f*, corrupción *f*; **~t** [~'və:t] *s* pervertido *m*; [pə'və:t] *v/t* pervertir; falsear

pessimis|m ['pesimizəm] pesimismo *m*; **~t** pesimista *m*, *f*

pest [pest] *s* plaga *f*; insecto *m*; **~er** *v/t* molestar, fastidiar; **~icide** ['~isaid] insecticida *m*

pet [pet] *s* favorito *m*; animal *m* doméstico; *v/t* mimar; acariciar

petal ['petl] pétalo *m*

petition [pi'tiʃən] *s* petición *f*; instancia *f*; ruego *m*; *v/t* suplicar; **~er** suplicante *m*

pet name ['pet'neim] apodo *m* cariñoso

petrify ['petrifai] *v/t*, *v/i* petrificar(se)

petrol ['petrəl] gasolina *f*; **~ station** gasolinera *f*

petroleum [pi'trəuljəm] petróleo *m*

petticoat ['petikəut] enagua *f*

petty ['peti] mezquino; insignificante; **~ cash** gastos *m/pl* menores

petulant ['petjulənt] malhumorado; irritable

pew [pju:] banco *m* de iglesia

phantom ['fæntəm] fantasma *m*

pharmacy ['fɑ:məsi] farmacia *f*, botica *f*

phase [feiz] *s* fase *f*; *v/t* **~ out** reducir por etapas

pheasant ['feznt] faisán *m*

phenomen|al [fi'nɔminl] fenomenal; **~on** fenómeno *m*

philantropist [fi'lænθrəpist] filántropo *m*

Philippine ['filipain] *a*, *s* filipino(a) *m* (*f*); **~s** (Islas) Filipinas *f/pl*

philolog|ist [fi'lɔlədʒist] filólogo *m*; **~y** filología *f*

philosoph|er [fi'lɔsəfə] filósofo *m*; **~ize** *v/i* filosofar; **~y** filosofía *f*

phone [fəun] *fam s* teléfono *m*; *v/t*, *v/i* telefonear

phonetic [fəu'netik] fonético; **~s** fonética *f*

phon(e)y ['fauni] *s* farsante *m*, *f*; *a* falso; insincero

photo ['fautəu] foto *f*; **~copy** fotocopia *f*; **~genic** [~'dʒenik] fotogénico; **~grapher** [fə'tɔgrəfə] fotógrafo *m*; **~graphy** fotografía *f*; **~synthesis** fotosíntesis *f*

phrase [freiz] frase *f*, locución *f*

physic|al ['fizikəl] físico; **~ian** [fi'ziʃən] médico *m*; **~ist** ['~sist] físico *m*; **~s** física *f*

physique [fi'zik] físico *m*

piano [pi'ænəu] piano *m*

pick [pik] *s* pico *m*; piqueta *f*; *v/t* picar; coger; seleccionar; **~ on** meterse con; **~ out** escoger; discernir; **~ up** recoger; aprender; **~s** estaca *f*; piquete *m*; **~et line** línea *f* de huelguistas

pickle ['pikl] *s* escabeche *m*; *v/t* escabechar; salar

pick|pocket ['pikpɔkit] ratero *m*; **~up** furgoneta *f*; camioneta *f*

picnic ['piknik] jira *f*; merienda *f* campestre

pictorial [pik'tɔːrial] *a* pictórico; *s* revista *f* ilustrada

picture ['piktʃə] *s* cuadro *m*; ilustración *f*; grabado *m*; *cine* película *f*; *v/t* describir, pintar, retratar

picturesque [piktʃə'resk] pintoresco

pie [pai] pastel *m* (*de frutas*)

piece [piːs] s trozo m; pieza f; pedazo m; **a ~ of advice** un consejo m; **a ~ of news** una noticia f; **in ~s** hecho pedazos; v/t remendar; juntar; **~work** trabajo m a destajo

pier [piə] muelle m; embarcadero m

pierc|e [piəs] v/t penetrar; taladrar; atravesar; conmover; **~ing** agudo

piety ['paiəti] piedad f

pig [pig] cerdo m, puerco m, marrano m, LA chancho m

pigeon ['pidʒin] pichón m, paloma f

pig|headed ['pig'hedid] testarudo; **~sty** ['~stai] pocilga f; **~tail** trenza f (de pelo), coleta f

pike [paik] pica f; lucio m

pile [pail] s pila f; montón m; v/t **~ up** amontonar; v/i amontonarse

pilfer ['pilfə] v/t ratear

pilgrim ['pilgrim] peregrino m; **~age** peregrinación f; romería f

pill [pil] píldora f

pillar ['pilə] pilar m; columna f; fig soporte m

pillow ['piləu] almohada f; **~-case**, **~slip** funda f de almohada

pilot ['pailət] s piloto m; mar práctico m; v/t pilotar; guiar

pimp [pimp] chulo m

pimple ['pimpl] grano m

pin [pin] s alfiler m; broche m; tecn perno m; v/t prender

con alfileres; **~ up** sujetar; clavar

pincers ['pinsəz] tenazas f/pl; pinzas f/pl

pinch [pintʃ] s pellizco m; pizca f; aprieto m; apuro m; v/t pellizcar; hurtar, birlar; v/i apretar

pine [pain] s pino m; v/i **~ away** desfallecer; languidecer; **~ for** ansiar; **~apple** ananás m; piña f; **~cone** piña f (del pino)

ping [piŋ] sonido m metálico

pink [piŋk] a rosado; s clavel m

pinnacle ['pinəkl] ápice m; cima f; cumbre f

pinpoint ['pinpoint] v/t indicar con precisión

pint [paint] pinta f ($^1/_8$ de galón)

pioneer [paiə'niə] s explorador m; pionero m; v/t explorar; fig promover

pious ['paiəs] piadoso, devoto

pip [pip] semilla f, pepita f

pip|e [paip] s tubo m, caño m; cañería f; cañón m (del órgano); pipa f (de fumar); **~eline** tubería f; oleoducto m; **~ing** cañería f

piquant ['pikənt] picante (t fig)

pique [piːk] pique m; **in a ~** resentido

pirate ['paiərit] pirata m

pistol ['pistl] pistola f

piston ['pistən] émbolo m, pistón m

pit [pit] s hoyo m; pozo m; teat patio m; ~ **hueso** m (de frutas); abismo m; v/t to ~ **against** oponer a

pitch [pit∫] s pez f; grado m de inclinación; puesto m; tono m; tiro m; v/t tirar; arrojar; mús entonar; v/i caerse; mar cabecear; ~ **into** embestir; ~**er** cántaro m; sp lanzador m; ~**fork** agr horca f

piteous ['pitiəs] lastimero, lastimoso

pitfall ['pitfɔ:l] trampa f

pith [piθ] médula f

pithy ['piθi] sucinto

piti|able ['pitiəbl] lastimoso; ~**ful** lastimoso, triste; lamentable; ~**less** despiadado; inhumano

pity ['piti] s piedad f, lástima f, compasión f; **it's a** ~ es una lástima; v/t compadecer

pivot ['pivət] s pivote m; v/i girar sobre un eje

placard ['plækɑ:d] cartel m

place [pleis] s lugar m; sitio m; puesto m; situación f; localidad f; región f; **in** ~ **of** en lugar de; **out of** ~ fuera de lugar; **to take** ~ ocurrir; tener lugar; v/t colocar; emplear; recordar

placid ['plæsid] plácido, sosegado; apacible

plagiarism ['pleidʒjərizm] plagio m

plague [pleig] s peste f, plaga f; v/t atormentar

plaid [plæd] manta f escocesa

plain [plein] a llano, liso; sencillo; corriente; manifiesto; s llanura f; ~**clothes man** policía m vestido de civil; ~**ness** sencillez f; franqueza f; ~**spoken** franco

plaint|iff ['pleintif] demandante m, f; ~**ive** plañidero; dolorido

plait [plæt] trenza f (de cabello)

plan [plæn] s plan m; esquema m; plano m; proyecto m; v/t proyectar, planear

plane [plein] a plano; s plano m; fam avión m; tecn cepillo m; v/t alisar

planet ['plænit] planeta m

plank [plæŋk] s tabla f, tablón m; v/t entarimar

planning ['plæniŋ] planificación f

plant [plɑ:nt] s planta f, instalación f industrial; equipo m; v/t plantar; sembrar, sentar; ~**ation** plantación f; ~**er** ['plɑ:ntə] cultivador m; hacendado m

plaque [plɑ:k] placa f

plaster ['plɑ:stə] s yeso m; argamasa f, enlucido m; med emplasto m, parche m; ~ **of Paris** yeso m blanco; v/t enyesar, enlucir; emplastar

plastic ['plæstik] a, s plástico m; ~**s** plástica f

plate [pleit] s plato m; plancha f, chapa f; lámina f; foto placa f; ~**au** ['plætəu] meseta f

plumage

platform ['plætfɔːm] plataforma f (t fig); f c andén m; estrado m

platinum ['plætinəm] platino m

platitude ['plætitjuːd] lugar m común

platter ['plætə] plato m grande; bandeja f

plausible ['plɔːzəbl] verosímil, plausible

play [plei] s juego m; teat obra f; teen funcionamiento m; **foul** ~ juego m sucio; v/t jugar a (algún juego); teat representar; tocar (música o instrumento); ~ **dead** hacerse el muerto; ~ **down** quitar importancia a; **~back** reproducción f (de lo grabado); **~boy** señorito m amante de los placeres; **~er** jugador m; actor m, actriz f; **~ful** juguetón; **~mate** compañero m de juegos; **~pen** parque m de niño; **~thing** juguete m; **~wright** dramaturgo m

plea [pliː] s argumento m; súplica f; pretexto m; disculpa f; for alegato m

plead [pliːd] v t for defender una causa, alegar; excusarse con; v i suplicar; for abogar; ~ **guilty** confesarse culpable

pleas ant ['plezənt] agradable; ameno; grato; simpático; **~e** [pliːz] v t gustar, complacer; contentar; agradar; v i gustar de; dignarse; **~e!** ¡por favor!; **~ed** satisfecho; **~ing**

agradable; placentero; **~ure** ['pleʒə] placer m; gusto m

pleat [pliːt] s pliegue m; v t plegar, plisar

pledge [pledʒ] s prenda f, fianza f; promesa f; v t empeñar; prometer

plentiful ['plentiful] abundante; **~y** s abundancia f; profusión f; **~y of** muchos, bastante

pliable ['plaiəbl] flexible; plegable; dócil

pliers ['plaiəz] alicates m pl

plight [plait] aprieto m, apuro m

plod [plɔd] v/i fatigarse; andar laboriosamente

plot [plɔt] s solar m, parcela f; conspiración f; teat argumento m; v/t tramar; v i conspirar; **~ter** conspirador m

plough [plau] s arado m; v t, v i arar; **~share** reja f de arado

ploy [plɔi] truco m; artimaña f

pluck [plʌk] s ánimo m; valor m; v t sacar, arrancar; desplumar (aves); ~ **up courage** recobrar ánimo; **~y** animoso, valiente

plug [plʌg] s taco m; tapón m; elec enchufe m; v t tapar; ~ **in** enchufar

plum [plʌm] ciruela f; ~ **tree** ciruelo m

plumage ['pluːmidʒ] plumaje m

plumb [plʌm] plomada *f*; **~er** fontanero *m*; *LA* gasfitero *m*; **~ing** fontanería *f*

plume [pluːm] pluma *f*; penacho *m*, plumero *m*

plump [plʌmp] *a* rollizo, regordete; *v/t* soltar, dejar caer; *v/i* caer a plomo; engordar

plunder ['plʌndə] *s* pillaje *m*; botín *m*; *v/t* saquear, pillar; **~er** saqueador *m*

plunge [plʌndʒ] *s* zambullida *f*; *v/t* sumergir; *v/i* caer; hundirse; arrojarse; **~r** *tecn* émbolo *m*

plunk [plʌŋk] *v/t* puntear (*cuerdas*)

pluperfect ['pluː'pəːfekt] *m* pluscuamperfecto *m*

plural ['pluərəl] plural *m*

plus [plʌs] *prep* más; *a mat* positivo; adicional

plush [plʌʃ] felpa *f*

ply [plai] *s* **three ~** de tres cordones; *v/t* ejercer (*un oficio*); *v/i* hacer servicio regular (*entre puertos, etc*); **~wood** madera *f* contrachapada

pneumatic [njuː(ː)'mætik] neumático

pneumonia [njuː(ː)'məuniə] pulmonía *f*

poach [pəutʃ] *v/t* escalfar (*huevos*); *v/i* cazar clandestinamente; **~er** cazador *m* furtivo

pocket ['pɔkit] *s* bolsillo *m*; bolsa *f*; cavidad *f*; *v/t* embolsar; **~book** monedero *m*; *Am*

bolsa *f*; **~ book** libro *m* de bolsillo; **~knife** cortaplumas *m*

pod [pɔd] vaina *f*; cápsula *f*

poem ['pəuim] poema *m*

poet ['pəuit] poeta *m*; **~ic** [~'etik] poético; **~ry** poesía *f*

poignant ['pɔinənt] intenso; agudo, conmovedor

point [pɔint] *s* punto *m*; punta *f*; cabo *m*; finalidad *f*; **~ of view** punto *m* de vista; *that's beside the* **~** no viene al caso; *to come to the* **~** ir al grano; *to make a* **~** hacerse entender; *to see the* **~** caer en la cuenta; *v/t* apuntar; aguzar; **~ out** indicar; *v/i* **~ at** señalar; **~blank** a quemarropa; *ad* puntiagudo; evidente; **~ed** puntiagudo; evidente; **~er** indicador *m*, puntero *m*; aguja *f*; **~less** inútil, sin sentido

poise [pɔiz] *s* equilibrio *m*; serenidad *f*; *v/t* equilibrar

poison ['pɔizn] *s* veneno *m*; *v/t* envenenar; **~ous** venenoso

poke [pəuk] *s* empuje *m*; *v/t* atizar (*fuego*); meter; asomar; **~ one's nose into** meter las narices en; **~r** hurgón *m*, atizador *m*; póquer *m*

polar ['pəulə] polar; **~ bear** oso *m* blanco; **~ize** *v/t* polarizar

Pol|and ['pəulənd] Polonia *f*; **~e** polaco(a) *m* (*f*)

pole [pəul] *s* polo *m*; palo *m*; vara *f*; *sp* pértiga *f*

police [pə'li:s] policía *f*; **~man** policía *m*; guardia *m*; **~ station** comisaría *f*; **~woman** mujer *f* policía

policy ['pɔlisi] política *f* (*práctica*); póliza *f* (*de seguros*)

Polish ['pəuliʃ] polaco

polish ['pɔliʃ] *v/t* pulir, barnizar; lustrar (*zapatos*); *s* lustre *m*, brillo *m* (*de zapatos*); betún *m* (*de zapatos*); **~ed** culto; refinado

polite [pə'lait] cortés; atento; **~ness** cortesía *f*

politic|al [pə'litikəl] político; **~ian** [pɔli'tiʃən] político *m*; **~s** ['pɔlitiks] política *f* (*abstracta*)

polka ['pɔulkə] polca *f*; **~ dots** lunares *m/pl*

poll [pəul] *s* votación *f*; votos *m/pl*; **public opinion ~** sondeo *m*; **to go to the ~s** acudir a las urnas

pollut|e [pə'lu:t] *v/t* contaminar, corromper; **~ion** contaminación *f*, polución *f*

polyester ['pɔliestə] poliéster *m*

poly|gamy [pə'ligəmi] poligamia *f*; **~glot** ['~glɔt] *a, s* poligloto(a) *m* (*f*)

pomegranate ['pɔmɡrænit] granada *f*

pomp [pɔmp] pompa *f*; **~ous** pomposo

pond [pɔnd] estanque *m*; charco *m*

ponder ['pɔndə] *v/t* ponderar, examinar; *v/i* reflexionar;

~ous pesado, laborioso

pontif|f ['pɔntif] pontífice *m*; **~ical** [~'tifikəl] pontifical; **~icate** [~'tifikit] pontificado *m*

pony ['pəuni] jaca *f*

poodle ['pu:dl] perro *m* de lanas

pool [pu:l] *s* charca *f*; estanque *m*; piscina *f*; *LA* alberca *f*; quinielas *f/pl*; *v/t* mancomunar, juntar

poor [puə] pobre; malo; **the ~** los pobres; **~ly** enfermizo; indispuesto

pop [pɔp] *s* taponazo *m*; detonación *f*; bebida *f* gaseosa; música *f* popular; *v/i* disparar; *v/i* estallar; **~ in** visitar de paso; **~corn** palomitas *f/pl* de maíz

Pope [pəup] papa *m*

poplar ['pɔplə] álamo *m*

poppy ['pɔpi] amapola *f*

popula|r ['pɔpjulə] popular; **~rity** [~'læriti] popularidad *f*; **~te** ['~eit] *v/t* poblar; **~tion** población *f*

porcelain ['pɔ:səlin] porcelana *f*

porch [pɔ:tʃ] porche *m*

porcupine ['pɔ:kjupain] puerco *m* espín

pore [pɔ:] *s* poro *m*; *v/i ~ over* estudiar detenidamente

pork [pɔ:k] carne *f* de cerdo

pornography [pɔ:'nɔɡrəfi] pornografía *f*

porous ['pɔ:rəs] poroso

porpoise ['pɔ:pəs] marsopa *f*

porridge ['pɔridʒ] gachas *f/pl* de avena

port [pɔːt] puerto *m; mar* babor *m*

portable ['pɔːtəbl] portátil *f*

porter ['pɔːtə] portero *m;* conserje *m;* mozo *m*

portfolio [pɔːt'fəuljəu] carpeta *f;* cartera *f*

porthole ['pɔːthəul] portilla *f*

portion ['pɔːʃən] *s* porción *f,* parte *f;* dote *m; v/t* ~ **out** repartir; distribuir

portly ['pɔːtli] corpulento

portrait ['pɔːtrit] retrato *m;* ~**y** *v/t* retratar; describir; ~**yal** [pɔː'treiəl] representación *f*

Portugal ['pɔːtjugəl] Portugal *m*

Portuguese [pɔːtju'giːz] *a, s* portugués(esa) *m (f)*

pose [pəuz] *s* postura *f;* afectación *f; v/t* poner; plantear *(problema); v/i* posar

position [pə'ziʃən] posición *f;* puesto *m;* opinión *f;* **to be in a** ~ estar en condiciones de

positive ['pɔzətiv] *a* positivo *(t foto, mat, elec);* cierto; absoluto; seguro

possess [pə'zes] *v/t* poseer; ~**ed** poseído, poseso; ~**ion** posesión *f;* ~**ive** posesivo; ~**or** poseedor(a) *m (f)*

possib|ility [pɔsə'biliti] posibilidad *f;* ~**le** ['pɔsəbl] posible; **as soon as** ~**le** cuanto antes; ~**ly** posiblemente; quizás, quizá

post [pəust] *s* poste *m; mil* plaza *f;* puesto *m,* empleo *m;* correo *m;* **by return of** ~ a vuelta de correo; *v/t* echar al correo; situar; contabilizar; "**~ no bills**" "prohibido fijar carteles"; ~**age** franqueo *m;* ~**age stamp** sello *m, LA* estampilla *f;* ~**box** buzón *m;* ~**card** tarjeta *f* postal; ~**ed: to keep** ~**ed** tener al corriente; ~**er** cartel *m;* ~**erior** [pɔs'tiəriə] *a* posterior; *s* trasero *m;* ~**erity** [pɔs'teriti] posteridad *f;* ~**humous** ['pɔstjuməs] póstumo *m;* ~**man** cartero *m;* ~**mark** matasellos *m;* ~**office** estafeta *f* de correos; ~**-office box** apartado *m* de correos; ~**paid** con porte pagado

postpone [pəust'pəun] *v/t* posponer, aplazar; ~**ment** aplazamiento *m*

postscript ['pəusskript] pos(t)data *f*

posture ['pɔstʃə] postura *f*

postwar ['pəust'wɔː] de pos(t)guerra

pot [pɔt] *s* marmita *f;* olla *f;* maceta *f,* tiesto *m; v/t* envasar; plantar en tiestos

potato [pə'teitəu] patata *f, LA* papa *f*

potent ['pəutənt] potente; poderoso; ~**ial** [pə'tenʃl] *a, s* potencial *m*

pot|hole ['pɔthəul] bache *m;* ~**luck** comer lo que haya; ~**shot** tiro *m* al azar

potter ['pɒtə] alfarero *m*; **~y** alfarería *f*

pouch [pautʃ] saquito *m*

poultice ['poultis] cataplasma *m*

poultry ['pəultri] aves *f/pl* de corral

pounce [pauns] *v/i* lanzarse, saltar; **~ upon** precipitarse sobre

pound [paund] *s* libra *f* (451 gramos); **~ sterling** libra esterlina; *v/t* golpear; moler; machacar

pour [pɔː] *v/t* verter; echar; *v/i* fluir, correr

pout [paut] *s* puchero *m*; mueca *f*; *v/i* hacer pucheros

poverty ['pɒvəti] pobreza *f*

powder ['paudə] *s* polvo *m*; pólvora *f*; *v/t* pulverizar; **~room** tocador *m*; **~y** polvoriento; empolvado

power ['pauə] poder *m*; poderío *m*; potencia *f*; facultad *f*; **~ of attorney** poder *m* notarial; **~ failure** apagón *m*; **~ful** poderoso; potente; enérgico; **~less** impotente; ineficaz; **~ plant** central *f* eléctrica

practicable ['præktikəbl] practicable; **~cal** práctico; **~ce** ['~tis] costumbre *f*; ejercicio *m*; práctica *f*; **~se,** *Am* **~ce** *v/t* practicar; ejercitar; ejercer (*profesión*); *v/i* practicar, ejercer; entrenarse; **~tioner** [~'tiʃnə] profesional *m*, *f*

pragmatic [præg'mætik] pragmático

prairie ['prɛəri] llanura *f*, pampa *f*, pradera *f*

praise [preiz] *s* alabanza *f*; *v/t* alabar, loar, elogiar; **~worthy** loable

pram [præm] cochecillo *m* de niño

prance [prɑːns] *v/i* cabriolar

prank [præŋk] travesura *f*

prattle ['prætl] *s* parloteo *m*; *v/i* parlotear

prawn [prɔːn] camarón *m*

pray [prei] *v/t* rogar; pedir; *v/i* rezar, orar; **~er** [prɛə] oración *f*, rezo *m*; súplica *f*; **~er book** devocionario *m*

preach [priːtʃ] *v/t*, *v/i* predicar; **~er** predicador *m*

precarious [pri'kɛəriəs] precario

precaution [pri'kɔːʃən] precaución *f*

precede [pri(ː)'siːd] *v/t* preceder; **~nt** ['presidənt] precedente *m*

precept ['priːsept] precepto *m*; mandato *m*

precinct ['priːsiŋkt] recinto *m*; **~s** inmediaciones *f/pl*

precious ['preʃəs] *a* precioso; *adv fam* muy

precipice ['presipis] precipicio *m*; **~tate** [~'sipitit] *a* precipitado; [~'eit] *v/t*, *v/i* precipitar(se); **~tation** precipitación *f*; **~tous** escarpado

precise [pri'sais] preciso, exacto; meticuloso; **~ely**

precisamente; **~ion** [~'siʒən] precisión f, exactitud f

preclude [pri'klu:d] v/t excluir

precocious [pri'kəuʃəs] precoz; **~ness** precocidad f

predatory ['predətəri] rapaz

predecessor ['pri:disesə] predecesor m

predicament [pri'dikəmənt] apuro m; **~te** ['predikit] gram predicado m

predict [pri'dikt] v/t pronosticar; **~ion** pronóstico m

predisposition ['pri:dispə'ziʃən] predisposición f

predominant [pri'dominənt] predominante; **~te** [~eit] v/i predominar

prefabricated ['pri:'fæbrikeitid] prefabricado

preface ['prefis] prefacio m

prefer [pri'fə:] v/t preferir; **~able** ['prefərəbl] preferible; **~ence** ['prefərəns] preferencia f; **~ential** [prefə'renʃəl] preferente; privilegiado

prefix ['pri:fiks] prefijo m

pregnancy ['pregnənsi] embarazo m; **~t** embarazada, encinta; fig fecundo, repleto

prehistoric ['pri:his'tɔrik] prehistórico

prejudice ['predʒudis] s prejuicio m; v/t predisponer, prevenir; perjudicar

preliminary [pri'liminəri] a, s preliminar m

prelude ['prelju:d] preludio m

premature [premə'tjuə] pre-

maturo

premeditate [pri(:)'mediteit] v/t, v/i premeditar

premier ['premjə] primer ministro m

première ['premiɛə] estreno m

premises ['premisiz] local m, establecimiento m

premium ['pri:mjən] premio m; **at a ~** ser muy solicitado

premonition [pri:mə'niʃn] presentimiento m

preoccupied [pri(:)'ɔkjupaid] preocupado

preparation [prepə'reiʃən] preparación f; **~ations** preparativos m/pl; **~e** [pri'pɛə] v/t preparar; disponer; confeccionar; v/i **~ for** prepararse para

prepay ['pri:'pei] v/t pagar por adelantado

preposition [prepə'ziʃən] preposición f

preposterous [pri'pɔstərəs] absurdo

prerequisite ['pri:'rekwizit] requisito m previo

prerogative [pri'rɔgətiv] prerrogativa f

prescribe [pris'kraib] v/t prescribir; med recetar; **~ption** [~'kripʃən] prescripción f; med receta f

presence ['prezns] presencia f; **~ of mind** presencia f de ánimo

present ['preznt] s actualidad f; regalo m; a presente; actual; **at ~** actualmente; **to be ~ at** asistir a; [pri'zent] v/t presentar; explicar; dar; **~ation** presentación f

presently ['prezntli] dentro de poco; *Am* ahora, al presente

preserv|ation [prezə(:)'veiʃən] preservación f; conservación f; **~e** [pri'zə:v] v/t preservar; conservar; **~es** conservas f/pl

preside [pri'zaid] v/t presidir; **~ncy** [prezidənsi] presidencia f; **~nt** presidente m

press [pres] s prensa f; imprenta f; apretón m; v/t presar; planchar (*ropa*); apretar; instar; **~ed for** tener poco tiempo; **~ conference** rueda f de prensa; **~ing** a urgente; **~ure** ['~ʃə] presión f; urgencia f; **~ure cooker** olla f de presión; **~ure gauge** manómetro m; **~ure group** grupo m de presión

prestige [pres'ti:ʒ] prestigio m; fama f

presum|able [pri'zju:məbl] presumible; **~e** v/t presumir, suponer; v/i presumir

presumpt|ion [pri'zʌmpʃən] presunción f, conjetura f; atrevimiento m; **~uous** presumido; arrogante

presuppose [pri:sə'pəuz] v/t presuponer

preten|ce, *Am* **~se** [pri'tens] pretexto m; pretensión f; **~d** v/t aparentar, fingir; v/i fin-

gir; **~der** pretendiente m (*al trono*); **~sion** pretensión f; demanda f; **~tious** presuntuoso; presumido; afectado

pretext ['pri:tekst] pretexto m

pretty ['priti] a bonito, lindo; *adv* bastante; casi

prevail [pri'veil] v/i prevalecer; estar en boga; **~ on** persuadir a; **~ing** reinante; predominante

prevalent ['prevələnt] predominante; corriente

prevent [pri'vent] v/t impedir; **~ion** prevención f; **~ive** preventivo; impeditivo

previous ['pri:vjəs] previo; anterior; **~ly** previamente, con anterioridad

prewar ['pri:'wɔ:] de preguerra

prey [prei] s presa f; **bird of ~** ave f de rapiña; v/i **~ on** pillar; agobiar

price [prais] s precio m; valor m; **fixed ~** precio fijo; **at any ~** cueste lo que cueste; v/t valuar, tasar; **~less** inapreciable; **~ list** lista f de precios

prick [prik] s pinchazo m, picadura f; v/t picar, pinchar, punzar; **~ one's ears** aguzar las orejas; **~le** púa f; espina f; **~ly** espinoso

pride [praid] s orgullo m; soberbia f; v/r **~ oneself on** enorgullecerse de

priest [pri:st] sacerdote m

prim [prim] decoroso; estirado

primar|ily ['praimərili] ante todo; **~y** primario; **~y school** escuela f primaria

prime [praim] principal, primero; primo, selecto; **~ minister** primer ministro m; **~r** cartilla f

primitive [primitiv] primitivo; rudimentario

primrose ['primrəuz] bot primavera f, prímula f

prince [prins] príncipe m; **~ss** [~'ses] princesa f

principal ['prinsəpəl] a principal; s principal m, director m; **~ity** [prinsi'pæliti] principado m

principle ['prinsəpl] principio m; **on ~** por principio

print [print] s marca f; estampado m; impresión f; grabado m; **out of ~** agotado; v/t imprimir; escribir con letra de imprenta; foto copiar; **~ed matter** impresos m/pl; **~er** impresor(a) m (f); **~ing** impresión f; tipografía f; **~ing office** imprenta f

prior [praiə] a anterior; previo; s prior m; **~ity** [~'oriti] prioridad f

prison ['prizn] prisión f, cárcel f; **~er** preso m; prisionero m; **to take ~er** apresar

priva|cy ['privəsi] retiro m; secreto m; intimidad f; **~te** ['praivit] privado; particular; secreto

privation [prai'veiʃən] privación f

privilege ['privilidʒ] privilegio m; **~d** privilegiado

prize [praiz] s premio m; v/t apreciar; estimar

probab|ility [probə'biliti] probabilidad f; **~le** ['~əbl] probable, verosímil

prob|ation [prə'beiʃən]: **on ~ation** de prueba f; **for ~** libertad f condicional; **~e** [prəub] v/t sondar; indagar; s sonda f; tienta f

problem ['probləm] problema m

proce|dure [prə'si:dʒə] s procedimiento m; trámites m/pl; **~ed** [~'si:d] v/i proceder; seguir su curso; **~edings** for~ proceso m; actas f/pl; **~eds** ['prəusi:dz] ganancias f/pl

process ['prəuses] s proceso m; método m; v/t elaborar; tratar; **~ion** [prə'seʃən] procesión f, desfile m; cortejo m (fúnebre)

procla|im [prə'kleim] v/t proclamar; **~mation** [prəklə'meiʃən] proclamación f

procure [prə'kjuə] v/t conseguir

prod [prod] s empuje m; codazo m; v/t empujar; fig estimular

prodig|ious [prə'didʒəs] prodigioso; **~y** ['prodidʒi] prodigio m; **infant ~y** niño m prodigio

produce ['prodju:s] s producto m (de la tierra); [prə'dju:s] v/t producir; rendir; fabricar; poner en escena (*obra de cine, teatro*); **~r** productor *m*; director *m* (*de obras de teatro o cine*)

product ['prɒdʌkt] producto *m*; resultado *m*; **~ive** [prə'dʌktiv] productivo

profane [prə'fein] profano; sacrílego

profess [prə'fes] *v/t* profesar; manifestar; simular; **~ed** declarado; supuesto; **~ion** carrera *f*, profesión *f*; **~ional** profesional; **~or** catedrático *m*; profesor *m*

proficien|cy [prə'fiʃənsi] pericia *f*; habilidad *f*; **~t** experimentado; perito

profile ['prəufail] perfil *m*, silueta *f*

profit ['prɒfit] *s* provecho *m*; ganancia *f*; beneficio *m*; **~ and loss** pérdidas y ganancias; *v/i* ganar; *v/t* servir a; aprovechar a; **~able** provechoso

profound [prə'faund] profundo

profu|se [prə'fju:s] profuso; pródigo; **~sion** profusión *f*

prognosis [prɒg'nəusis] pronóstico *m*

program|(me) ['prəugræm] programa *m*; **~(m)ing** programación *f*

progress ['prəugres] *s* progreso *m*; [prə'gres] *v/i* progresar, adelantar; **~ive** *a* progresivo; *a, s pol* progresista *m, f*

prohibit [prə'hibit] *v/t* prohibir; **~ion** [prəui'biʃən] prohibición *f*; **~ive** [~'hibitiv] prohibitivo

project ['prɒdʒekt] *s* proyecto *m*; plan *m*; [prə'dʒekt] *v/t* proyectar; *v/i* sobresalir; **~ion** proyección *f*; **~or** proyector *m*

proletarian [prəule'teəriən] *a, s* proletario(a) *m(f)*

prolog(ue) ['prəulɒg] prólogo *m*

prolong [prəu'lɒŋ] *v/t* extender, prolongar; **~ation** extensión *f*, prórroga *f*

promenade [prɒmi'nɑ:d] *s* paseo *m*; *v/i* pasearse

prominent ['prɒminənt] prominente; saliente

promiscuous [prə'miskjuəs] promiscuo

promis|e ['prɒmis] *s* promesa *f*; esperanza *f*; *v/t, v/i* prometer; **~ing** prometedor

promontory ['prɒməntri] promontorio *m*

promot|e [prə'məut] *v/t* promover; fomentar; ascender; **~er** promotor *m*; gestor *m*; **~ion** promoción *f*; *com* fomento *m*

prompt [prɒmpt] *a* pronto; *adv* puntualmente; *v/t* incitar; impulsar; **~er** *teat* apuntador *m*

prone [prəun] postrado; **~ to** propenso a

prong [prɒŋ] púa *f*, diente *m* (*de tenedor*)

pronoun ['prəunaun] pronombre m

pronounce [prə'nauns] v/t pronunciar; articular; **~ed** marcado; fuerte

pronunciation [prənʌnsi'eiʃən] pronunciación f

proof [pru:f] s prueba f; comprobación f; a a prueba de; **~s** impr pruebas f/pl

prop [prɔp] s soporte m; puntal m; v/t apuntalar

propaganda [prɔpə'gændə] propaganda f; **~te** ['prɔpəgeit] v/t propagar

propel [prə'pel] v/t impulsar; **~ler** hélice f

proper ['prɔpə] propio; conveniente; atinado, correcto; decoroso; **~ly** debidamente; **~ty** propiedad f

prophe|cy ['prɔfisi] profecía f; **~sy** ['~ai] v/t profetizar; **~t** ['~fit] profeta m

proportion [prə'pɔ:ʃən] s proporción f; **~s** dimensiones f/pl

propos|al [prə'pəuzəl] propuesta f; **~e** v/t proponer; v/i declararse, pedir la mano; **~ition** [prɔpə'ziʃən] proposición f

propriet|ary [prə'praiətəri] patentado; **~or, ~ress** [~ris] propietario(a) m (f)

propulsion [prə'pʌlʃən] propulsión f

prosaic [prəu'zeiik] prosaico

prose [prəuz] prosa f

prosecut|e ['prɔsikju:t] v/t

for procesar; proseguir; **~ion** prosecución f; for parte f acusadora; demandante m; fiscal m

prospect ['prɔspekt] s perspectiva f, expectativa f; vista f; [prəs'pekt] v/i, v/t explorar; **~or** prospector m

prospectus [prəs'pektəs] prospecto m

prosper ['prɔspə] v/i prosperar; **~ity** [~'periti] prosperidad f; **~ous** ['~pərəs] próspero

prostitute ['prɔstitju:t] s prostituta f

prostrate ['prɔstreit] a postrado; [prɔs'treit] v/t postrar; **~ oneself** postrarse

protect [prə'tekt] v/t proteger; **~ion** protección f, amparo m; **~ive** protector

protein ['prəutiin] proteína f

protest ['prəutest] s protesta f; [prə'test] v/t protestar; afirmar; **2ant** ['prɔtistənt] a, s protestante m, f

protocol ['prəutəkɔl] protocolo m

protract [prə'trækt] v/t alargar; prolongar

protrude [prə'tru:d] v/i salir fuera

proud [praud] orgulloso; soberbio; imponente

prove [pru:v] v/t probar; v/i resultar

proverb ['prɔvə:b] refrán m; proverbio m; **~ial** [prə'və:bjəl] proverbial

pull

provide [prə'vaid] *v/t* proveer; abastecer; proporcionar; *v/i* ~ **against** precaverse de; ~**d (that)** con tal que, siempre que

providence ['prɔvidəns] providencia *f*

provinc|e ['prɔvins] provincia *f*; ~**ial** [prə'vinʃəl] provincial

provision [prə'viʒən] provisión *f*; disposición *f*, medida *f*; ~**al** provisional; ~**s** provisiones *f/pl*

proviso [prə'vaizəu] estipulación *f*

provo|cation [prɔvə'keiʃən] provocación *f*; ~**cative** [prə'vɔkətiv] provocativo; ~**ke** [~'vəuk] *v/t* provocar; irritar

prow [prau] *mar* proa *f*

prowess ['prauis] destreza *f*

prowl [praul] *v/i* rondar

proximity [prɔk'simiti] proximidad *f*

proxy ['prɔksi] poder *m*; apoderado *m*; **by** ~ por poder(es)

prud|e [pru:d] mojigato(a) *m (f)*; ~**ence** prudencia *f*, discreción *f*; ~**ent** prudente, discreto; ~**ish** gazmoño

prune [pru:n] *s* ciruela *f* pasa; *v/t*, *v/i* podar

psalm [sɑ:m] salmo *m*

pseudonym ['psju:dənim] seudónimo *m*

psychiatr|ist [sai'kaiətrist] psiquiatra *m/f*; ~**y** psiquiatría *f*

psychic ['saikik] psíquico

psycho|analysis [saikəuə-'nælisis] psicoanálisis *m*; ~**logical** [saikə'lɔdʒikəl] psicológico; ~**logist** psicólogo *m*; ~**logy** [~'kɔlədʒi] psicología *f*; ~**therapy** psicoterapia *f*

pub [pʌb] *fam* taberna *f*, cantina *f*, bar *m*

puberty ['pju:bəti] pubertad *f*

public ['pʌblik] *a* público; ~**c house** taberna *f*, bar *m*; ~**c prosecutor** fiscal *m*; ~**c spirited** de buen ciudadano; ~**c welfare** salud *f* pública; *s* público *m*; **in** ~**c** públicamente; ~**cation** publicación *f*; ~**city** ['lisiti] publicidad *f*; ~**cize** *v/t* publicar; ~**sh** ['pʌbliʃ] *v/t* publicar; editar; ~**shing house** casa *f* editorial

pudding ['pudiŋ] budín *m*

puddle ['pʌdl] charco *m*

Puerto Ri|can ['pwə:təu'ri:kən] *a*, *s* puertorriqueño(a) *m (f)*; ~**co** Puerto *m* Rico

puff [pʌf] *s* soplo *m*; bocanada *f*; borla *f*; *v/t* soplar; chupar *(pipa)*; ~ **up** hinchar; *v/i* resoplar, jadear; ~ **pastry** hojaldre *m*; ~**y** hinchado

pull [pul] *v/t* tirar (de); sacar; arrastrar; ~ **down** demoler; ~ **off** concluir con éxito; ~ **one's leg** tomarle el pelo; ~ **oneself together** componerse; ~ **out** arrancar; ~ **up** detener, parar; *s* tirón *m*; tirador *m*; trago *m*; influencia *f*

pulley ['puli] polea f

pullover ['puləuvə] jersey m, LA pulóver m

pulp [pʌlp] pulpa f

pulpit ['pulpit] púlpito m

puls|ate [pʌl'seit] v/i latir; **~ation** latido m, pulsación f; **~e** pulso m

pulverize [pʌ'lvəraiz] v/t pulverizar; triturar

pumice ['pʌmis] **stone** piedra f pómez

pump [pʌmp] s bomba f; v/t bombear

pumpkin ['pʌmpkin] calabaza f

pun [pʌn] juego m de palabras

punch [pʌntʃ] s puñetazo m; punzón m; ponche m; v/t dar puñetazos; punzar

punctual ['pʌŋktjuəl] puntual

punctua|te ['pʌŋktjueit] v/t puntuar; **~tion** puntuación f; **~tion mark** signo m de puntuación

puncture ['pʌŋktʃə] s pinchazo m; puntura f; v/t pinchar; punzar

pungent ['pʌndʒənt] picante; mordaz; acre

punish ['pʌniʃ] v/t castigar; **~ment** castigo m

punt [pʌnt] s batea f; v/i ir en batea

puny ['pjuːni] diminuto; débil

pup [pʌp] cachorro(a) m (f)

pupil ['pjuːpl] alumno(a) m (f); anat pupila f

puppet ['pʌpit] títere m

puppy ['pʌpi] cachorro(a) m

purchas|e ['pəːtʃəs] s compra f; v/t comprar; **~ing power** poder m adquisitivo

pure [pjuə] puro; **~ly** puramente

purg|ative ['pəːgətiv] purgante; **~atory** purgatorio m; **~e** [pəːdʒ] s med purgante m; pol purga f; depuración f; v/t med purgar; pol depurar

purify ['pjuərifai] v/t purificar, depurar

purity ['pjuəriti] pureza f

purple ['pəːpl] a purpúreo; morado; s púrpura f

purpose ['pəːpəs] s propósito m; intención f; resolución f; **on ~** de propósito, adrede; **to no ~** en vano; v/t, v/i proponer(se); **~ful** resuelto; **~ly** de propósito

purr [pəː] v/i ronronear

purse [pəːs] s portamonedas m; bolso m; LA bolsa f; v/t fruncir (labios); **~r** mar cortador m

pursu|e [pə'sjuː] v/t perseguir; seguir; acosar; **~er** perseguidor m; **~it** [‑uːt] persecución f; prosecución f, actividad f; **in ~it** of en pos de

purveyor [pəː'veiə] proveedor m

pus [pʌs] pus m

push [puʃ] s empujón m; impulso m; empuje m, brío m; v/t empujar; apretar; presionar; **~ back** echar atrás; re-

chazar; v/i empujar; ~ *off*
fam largarse; ~ *through*
abrirse camino a empujones;
~y agresivo

puss [pus], **pussy(-cat)** minino m, michino m

put [put] (put) poner, colocar;
echar; exponer; presentar; ~
across hacer entender; ~
back devolver a su lugar; ~
down apuntar; reprimir;
atribuir; ~ *in* meter; ~ *it to*
decirlo a; ~ *off* aplazar; ~ *on*
ponerse (ropa, etc); encender; ~ *out* poner afuera; extender, apagar; irritar; desconcertar; ~ *through* tel co-

municar; ~ *up* hospedar;
montar (una màquina); elevar; v/t *about mar* cambiar
de rumbo; ~ *up with* aguantar

putrefy ['pju:trifai] v/i pudrirse

putrid ['pju:trid] podrido, putrefacto

putty ['pʌti] masilla f

puzzle ['pʌzl] s rompecabezas
m; problema m; v/t embro-
llar, confundir; v/i devanarse
los sesos

pyjamas [pə'dʒɑːməs] pijama
m

pyramid ['pirəmid] pirámide f

Q

quack [kwæk] s curandero m;
graznido m; v/i graznar;
~ery curandería f

quadrangle ['kwɔdræŋgl]
cuadrángulo m

quadruple ['kwɔdrupl]
cuádruplo m; ~ts ['~lits] cua-
trillizos m/pl

quail [kweil] s zool codorniz f;
v/i acobardarse

quaint [kweint] pintoresco;
curioso; extraño; exótico

quake [kweik] s temblor m;
v/i temblar; trepidar

Quaker ['kweikə] cuáque-
ro(a) m (f)

qualification [kwɔlifi'keiʃən]
calificación f; idoneidad f;
reserva f; ~ied ['~faid] cuali-
ficado; capacitado; apto;

limitado, condicional; ~y
['~fai] v/t calificar, habilitar;
v/i ser apto; ser aprobado; sp
clasificarse

quality ['kwɔliti] cualidad f;
calidad f, clase f

qualm [kwɑːm] náusea f; escrúpulo m

quandary ['kwɔndəri]: *to be
in a* ~ estar en un dilema

quantity ['kwɔntiti] cantidad f

quarantine ['kwɔrəntiːn] s
cuarentena f

quarrel ['kwɔrəl] s disputa f,
querella f; v/i disputarse;
reñir; ~some pendenciero

quarry ['kwɔri] cantera f; presa f

quarter ['kwɔːtə] s cuarta f;
cuarta parte f; cuarto m; mil

cuartel *m*; barrio *m* (*de ciudad*); **a ~ to, past** un cuarto para (la hora), (la hora) y cuarto; **~t** hospedar; **mil** acuartelar; **~ly** *a* trimestral; **~s** alojamiento *m*; **mil** cuartel *m*; **at close ~s** de cerca

quartet(te) [kwɔːˈtet] *mús* cuarteto *m*

quartz [kwɔːts] cuarzo *m*

quaver ['kweivə] *v/i* temblar; hablar en tono trémulo

quay [kiː] muelle *m*, (des)embarcadero *m*

queasy ['kwiːzi] *med* bascoso

queen [kwiːn] reina *f*

queer [kwiə] *a* raro, extraño; indispuesto; *s fam* maricón *m*

quench [kwentʃ] *v/t* apagar

querulous ['kwerʊləs] quejumbroso; irritable

query ['kwiəri] *s* pregunta *f*; cuestión *f*

quest [kwest] búsqueda *f*; indigación *f*

question ['kwestʃən] *s* pregunta *f*; cuestión *f*; asunto *m*; **ask a ~** hacer una pregunta; **out of the ~** imposible; **~mark** signo *m* de interrogación; *v/t, v/i* interrogar, preguntar; dudar de; **~able** discutible; dudoso; **~naire** [~stiə'nɛə] cuestionario *m*

queue [kjuː] *s* cola *f*; *v/i* **~ up** hacer cola

quick [kwik] rápido; ágil; vivo; agudo; **to be ~** darse prisa; **~en** *v/t* apresurar; acelerar; **~ly** de prisa; pronto;

~ness rapidez *f*; **~sand** arena *f* movediza; **~silver** mercurio *m*; **~witted** listo, despierto

quid [kwid] *fam* libra *f* esterlina

quiet ['kwaiət] *a* callado; tranquilo; quieto; *s* sosiego *m*; calma *f*; silencio *m*; *v/t* calmar, aquietar; **~ness** silencio *m*; tranquilidad *f*

quilt [kwilt] edredón *m*

quince [kwins] membrillo *m*

quinine [kwiˈniːn] quinina *f*

quintuple ['kwintjupl] quíntuplo; **~ts** [~'lits] quintillizos *m/pl*

quip [kwip] pulla *f*

quirk [kwɔːk] peculiaridad *f*

quit [kwit] *v/t* dejar; abandonar; *v/i* desistir, cesar

quite [kwait] totalmente; bastante, muy; **~ a few** bastantes; **~ so!** ¡así es!

quits [kwits]: **call it ~** dar por terminado

quiver ['kwivə] *s* vibración *f*; temblor *m*; *v/i* temblar; estremecerse

quiz [kwiz] *s* interrogatorio *m*; serie *f* de preguntas; *TV* concurso *m*; *v/t* examinar; interrogar

quota ['kwəʊtə] cuota *f*

quot|ation [kwəʊˈteiʃən] cita *f*; *com* cotización *f*; **~ation marks** comillas *f/pl*; **~e** *v/t* citar; *com* cotizar

quotient ['kwəʊʃənt] c(u)ociente *m*

R

rabbi ['ræbai] rabino *m*

rabbit ['ræbit] conejo *m*

rabble ['ræbl] chusma *f*

rabid ['ræbid] rabioso; **~es** ['reibi:z] rabia *f*

raccoon [rə'ku:n] mapache *m*

race [reis] *s* raza *f*, casta *f*; carrera *f* (*de caballos*, *coches*); *v/i* correr de prisa; competir; **~course** hipódromo *m*, *LA* cancha *f*

racial ['reiʃəl] racial; **~sm** ['reisizm] racismo *m*; **~st** *a*, *s* racista *m*, *f*

rack [ræk] *s* colgadero *m*; percha *f*; rejilla *f*; potro *m*; pesebre *m*; *v/t* atormentar

racket ['rækit] raqueta *f*; alboroto *m*; *fam* estafa *f*

racy ['reisi] vigoroso; picante; salado

radar ['reidə] radar *m*

radian|ce ['reidjəns] brillo *m*, resplandor *m*; **~t** brillante, resplandeciente

radi|ate ['reidieit] *v/t* radiar; emitir; **~ation** radiación *f*; **~ator** radiador *m*; **~o** ['reidiəu] radio (*emisión*) *f*; radio *f*, *LA m* (*aparato*); **~oactive** radiactivo

radish ['rædiʃ] rábano *m*

radius ['reidjəs] radio *m*

raffle ['ræfl] *s* rifa *f*, lotería *f*; *v/i* rifar; sortear

raft [rɑ:ft] balsa *f*

rag [ræg] trapo *m*

rag|e [reidʒ] *s* rabia *f*; furia *f*; *v/i* rabiar; **to be all the ~** hacer furor; **~ing** violento

raid [reid] *s* incursión *f*; ataque *m*; *v/t* atacar; invadir

rail [reil] baranda *f*; *f c* riel *m*, carril *m*; **by ~** por ferrocarril; **~ings** barandilla *f*; balaustrada *f*; **~road** *Am t*, **~way** ferrocarril *m*

rain [rein] *s* lluvia *f*; *v/i* llover; **~ cats and dogs** llover a cántaros; **~bow** ['~bəu] arco *m* iris; **~coat** impermeable *m*; **~y** lluvioso

raise [reiz] *v/t* levantar; elevar; criar, educar (*niños*); formular (*preguntas*, *etc*); subir (*precio*); juntar (*dinero*); **~ one's glass to** brindar por; **~ one's voice** alzar la voz

raisin ['reizn] pasa *f*

rake [reik] *s* rastrillo *m*; libertino *m*; *v/t* rastrillar; barrer

rally ['ræli] *s* reunión *f* popular; *aut* rallye *m*; *med* recuperación *f*; *v/t* reunir; *v/i* congregarse; reanimarse

ram [ræm] *s* *zool* morueco *m*; carnero *m*; *tecn* pisón *m*; *mil* ariete *m*; *v/t* apisonar; chocar con

ramble ['ræmbl] *s* paseo *m*; *v/t* vagar; divagar; perder el hilo

ramp [ræmp] rampa *f*; **~~es-**

to be on the ~age desbocarse; **~ant** prevaleciente; desenfrenado; **~art** ['-ɑːt] terraplén *m*; muralla *f*

ranch [rɑːntʃ] estancia *f*; hacienda *f*; *LA* rancho *m*; **~er** ganadero *m*, hacendado *m*; *LA* ranchero *m*

rancid ['rænsid] rancio

ranco(u)r ['ræŋkə] rencor *m*

random ['rændəm]: **at ~** a la ventura; al azar

range [reindʒ] *s* extensión *f*; alcance *m*; fila *f*; orden *m*; pradera *f*; **mountain ~** sierra *f*, cordillera *f*; **within ~ of** al alcance de; *v/t* recorrer; clasificar; *v/i* vagar por; extenderse; fluctuar; **~r** guardabosques *m*

rank [ræŋk] *s mil* fila *f*; grado *m*, rango *m*; calidad *f*; **the ~ and file** las masas; **break ~s** romper filas; *v/t* clasificar; ordenar; *v/i* tener un grado; *a* exuberante; espeso; de mal olor; acabado

ransack ['rænsæk] *v/t* saquear; registrar

ransom ['rænsəm] *s* rescate *m*; *v/t* rescatar

rant [rænt] *v/i* vociferar; hablar con violencia

rap [ræp] *v/t* golpear; *v/i* dar golpes; *s* golpe *m* seco

rapacious [rə'peiʃəs] rapaz

rape [reip] *s* estupro *m*; violación *f*; *v/t* violar, estuprar

rapid ['ræpid] rápido; **~ity**

[rə'piditi] rapidez *f*; velocidad *f*

rapt [ræpt] transportado, extasiado; **~ure** rapto *m*, éxtasis *m*

rare [reə] raro; precioso; poco hecho (*carne*); **~ity** rareza *f*; singularidad *f*

rascal ['rɑːskəl] pícaro *m*; bellaco *m*; granuja *m*

rash [ræʃ] *a* temerario; imprudente; *s* salpullido *m*

rasher ['ræʃə] lonja *f* de tocino

rasp [rɑːsp] *s* escofina *f*; sonido *m* estridente; *v/t* raspar; rallar; **~berry** ['rɑːzbəri] frambuesa *f*

rat [ræt] *zool* rata *f*; **~ race** lucha *f* diaria competitiva; **to smell a ~** haber gato encerrado; *v/i* cazar ratas

rate [reit] *s* tasa *f*; proporción *f*, razón *f*; tipo *m*; valor *m*; **at any ~** de todos modos; **~ of exchange** tipo *m* de cambio; *v/t* tasar; clasificar; estimar

rather ['rɑːðə] más bien; antes; mejor dicho; bastante, algo; **would ~** preferir

ratify ['rætifai] *v/t* ratificar

ration ['ræʃən] *s* ración *f*; *v/t* racionar

rational ['ræʃənl] racional; razonable; **~ize** ['~ʃnəlaiz] *v/t* racionalizar

rationing ['ræʃniŋ] racionamiento *m*

rattle ['rætl] *s* matraca *f*, cascabel *m*; cascabeleo *m*, traqueteo m; golpeteo m; v/t sacudir con ruido; v/i traquetear; sonar; **~d** desconcertado; **~snake** serpiente f de cascabel

raucous ['rɔːkəs] estridente

ravage ['rævidʒ] v/t devastar, asolar; s devastación f, estrago m

rave [reiv] v/i delirar; **~ about** entusiasmarse por

raven ['reivn] zool cuervo m; **~ous** ['rævənəs] voraz, rapaz; famélico; hambriento

ravine [rə'viːn] barranco m

ravish ['ræviʃ] v/t arrebatar, encantar

raw [rɔː] crudo; novato; rudo; **com** en bruto; **~ material** materia f prima

ray [rei] rayo m; zool raya f

rayon ['reiɔn] rayón m

razor ['reizə] navaja f de afeitar; máquina f de afeitar; **~blade** hoja f de afeitar

reach [riːtʃ] s alcance m; extensión f; facultad f; **within ~ of** al alcance de; v/t alcanzar; llegar a; lograr; v/i extenderse; llegar; **~ out one's hand** tender la mano

react [ri(ː)'ækt] v/i reaccionar; **~ion** reacción f; **~ionary** [~nəri] a, s reaccionario(a) m (f); **~or** reactor m (nuclear)

read [riːd] s leer; interpretar; registrar; v/i rezar; saber leer; **~ aloud** leer en voz alta; **~able** legible; **~er** lector m

readi|ly ['redili] pronto; fácilmente; **~ness** disposición f favorable; estado m de alerta

reading ['riːdiŋ] lectura f; interpretación f

readjust [riːə'dʒʌst] v/t reajustar; **~ment** reajuste m

ready ['redi] listo, preparado, dispuesto; **get ~** prepararr(se); **~made** hecho; confeccionado

real [riəl] real, verdadero; genuino; **~ estate**, **~ property** bienes m/pl raíces; inmuebles m/pl; **~ism** realismo m; **~ist** realista m, f; **~istic** realista; **~ity** [riː'eliti] realidad f; **~ize** v/t com realizar; darse cuenta de; hacerse cargo de; **~ly** realmente, efectivamente; **~y?** ¿ de veras?

realm [relm] reino m

realtor ['riəltə] Am corredor m de bienes raíces

reap [riːp] v/t segar; cosechar; **~er** segador m; segadora f mecánica

reappear ['riːə'piə] v/i reaparecer; **~ance** reaparición f

rear [riə] a trasero; posterior; s fondo m; v/t levantar; construir; criar; **~guard** retaguardia f

rearm ['riː'ɑːm] v/t rearmar; **~ament** rearme m

reason ['riːzn] s razón f, motivo m; sensatez f; **by ~ of** a causa de; **it stands to ~** es lógico que; v/t razonar que; v/i discutir; **~able** razonable, justo; módico (*precio*); **~ing** razonamiento *m*

reassure [riːəˈʃuə] *v/t* tranquilizar; *com* reasegurar

rebate [ˈriːbeit] *s* descuento *m*; rebaja *f*; *v/t*, *v/i* rebajar, descontar

rebel [ˈrebl] *a*, *s* rebelde *m*, *f*; [riˈbel] rebelarse, sublevarse; **~lion** [~ˈbeljən] rebelión *f*; sublevación *f*; **~lious** [~ˈbeljəs] rebelde; revoltoso

rebirth [ˈriːbəːθ] renacimiento *m*

rebound [riˈbaund] *v/i* rebotar; repercutir

rebuff [riˈbʌf] *s* repulsa *f*; desaire *m*; *v/t* rechazar; desairar

rebuild [ˈriːˈbild] *v/t* reconstruir

rebuke [riˈbjuːk] *s* reproche *m*; reprimenda *f*; *v/t* reprender; censurar; reprochar

rebuttal [riˈbʌtl] refutación *f*

recalcitrant [riˈkælsitrənt] recalcitrante

recall [riˈkɔːl] *s* revocación *f*; recordación *f*; retirada *f*; *beyond* **~** irrevocable; *v/t* revocar; retirar; recordar

recap [ˈriːˈkæp] *v/t*, *v/i* recapitular

recapture [ˈriːˈkæptʃə] *s* represa *f*; *v/t* recobrar

recede [riːˈsiːd] *v/i* retroceder, retirarse

receipt [riˈsiːt] *s* recepción *f*; recibo *m*; **~s** ingresos *m/pl*

receive [riˈsiːv] *v/t* recibir, co-

brar; aceptar, admitir; acoger; **~r** recibidor *m*; (*teléfono*) auricular *m*; *for* síndico *m*

recent [ˈriːsnt] reciente; **~ly** recientemente; *until* **~ly** hasta hace poco

reception [riˈsepʃən] recepción *f*; acogida *f*; recibidor(a) *m* (*f*), *LA* recepcionista *m*, *f*

receptive [riˈseptiv] receptivo

recess [riˈses] nicho *m*; retiro *m*; recreo *m*; **~ion** recesión *f* (*económica*)

recipe [ˈresipi] receta *f*

recipient [riˈsipiənt] recipiente *m*, *f*

reciprocal [riˈsiprəkəl] recíproco; mutuo

recital [riˈsaitl] narración *f*; *mús*, *teat* recital *m*; **~e** *v/t* recitar, declamar; narrar

reckless [ˈreklis] temerario, imprudente

reckon [ˈrekən] *v/t* contar; considerar; **~ with** tomar en cuenta; **~ing** [~ˈniŋ] cálculo *m*; cómputo *m*

reclaim [riˈkleim] *v/t* reclamar; recuperar

recline [riˈklain] *v/t* recostar; *v/i* recostarse; reclinarse

recogni|tion [rekəgˈniʃən] reconocimiento *m*; **~ze** [ˈrekəgnaiz] *v/t* reconocer; admitir

recoil [riˈkɔil] *v/i* retroceder; recular

recollect [rekəˈlekt] *v/t* recordar, acordarse de; **~ion** recuerdo m

recommend [rekə'mend] v/t recomendar; **~ation** recomendación f

recompense ['rekəmpens] s recompensa f; compensación f; v/t recompensar

reconcile ['rekənsail] v/t (re)conciliar; **~e oneself to** resignarse a; **~lation** [~sıli'eiʃən] (re)conciliación f

reconsider [ri:kən'sidə] v/t volver a considerar; repensar

reconstruct [ri:kəns'trʌkt] v/t reconstruir; reedificar

record ['rekɔːd] s registro m; acta f, documento m; relación f; sp récord m; disco m; **on ~** registrado; **off the ~** confidencialmente; inoficial; [ri'kɔːd] v/t registrar; marcar; grabar (discos o cintas); **~er** registrador m; (máquina) grabadora f; mús flauta f dulce; **~ing** grabación f; **~ player** tocadiscos m

recourse [ri'kɔːs] recurso m; **to have ~ to** recurrir a

recover [ri'kʌvə] v/t recuperar, recobrar; v/i reponerse; **~y** recuperación f; restablecimiento m

recreation [rekri'eiʃən] recreación f; recreo m

recruit [ri'kru:t] s recluta m; v/t, v/i reclutar

rectangle ['rektæŋgl] rectángulo m

rectify ['rektifai] v/t rectificar

rector ['rektə] rector(a) m (f); **~y** rectoría f

recumbent [ri'kʌmbənt] reclinado; recostado

recur [ri'kɔː] v/i repetirse; volver (enfermedad, etc); **~rent** [ri'kʌrənt] periódico; recurrente; repetido

recycl|able [ri'saikələbl] reciclable; **~ing** reciclaje m

red [red] rojo; encarnado; colorado; (vino) tinto; **~den** v/i ruborizarse

redeem [ri'di:m] v/t redimir; rescatar; compensar; **~emer** redentor m; **~mption** [ri'dempʃən] redención f

red-handed ['red'hændid]: **~ caught** ~ cogido con las manos en la masa; **~headed** pelirrojo; **~hot** candente

redo [ri:'du:] v/t rehacer

redouble [ri'dʌbl] v/t, v/i redoblar(se); intensificar(se)

redress [ri'dres] s reparación f; compensación f; v/t reajustar

redtape ['red'teip] papeleo m

reduce [ri'dju:s] v/t reducir; abreviar; degradar; **~uction** [~'dʌkʃən] reducción f; rebaja f

reed [ri:d] caña f; mús lengüeta f

reef [ri:f] s arrecife m

reek [ri:k] v/i heder; oler mal; **~ of** oler a

reel [ri:l] s carrete m, broca f;

v/t tecn devanar; *v/i* tambalear, bambolear

re|elect ['ri:i'lekt] *v/t* reelegir; **~emerge** *v/i* volver a salir; **~enter** *v/t* reingresar; **~establish** *v/t* restablecer

refer [ri'fə:] *v/t* referir, remitir; *v/i:* **~ to** referirse a; **~ee** [refə'ri:] árbitro *m*; **~ence** ['refrəns] referencia *f*, alusión *f*; certificado *m*; **~ence book** libro *m* de consulta; **~endum** [refə'rendəm] plebiscito *m*

refill ['ri:fil] *s* recambio *m*; ['ri:'fil] *v/t* rellenar

refine [ri'fain] *v/t* refinar, purificar; *fig* pulir; *v/i* refinarse; **~d** refinado; culto; **~ment** refinamiento *m*; urbanidad *f*; **~ry** refinería *f*

reflect [ri'flekt] *v/t*, *v/i* reflejar, reflectar; reflexionar; **~ion** reflexión *f*; reflejo *m*; meditación *f*

reflex ['ri:fleks] *a*, *s* reflejo *m*; **~ive** [ri'fleksiv] reflexivo

reform [ri'fɔ:m] *s* reforma *f*; reformación *f*; *v/t* reformar; **~ation** [refə'meiʃən] *relig* Reforma *f*; **~er** reformador(a) *m* (*f*)

refract [ri'frækt] *v/t* refractar; **~ory** refractorio

refrain [ri'frein] *v/i* abstenerse; *s* estribillo *m*

refresh [ri'freʃ] *v/t* refrescar; **~ment** refresco *m*

refrigerator [ri'fridʒəreitə] refrigerador *m*, nevera *f*, frigorífico *m*

refuel [ri:'fjuəl] *v/t*, *v/i* reabastecer(se) de combustible

refuge ['refju:dʒ] *s* refugio *m*; asilo *m*; **~e** [~u:(')dʒi:] refugiado(a) *m* (*f*)

refund [ri:'fʌnd] *s* re(e)mbolso *m*; *v/t* re(e)mbolsar; devolver

regain [ri'gein] *v/t* recuperar, recobrar

regal ['ri:gəl] regio; real

regard [ri'gɑ:d] *s* consideración *f*; atención *f*; respeto *m*; mirada *f*; **with ~ to** en cuanto a; *v/t* mirar; considerar; **~ing** con respecto a; **~less** *adv* a pesar de todo; **~less of** sin tomar en consideración; **~s** recuerdos *m/pl*, saludos *m/pl*

regent ['ri:dʒənt] regente *m*, *f*

régime [rei'ʒi:m] régimen *m*

regiment ['redʒimənt] regimiento *m*

region ['ri:dʒən] región *f*; comarca *f*

regist|er ['redʒistə] *s* registro *m*; inscripción *f*; asiento *m*; *v/t* registrar; inscribir; **~ered letter** carta *f* certificada; **~rar** [~'rɑ:] registrador *m*; **~ration** registro *m*; inscripción *f*; *aut*, *mar etc* matrícula *f*

refusal [ri'fju:zəl] negativa *f*, denegación *f*; **~e** [ri'fju:z] *v/t* denegar; rehusar; ['refju:s] *s* desperdicios *m/pl*; basura *f*

refute [ri'fju:t] *v/t* refutar

religious

regret [ri'gret] *s* sentimiento *m*, pesar *m*; remordimiento *m*; *v/t* sentir, lamentar; **~s** excusas *f/pl*; **~table** lamentable

regula|r ['regjulə] regular; corriente; normal; **~rity** [~'læriti] regularidad *f*; **~rize** ['regjuləraiz] *v/t* regularizar; **~te** *v/t* regular; **~tion** regulación *f*; reglamento *m*

rehears|al [ri'hə:səl] *teat*, *mús* ensayo *m*; **~e** *v/t*, *v/i* ensayar

reign [rein] *v/i* reinar; prevalecer; *s* reinado *m*; **~ing** reinante; prevaleciente

reimburse [ri:im'bə:s] *v/t* reembolsar; **~ment** reembolso *m*

rein [rein] rienda *f*; **to give ~ to** dar rienda suelta a

reindeer ['reindiə] *zool* reno *m*

reinforce ['ri:in'fɔ:s] *v/t* reforzar; (*cemento*) armar

reinstate ['ri:in'steit] *v/t* reintegrar; volver a emplear

reject [ri'dʒekt] *v/t* rechazar, rehusar, desechar; **~ion** rechazo *m*

rejoic|e [ri'dʒɔis] *v/t*, *v/i* regocijar(se), alegrar(se); **~ing** regocijo *m*; alegría *f*

rejoin ['ri:'dʒɔin] *v/t* reunirse con; **~**

relapse [ri'læps] *s med* recaída *f*; reincidencia *f*; *v/i* recaer; reincidir

relat|e [ri'leit] *v/t* relatar, na-rrar; relacionar; *v/i* **~e to** referirse a; relacionarse con; **~ion** relación *f*; **~ive** ['relətiv] *a* relativo; *s* pariente(a) *m* (*f*); **~ively** relativamente

relax [ri'læks] *v/t* relajar; aflojar; *v/i* relajarse; descansar; **~ation** [ri:læk'seiʃən] relajamiento *m*; descanso *m*; esparcimiento *m*; **~ed** relajado

relay ['ri:lei] *s* tanda *f*; *eléc* relé *m*; *v/t* retransmitir (*radio*); **~race** carrera *f* de relevos

release [ri'li:s] *s* liberación *f*; exoneración *f*; publicación *f*; *for* descargo *m*; *tecn* disparador *m*; *v/t* soltar; libertar; emitir; disparar; divulgar

relent [ri'lent] *v/i* ablandarse; **~less** implacable

relevant ['relivənt] pertinente; oportuno

reliab|ility [rilaiə'biliti] confiabilidad *f*; seguridad *f* de funcionamiento; **~le** fidedigno, de confianza

reliance [ri'laiəns] confianza *f*, dependencia *f*

relic ['relik] reliquia *f*

relief [ri'li:f] alivio *m*; desahogo *m*; socorro *m*; *mil* relevo *m*; *for* desagravio *m*; *arte*, *geog* relieve *m*

relieve [ri'li:v] *v/t* aliviar; socorrer; relevar

religio|n [ri'lidʒən] religión *f*; **~us** religioso

relinquish [ri'liŋkwiʃ] *v/t* renunciar a; abandonar

relish ['reliʃ] *s* gusto *m*; sabor *m*; apetito *m*; condimento *m*; *v/t* saborear; gustar de

reluctan|ce [ri'lʌktəns] desgana *f*; renuncia *f*; **~t** renuente; **~tly** de mala gana, a regañadientes

rely [ri'lai]: **~ on** *v/i* confiar en; fiarse de; contar con

remain [ri'mein] *v/i* quedar; permanecer; quedarse; sobrar; **~der** resto *m*; **~ing** demás, restante; **~s** restos *m/pl*; sobras *f/pl*

remark [ri'maːk] *s* observación *f*; *v/t*, *v/i* observar; **~able** notable; **~ably** extraordinariamente

remarry ['riː'mæri] *v/i* volver a casarse

remedy ['remidi] *s* remedio *m*; *v/t* remediar

remember [ri'membə] *v/t* recordar; acordarse de; tener presente; **~rance** recuerdo *m*, memoria *f*

remind [ri'maind] *v/t* recordar; **~er** recordatorio *m*; advertencia *f*

reminiscent [remi'nisnt] recordativo

remiss [ri'mis] negligente; **~ion** [~'miʃən] perdón *m*

remit [ri'mit] *v/t* remitir; **~tance** *com* remesa *f*

remnant ['remnənt] resto *m*; residuo *m*; retazo *m*

remonstrate ['remənstreit]

v/i protestar

remorse [ri'mɔːs] remordimiento *m*; **~ful** arrepentido; **~less** despiadado

remote [ri'məut] lejano; distante; **~ control** mando *m* a distancia

removal [ri'muːvəl] deposición *f*; eliminación *f*; traslado *m*; mudanza *f*; **~e** *v/t* quitar; eliminar; trasladar; deponer

Renaissance [rə'neisəns] Renacimiento *m*

rend [rend] *v/t* desgarrar

render ['rendə] *v/t* rendir; dar; prestar (*servicios*); hacer; volver; *mús, teat* representar, interpretar

renegade ['renigeid] *a, s* renegado(a) *m (f)*

renew [ri'njuː] *v/t* renovar; extender; prorrogar; **~al** renovación *f*; prórroga *f*

renounce [ri'nauns] *v/t* renunciar; abandonar

renovate ['renəuveit] *v/t* renovar

renown [ri'naun] fama *f*; **~ed** renombrado, famoso

rent [rent] *s* alquiler *m*; *com* renta *f*; *v/t* alquilar, arrendar

repair [ri'pɛə] *v/t* reparar; componer; remendar; *s* reparación *f*; compostura *f*; **~ shop** taller *m* de reparaciones

reparation [repə'reiʃən] reparación *f*; satisfacción *f*; **~s** *pol* indemnizaciones *f/pl*

repartee [repɑː'tiː] réplica *f* aguda

repay [riː'pei] *v/t* reembolsar; devolver; pagar; ~**ment** reembolso *m*

repeat [ri'piːt] *v/t* repetir; reiterar; ~**edly** repetidamente

repel [ri'pel] *v/t* repeler; rechazar; repugnar

repent [ri'pent] *v/i, v/t* arrepentirse (de); sentir; ~**ance** arrepentimiento *m*; ~**ant** arrepentido

repertoire ['repətwɑː] repertorio *m*

repetition [repi'tiʃən] repetición *f*

replace [ri'pleis] *v/t* reemplazar; sustituir; ~**ment** sustitución *f*; repuesto *m*

replenish [ri'pleniʃ] *v/t* rellenar; reponer

replete [ri'pliːt] repleto

replica ['replikə] copia *f*

reply [ri'plai] *s* respuesta, contestación *f*; *v/t, v/i* contestar; responder

report [ri'pɔːt] *s* relato *m*; parte *m* (arma) estampido *m*; informe *m*; *v/t* relatar; denunciar; *v/i* presentar informe; ~**er** reportero *m*

repose [ri'pəuz] *s* reposo *m*; *v/i* descansar; reposar

represent [repri'zent] *v/t* representar; ~**ation** representación *f*; ~**ative** *a* representativo; *s* representante *m, f; for* apoderado *m*

repress [ri'pres] *v/t* reprimir; ~**ion** represión *f*

reprieve [ri'priːv] *s* suspensión *f*; respiro *m*; *v/t* indultar; suspender la pena

reprimand ['reprimɑːnd] *s* reprimenda *f*; *v/t* reprender

reprint ['riːprint] reimpresión *f*

reprisal [ri'praizəl] represalia *f*

reproach [ri'prəutʃ] *s* reproche *m*; *v/t* reprochar

reproduc|e [riːprə'djuːs] *v/t* reproducir; ~**tion** [~'dʌkʃən] reproducción *f*

repro|of [ri'pruːf] reproche *m*; ~**ve** [ri'pruːv] *v/t* reprochar; reprender

reptile ['reptail] reptil *m*

republic [ri'pʌblik] república *f*; ~**an** *a, s* republicano(a) *m (f)*

repudiate [ri'pjuːdieit] *v/t* rechazar; repudiar; descartar

repugnan|ce [ri'pʌgnəns] repugnancia *f*; ~**t** repugnante, repulsivo

repuls|e [ri'pʌls] *s* repulsa *f*; rechazo *m*; *v/t* repulsar, rechazar; ~**ion** [~'pʌlʃən] repulsión *f*; repugnancia *f*; ~**ive** repulsivo, repugnante

reput|able ['repjutəbl] respetable; honrado; ~**ation** reputación *f*; renombre *m*; ~**e** [ri'pjuːt] *s* reputación *f*; *v/t* reputar; *to be* ~**ed** pasar por; tener fama de; ~**edly** según se cree

request [ri'kwest] *s* ruego *m*,

petición f, instancia f; v/t solicitar; pedir; suplicar

requi|re [riˈkwaiə] v/t necesitar; requerir; exigir; **~red** necesario; **~rement** necesidad f; requisito m; exigencia f; **~site** [ˈrekwizit] necesario

rer|oute [ˈriːˈruːt] v/t desviar; **~un** [ˈriːrʌn] TV programa m repetido

rescue [ˈreskjuː] s salvamento m; rescate m; liberación f; v/t salvar; liberar; rescatar

research [riˈsəːtʃ] v/t, v/i investigar; s investigación f; **~er** investigador(a) m (f)

resembl|ance [riˈzembləns] parecido m, semejanza f; **~e** v/t parecerse

resent [riˈzent] v/t resentirse de; **~ful** resentido; **~ment** m resentimiento m

reserv|ation [rezəˈveiʃən] reservación f; reserva f; **~e** [riˈzəːv] s reserva f; v/t reservar; guardar; **~ed** reservado; callado

reservoir [ˈrezəvwaː] depósito m; embalse m

reside [riˈzaid] v/i residir, vivir; **~nce** [ˈrezidəns] residencia f; domicilio m; **~nt** a, s residente m, f

residue [ˈrezidjuː] residuo m; resto m

resign [riˈzain] v/t dimitir, renunciar; v/r resignarse; someterse; **~ation** [rezigˈneiʃən] dimisión f; resignación f; **~ed** resignado

resin [ˈrezin] resina f

resist [riˈzist] v/t, v/i resistir; oponerse a; **~ance** resistencia f; **~ant** resistente

resolut|e [ˈrezəluːt] resuelto; **~ion** [~luːʃən] resolución f; acuerdo m

resolve [riˈzɔlv] s determinación f; propósito m; v/t resolver; decidir; v/i decidirse; **to be ~d to** estar resuelto a

resonance [ˈreznəns] resonancia f

resort [riˈzɔːt] s recurso m; punto m de reunión; lugar m de temporada; **as a last ~** en último caso; v/i **~ to** acudir a; echar mano de; recurrir a

resound [riˈzaund] v/i resonar; **~ing** sonoro

resource [riˈsɔːs] recurso m; expediente m; **~ful** ingenioso; **~s** recursos m/pl

respect [risˈpekt] respeto m; consideración f; respecto m; aspecto m; **with ~ to** con respecto a; **in every ~** en todo concepto; **in this ~** en cuanto a esto; **~able** respetable; **~ful** respetuoso; **~ive** respectivo, relativo; **~s** recuerdos m/pl

respiration [respəˈreiʃən] respiración f

respite [ˈrespait] s respiro m, pausa f; **without ~** sin tregua f

resplendent [risˈplendənt] resplandeciente

respon|d [risˈpɔnd] v/i responder, reaccionar; **~dent**

for demandado(a) *m* (*f*); **~se** [~ns] respuesta *f*; contestación *f*; *fig* reacción *f*; **~sibility** [rɪspɔnsə'bɪlɪti] responsabilidad *f*; **~sible** [~'pɔnsəbl] responsable

rest [rest] *s* descanso *m*; resto *m*; apoyo *m*; pausa *f*; **come to ~** pararse; **the ~** el resto, lo demás; **~ assured** tener la seguridad; *v/i* descansar, reposar; **~ (up)on** apoyarse en; posarse en; **to ~ with** depender de

restaurant ['restərɔnt] restaurante *m*

rest|ful ['restful] descansado; sosegado; **~ home** residencia *f* de jubilados; **~ive** inquieto; **~less** intranquilo; agitado

restor|ation [restə'reiʃən] restauración *f*; renovación *f*; **~e** [ris'tɔ:] *v/t* restaurar

restrain [ris'trein] *v/t* refrenar, reprimir; **~ oneself** contenerse, dominarse; **~t** moderación *f*; restricción *f*; reserva *f*

restrict [ris'trikt] *v/t* restringir; **~ion** restricción *f*

rest room ['restru:m] excusado *m*; servicios *m/pl*

result [ri'zʌlt] *s* resultado *m*; *v/i* resultar; **~ in** terminar en

resume [ri'zju:m] *v/t* reanudar; **~ption** [~'zʌmpʃən] reanudación *f*

resurrection [rezə'rekʃən] resurrección *f*

resuscitate [ri'sʌsiteit] *v/t* resucitar

retail ['ri:teil] *s* venta *f* al por menor; [ri:'teil] *v/t* vender al por menor; **~er** detallista *m*

retain [ri'tein] *v/t* retener; guardar; contratar; **~er** partidario(a) *m* (*f*); criado(a) *m* (*f*); for anticipo *m*

retaliate [ri'tælieit] *v/i* tomar represalias; **~ion** represalias *f/pl*; desquite *m*

retard [ri'tɔ:d] *v/t* retrasar; **~ed** retrasado

retention [ri'tenʃən] retención *f*; conservación *f*; **~ve** retentivo

reticent ['retisənt] reservado

retinue ['retinju:] comitiva *f*

retire [ri'taiə] *v/t* retirar, jubilar; *v/i* retirarse; jubilarse; **~ed** retirado; jubilado; **~ement** retiro *m*; jubilación *f*; **~ing** retraído

retort [ri'tɔ:t] *s* réplica *f*; quim retorta *f*; *v/t* replicar

retrace [ri'treis] *v/t* seguir (*las huellas*); desandar; volver a trazar

retract [ri'trækt] *v/t* retractar; retraer; *v/i* retractarse, retraerse; **~able** retráctil

retreat [ri'tri:t] *s* retiro *m*, refugio *m*; retirada *f*; *v/i* retirarse, refugiarse

retribution [retri'bju:ʃən] justo castigo *m*

retrieve [ri'tri:v] *v/t* recuperar; recobrar

retro|active ['retrəu'æktiv]

retroactivo; **~spect: in ~spect** mirando hacia atrás

return [ri'tə:n] s vuelta f; regreso m; devolución f, retorno m; recompensa f; respuesta f; com utilidad f, ganancia f; relación f; **by ~ mail** a vuelta de correo; **in ~** en cambio; **income tax ~** declaración f de renta; v/t devolver; restituir; corresponder; producir; elegir; v/i volver, regresar; **~s informe** m oficial; com devoluciones f/pl; **many happy ~s!** ¡muchas felicidades!; **~ ticket** billete m de ida y vuelta

reunion ['ri:'ju:njən] reunión f

reveal [ri'vi:l] v/t revelar; descubrir

revel ['revl] s jarana f; v/i **in** deleitarse en

revelation [revi'leiʃən] revelación f

revenge [ri'vendʒ] s venganza f; **to take ~ on** vengarse de; **~ful** vengativo

revenue ['revinju:] ingresos m/pl; renta f; rédito m

reverberate [ri'və:bəreit] v/i resonar, retumbar

revere [ri'viə] v/t reverenciar, venerar; **~nce** ['revərəns] reverencia f; **~nd** reverendo

reverse [ri'və:s] s lo contrario; revés m; desgracia f; reverso m; tecn marcha f atrás; v/t volver al revés; invertir, trastornar; cambiar (opi-

nión, etc); a inverso; opuesto

review [ri'vju:] s repaso m; reexaminación f; reseña f; revista f; **for** revisión f; v/t reexaminar, repasar; reseñar; mil pasar revista a; **~er** crítico m

revile [ri'vail] v/t injuriar

revise [ri'vaiz] v/t revisar; corregir; refundir; **~er** revisor m (f); **~ion** [~iʒən] revisión f; repaso m; corrección f

reviv|al [ri'vaivəl] renacimiento m, restauración f; teat reposición f; **~e** v/t reanimar; restablecer; v/i reanimarse; volver en sí

revoke [ri'vouk] v/t revocar

revolt [ri'voult] s rebelión f, sublevación f; v/t repugnar, dar asco a; v/i rebelarse, sublevarse; **~ing** repugnante

revolution [revə'lu:ʃən] revolución f; **~ary** [~nəri] a, s revolucionario m; **~ize** [~ʃnaiz] v/t revolucionar

revolve [ri'vɔlv] v/i revolver, girar; rodar; dar vueltas; v/t hacer girar o rodar; revolver; **~er** revólver m; **~ing** giratorio

revue [ri'vju:] teat revista f

revulsion [ri'vʌlʃn] asco m; med revulsión f

reward [ri'wɔːd] s recompensa f; premio m; v/t recompensar; gratificar; **~ing** provechoso, valioso

rewind [riː'waind] *v/t* dar cuerda a (*reloj*); rebobinar

rhapsodize ['ræpsədaiz] *v/i to* ~*ize over* extasiarse ante; ~*y* rapsodia *f*

rheumatism ['ruːmətizəm] reumatismo *m*

rhinoceros [rai'nɔsərəs] rinoceronte *m*

rhubarb ['ruːbɑːb] ruibarbo *m*

rhyme [raim] *s* rima *f*; *v/t, v/i* rimar; *without* ~ *or reason* sin ton ni son

rhythm ['riðəm] ritmo *m*; ~*ic*, ~*ical* rítmico

rib [rib] *anat* costilla *f*; *arq* nervio *m*; arista *f*; *mar* cuaderna *f*; varilla *f* (*de paraguas*)

ribald ['ribəld] obsceno

ribbon ['ribən] cinta *f*

rice [rais] arroz *m*; ~ *field* arrozal *m*

rich [ritʃ] rico; fértil (*tierra*); sustancioso (*comida*); ~*es* riqueza *f*, opulencia *f*; ~*ness* riqueza *f*, opulencia *f*

rickets ['rikits] raquitismo *m*; ~*y* raquítico

rid [rid] *v/t* desembarazar, librar; *to get* ~ *of* librarse de

riddle ['ridl] *s* adivinanza *f*, enigma *m*; criba *f*; *v/t* cribar; acribillar

ride [raid] *s* paseo *m* a caballo *o* en vehículo; *v/i* cabalgar; ir en coche; ~*e at anchor* estar fondeado; *v/t* montar; ~*e someone* tiranizar a uno; ~*er* jinete *m*

ridge [ridʒ] lomo *m*; loma *f*; cresta *f*; *arq* caballete *m*

ridicule ['ridikjuːl] *s* irrisión *f*; mofa *f*; *v/t* ridiculizar; burlarse de; ~*ous* [~'dikjuləs] ridículo

riding ['raidiŋ] montar *m* a caballo

rife [raif] corriente; endémico

rifle ['raifl] *s* rifle *m*, fusil *m*; *v/t* robar; pillar

rift [rift] hendedura *f*; grieta *f*

right [rait] *s* derecho *m*; razón *f*; justicia *f*; derecha *f*; *a* correcto; recto; derecho; justo; *to be* ~ tener razón; *to have a* ~ *to* tener derecho a; *to set* ~ arreglar; *adv* directamente; bien; *v/t* enderezar; rectificar; *all* ~*l* ¡muy bien!; *that's* ~ eso es; ~ *and left* a diestro y siniestro; ~ *away* en seguida; ~ *now* ahora mismo; ~*angle* ángulo *m* recto; ~*eous* ['~ʃəs] honrado, virtuoso; ~*ful* legítimo; ~*ly* con razón; ~*ist* *a*, *s* derechista *m*, *f*

rigid ['ridʒid] rígido

rigor ['rigə] rigor *m*; ~*ous* riguroso; severo; duro

rim [rim] canto *m*; borde *m*

rind [raind] corteza *f* (*de queso*); pellejo *m*

ring [riŋ] *s* anillo *m*; círculo *m* (*de gente*); aro *m*; *sp* cuadrilátero *m*; cerco *m* (*de montañas*); sonido *m* (*de timbre*); repique *m* (*de campanas*); ojera *f* (*bajo los ojos*); tele-

fonazo m; v/t cercar; tocar; ~
the bell tocar el timbre; ~ **up**
telefonear, llamar; v/i sonar;
resonar; repicar; zumbar
(oídos); **~leader** cabecilla m;
~let bucle m, rizo m

rink [riŋk] pista f

rinse [rins] v/t enjuagar; aclarar

riot [raiət] s motín m; tumulto m; v/i amotinarse; alboro-
tarse; **~er** amotinado(a) m
(f); **~ous** sedicioso; licencioso

rip [rip] s rasgón m, rasgadura
f; v/t rasgar; descoser

ripe [raip] maduro; **~n** v/t, v/i
madurar; **~ness** madurez f,
sazón f

rip-off [ˈripɔf] fam estafa f;
timo m

ripple [ˈripl] s rizo m; ondita f;
v/t, v/i rizar(se)

rise [raiz] s subida f; com alza
f; cuesta f; elevación f;
aumento m; **to give ~ to** dar
origen a; v/i subir, ascender;
elevarse; ponerse de pie; surgir; sublevarse; salir (el sol);
~ **early** madrugar

rising [ˈraiziŋ] levantamiento
m; salida f (del sol)

risk [risk] s riesgo m; peligro
m; v/t arriesgar; **~y** arriesgado; aventurado

rite [rait] rito m; funeral **~s**
exequias f/pl

rival [ˈraivəl] a, s rival m, f;
competidor(a) m (f); v/t ri-
valizar; competir con; **~ry** ri-
validad f

river [ˈrivə] río m; **down** ~ río
abajo; **up** ~ río arriba;
~basin cuenca f de río; **~bed**
lecho m fluvial; **~side** orilla
f, ribera f

rivet [ˈrivit] s remache m; v/t
remachar

road [rəud] camino m; carretera f; vía f; fig senda f; ~
block barricada f; ~ **map**
mapa m de carreteras; ~ **sign**
señal f de tráfico

roam [rəum] v/i vagar; errar

roar [rɔː] s rugido m; grito m;
v/i rugir; gritar

roast [rəust] a, s asado m; v/t,
v/i asar; tostar; ~ **beef** rosbif
m

rob [rɔb] v/t robar, hurtar;
~ber ladrón m; salteador m;
~bery robo m

robe [rəub] s túnica f; for toga
f; manto m; **bath** ~ albornoz
f; bata f

robin [ˈrɔbin] petirrojo m

robot [ˈrəubɔt] robot m,
autómata m

robust [rəuˈbʌst] robusto;
vigoroso

rock [rɔk] s roca f; peñasco m;
peña f; **on the ~s** con hielo
(bebida); v/t mecer; balancear; v/i mecerse; ~ **bottom**
punto m más bajo; ~ **crystal**
cristal m de roca; **~er** rocke-
ro(a) m (f)

rocket [ˈrɔkit] cohete m; ~
cohetería f

rocking chair [ˈrɔkinˈtʃeə]
mecedora f

rocky ['rɔki] rocoso; **Mountains** Montañas *f/pl* Rocosas

rod [rɔd] vara *f*; varilla *f*

rodent ['rəudənt] *zool* roedor *m*

roe [rəu] hueva *f (de pescado)*; *zool* corzo *m*

rogu|e [rəug] pícaro *m*, bribón *m*; **ish** pícaro, bellaco

role [rəul] papel *m*; **to play a ** desempeñar un papel

roll [rəul] *s* rollo *m*; bollo *m*, panecillo *m*; lista *f*, redoble *m*, retumbo *m*; *fam* fajo *m (de dinero)*; *v/t* hacer rodar, girar; enrollar; liar *(cigarillo)*; *metal* laminar; vibrar *(la lengua)*; ** up** envolver; *v/i* rodar, dar vueltas; revolverse; bambolearse; balancearse; **er** rodillo *m*; aplanadora *f*; **er coaster** montaña rusa; **er skate** patín *m* de ruedas; **film** película *f* en carrete; **icking** alegre, divertido; **ing landscape** ondulado; **ing stock** material *m* rodante

Roman ['rəumən] *a, s* romano(a) *m (f)*

roman|ce [rəu'mæns] amoríos *m/pl*; novela *f* romántica; **tic** romántico

rompers ['rɔmpəz] mameluco *m (para niños)*; pelele *m*

roof [ru:f] *s* techo *m*; tejado *m*; azotea *f*; *v/t* techar; tejar

rook [ruk] graja *f*; *(ajedrez)* torre *f*

room [rum] cuarto *m*, pieza *f*;

habitación *f*; sala *f*; espacio *m*, sitio *m*, cabida *f*; **to make ** hacer sitio; **mate** compañero(a) *m (f)* de cuarto; **y** espacioso

roost [ru:st] percha *f* de gallinero; **er** gallo *m*

root [ru:t] *s* raíz *f*; origen *m*; base *f*; *v/t* arraigar; ** out** extirpar; arrancar

rope [rəup] cuerda *f*; soga *f*; cable *m*

rosary ['rəuzəri] *relig* rosario *m*

ros|e [rəuz] *s* rosa *f*; roseta *f (de ducha, etc)*; *a* color *m* de rosa; **ebush** rosal *m*; **emary** romero *m*; **y** sonrosado; rosado

rot [rɔt] *s* putrefacción *f*; descomposición *f*; *v/i* pudrirse; echarse a perder; *v/t* pudrir

rota|ry ['rəutəri] rotatorio; **te** ['teit] *v/t, v/i* (hacer) girar; **tion** rotación *f*

rotor ['rəutə] *aer* rotor *m*

rotten ['rɔtn] podrido; corrompido; *fam* pésimo

rotund [rəu'tʌnd] rotundo

rouge [ru:ʒ] colorete *m*

rough [rʌf] áspero; tosco; quebrado; crudo; rudo; aproximado; **ly** ásperamente; aproximadamente; **ness** aspereza *f*

round [raund] *a* redondo; rotundo; lleno; *s* esfera *f*; curvatura *f*; redondez *f*; vuelta *f*; *mil* ronda *f*; circuito *m*; *adv* alrededor; **to go ** dar vueltas; *all the year* ~ todo el año; *prep* alrededor de; a la vuelta de; *v/t* ~ *off*, ~ *out* redondear; ~ *up* recoger; ~*about* a indirecto; *s* tiovivo *m*; ~*ly* rotundamente

rouse [rauz] *v/t* despertar; excitar; levantar; ~ *oneself* animarse

rout|e [ruːt] ruta *f*; ~*ine* [~'tiːn] rutina *f*

rov|e [rouv] *v/i* vagar; ~*er* vagabundo *m*; ~*ing* ambulante

row [rau] *s* alboroto *m*; tumulto *m*; disputa *f*

row [rou] *s* hilera *f*; fila *f*; *v/t* remar; ~*boat* bote *m* de remos

royal ['rɔiəl] real; ~*ty* realeza *f*; derechos *m/pl* de autor

rub [rʌb] *s* frotamiento *m*; roce *m*; *v/t* frotar; restregar

rubber ['rʌbə] caucho *m*, goma *f*; *LA* jebe *m*, hule *m*

rubbish ['rʌbiʃ] basura *f*; desperdicios *m/pl*; *fam* tontería *f*; disparates *m/pl*

rubble ['rʌbl] escombros *m/pl*

ruby ['ruːbi] rubí *f*

rucksack ['ruksæk] mochila *f*

rudder ['rʌdə] timón *m*

ruddy ['rʌdi] rojizo

rude [ruːd] grosero; rudo; ~*ness* grosería *f*; rudeza *f*

rue [ruː] *v/t* arrepentirse de

ruffian ['rʌfjən] bellaco *m*, rufián *m*

ruffle ['rʌfl] *s* volante *m*; *v/t* fruncir; erizar; arrugar; irritar; descomponer

rug [rʌg] alfombra *f*; manta *f*; ~*ged* áspero; abrupto; rudo; robusto

ruin [ruin] *s* ruina *f*; *v/t* arruinar; estropear; ~*ous* ruinoso

rul|e [ruːl] *s* regla *f*; reglamento *m*; norma *f*; *as a* ~*e* por regla general; *home* ~*e* autonomía *f*; *v/t* gobernar, mandar; ~*e out* descartar, excluir; *v/i* gobernar; prevalecer; ~*er* gobernador *m*; regla *f (para trazar líneas)*; ~*ing* predominante; *s for* fallo *m*

rum [rʌm] ron *m*

Rumania [ruːˈmeinjə] Rumanía *f*; ~*n a, s* rumano(a) *m (f)*

rumble ['rʌmbl] *v/i* retumbar; *s* retumbo *m*

rumina|nt ['ruːminənt] *a, s* rumiante *m*; ~*te* [~ˌeit] *v/t, v/i* rumiar

rummage ['rʌmidʒ] *v/t, v/i* revolverlo todo

rumo(u)r ['ruːmə] *s* rumor *m*; *v/i it is* ~*ed* se dice

rump [rʌmp] cuarto *m* trasero; ancas *f/pl*

rumple ['rʌmpl] *v/t* arrugar (*ropa*); desgreñar (*cabellos*)

run [rʌn] *s* carrera *f*; curso *m*; serie *f*, racha *f*; demanda *f* general; *in the long* ~ a la larga; *v/t* explotar; manejar; llevar; ~ *across* dar con; ~ *out of* quedar sin; ~ *over* atropellar; *to be* ~ *down med* estar debilitado; *v/i* correr; funcionar; fluir; ~ *away* huir; ~ *down* quedarse sin

safety belt

cuerda (*reloj*); ~ **out** agotarse; ~ **over** desbordar; ~ **up against** chocar con

rung [rʌŋ] pedaño *m*

runner ['rʌnə] corredor(a) *m* (*f*); cuchilla *f* (*del patín*); *bot* trepadora *f*; ~**up** *sp* subcampeón *m*

running ['rʌnɪŋ] dirección *f*, manejo *m*; *tecn* funcionamiento *m*; ~ **board** estribo *m*

runway ['rʌnwei] *aer* pista *f* de despegue *o* de aterrizaje

rupture ['rʌptʃə] *s* ruptura *f*, rotura *f*; *v/t* quebrarse

rural ['ruərəl] rural, rústico

rush [rʌʃ] *s* acometida *f*; prisa *f*, precipitación *f*; ajetreo *m*;

bot junco *m*; ~ **hours** horas *f/pl* punta; *v/i* apresurar; *v/i* precipitarse; ir de prisa

Russia ['rʌʃə] Rusia *f*; ~**an** *a*, *s* ruso(a) *m* (*f*)

rust [rʌst] *s* herrumbre *f*; *v/i* oxidarse

rustic ['rʌstik] rústico

rustle ['rʌsl] *s* crujido *m*; *v/i* crujir; susurrar

rust|proof ['rʌstpruːf] a prueba de herrumbre; ~**y** ['rʌsti] mohoso, oxidado

rut [rʌt] rodada *f*; carril *m*; celo *m* (*de animales*); *fig* rutina *f*

ruthless ['ruːθlis] inexorable; despiadado

rye [rai] centeno *m*

S

sable ['seibl] *zool* marta *f* cebellina

sabotage ['sæbətɑːʒ] *s* sabotaje *m*; *v/t* sabotear

saccharin ['sækərin] sacarina *f*

sack [sæk] *s* saco *m*; talego *m*; **to get the** ~ ser despedido; *v/t* saquear; *fam* despedir, echar

sacrament ['sækrəmənt] sacramento *m*

sacred ['seikrid] sagrado

sacrifice ['sækrifais] *s* sacrificio *m*; *v/t*, *v/i* sacrificar

sacrilege ['sækrilidʒ] sacrilegio *m*

sad [sæd] triste; melancólico;

~**den** *v/t* entristecer

saddle ['sædl] *s* silla *f* (*de montar*); sillín *m* (*de bicicleta*); collado *m* (*de monte*); *v/t* ensillar; ~**bag** alforja *f*

sadis|m ['sædizm] sadismo *m*; ~**t** sadista *m*, *f*

sadness ['sædnis] tristeza *f*

safe [seif] *a* seguro; salvo; ileso; fuera de peligro; *s* caja *f* fuerte; ~ **and sound** sano y salvo; **to be on the ~ side** por mayor seguridad; ~ **conduct** salvoconducto *m*; ~**guard** salvaguardia *f*; garantía *f*; ~**ly** con seguridad; sin peligro; ~**ty** seguridad *f*; ~**ty belt** cinturón *m* de seguridad; ~**ty**

pin imperdible *m*; **~ty razor** maquinilla *f* de afeitar; **~ty valve** válvula *f* de seguridad

saffron ['sæfrən] azafrán *m*

sag [sæg] *s* comba *f*; *v/i* combarse; hundirse; aflojarse

sage [seidʒ] *s* sabio *m*; *bot* salvia *f*; *a* sabio

said [sed] dicho; **when all is ~ and done** al fin y al cabo

sail [seil] *s mar* vela *f*; *v/i* navegar; darse a la vela; **~(ing)boat** velero *m*; **~or** marinero *m*, marino *m*

saint [seint] *a, s* santo(a) *m (f)*; San (*delante de nombres masculinos no empezando con t o d*)

sake [seik] *for God's ~!* ¡por amor de Dios!; **for the ~ of** por; por respeto a

salad ['sæləd] ensalada *f*; **~ bowl** ensaladera *f*

salary ['sæləri] sueldo *m*

sale [seil] venta *f*; **for ~** se vende; **~sman, ~swoman** vendedor(a) *m (f)*, dependiente *m*, dependienta *f*

saliva [sə'laivə] saliva *f*

sallow ['sæləu] cetrino; amarillento

sally ['sæli] *s* salida *f*; *v/i* **~ forth** salir resueltamente

salmon ['sæmən] salmón *m*

saloon [sə'luːn] sala *f* grande; *Am* bar *m*, taberna *f*

salt [sɔːlt] sal *f*; *fig* agudeza *f*; **~cellar** salero *m*; **~petre**, *Am* **~peter** ['~piːtə] salitre *m*;

~works salinas *f/pl*; **~y** salado

salu|brious [sə'luːbriəs], **~tary** ['sæljutəri] salubre, saludable

salut|ation [sælju(:)'teiʃən] salutación *f*; **~e** [sə'luːt] *s* saludo *m*; *mil* salva *f*; *v/t, v/i* saludar

salvage ['sælvidʒ] salvamento *m*; objetos *m/pl* salvados

salvation [sæl'veiʃən] salvación *f*

salve [saːv] ungüento *m*; *fig* bálsamo *m*

same [seim] mismo, idéntico; **all the ~** aun así; sin embargo; **it is all the ~ to me** a mí me da lo mismo

sample [saːmpl] *s* muestra *f*; *v/t* probar; catar

sanatorium [sænə'tɔːriəm] sanatorio *m*

sancti|fy ['sæŋktifai] *v/t* santificar; **~monious** [~'məunjəs] santurrón; **~on** ['sæŋkʃən] *s* sanción *f*; *v/t* sancionar

sanctuary ['sæŋktjuəri] santuario *m*; asilo *m*

sand [sænd] *s* arena *f*; *v/t* enarenar

sandal ['sændl] sandalia *f*

sand|paper papel *m* de lija; **~stone** piedra *f* arenisca

sandwich ['sænwidʒ] bocadillo *m*; sándwich *m*

sandy ['sændi] arenoso

sane [sein] cuerdo, sensato

sanguine ['sæŋgwin] sanguíneo

sanita|ry ['sænitəri] sanitario; **~ry napkin** compresa *f*; **~tion** medicas *f/pl* sanitarias

sanity ['sæniti] cordura *f*, sensatez *f*

Santa Claus [sæntə'klɔːz] San Nicolás

sap [sæp] *s* savia *f*; vitalidad *f*; *mil* zapa *f*; *v/i mil* zapar; minar; *v/t* socavar; **~phire** ['sæfaiə] zafiro *m*

sarcasm ['saːkæzm] sarcasmo *m*

sardine [saː'diːn] sardina *f*

Sardini|a [saː'diniə] Cerdeña *f*; **~an** *a*, *s* sardo(a) *m* (*f*)

sardonic [saː'dɔnik] burlón

sash [sæʃ] faja *f*; banda *f*

Satan ['seitən] Satanás *m*; **2ic** [sə'tænik] satánico

satchel ['sætʃəl] cartapacio *m*; bolso *m*

satellite ['sætəlait] satélite *m*

satin ['sætin] raso *m*

satir|e ['sætaiə] sátira *f*; **~ize** ['~əraiz] *v/t* satirizar

satisf|action [sætis'fækʃən] satisfacción *f*; **~actory** satisfactorio; **~y** ['~fai] *v/t* satisfacer

Saturday ['sætədi] sábado *m*

sauc|e [sɔːs] salsa *f*; **~epan** cacerola *f*; **~er** platillo *m*; **flying ~er** platillo *m* volador; **~y** fresco, insolente

saunter ['sɔntə] *v/i* deambular

sausage ['sɔsidʒ] salchicha *f*; embutido *m*

savage ['sævidʒ] salvaje *m*, *f*

sav|e [seiv] *prep* salvo; excepto; *conj* a menos que; *v/t* salvar; ahorrar (*dinero*); evitar; **~ings** ahorros *m/pl*; **~ings bank** caja *f* de ahorros

savio(u)r ['seivjə] salvador *m*; **2** *relig* Redentor *m*, Salvador *m*

savo(u)r ['seivə] *s* gusto *m*; sabor *m*; *v/t* saborear; **~y** sabroso, apetitoso

saw [sɔː] *s* sierra *f*; *v/t* serrar; **~dust** serrín *m*; **~mill** aserradero *m*

Saxon ['sæksn] *a*, *s* sajón *m*, sajona *f*

saxophone ['sæksəfəun] saxofón *m*

say [sei] *v/t*, *v/i* decir; recitar; **they ~** dicen; **that is to ~** es decir; **~ grace** bendecir la mesa; **~ mass** decir misa; **~ no** (**yes**) decir que no (sí); **~ing** dicho *m*; refrán *m*

scab [skæb] *med* costra *f*; *zool* roña *f*; **~by** sarnoso

scaffold ['skæfəld] andamio *m*; patíbulo *m*

scald [skɔːld] *s* escaldadura *f*; *v/t* escaldar

scale [skeil] *s* escala *f*; gama *f*; escama *f* (*de pez*); *v/t* escamar (*pescado*); escalar; **~s** balanza *f*

scalp [skælp] *s* cuero *m* cabelludo; *v/t* escalpar; **~el** escalpelo *m*

scamp [skæmp] diablillo *m*; **~er away** *v/i* escaparse corriendo

scan [skæn] v/t escudriñar; ~**ner** escaner m

scandal ['skændl] escándalo m; ~**ize** v/t escandalizar; ~**ous** escandaloso

Scandinavian [skændi'nei-vjən] a, s escandinavo(a) m (f)

scant [skænt], ~**y** escaso; magro

scapegoat ['skeipgəut] chivo m expiatorio

scar [ska:] s cicatriz f; v/i cicatrizar(se)

scarc|e [skeəs] escaso; ~**ely** apenas; ~**ity** escasez f

scare [skeə] s espanto m; v/t espantar; ~**crow** espanta-pájaros m

scarf [ska:f] bufanda f; LA chalina f

scarlet ['ska:lit] s escarlata f; a de color escarlata; ~ **fever** escarlatina f

scary ['skeəri] asustadizo

scathing ['skeiðiŋ] fig devastador; mordaz

scatter ['skætə] v/t esparcir; desparramar; dispersar

scavenge ['skævindʒ] v/t barrer (calles, etc); recoger (entre la basura)

scene [si:n] escena f; paisaje m; ~**ry** escenario m; teat decorado m; **behind the ~s** entre bastidores

scent [sent] s perfume m; olor m; olfato m; rastro m; v/t perfumar; v/i olfatear; husmear

sceptic ['skeptik] s, a escéptico(a) m (f); ~**al** escéptico; ~**ism** [-'sizəm] escepticismo m

schedule ['ʃedju:l] s lista f; programa m; horario m; v/t fijar la hora de; catalogar

scheme [ski:m] s esquema m; proyecto m; intriga f; v/t proyectar; idear; tramar

scholar ['skɔlə] estudiante m, f; erudito(a) m (f); ~**rly** erudito; ~**rship** beca f; erudición f; ~**stic** [skɔ'læstik] escolar

school [sku:l] s escuela f; v/t instruir; entrenar; **at ~** en la escuela; ~**boy** colegial m; ~**girl** colegiala f; ~**ing** enseñanza f; ~**mate** compañero(a) m (f) de clase; ~**teacher** maestro(a) m (f); profesor(a) m (f)

schooner ['sku:nə] goleta f

scien|ce ['saiəns] ciencia f; ~**ce fiction** ciencia-ficción f; ~**ces** ciencias f/pl naturales; ~**tific** [-'tifik] científico; ~**tist** ['-tist] científico m

scissors ['sizəz] tijeras f/pl

scoff [skɔf] s mofa f; v/i burlarse

scold [skəuld] v/t regañar, reprender

scoop [sku:p] v/t sacar con cuchara; ~ **out** ahuecar

scooter ['sku:tə] patinete m; moto f

scope [skəup] alcance m; campo m de acción

scuffle

scorch [skɔːtʃ] v/t chamuscar; tostar

score [skɔː] s marca f; raya f; cuenta f; veintena f; sp tanteo m; mús partitura f; v/t marcar; rayar; apuntar; tantear; marcar un gol

scorn [skɔːn] s desprecio m; v/t despreciar; ∼ful desdeñoso

scorpion ['skɔːpjən] escorpión m

Scot [skɔt] escocés(esa) m (f)

Scotch [skɔtʃ], **Scottish** escocés

scot-free ['skɔt'friː] impune

scoundrel ['skaundrəl] canalla m

scour [skauə] v/t fregar; limpiar

scourge [skəːdʒ] azote m

scout [skaut] s (niño m) explorador m; v/t, v/i explorar; reconocer

scowl [skaul] s ceño m; v/i mirar con ceño

scramble ['skræmbl] s arrebatiña f; v/i trepar; ∼d eggs huevos m/pl revueltos

scrap [skræp] s pedazo m; fragmento m; ∼s desperdicios m/pl; v/t desmontar; desechar; ∼book álbum m de recortes

scrap|e [skreip] s raspadura f; apuro m; v/t raspar; ∼e together reunir a duras penas; ∼er raspador m

scrap iron ['skræp'aiən] chatarra f

scratch [skrætʃ] s rasguño m; arañazo m; v/t rascar; arañar; ∼ out borrar

scrawl [skrɔːl] s garabato m; v/t, v/i garabatear

scream [skriːm] s chillido m, grito m; v/i gritar, chillar

screech [skriːtʃ] chillido m

screen [skriːn] s biombo m; pantalla f (de cine; radiología); tabique m; v/t abrigar, ocultar; proyectar (película); investigar (personas)

screw [skruː] s tornillo m; v/t atornillar; ∼driver destornillador m

scribble ['skribl] s garabato m; v/t, v/i escribir mal; garabatear

scrip [skript] s escritura f; guión m (de película); Sure Escritura f

scroll [skrəul] rollo m de papel o de pergamino

scrounge [skraundʒ] v/i gorronear; sablear

scrub [skrʌb] s maleza f; v/t fregar; restregar

scruffy ['skrʌfi] sucio; desaliñado

scrup|le ['skruːpl] escrúpulo m; ∼ulous ['∼pjuləs] escrupuloso

scrutin|ize ['skruːtinaiz] v/t escudriñar; ∼y escrutinio m

scuba diving ['skuːbə 'daiviŋ] submarinismo m

scuffle ['skʌfl] s refriega f; v/i pelear

sculpt|or ['skʌlptə], **~ress** escultor(a) m (f); **~ure** s escultura f; v/t, v/i esculpir; tallar

scum [skʌm] espuma f; fig heces f/pl

scurvy ['skə:vi] escorbuto m

scuttle ['skʌtl] mar escotilla f

scythe [saið] guadaña f

sea [si:] mar m, f; **at ~** en el mar; **on the high ~s** en alta mar; **to be all at ~** estar despistado; **~dog** lobo m de mar; **~farer** marinero m; **~food** mariscos m/pl; **~gull** gaviota f

seal [si:l] s zool foca f; sello m; v/t sellar; **~ up** encerrar herméticamente

sea|level ['si:levl] nivel m del mar; **~ling wax** lacre m; **~lion** león m marino

seam [si:m] s costura f; tecn juntura f; med sutura f

sea|man ['si:mən] marinero m; **~mstress** ['semstris] costurera f; **~plane** hidroavión m; **~port** puerto m de mar; **~power** poderío m naval

search [sə:tʃ] s busca f, búsqueda f; registro m; v/t, v/i investigar; buscar; **~light** reflector m

sea|shore ['si:'ʃɔ:] playa f; **~sick** mareado

season ['si:zn] s estación f (del año); temporada f; tiempo m; sazón f; v/t condimentar; madurar; curar; **~able** oportuno; **~ing** condimento m; **~ ticket** abono m

seat [si:t] s asiento m; localidad f; silla f; sede f; fondillos m/pl (de calzones); **to take a ~** tomar asiento; v/t sentar; colocar; tener asientos para; **be ~ed!** ¡siéntese!; **~ belt** aut, aer cinturón m de seguridad

sea|weed ['si:wi:d] alga f marina; **~worthy** marinero

secession [si'seʃən] secesión f

secluded [si'klu:did] apartado; retirado

second ['sekənd] a segundo; otro; s segundo m; ayudante m; padrino m; v/t apoyar; secundar; **~ary** secundario; **~class** de segunda clase, inferior; **~hand** de segunda mano; **~ly** en segundo lugar; **~ thoughts** reflexión f

secre|cy ['si:krisi] secreto m; discreción f; **~t** ['~it] a secreto; oculto; s secreto m

secretary ['sekrətri] secretario(a) m (f)

secrete [si'kri:t] v/t med secretar; esconder; **~ive** reservado; callado

sect [sekt] secta f

sect|ion ['sekʃən] sección f; parte f; sector m; **~or** sector m

secular ['sekjulə] seglar, secular; **~ize** ['~raiz] v/t secularizar

secur|e [si'kjuə] a seguro; cierto; firme; v/t asegurar; afirmar; conseguir; **~ity** seguridad f; firmeza f; protección *f*; *com* fianza *f*; **~ities** valores *m/pl*

sedative ['sedətiv] *a, s* sedativo *m*

sedentary ['sedntəri] sedentario

sediment ['sedimənt] *s* sedimento *m*

seduc|e [si'dju:s] *v/t* seducir; **~er** seductor *m*; **~tion** [~'dʌkʃən] seducción *f*

see [si:] *v/t, v/i* ver; observar; comprender; acompañar; *let's ~ a ver*; *~ off* despedirse de; *~ to* atender a; *~ you later!* ¡hasta luego!

seed [si:d] *s* semilla *f*; simiente *f*; *v/t* sembrar; **~y** *fam* destartalado

seek [si:k] *v/t* buscar; anhelar; procurar

seem [si:m] *v/i* parecer; **~ing** aparente; **~ly** decente; decoroso

seep [si:p] *v/i* filtrarse

seesaw ['si:sɔ:] balancín *m*, *LA* subibaja *f*

seethe [si:ð] *v/i* bullir; *fig* hervir

segment ['segmənt] segmento *m*

segregat|e ['segrigeit] *v/t, v/i* segregar(se); **~ion** segregación *f*

seiz|e [si:z] *v/t* asir, agarrar; prender; capturar; *fig* comprender; *~ upon* valerse de; **~ure** [~'ʒə] confiscación *f*; embargo *m*; *med* ataque *m* apoplético

seldom ['seldəm] rara vez

select [si'lekt] *a* selecto; *v/t* escoger; seleccionar; **~ion** selección *f*; surtido *m*

self [self] *a* propio; *s (pl* **selves)** una misma, uno mismo; *pron pers* se; sí mismo; **~assurance** confianza *f* en sí mismo; **~centred**, *Am* **~centered** egocéntrico; **~conscious** cohibido; **~control** dominio *m* de sí mismo; **~defence**, *Am* **~defense** defensa *f* propia; **~denial** abnegación *f*; **~evident** patente; **~government** autonomía *f*; **~ish** egoísta; **~made man** hombre *m* debe de su posición a sí mismo; **~pity** compasión *f* de sí mismo; **~portrait** autorretrato *m*; **~possessed** sereno; **~respect** amor *m* propio; **~righteous** santurrón; **~sacrifice** abnegación *f*; **~service** autoservicio *m*; **~taught** autodidacta

sell [sel] *v/t* vender; **~** derse; **~ off** liquidar las existencias; **~ out** transigir; **~er** vendedor(a) *m (f)*; **~out** traición *f*; éxito *m* de taquilla

semblance ['sembləns] parecido *m*; semejanza *f*

semi|colon ['semi'kəulən] punto *m* y coma; **~nar** seminario *m*; **~sweet** semiamargo

senat|e ['senit] senado *m*; **~or** ['~ətə] senador *m*

send [send] *v/t* enviar, mandar; despachar; (*radio*) transmitir; **~ away for** despachar por; **~ back** devolver; **~ on** reexpedir; **~ word** avisar; *v/i* **~ for** enviar por; **~ remitente** *m*

senile ['si:nail] senil

senior ['si:njə] *a* mayor (de edad); más antiguo; *s* persona *f* mayor; oficial *m* más antiguo

sensation [sen'seiʃən] sensación *f*; **~al** sensacional

sens|e [sens] *v/t* percibir; *s* sentido *m*; juicio *m*; significado *m*; **~e of humo(u)r** sentido *m* de humor; **common ~e** sentido *m* común; **in a ~e** en cierto sentido; **make ~e** tener sentido; **to be out of one's ~es** haber perdido el juicio; **~eless** sin sentido, disparatado; **~ibility** [sensi'biliti] sensibilidad *f*; discernimiento *m*; **~ible** sensato, prudente (*juicio*); sensible; **~itive** ['sensitiv] sensible; **~ual** ['~juəl] sensual

sentence ['sentəns] *s* oración *f*; frase *f*; *for* sentencia *f*; *v/t* **~ to** for condenar a

sentiment ['sentimənt] sentimiento *m*; **~al** [~'mentl] sentimental; **~ality** [~men'tæliti] sentimentalismo *m*

sentry ['sentri] *mil* centinela *m, f*

separat|e ['sepəreit] *v.t. v.i* separar(se); ['seprit] *a* separado; privado; **~ely** por separado; **~ion** [~'reiʃən] separación *f*

sephardic [sə'fɑ:dik] *a, s* sefardí *m, f*

September [sep'tembə] se(p)tiembre *m*

septic ['septik] séptico

sepulcher = **sepulchre**

sepulchre ['sepəlkə] sepulcro *m*

seque|l ['si:kwəl] secuela *f*; continuación *f*; resultado *m*; **~nce** ['~wəns] serie *f*; sucesión *f*

sequin ['si:kwin] lentejuela *f*

seren|e [si'ri:n] sereno, sosegado; **~ity** serenidad *f*, calma *f*

sergeant ['sɑ:dʒənt] sargento *m*

seri|al ['siəriəl] *a* consecutivo; *s* novela *f* por entregas; *radio, TV* serial *m*; **~es** ['~i:z] serie *f*; ciclo *m*

serious ['siəriəs] serio; grave; **~ly** seriamente; gravemente

sermon ['sə:mən] sermón *m*

serpent ['sə:pənt] serpiente *f*; sierpe *f*

serum ['siərəm] suero *m*

serv|ant ['sə:vənt] criado(a) *m (f)*; sirviente *m, f*; **~e** *v/t* servir; trabajar para; *v/i* servir; ser criado; *sp* sacar; **~ice** ['~vis] servicio *m*; *relig* oficio *m*; **~iceable** servible; útil;

~ice station estación f de servicio

session ['seʃən] sesión f

set [set] s juego m, serie f; batería f (de cocina); plató m (cine); tendencia f; aparato m (de radio); puesta f (del sol); **shampoo and ~** lavar y marcar; a, prep rígido; listo; fijo; **to be all ~** estar listo; ~ poner, colocar; montar; fijar; **~ aside** reservar; desechar; poner aparte; **~ eyes on** avistar; **~ free** poner en libertad; **~ on fire** pegar fuego a; **~ up** establecer; **~ oneself** (el sol); cuajarse; fraguar (cemento); **~ about** empezar; **~ off** partir; **~back** revés m

setting ['setin] montadura f; puesta f (del sol); colocación f

settle ['setl] v/t arreglar; colocar; com saldar; ajustar (cuentas); resolver; v/i posarse, asentarse; **~ down** sentar la cabeza; **~ for** conformarse con; **~ on** ponerse de acuerdo; **~ment** arreglo m; establecimiento m; colonia f; pago m; **~r** colono(a) m (f)

seven ['sevn] siete

sever ['sevə] v/t separar; cortar; v/i separarse

several ['sevrəl] varios; diversos

sever|e [si'viə] severo; riguroso; grave; duro; **~ity** [~'veriti] severidad f

sew [səu] v/t, v/i coser

sew|age ['sju(:)idʒ] aguas f/pl residuales; **~er** alcantarilla f; **~erage** alcantarillado m

sewing ['səuin] costura f; **~ machine** máquina f de coser

sex [seks] sexo m; **~ appeal** atracción f sexual

sexual ['seksjuəl] sexual

shabby ['ʃæbi] gastado

shack [ʃæk] choza f

shad|e [ʃeid] s sombra f; matiz m; celosía f; pantalla f (de lámpara); **~** v/t sombrear; matizar; **~ow** ['ʃædəu] s sombra f; v/t sombrear; seguir de cerca; **~owy** umbroso; vago; **~y** [ʃeidi] sombreado; fig sospechoso

shaft [ʃɑːft] flecha f; caña f, vara f; mango m; tecn eje m; min pozo m

shaggy ['ʃægi] peludo

shak|e [ʃeik] s sacudida f; meneo m; vibración f; v/t sacudir; debilitar (fe, etc); **~e hands** estrecharse las manos; **~e up** agitar; v/i temblar; **~y** trémulo, tembloroso

shall [ʃæl] v/aux para el futuro: **we ~ read** leeremos; **he ~ go** irá; **you ~ have it** lo tendrás

shallow ['ʃæləu] poco profundo; fig superficial; **~s** bajío m

sham [ʃæm] a fingido; falso; s impostura f; v/t simular, fingir; **~bles** lío m, desorden m

shame [ʃeim] s vergüenza f; ignominia f; v/t avergonzar; **~faced** avergonzado; **~ful** vergonzoso; escandaloso; **~less** desvergonzado; descarado

shampoo [ʃæm'puː] s champú m; v/t lavar (la cabeza)

shamrock [ʃæmrɔk] trébol m

shank [ʃæŋk] zanca f; tecn mango m

shape [ʃeip] s forma f; figura f; condición f; v/t formar; moldear; fig idear; **~less** informe; **~ly** bien formado

share [ʃɛə] s porción f; participación f; parte f; com acción f; v/t compartir; **~ out** repartir; **~holder** accionista m

shark [ʃɑːk] tiburón m

sharp [ʃɑːp] a agudo; afilado; distinto; penetrante; definido; mús sostenido; adv en punto; **four o'clock~** las 4 en punto; **~en** v/t afilar; aguzar; sacar punta a (lápiz); **~ener** afilador m; sacapuntas m; **~ness** agudeza f; nitidez f

shatter [ʃætə] v/t estrellar; destrozar; v/i destrozarse

shav|e [ʃeiv] v/t afeitar; tecn acepillar; v/i afeitarse; **~ing** viruta f (de madera)

shawl [ʃɔːl] mantón m; chal m

she [ʃiː] pron f ella; s hembra f; **~cat** gata f

sheaf [ʃiːf] gavilla f; haz f

shear [ʃiə] v/t esquilar, tras-quilar; **~s** tijeras f/pl de jardín

sheath [ʃiːθ] vaina f; estuche m; **~e** [ʃiːð] v/t envainar; aforrar

shed [ʃed] s cobertizo m; v/t verter; despojarse (de)

sheep [ʃiːp] oveja(s) f(pl); carnero m; **~dog** perro m pastor; **~ish** tímido

sheer [ʃiə] puro; transparente

sheet [ʃiːt] s sábana f; hoja f (de metal, papel); lámina f; mar escota f

shelf [ʃelf] anaquel m, estante m

shell [ʃel] cáscara f (de nuez, huevo, etc); vaina f (de legumbres); zool concha f; armazón f; mil granada f; cápsula f (para cartuchos)

shellfish [ʃelfiʃ] marisco m

shelter [ʃeltə] s refugio m; asilo m; v/t abrigar; amparar; v/i refugiarse

shelve [ʃelv] v/t fig aplazar

shepherd [ʃepəd] s pastor m

sherry [ʃeri] jerez m

shield [ʃiːld] s escudo m (t fig); v/t proteger

shift [ʃift] s cambio m; recurso m; maña f, evasión f; turno m, tanda f (de obreros); v/t cambiar; desplazar; v/i cambiar; moverse; **~y** furtivo, taimado

shilling [ʃiliŋ] chelín m

shimmer [ʃimə] s reflejo m trémulo; v/i relucir

shoulder

shin [ʃin] espinilla *f*; *v/t*, *v/i* ~ **up** trepar

shine [ʃain] *s* lustre *m*; brillo *m*; *v/i* resplandecer; (tabla *f fig*); *v/t* sacar lustre a (*zapatos*)

shingle ['ʃingl] guijos *m/pl* (*playa*); tabla *f* de ripia; **~s** *med* herpes *m/pl o f/pl*

shiny ['ʃaini] brillante

ship [ʃip] *s* buque *m*, barco *m*; navío *m*; nave *f*; *v/t* embarcar; despachar; **~ment** embarque *m*; envío *m*; **~owner** naviero *m*, armador *m*; **~wreck** naufragio *m*; **~yard** astillero *m*

shirk [ʃə:k] *v/t* evadir, eludir

shirt [ʃə:t] camisa *f*; **~sleeve** manga *f* de camisa

shiver ['ʃivə] *s* escalofrío *m*; temblor *m*; *v/i* tiritar; temblar; tener escalofríos

shock [ʃɔk] *s* choque *m*; sacudida *f*; golpe *m*; *v/t* chocar; sacudir; disgustar; escandalizar; **~ absorber** amortiguador *m*; **~ing** chocante; escandaloso

shoddy ['ʃɔdi] de pacotilla

shoe [ʃu:] *s* zapato *m*, calzado *m*; *v/t* calzar; herrar (*caballo*); **~horn** calzador *m*; **~lace** cordón *m*; **~maker** zapatero *m*; **~shop** zapatería *f*

shoot [ʃu:t] *s bot* vástago *m*; retoño *m*; *v/t* disparar; tirar; matar *o* herir a tiros; filmar, rodar (*una película*); *mil* fusilar; *v/i* tirar; germinar, bro-

tar (*planta*); **~ing** tiro *m*; caza *f* con escopeta; **~ing star** estrella *f* fugaz; **~out** pelea *f* a tiros

shop [ʃɔp] *s* tienda *f*; almacén *m*; taller *m*; **~ assistant** dependiente *m*; **~keeper** tendero *m*; **~lifter** mechero *m*; **~ping** compras *f/pl*; **to go ~ping** ir de compras; **~ping centre**, *Am* **center** centro *m* comercial; **~ steward** dirigente *m* obrero; **~walker** vigilante *m* de tienda; **~window** escaparate *m*

shore [ʃɔ:] orilla *f*; playa *f*

short [ʃɔ:t] corto; breve; bajo (*de estatura*); **to be ~ of** andar escaso de; **in ~** en suma; **to cut ~** interrumpir; abreviar; **to run ~** escasear; **~age** escasez *f*; falta *f*; **~circuit** cortocircuito *m*; **~coming** defecto *m*; **~cut** atajo *m*; **~en** *v/t* acortar; abreviar; **~hand** taquigrafía *f*; **~hand typist** taquimecanógrafa *f*; **~ly** dentro de poco; **~ness** brevedad *f*; deficiencia *f*; **~s** pantalones *m/pl* cortos; **~sighted** miope; **~tempered** enojadizo; **~term** a corto plazo

shot [ʃɔt] tiro *m*, disparo *m*; balazo *m*; tirador(a) *m* (*f*) (*persona*); *foto*, *cine* toma *f*

should [ʃud] *v/aux para formar el condicional de los verbos*: **I ~ go** iría; debería irme

shoulder ['ʃəuldə] *s* hombro

m; *v/t* llevar a hombros; *fig* cargar(se); **~ blade** omóplato *m*

shout [ʃaut] *s* grito *m*; *v/t*, *v/i* gritar; **~ing** vocerío *m*

shove [ʃʌv] *s* empujón *m*; *v/t*, *v/i* empujar

shovel [ˈʃʌvl] pala *f*

show [ʃəu] *s* exposición *f*; espectáculo *m*; *teat* función *f*; ostentación *f*; *v/t* mostrar; enseñar; exhibir; proyectar (*una película*); *v/i* parecer; **~ off** alardear; presumir; **~ up** asistir; presentarse; **~ business** el mundo del espectáculo; **~case** vitrina *f*

shower [ˈʃauə] *s* chaparrón *m*; ducha *f*; *v/t* regar; mojar; **~ with** colmar de; *v/i* llover; ducharse

showy [ˈʃəui] vistoso; ostentoso

shrapnel [ˈʃræpnl] metralla *f*

shred [ʃred] *s* triza *f*; fragmento *m*; *v/t* desmenuzar; hacer trizas

shrew [ʃru:] arpía *f*; mujer *f* de mal genio

shrewd [ʃru:d] astuto

shriek [ʃri:k] *s* chillido *m*; *v/i* chillar

shrill [ʃril] estridente; penetrante

shrimp [ʃrimp] *zool* gamba *f*

shrine [ʃrain] santuario *m*

shrink [ʃriŋk] *v/i* encogerse; disminuir; **~ from** evadir; **~age** encogimiento *m*

shrivel [ˈʃrivl] *v/t*, *v/i* arru-

gar(se); avellanarse

Shrove [ʃrəuv] **Tuesday** martes *m* de carnaval

shrub [ʃrʌb] arbusto *m*

shrug [ʃrʌg] *s* encogimiento *m* de hombros; *v/i* encogerse de hombros

shudder [ˈʃʌdə] *s* estremecimiento *m*; *v/i* estremecerse

shuffle [ˈʃʌfl] *s* barajadura *f* (*de naipes*); *v/t* barajar (*naipes*); arrastrar los pies

shun [ʃʌn] *v/t*, *v/i* esquivar

shut [ʃʌt] *v/t* cerrar; encerrar; *v/i* **~ up** callarse la boca; **~down** cierre *m*, suspensión *f* del trabajo; **~ter** contraventana *f*; *foto* obturador *m*

shuttle [ˈʃʌtl] *aer* lanzadera *f*

shy [ʃai] tímido; **~ness** timidez *f*

Sicil|ian [siˈsiljən] *a*, *s* siciliano(a) *m* (*f*); **~y** Sicilia *f*

sick [sik] enfermo; **~ of** harto de; **to be ~** tener náuseas; vomitar; **~en** *v/t* enfermar; dar asco a; *v/i* enfermarse; hartarse

sickle [ˈsikl] hoz *f*

sick| leave [ˈsikli:v] licencia *f* por enfermedad; **~ly** enfermizo; **~ness** enfermedad *f*; náuseas *f/pl*

sid|e [said] *s* lado *m*; costado *m*; ladera *f*; **~ by ~** lado a lado; **on all ~s** por todas partes; *v/t* **to take ~s** tomar partido; **~eboard** aparador *m*; **~eburns** patillas *f/pl*; **~elong** de soslayo;

sinewy

~estep v/t fig esquivar; **~etrack** v/t fig desviar (a su propósito); **~ewalk** Am acera f; **~eways** de lado

siege [si:dʒ] sitio m; **to lay ~ to** sitiar

sieve [siv] s criba f; tamiz m; v/t tamizar

sift [sift] v/t tamizar; cribar; fig escudriñar

sigh [sai] s suspiro m; v/i suspirar; **~ for** añorar

sight [sait] s vista f; visión f; espectáculo m; lugar m de interés; mira f; **at first ~** a primera vista; **by ~** de vista; **in ~** a la vista; **to catch ~ of** avistar; v/t ver; divisar; **~seeing** turismo m; **~seer** turista m, f

sign [sain] s signo m; seña f; señal f; indicio m; letrero m; **show ~s of** dar muestras de; v/t firmar; señalar

signal ['signl] s señal f; v/t, v/i indicar; hacer señales

signature ['signitʃə] firma f

signboard ['sainbɔːd] letrero m

signet ['signit] sello m

significance [sig'nifikəns] significación f; **~icant** significante; significativo; **~** ['signifai] v/t significar

signpost ['sainpəust] poste m indicador

silence ['sailəns] s silencio m; v/t hacer callar; **~cer** tecn silenciador m; **~t** silencioso; callado; mudo (filme); **~t**

partner com socio m comanditario

silhouette [silu'et] silueta f

silicon ['silikən] silicio m

silk [silk] seda f; **~y** seda osa

sill [sil] antepecho m (de la ventana); repisa f

silly ['sili] tonto; necio; simple

silt [silt] sedimento m

silver ['silvə] s plata f; **~plated** plateado; **~smith** platero m; **~ware** vajilla f de plata; **~y** plateado; argentino (tono, etc)

similar ['similə] parecido, semejante; **~ity** [̴'læriti] semejanza f; **~ly** igualmente; del mismo modo

simmer ['simə] v/i hervir a fuego lento

simple ['simpl] simple; mero, sencillo; tonto; **~icity** [sim'plisiti] sencillez f; **~ification** simplificación f; **~ify** v/t simplificar

simulate ['simjuleit] v/t simular, fingir

simultaneous [siməl'teinjəs] simultáneo

sin [sin] s pecado m; v/i pecar

since [sins] adv desde entonces; después; **long ~** hace mucho; conj ya que; puesto que; prep desde; después de

sincere [sin'siə] sincero, **~ity** [̴'seriti] sinceridad f

sinew ['sinju] tendón m; **~s** fig fibra f; **~y** fibroso; fig fuerte

sing [siŋ] *v/t, v/i* cantar; trinar (*pájaros*)

singe [sindʒ] *v/t* chamuscar; quemar (*las puntas del pelo*)

singer ['siŋə] cantante *m, f*

single ['siŋgl] *a* solo; único; soltero; *v/t* ~ **out** escoger, separar; *s* billete *m* de ida; persona *f* soltera; ~**handed** solo, sin ayuda; ~**minded** sincero; con un solo propósito

singular ['siŋgjulə] singular; extraño; ~**ity** [~'læriti] singularidad *f*; rareza *f*

sinister ['sinistə] siniestro

sink [siŋk] *s* fregadero *m*; *v/t* sumergir; hundir; bajar; *v/i* hundirse; ponerse (*sol*); declinar; ~ **in** penetrar; ~**ing** hundimiento *m*

sinner ['sinə] pecador(a) *f*

sinus ['sainəs] seno *m*

sip [sip] *s* sorbo *m*; *v/t* sorber

sir [sə:] señor *m*

siren ['saiərən] sirena *f*

sirloin ['sə:lɔin] solomillo *m*

sister ['sistə] hermana *f*; *relig* sor *f*; ~**in-law** cuñada *f*

sit [sit] *v/i* estar sentado; reunirse; sentar (*ropa*); ~ **down** sentarse; ~ **for** rogar para; ~ **up** velar; incorporarse; prestar atención; *v/t* sentar; dar asiento

site [sait] sitio *m*

sitting ['sitiŋ] *a* sentado; *s* sesión *f*; ~**room** sala *f* de estar

situat|ed ['sitjueitid] *a* situado; ~**ion** situación *f*

six [siks] seis

size [saiz] *s* tamaño *m*; talla *f*; número *m* (*zapatos*); *v/t* clasificar por tamaño; ~**able** considerable

sizzle ['sizl] *v/t, v/i* chisporrotear, chirriar

skat|e [skeit] *s* patín *m*; *v/i* patinar; ~**eboard** patinete *m*; ~**er** patinador(a) *m* (*f*); ~ **rink** pista *f* de patinaje

skeleton ['skelitn] esqueleto *m*; *fig* armadura *f*; ~ **key** llave *f* maestra

skeptic = **sceptic**

sketch [sketʃ] *s* bosquejo *m*, boceto *m*; *teat* pieza *f* corta; *v/t* bosquejar, trazar; ~**y** superficial, incompleto

ski [ski:] *s* esquí *m*; *v/i* esquiar

skid [skid] *s* patinazo *m*, resbalón *m*; *v/i* patinar, resbalar

ski|er ['ski:ə] esquiador(a) *m* (*f*); ~**ing** esquí *m*; ~ **lift** telesquí *m*

skil(l)ful ['skilful] hábil, diestro; ~**l** habilidad *f*, destreza *f*; ~**led** experto; ~**led worker** obrero *m* calificado

skim [skim] *v/t* desnatar (*leche*); espumar; ~ **through** hojear

skin [skin] *s* piel *f*; cutis *m, f*; pellejo *m*; cuero *m*; corteza *f*; *v/t* desollar, pelar; ~**deep** superficial; ~**ny** flaco, magro

skip [skip] *s* brinco *m*; *v/i* brincar

skipper ['skipə] capitán *m*

skirmish ['skə:miʃ] escaramuza *f*

skirt [skə:t] *s* falda *f*; faldón *m*; borde *m*; *v/t* bordear; moverse por el borde de

skittles ['skitlz] juego *m* de bolos

skull [skʌl] cráneo *m*; calavera *f*

skunk [skʌŋk] mofeta *f*

sky [skai] cielo *m*; **~diving** paracaidismo *m*; **~jack** ['~dʒæk] *v/t* secuestrar en vuelo; **~lark** alondra *f*; **~light** tragaluz *m*; claraboya *f*; **~line** perfil *m* arquitectónico; **~scraper** rascacielos *m*

slab [slæb] losa *f*; plancha *f*

slack [slæk] *a* flojo; negligente; *s* flojo; período *m* inactivo; cisco *m* (*de carbón*); **~en** *v/t* aflojar; disminuir; *v/i* aflojarse; **~s** pantalones *m/pl*

slam [slæm] *s* golpe *m*; portazo *m*; *v/t* cerrar de golpe

slander ['sla:ndə] *s* calumnia *f*; *v/t* calumniar

slang [slæŋ] jerga *f*; argot *m*

slant [sla:nt] *s* inclinación *f*; *v/t*, *v/i* inclinar(se)

slap [slæp] *s* palmada *f*; bofetada *f*; *v/t* pegar; abofetear; **~stick comedy** *teat* comedia *f* de payasadas

slash [slæʃ] *s* cuchillada *f*; *v/t* acuchillar

slate [sleit] *s* pizarra *f*

slaughter ['slo:tə] *s* matanza *f*; carnicería *f*; *v/t* matar; *LA*

carnear; *Am* masacrar; **~house** matadero *m*

slav|e [sleiv] *s* esclavo(a) *m* (*f*); siervo(a) *m* (*f*); *v/i* **~e away** sudar tinta; **~ery** ['~əri] esclavitud *f*; **~ish** servil

slay [slei] *v/t* matar; **~er** asesino *m*

sled [sled], **sledge** [sledʒ] trineo *m*; **~hammer** acotillo *m*

sleek [sli:k] *a* alisado; lustroso; *v/t* alisar

sleep [sli:p] *s* sueño *m*; **to go to ~** dormirse; *v/t*, *v/i* dormir; **~ soundly** dormir a pierna suelta; **~er** *f/c* coche *m* cama; **~ing bag** saco *m* de dormir; **~ing partner** socio *m* secreto; **~lessness** insomnio *m*; **~walker** somnámbulo(a) *m* (*f*); **~y** soñoliento

sleet [sli:t] aguanieve *f*

sleeve [sli:v] manga *f*; *tecn* manguito *m*; **to have something up one's ~** tener preparado en secreto

sleigh [slei] trineo *m*

slender ['slendə] delgado; *fig* escaso, débil

slice [slais] *s* rebanada *f* (*de pan*); tajada *f* (*de carne*); *v/t* cortar; tajar

slick [slik] hábil, diestro; tramposo

slide [slaid] *s* tapa *f* corrediza, deslizadera *m*; tobogán *m*; *foto* diapositiva *f*; *v/i* resbalar; deslizarse; **~ rule** regla *f* de cálculo

slight [slait] *a* leve, ligero; escaso; pequeño; *v/t* despreciar; **~ly** un poco

slim [slim] *a* delgado; esbelto; escaso; *v/i* adelgazar

slim|e [slaim] limo *m*; cieno *m*; babaza *f*; **~y** viscoso; baboso; limoso

sling [sliŋ] *s mil* honda *f*; *med* cabestrillo *m*; *v/t* arrojar, tirar

slip [slip] *s* papeleta *f*; tira *f*; funda *f*; combinación *f*; resbalón *m*; *fig* desliz *m*; *v/i* deslizarse, resbalarse; **~ away** escabullirse; **~ up** equivocarse; *v/t* hacer deslizar; **~per** zapatilla *f*; **~pery** resbaladizo; **~shod** descuidado

slit [slit] *s* hendedura *f*; *v/t* hender, rajar

slobber ['slɔbə] *s* baba *f*; *v/i* babear

slogan ['slougən] lema *m*; eslogan *m*

slop [slɔp] *v/t, v/i* **~ over** derramar(se)

slope [sloup] *s* cuesta *f*; inclinación *f*; *v/i* **~ down** estar en declive

sloppy ['slɔpi] descuidado; desaliñado

slot [slɔt] muesca *f*; ranura *f*

sloth [slouθ] pereza *f*; *zool* perezoso *m*

slot machine ['slɔtmə'ʃiːn] máquina *f* tragaperras

slouch [slautʃ] *v/i* **~ about** andar con un aire gacho

slough [slau] *s* fangal *m*; [slʌf]

~ off *v/t* echar de sí; *v/i* desprenderse

slovenly ['slʌvnli] desaseado, descuidado

slow [slou] *a* lento; atrasado (reloj); *v/t, v/i* **~ down** aflojar el paso; **~ly** despacio; **~ motion** cámara *f* lenta; **~ness** lentitud *f*; torpeza *f*

sluggish ['slʌgiʃ] perezoso

sluice [sluːs] esclusa *f*

slum [slʌm] barrio *m* bajo, *LA* barriada *f*

slumber ['slʌmbə] *s* sueño *m*; *v/i* dormitar

slump [slʌmp] *s* declive *m* económico; *v/i* hundirse (precios)

slush [slʌʃ] fango *m*; nieve *f* acuosa

slut [slʌt] marrana *f*

sly [slai] disimulado; astuto; **on the ~** a escondidas

smack [smæk] *s* dejo *m*; palmada *f*; *v/t* dar una palmada a; *v/i* **~ of** saber a; tener resabios de

small [smɔːl] pequeño; menudo; reducido; poco; insignificante; **~ hours** primeras horas *f/pl* de la madrugada; **~ness** pequeñez *f*; **~pox** viruela *f*; **~ talk** cháchara *f*

smart [smɑːt] *a* listo, vivo; elegante; alerto; *v/i* escocer; picar

smash [smæʃ] *s* choque *m*, colisión *f* violenta; *v/t, v/i* romper; destrozar; **~ing** *a* extraordinario

smattering ['smætəriŋ] tintura *f*; nociones *f/pl*

smear [smɪə] *s* mancha *f*; *v/t* ensuciar; untar; calumniar

smell [smel] *s* olor *m*; aroma *m*; hedor *m* (*malo*); olfato *m* (*sentido*); *v/t* oler; olfatear; *v/i* ~ **of** oler a; ~**ing salts** sales *f/pl* aromáticas; ~**y** que huele mal

smelt [smelt] *v/t* fundir

smil|e [smail] *s* sonrisa *f*; *v/i* sonreír(se); ~**ing** risueño

smirk [smɜːk] sonrisa *f* afectada

smith [smiθ] herrero *m*; ~**y** ['~ði] herrería *f*

smock [smɔk] bata *f* (*de artista*); delantal *m* (*de niño*)

smog [smɔg] mezcla *f* nociva de humo y niebla

smok|e [sməuk] *s* humo *m*; *v/t* ahumar; fumar; *v/i* echar humo; fumar; ~**er** fumador *m*; *f c* coche *m* de fumadores; ~**e screen** cortina *f* de humo

smok|ing ['sməukiŋ] el fumar *m*; **no** ~**ing** prohibido fumar; ~**y** humeante; ahumado

smooth [smuːð] *a* liso; suave; llano; *v/t* alisar; suavizar

smother ['smʌðə] *v/t* sofocar, apagar; ahogar

smoulder ['sməuldə] *v/i* arder en rescoldo; *fig* estar latente

smudge [smʌdʒ] *s* tiznón *m*; *v/t* tiznar

smug [smʌg] pagado de sí mismo; presumido

smuggl|e ['smʌgl] *v/t* pasar

de contrabando; ~**er** contrabandista *m*; ~**ing** contrabando *m*

smut [smʌt] *s* tizne *m*; obscenidad *f*; *v/t* tiznar; ~**ty** tiznado; sucio; *fig* obsceno

snack [snæk] piscolabis *m*; ~ **bar** cafetería *f*, merendero *m*

snail [sneil] caracol *m*; **at a** ~'**s pace** a paso de tortuga

snake [sneik] serpiente *f*; culebra *f*; víbora *f*

snap [snæp] *s* castañetazo *m* (*de dedos*); chasquido *m* (*ruido*); cierre *m* de resorte; *a* repentino; *adv* ~**!** ¡crac!; *v/t* castañetear; romper; hacer crujir; *v/i* ~ **at** replicar con un chasquido; romperse con irritación; ~ **fastener** corchete *m* de presión; ~**pish** regañón, arisco; ~**shot** foto instantánea *f*

snare [snɛə] lazo *m*; trampa *f*

snarl [snɑːl] *s* gruñido *m* agresivo; *v/i* gruñir

snatch [snætʃ] *s* arrebatamiento *m*; ~**es of** trozos de *m/pl*; *v/t* arrebatar

sneak [sniːk] *v/i* ir a hurtadillas; ~**ers** zapatillas *f/pl*; playeras *f/pl*

sneer [snɪə] *s* risa *f* de desprecio; mofa *f*; *v/i* mofarse (de)

sneeze [sniːz] *s* estornudo *m*; *v/i* estornudar

sniff [snif] *s* husmeo *m*; *v/t* husmear; olfatear; *v/i* ~ **at** oliscar; *fig* despreciar

snip [snip] *s* recorte *m*; pedacito *m*; *v/i* tijeretear

snipe [snaip] *zool* agachadiza *f*; *~r* tirador *m* emboscado

snivel ['snivl] *v/i* lloriquear

snob [snɔb] (e)snob *m, f*

snoop [snu:p] *v/i* curiosear, fisgonear

snooze [snu:z] *v/i* dormitar

snore [snɔ:] *s* ronquido *m*; *v/i* roncar

snort [snɔ:t] *v/i* bufar; *s* bufido *m*

snout [snaut] hocico *m*

snow [snəu] *s* nieve *f*; *v/i* nevar; *~ball* bola *f* de nieve; *~drift* ventisquero *m*; *~drop* campanilla *f* de invierno; *~fall* nevada *f*; *~flake* copo *m* de nieve; *~man* figura *f* de nieve; *~plough*, *Am* *~plow* quitanieves *m*; *~storm* ventisca *f*; *~y* de mucha nieve

snub [snʌb] *s* desaire *m*; *v/t* repulsar; desairar; *~-nosed* chato

snuff [snʌf] *s* rapé *m*, tabaco *m* en polvo; *v/t* aspirar; *~ out* apagar

snug [snʌg] cómodo; abrigado; *~gle* *v/i* arrimarse

so [səu] *adv, pron* así; de este modo; tan; por tanto; *~ far* hasta ahora; *~ long!* ¡hasta luego!; *~ much* tanto; *I think ~* creo que sí; *Mr. ℒ-and-ℒ* don Fulano de tal; *~~* así así; como tal que

soak [səuk] *s* remojo *m*; *v/t* remojar; empapar; *~ up* ab-

sorber

soap [səup] *s* jabón *m*; *v/t* enjabonar; *~dish* jabonera *f*; *~opera* telenovela *f*; *~y* jabonoso

soar [sɔ:] *v/i* encumbrarse

sob [sɔb] *s* sollozo *m*; *v/i* sollozar

sober ['səubə] *a* sobrio; grave, serio; apagado (*color*); *v/i* *~er up* desintoxicarse; *~erness*, *~riety* ['braiəti] sobriedad *f*

so-called ['səu'kɔ:ld] llamado, supuesto

soccer ['sɔkə] fútbol *m*

sociable ['səuʃəbl] sociable

social ['səuʃəl] social; *~climber* arribista *m, f*; *~ism* socialismo *m*; *~list* *a, s* socialista *m, f*; *~lize* *v/t* socializar

society [sə'saiəti] sociedad *f*; asociación *f*

sock [sɔk] calcetín *m*; tortazo *m*

socket ['sɔkit] cuenca *f* (*del ojo*); *tecn* casquillo *m*; *elec* enchufe *m*

sod [sɔd] terrón *m* herboso; tepe *m*; *~den* empapado

sofa ['səufə] sofá *m*

soft [sɔft] blando; muelle; suave; no alcohólico (*bebida*); *~en* ['sɔfn] *v/t, v/i* ablandar(se); *~ness* suavidad *f*

soil [sɔil] *s* tierra *f*; suelo *m*; *v/t* ensuciar

sojourn ['sɔdʒə:n] permanencia *f*; estancia *f*

solace ['sɔləs] consuelo *m*

sold [sǝuld]: ~ **out** agotado; "no hay billetes"

soldier ['sǝuldʒǝ] soldado *m*, militar *m*

sole [sǝul] *s* planta *f* (*del pie*); suela *f* (*del zapato*); *zool* lenguado *m*; *v/t* echar suela; *a* único, solo, exclusivo

solemn ['sɔlǝm] solemne; grave

solicit [sǝ'lisit] *v/t* demandar, reclamar; ~**or** abogado *m*; ~**ous** solícito

solid ['sɔlid] sólido; macizo; bien fundado; ~**arity** [sɔli-'dæriti] solidaridad *f*; ~**ity** [sǝ'liditi] solidez *f*

soliloquy [sǝ'lilǝkwi] soliloquio *m*

solitary ['sɔlitǝri] solitario; ~**ude** [~'tju:d] soledad *f*

solo ['sǝulǝu] solo *m*; ~**ist** solista *m, f*

soluble ['sɔljubl] soluble; ~**tion** solución *f*

solve [sɔlv] *v/t* resolver; ~**nt** *a, s* solvente *m*

somber = sombre

sombre ['sɔmbǝ] sombrío; triste

some [sʌm, sǝm] *a* un poco de; algo de; algún; unos pocos; algunos; *pron* algunos(as); unos; algo; ~**body** ['sʌmbǝdi], ~**one** alguien; ~**body else** algún otro; ~**day** algún día; ~**how** de algún modo

somersault ['sʌmǝsɔ:lt] salto *m* mortal, voltereta *f*

something ['sʌmθiŋ] algo; ~**time** algún día; ~**times** a veces; ~**what** algo; un tanto; ~**where** en alguna parte

son [sʌn] hijo *m*

song [sɔŋ] canción *f*, canto *m*, cantar *m*; ~**bird** pájaro *m* cantor; ~**book** cancionero *m*

sonic ['sɔnik] sónico

son-in-law ['sʌninlɔ:] yerno *m*

sonnet ['sɔnit] soneto *m*

soon [su:n] pronto; **as ~ as** tan pronto como; **as ~ as possible** cuanto antes; ~**er** más temprano; **no ~er ... than** apenas ... cuando; ~**er or later** tarde o temprano

soot [sut] hollín *m*

soothe [su:ð] *v/t* calmar

sophisticated [sǝ'fistikeitid] sofisticado

soporific [sɔpǝ'rifik] soporífico *m*; narcótico *m*

sopping ['sɔpiŋ]: ~ **wet** empapado

sorcer|er ['sɔ:sǝrǝ] brujo *m*; ~**y** brujería *f*

sordid ['sɔ:did] sórdido; asqueroso; vil

sore [sɔ:] *a* dolorido; inflamado; disgustado; ~ **throat** dolor *m* de garganta; *s* llaga *f*

sorrow ['sɔrǝu] *s* dolor *m*; pesar *m*; ~**ful** pesaroso

sorry ['sɔri] arrepentido; lastimoso; **to be ~** sentir; **to be ~ for** (*someone*) compadecerse de (alguien)

sort [sɔ:t] *s* clase *f*; especie *f*;

something of the ~ algo por el estilo; ~ *of* en cierta medida; *v/t* clasificar

soul [səul] alma *f*, espíritu *m*

sound [saund] *a* sano; ileso; correcto; profundo (*sueño*); *com* solvente; *s* sonido *m*; *v/t* sonar; tocar; *med* auscultar; sondear; *v/i* sonar; resonar; **~ barrier** barrera *f* del sonido; **~ing** sondeo *m*; **~less** silencioso *m*; **~proof** insonorizado; **~ track** *cine* banda *f* sonora; **~ wave** onda *f* sonora

soup [su:p] sopa *f*

sour ['sauə] *a* agrio, ácido; cortado (*leche*); *fig* desabrido; *v/t*, *v/i* agriar(se)

source [sɔ:s] fuente *f*; origen *m*

south [sauθ] *s* sur *m*; *a* meridional; **2 America** América *f* del Sur; **2 American** *a*, *s* sudamericano(a) *m* (*f*); **~erly** ['sʌðəli], **~ern** meridional; **~ward(s)** ['sauθwəd(z)] hacia el sur

souvenir ['su:vəniə] recuerdo *m*

soviet ['səuviet] soviético; *the* **2 Union** la Unión Soviética

sow [sau] puerca *f*, cerda *f*

sow [səu] *v/t*, *v/i* sembrar; esparcir; diseminar; **~ one's wild oats** correr sus mocedades

soy [sɔi] soja *f*; **~bean** semilla *f* de soja

spa [spɑ:] balneario *m*

space [speis] *s* espacio *m*; intervalo *m*; *v/t* espaciar; **~craft**, **~ship** nave *f* espacial; **~ shuttle** transbordador *m* espacial

spacious ['speiʃəs] amplio

spade [speid] laya *f*; pala *f*; (*naipes*) espada *f*

Spain [spein] España *f*

span [spæn] palmo *m* (*de la mano*); luz *f* (*del puente*); *arq* tramo *m*; *aer* envergadura *f*; lapso *m*; *v/t* medir; extender sobre

spangle ['spæŋgl] lentejuela *f*

Spaniard ['spænjəd] español(a) *m* (*f*)

spaniel ['spænjəl] perro *m* de aguas

Spanish ['spæniʃ] *a*, *s* español(a) *m* (*f*); hispánico

spank [spæŋk] *v/t* zurrar; **~ing** zurra *f*

spar|e [spɛə] *a* de repuesto; disponible; libre; enjuto; frugal; **~e parts** piezas *f/pl* de recambio; **~e time** tiempo *m* libre; *v/t* ahorrar; evitar; privarse de; perdonar (*vida*); **to ~e** de sobra; **~ing** frugal; escaso

spark [spɑ:k] *s* chispa *f*; *v/i* chispear; **~le** *v/i* centellear; **~ling** brillante; **~ plug** bujía *f*

sparrow ['spærəu] *zool* gorrión *m*

sparse [spɑ:s] esparcido

spasm ['spæzəm] espasmo *m*; **~odic** ['~'mɔdik] espasmódico

spatter ['spætə] *s* salpicadura *f*; *v/t*, *v/i* salpicar

spawn [spɔ:n] *s zool* huevas *f/pl*; *v/t*, *v/i zool* desovar

speak [spi:k] *v/t*, *v/i* hablar; decir; **~ one's mind** hablar en plata; **~ up** hablar en alta voz; hablar claro; **~er** *m* orador(a) *m* (*f*); hablante *m*, *f*

spear [spiə] lanza *f*; **~head** punta *f* de lanza

special ['speʃəl] especial; particular; **~ist** especialista *m*, *f*; **~ity** [ˌʃi'æliti] especialidad *f*; **~ize** *v/i* especializarse

species ['spi:ʃi:z] especie *f*

specific [spi'sifik] específico; **~y** ['spesifai] *v/t* especificar

specimen ['spesimin] muestra *f*; ejemplar *m*

speck [spek] manchita *f*; grano *m*; **~le** *v/t* motear; manchar

spectacle ['spektəkl] espectáculo *m*; **~cles** gafas *f/pl*; **~cular** [ˌ'tækjulə] espectacular, aparatoso; **~tor** [ˌ'teitə] espectador(a) *m* (*f*)

speculate ['spekjuleit] *v/t*, *v/i* especular; **~ion** especulación *f*

speech [spi:tʃ] discurso *m*; habla *f*; **~less** mudo

speed [spi:d] *s* velocidad *f*; rapidez *f*; **at full ~** a toda velocidad; *v/t* **~ up** acelerar; **~ limit** límite *m* de velocidad; **~ometer** [spi'dɔmitə] taquímetro *m*; **~y** rápido

spell [spel] *s* hechizo *m*, encanto *m*; turno *m*; rato *m*; *v/t*, *v/i* deletrear; **~ing** ortografía *f*

spend [spend] *v/t* gastar (*dinero*); emplear, pasar (*tiempo*); **~thrift** derrochador; **~t** gastado; agotado

sperm [spə:m] esperma *m*

sphere [sfiə] esfera *f*; **~ical** ['sferikəl] esférico

sphinx [sfiŋks] esfinge *f*

spice [spais] *s* especia *f*; *v/t* condimentar; **~y** picante

spider ['spaidə] araña *f*; **~'s web** telaraña *f*

spike [spaik] *s* púa *f*; escarpia *f*; *v/t* clavar, escarpiar

spill [spil] *s fam* vuelco *m*; *v/t*, *v/i* derramar(se)

spin [spin] *s* vuelta *f*; giro *m*; *v/t*, *v/i* hilar; girar

spinach ['spinidʒ] espinaca *f*

spinal ['spainl] espinal; **~ column** columna *f* vertebral

spindle ['spindl] huso *m*

spine [spain] espina *f* dorsal; **~less** sin energía; servil

spinster ['spinstə] soltera *f*

spiny ['spaini] espinoso

spiral ['spaiərəl] *a*, *s* espiral *f*

spire ['spaiə] aguja *f* (*de iglesia*)

spirit ['spirit] *s* espíritu *m*; ánimo *m*; humor *m*; alcohol *m*; **high ~s** animación *f*; **low ~s** abatimiento *m*; *v/t* **~ away** llevarse en secreto; **~ed** vivo; brioso; **~ual** [ˌ'tjuəl] espiritual

spit [spit] *s coc* asador *m;* saliva *f; v/t, v/i* escupir

spite [spait] rencor *m; in ~ of* a pesar de; *v/t* rencoroso; malévolo

spitt|le ['spitl] saliva *f;* ~**oon** [~'tu:n] escupidera *f*

splash [splæʃ] *s* salpicadura *f; v/t* rociar; salpicar; *v/i* ~ *about* chapotear; ~**down** amerizaje *m*

spleen [spli:n] *anat* bazo *m*

splend|id ['splendid] espléndido; ~**o(u)r** pompa *f;* esplendor *m*

splint [splint] *med s* tablilla *f; v/t* entablillar; ~**er** *s* astilla *f; v/t* astillar

split [split] *s* hendedura *f;* raja *f; fig* cisma *m; v/t* hender; rajar; ~ *up* dividir; *v/i* partirse; ~ *off, ~ up* separarse

splurge [splə:dʒ] *v/t* gastar de modo extravagante

splutter ['splʌtə] *s* farfulla *f; v/t, v/i* farfullar; chisporrotear

spoil [spɔil] *v/t* estropear; mimar; *v/i* echarse a perder; ~**s** *s/pl* despojo *m*, botín *m;* ~**sport** aguafiestas *m, f;* ~**t child** niño *m* consentido

spoke [spəuk] rayo *m (de rueda)*

spokesman portavoz *m*

sponge [spʌndʒ] *s* esponja *f; v/i* gorrear; ~**e cake** bizcocho *m;* ~**er** gorrista *m, f;* ~**y** esponjoso

sponsor ['spɔnsə] *s* patroci-

nador *m; v/t* patrocinar

spontaneous [spɔn'teinjəs] espontáneo

spook [spu:k] espectro *m*

spool [spu:l] carrete *m*

spoon [spu:n] cuchara *f;* ~**ful** cucharada *f*

sporadic [spə'rædik] esporádico

sport [spɔ:t] *s* deporte *m;* diversión *f; v/t* ostentar; *v/i* jugar; divertirse; ~**ing** deportivo; ~**sman,** ~**swoman** deportista *m, f*

spot [spɔt] *s* lugar *m;* sitio *m;* punto *m;* tacha *f;* mancha *f; on the ~* en el acto; en un aprieto; *v/t* descubrir, encontrar; manchar; ~**less** inmaculado; nítido; ~**light** proyector *m;* ~ **test** prueba *f* selectiva

spouse [spauz] cónyuge *m, f*

spout [spaut] *s* pitón *m;* pico *m (de cafetera); v/t, v/i* arrojar

sprain [sprein] *s* torcedura *f; v/t* torcer

sprat [spræt] sardineta *f*

spray [sprei] *s* rociada *f;* espuma *f (del mar);* atomizador *m; v/t, v/i* pulverizar; rociar; ~ **gun** pistola *f* pulverizadora

spread [spred] *s* extensión *f;* expansión *f;* propagación *f;* cobertor *m; v/t* extender; divulgar; desplegar; untar

spree [spri:]: *go on a ~* ir de juerga

stage

sprig [sprig] ramita f
spring [spriŋ] s primavera f; fuente f (de agua); tecn resorte m; muelle m; salto m; v/i saltar, brincar; brotar; nacer; surgir; **~board** trampolín f; **~iness** elasticidad f; **~s** aut ballestas f/pl; **~y** elástico
sprinkle ['spriŋkl] v/t rociar; **~r** regadera f rotativa
sprint [sprint] s corrida f; v/i correr a toda carrera; **~er** velocista m, f
sprout [spraut] s vástago m; v/i brotar
spruce [spru:s] a pulcro, galano; s pícea f
spur [spə:] s espuela f (t fig); v/t **~ on** fig estimular; **on the ~ of the moment** de improviso; **~n** [spə:n] v/t rechazar
spy [spai] s espía m, f; v/t, v/i espiar
squabble ['skwɔbl] v/i reñir; s riña f; disputa f
squad [skwɔd] pelotón m; cuadrilla f; **~ron** ['~rən] mar, aer escuadra f
squall [skwɔ:l] ráfaga f
squalor ['skwɔlə] suciedad f; miseria f
squander ['skwɔndə] v/t, v/i derrochar; malgastar
square [skwɛə] a cuadrado; honesto; fam abundante (comida); s plaza f; cuadrado m; v/t cuadrar; arreglar, saldar (cuentas); **~ly** honradamente
squash [skwɔʃ] s aplasta-

miento m; calabaza f; v/t aplastar
squat [skwɔt] v/i agacharse
squeak [skwi:k] s chirrido m; v/i chirriar
squeal [skwi:l] v/i chillar
squeamish ['skwi:miʃ] escrupuloso; remilgado
squeeze [skwi:z] s estrujón m; v/t estrujar; **~ out** exprimir
squid [skwid] calamar m
squint [skwint] s mirada f bizca; v/t, v/i bizquear
squire ['skwaiə] hacendado m, terrateniente m
squirm [skwə:m] v/i retorcerse
squirrel ['skwirəl] ardilla f
squirt [skwə:t] s chorretada f; v/t, v/i (hacer) salir a chorros
stab [stæb] s puñalada f; v/t apuñalar
stability [stə'biliti] estabilidad f; solidez f; **~ilize** ['steibilaiz] v/t estabilizar
stable ['steibl] s cuadra f; establo m; a estable
stack [stæk] s montón m; pila f; v/t amontonar
stadium ['steidjəm] estadio m
staff [stɑ:f] s palo m; vara f; bastón m; personal m; mil estado m mayor; v/t dotar de personal
stag [stæg] ciervo m
stage [steidʒ] s escena f; plataforma f; escenario m; etapa f; v/t representar en esce-

na; ~ **fright** miedo *m* al público

stagger ['stægə] *s* tambaleo *m*; *v/i* tambalear; vacilar; ~**ed** asombrar; hacer tambalear

stagnant ['stægnənt] estancado; *fig* paralizado

staid [steid] formal, sobrio, serio

stain [stein] *s* mancha *f*; tintura *f*; *v/t*, *v/i* manchar; ~**ed glass** vidrio *m* de color; ~**less steel** acero *m* inoxidable

stair [stɛə] escalón *m*; peldaño *m*; ~**s** escalera *f*

stake [steik] *s* estaca *f*; posta *f*; *com* interés *m*; **at** ~ en juego; *v/t* estacar; arriesgar

stale [steil] viejo; viciado; rancio; ~**mate** ['-meit] (*ajedrez*) tablas *f/pl* (por ahogado); *fig* paralización *f*

stalk [stɔːk] *s bot* tallo *m*; paso *m* majestuoso; *v/t* cazar al acecho

stall [stɔːl] *s* pesebre *m*; casilla *f*; puesto *m* (*en el mercado*); *teat* butaca *f*; *v/t* meter en establo; atascar; *v/i* atascarse; ahogarse (*motor*); buscar evasivas

stallion ['stæljən] caballo *m* padre

stalwart ['stɔːlwət] forzudo; *pol* leal

stamina ['stæminə] resistencia *f*

stammer ['stæmə] *s* balbuceo *m*; *v/t*, *v/i* tartamudear, balbucear

stamp [stæmp] *s* sello *m*, *LA* estampilla *f*; estampado *m*, marca *f*; impresión *f*; *v/t* sellar; marcar; franquear; ~ **out** extirpar; *v/i* patear; ~ **collecting** filatelia *f*

stand [stænd] *s* puesto *m*; tenderete *m*; posición *f*; pedestal *m*; estrado *m*, tribuna *f*; parada *f* (*de taxis*); **take a** ~ aferrarse a un principio; *v/t* resistir; aguantar, tolerar; colocar; *v/i* estar de pie; erguirse; ~ **by** estar alerta; apoyar; ~ **for** suplir a; ~ **off** apartarse; ~ **out** destacarse; ~ **up** ponerse en pie; ~ **up for** defender; ~ **up to** hacer frente a

standard ['stændəd] *a* normal; *s* norma *f*; patrón *m*; tipo *m*; estandarte *m*; ~ **of living** nivel *m* de vida; ~**ize** *v/t* normalizar

standing ['stændiŋ] *s* reputación *f*; duración *f*; *a* de pie, derecho, *LA* parado; ~ **room** *teat* entrada *f* para estar de pie

stand|-offish ['stænd'ɔfiʃ] reservado, poco amistoso; ~**point** punto *m* de vista; ~**still** parada *f*

stapler ['steiplə] grapadora *f*

star [stɑː] *s* estrella *f*; *v/t teat*, *cine* figurar como estrella

starboard ['stɑːbəd] estribor *m*

starch [stɑːtʃ] almidón *m*

stare [steə] s mirada f fija; v/i abrir grandes ojos; mirar fijamente

stark [staːk] a escueto; severo; **~ naked** en cueros

star|ling ['staːliŋ] estornino m; **~lit** iluminado por las estrellas; **~ry** estrellado; **~ry-eyed** ingenuo

start [staːt] s comienzo m, principio m; salida f; sobresalto m; v/i arrancar; empezar; v/t comenzar; iniciar; **~er** aut arranque m; **~ing point** punto m de partida

startl|e ['staːtl] v/t asustar; **~ing** alarmante

starv|ation [staː'veiʃən] inanición f; hambre f; **~e** v/i hambrear; morir de hambre; v/t hacer morir de hambre; **~ing** famélico

state [steit] s estado m; condición f; in ~ de gran ceremonia; to lie in ~ estar de cuerpo presente; v/t, v/i declarar; manifestar; afirmar; **~ly** majestuoso; **~ment** declaración f; relato m; com estado m de cuenta; **~room** camarote m; **~sman** hombre m de estado; estadista m

static ['stætik] estático

station ['steiʃən] s estación f; puesto m; v/t colocar; **~ary** fijo; **~er's** papelería f; **~ery** útiles m/pl de escritorio; **~master** jefe m de estación; **~ wagon** rubia f

statistics [stə'tistiks] estadística f

statue ['stætʃuː] estatua f

statute ['stætjuːt] estatuto m

staunch [stoːntʃ] a firme; leal; v/t restañar (la sangre)

stay [stei] s estancia f, permanencia f; soporte m; v/i quedarse; hospedarse; **~ away** ausentarse; **~ behind** quedar atrás; **~ put** seguir en el mismo sitio; **~ up** velar

stead [sted]: in his ~ en su lugar; **~fast** ['~fəst] firme; constante; **~y** seguro; uniforme; firme

steak [steik] biftec m; tajada f

steal [stiːl] v/t, v/i hurtar; robar; **~thy** ['stelθi] furtivo

steam [stiːm] s vapor m; vaho m; v/i emitir vapor; navegar a vapor; **~ up** empañarse (vidrio); **~boat, ~er, ~ship** (buque m de) vapor m; **~roller** apisonadora f

steel [stiːl] s acero m; a de acero; v/t tecn acerar; **~oneself** acorazarse; **~works** fábrica f siderúrgica

steep [stiːp] a empinado; s precipicio m; v/t remojar, empapar

steeple ['stiːpl] campanario m; **~chase** carrera f de obstáculos

steer [stiə] s novillo m; v/t dirigir; gobernar; v/i navegar; **~age** dirección f; **~ing wheel** volante m

stem [stem] s bot tallo m; caña f; mar roda f; from ~ to stern de proa a popa; *v/t* contener; *v/i* ~ **from** provenir de

stench [stentʃ] hedor *m*

stenographer [stə'nɔgrəfə] taquígrafo(a) *m (f)*; ~**y** taquigrafía *f*

step [step] *s* paso *m*; escalón *m*; grado *m*; **to take** ~**s** tomar medidas; *v/i* dar un paso; andar; ~ **down** retirarse; ~ **in** entrar; ~**brother** hermanastro *m*; ~**child** hijastro(a) *m (f)*; ~**father** padrastro *m*; ~**mother** madrastra *f*; ~**s** escaleras *f/pl*; ~**sister** hermanastra *f*

stereo ['stiəriəu] estéreo *m*; ~**type** estereotipo *m*

sterile ['sterail] estéril; ~**ity** [~'riliti] esterilidad *f*; ~**ize** ['~ilaiz] *v/t* esterilizar

sterling ['stə:liŋ] *s* libra *f* esterlina; *a* genuino; de ley

stern [stə:n] *a* austero, severo; *s* popa *f*

stew [stju:] *s* estofado *m*; *v/t*, *v/i* estofar

steward [stjuəd] mayordomo *m*; camarero *m (del buque)*; ~**ess** azafata *f*, aeromoza *f*

stick [stik] *s* palo *m*; barra *f*; *v/t* clavar, picar; pegar; fijar; *v/i* quedar atascado; adherirse; perseverar; ~ **by** ser fiel; ~ **it out** perseverar; ~ **out** sobresalir; ~ **up for** defender a; ~**er** pegatina *f*; ~**iness** viscosidad *f*; ~**ing plaster** esparadrapo *m*; ~**y** pegajoso, viscoso

stiff [stif] tieso, rígido; espeso; fuerte *(bebida)*; difícil; ~**en** *v/t* atiesar; endurecer; *v/i* endurecerse

stifle ['staifl] *v/t* sofocar

stigma ['stigmə] estigma *m*

still [stil] *a* inmóvil; quieto; silencioso; *adv* aún, todavía; *conj* no obstante; *s* silencio *m*; *v/t* calmar; ~**born** nacido muerto; ~ **life** naturaleza *f* muerta; ~**ness** sosiego *m*; calma *f*

stilt [stilt] zanco *m*; ~**ed** pomposo

stimulant ['stimjulənt] *a*, *s* estimulante *m*; ~**ate** ['~eit] *v/t* estimular; ~**us** ['~əs] estímulo *m*

sting [stiŋ] *s* aguijón *m*; picadura *f*; *v/t* picar

stingy ['stindʒi] tacaño

stink [stiŋk] *s* hedor *m*; *v/i* apestar, heder; ~**ing** hediondo

stipulate ['stipjuleit] *v/t* estipular; ~**ion** estipulación *f*

stir [stə:] *s* conmoción *f*; *v/t* remover; revolver; ~ **up** agitar; fomentar

stirrup ['stirəp] estribo *m*

stitch [stitʃ] *s* puntada *f*; *med* punto *m*; *v/t* coser; *med* suturar

stock [stɔk] *s* linaje *m*; raza *f*; ganado *m*; mango *m*; *com* existencias *f/pl*, capital *m*; acciones *f/pl*; *in* ~ en existencia; *out of* ~ agotado; *to take* ~ *of* hacer inventario de; *v/t*

stranger

proveer; almacenar; **~ breeder** ganadero m; **~ broker** corredor m de bolsa; **~ exchange** bolsa f (de valores o de comercio); **~holder** accionista m

stocking ['stɔkiŋ] media f

stockpile ['stɔkpail] reserva f; v/t formar una reserva de

stocky ['stɔki] rechoncho

stomach ['stʌmək] s estómago m; fig apetito m; v/t fig tragar; **~ache** dolor m de estómago

stone [stəun] s piedra f; med cálculo m; hueso m (de fruta); v/t apedrear; deshuesar; **~eware** gres m; **~y** pedregoso; pétreo

stool [stu:l] taburete m

stoop [stu:p] s inclinación f de hombros; v/i encorvarse; inclinarse

stop [stɔp] s alto m, parada f; pausa f; fin m; paradero m; tecn retén m; v/t detener; parar; tapar; **~ up** atascar; obturar; v/i pararse; cesar; **~ doing** dejar de hacer; **~gap** ['~gæp] recurso m provisional; **~over** escala f; **~page** interrupción f; suspensión f; tecn obturación f; **~per** tapón m; **~watch** cronómetro m

stor|age ['stɔ:ridʒ] almacenaje m; **~e** [stɔ:] s provisión f; tienda f; almacén m; v/t almacenar; surtir; **~ehouse** depósito m, almacén m

stor(e)y ['stɔ:ri] piso m; planta f

stork [stɔ:k] cigüeña f

storm [stɔ:m] s tormenta f; tempestad f; v/t asaltar; tomar por asalto; v/i rabiar; **~y** borrascoso; tempestuoso

story ['stɔ:ri] cuento m; arq piso m, planta f

stout [staut] a fuerte; sólido; s cerveza f negra

stove [stəuv] estufa f; hornillo m

stow [stəu] v/t guardar, almacenar; mar arrumar; **~away** polizón m

straddle ['strædl] v/i ponerse a horcajadas; v/t no tomar partido (en un asunto)

straggling ['stræɡliŋ] disperso

straight [streit] a derecho; recto; erguido (espalda); lacio (pelo); adv directamente; correctamente; **~ ahead** todo seguido; **~ away** sin vacilar, en seguida; **~en** v/t enderezar; arreglar; **~forward** franco; recto

strain [strein] s tensión f; esfuerzo m; med torcedura f; raza f; v/t forzar; estirar; filtrar; v/i esforzarse; **~er** colador m

strait [streit] a estrecho; **~s** geog estrecho m

strand [strænd] v/t varar; fig abandonar; s hebra f

strange [streindʒ] extraño; raro; ajeno; **~r** forastero(a) *m* (*f*); desconocido(a) *m* (*f*)

strangl|e ['stræŋgl] *v/t* estrangular; **~ulation** [~ju-'leiʃən] estrangulación *f*

strap [stræp] tira *f*; correa *f*; **~ping** robusto

strat|egic [strə'ti:dʒik] estratégico; **~egy** ['strætidʒi] estrategia *f*

straw [strɔ:] paja *f*; **~berry** fresa *f*

stray [strei] a extraviado; perdido; *v/i* perderse; extraviarse

streak [stri:k] *s* raya *f*; vena *f*; **winning ~** racha *f* de victorias; **~ of lightning** relámpago *m*; *v/t* rayar; **~y** rayado; entreverado (*tocino*)

stream [stri:m] *s* arroyo *m*, corriente *f*; chorro *m*; flujo *m*; *v/t*, *v/i* correr; manar; **~lined** aerodinámico

street [stri:t] calle *f*; **~car** *Am* tranvía *m*

strength [streŋθ] fuerza *f*; resistencia *f*; **~en** *v/t* fortalecer; robustecer

strenuous ['strenjuəs] vigoroso; arduo; enérgico

stress [stres] *s* esfuerzo *m*; tensión *f*; acento *m*; *med* estrés *m*; *v/t* acentuar; someter a esfuerzo

stretch [stretʃ] *s* estiramiento *m*; alcance *f*; trecho *m*; *v/t* extender; estirar; *v/i* extenderse; tenderse; **~er** camilla *f*

stricken ['strikən] herido; afectado (por)

strict [strikt] estricto

stride [straid] *s* tranco *m*; zancada *f*; *v/i* andar a trancos

strife [straif] contienda *f*; lucha *f*

strik|e [straik] *s* golpe *m*; huelga *f*; hallazgo *m*; *mil* ataque *m*; **on ~e** en huelga; *v/t* pegar; golpear; dar contra; encender (*cerilla*); dar (*la hora*); hallar; arriar (*bandera, etc*); parecer a; **~e up** más empezar a tocar; trabar (*una amistad*); *v/i* golpear; sonar (*campana*); declararse en huelga (*obreros*); **~er** huelguista *m, f*; **~ing** llamativo; sorprendente

string [striŋ] *s* cuerda *f*; hilera *f*; sarta *f*; *v/t* ensartar; encordar; **~bean** judía *f* verde; **~y** fibroso; correoso

strip [strip] *s* tira *f*; faja *f*; *v/t*, *v/i* despojar(se); desnudar(se)

stripe [straip] raya *f*; lista *f*; *mil* galón *m*; **~d** rayado

strive [straiv] *v/i* esforzarse; disputar

stroke [strəuk] golpe *m*; *med* ataque *m* (*de apoplejía*); *sp* brazada *f*, remada *f*; **~ of luck** golpe *m* de fortuna

stroll [strəul] *v/i* pasearse; **~er** paseante *m*; *Am* cochecito *m* (*de niño*)

strong [strɔŋ] fuerte; robusto; intenso; **~ box** caja *f* fuerte:

~hold fortaleza f; **~willed** resuelto, obstinado

structure ['strʌktʃə] estructura f

struggle ['strʌgl] s lucha f; v/i luchar

strum [strʌm] v/t, v/i rasguear

strut [strʌt] s arq riostra f; v/i pavonearse

stub [stʌb] tocón m; colilla f (de cigarro); talón m (de billete)

stubble ['stʌbl] rastrojo m

stubborn ['stʌbən] terco, testarudo

stud [stʌd] s tachón m; botón m de cuello; caballeriza f; v/t tachonar

stud|ent ['stju:dənt] estudiante m, f; **~io** ['~diəu] estudio m, taller m; **~ious** ['~djəs] estudioso; **~y** ['stʌdi] s estudio m; v/t, v/i estudiar

stuff [stʌf] s materia f; material m; paño m; fig cosa f; v/t henchir; atestar; llenar; **~ing** relleno m; **~y** mal ventilado

stumble ['stʌmbl] v/i tropezar

stump [stʌmp] tocón m; muñón m

stun [stʌn] v/t aturdir; dejar pasmado; **~ning** asombroso; fam magnífico

stunt [stʌnt] truco m; aer acrobacia f; **publicity ~** ardid m publicitario

stupefy ['stju:pifai] v/t dejar estupefacto

stupendous [stju:'pendəs] es-

tupendo

stupid ['stju:pid] estúpido; tonto; **~ity** [~'piditi] estupidez f

stupor ['stju:pə] estupor m

sturdy ['stɜ:di] fuerte, robusto

stutter ['stʌtə] v/i tartamudear; s tartamudeo m

sty [stai] pocilga f

style [stail] estilo m; **~ish** elegante, de moda

suave [swɑ:v] afable; cortés

subdue [səb'dju:] v/t sojuzgar; **~d** amortiguado; tenue (luz)

subject ['sʌbdʒikt] a sujeto; **~ to** sujeto a; propenso a; s asunto m; tema m; súbdito m; [səb'dʒekt] v/t someter; exponer; **~ion** sujeción f; **~ive** subjetivo

subjunctive [səb'dʒʌŋktiv] subjuntivo m

sublime [sə'blaim] sublime, exaltado

submachine gun ['sʌbmə-'ʃi:ngʌn] metralleta f

submarine ['sʌbmə'ri:n] a, s submarino m

submerge [səb'mə:dʒ] v/t, v/i sumergir(se)

submi|ssion [səb'miʃən] sumisión f; **~ssive** sumiso; **~t** [~'mit] v/t someter; v/i someterse; conformarse

subordinate [sə'bɔ:dnit] a, s subordinado(a) m (f); [~neit] v/t ~ **to** subordinar a

subscri|be [səb'skraib] v/t, v/i suscribir, abonarse; **~be**

for suscribirse a (*libro, acciones*); **~be to** abonarse a (*periódico, etc*); **~ber** *a, s* abonado(a) *m (f)*; **~ption** [~'skripʃən] suscripción *f*; abono *m*

subsequent ['sʌbsikwənt] *a* subsiguiente; **~ly** posteriormente, seguido

subside [səb'said] *v/i* sumirse; amainarse

subsidiary [səb'sidjəri] *a* subsidiario; *s* sucursal *f*; **~ize** ['sʌbsidaiz] *v/t* subvencionar; **~y** ['~sidi] subvención *f*

subsist [səb'sist] *v/i* subsistir, existir

substance ['sʌbstəns] sustancia *f*; esencia *f*; **~tial** [səb'stænʃəl] sustancial; sustancioso

substantive ['sʌbstəntiv] sustantivo *m*

substitute ['sʌbstitju:t] *s* substituto *m*; *v/t* sustituir

subtitle ['sʌbtaitl] subtítulo *m*

subtle ['sʌtl] sutil; **~ty** sutileza *f*; astucia *f*

subtract [səb'trækt] *v/t, v/i* restar; sustraer

suburb ['sʌbə:b] suburbio *m*; **~an** [sə'bə:bən] suburbano

subway ['sʌbwei] pasaje *m* subterráneo; *Am* metro *m*

succeed [sək'si:d] *v/i* tener éxito, **~eed in** lograr; **~eed to** suceder; **~eeding** sucesivo; **~ess** [~'ses] éxito *m*; **~essful** exitoso; próspero;

~essive sucesivo; **~essor** sucesor(a) *m (f)*

succinct [sək'siŋkt] sucinto

succulent ['sʌkjulənt] suculento

succumb [sə'kʌm] *v/i* sucumbir

such [sʌtʃ] *a* tal; semejante; **~ as** tal como; *pron* los que, las que; *adv* tan

suck [sʌk] *v/t, v/i* chupar; **~le** *v/t* amamantar

sudden ['sʌdn] repentino; súbito; **~ly** de repente; repentinamente

suds [sʌdz] jabonaduras *f/pl*

sue [sju:] *v/t, v/i* demandar

suède [sweid] ante *m*

suet ['sjuit] sebo *m*

suffer ['sʌfə] *v/t* sufrir; padecer; soportar; **~er** víctima *f*; **~ing** sufrimiento *m*

suffice [sə'fais] *v/t, v/i* bastar; **~cient** bastante, suficiente

suffix ['sʌfiks] sufijo *m*

suffocate ['sʌfəkeit] *v/t, v/i* sofocar(se); asfixiar(se)

sugar ['ʃugə] *s* azúcar *m*; *v/t* azucarar; **~beet** remolacha *f*; **~ cane** caña *f* de azúcar; **~y** azucarado

suggest [sə'dʒest] *v/t* sugerir; aconsejar; **~ion** sugerencia *f*; **~ive** sugestivo

suicide ['sjuisaid] suicidio *m*; suicida *m, f*

suit [sju:t] *s* traje *m*; (*naipes*) palo *m*; *for* adecúa *m*; *v/t* adaptar; ajustar; convenir; **~ oneself** hacer como guste;

supplier

v/i ~ **with** convenir; ir bien con; **~able** conveniente; apropiado; **~case** maleta *f*

suite [swi:t] séquito *m*; serie *f* (*de muebles; habitaciones*); mús suite *f*

suitor ['sju:tə] galán *m*; pretendiente *m*

sulk [sʌlk] *v/i* tener mohíno; **~y** malhumorado

sullen ['sʌlən] hosco; malhumorado

sulphur ['sʌlfə] azufre *m*

sultry ['sʌltri] bochornoso; sensual

sum [sʌm] *s* suma *f*; **to do** ~ **s** hacer cálculos; *v/t, v/i* ~ **up** resumir; compendiar

summarize ['sʌməraiz] *v/t* resumir; **~y** resumen *m*, sumario *m*

summer ['sʌmə] verano *m*; **to spend the** ~ veranear; ~ **resort** lugar *m* de veraneo

summit ['sʌmit] cima *f*; cumbre *f*; **~meeting** reunión *f* en la cumbre

summon ['sʌmən] *v/t* citar; convocar; **~s** llamamiento *m*; for citación *f*

sun [sʌn] sol *m*; **~bathe** *v/i* tomar el sol; **~beam** rayo *m* de sol; **~burn** quemadura *f* del sol

Sunday ['sʌndi] domingo *m*

sundial ['sʌndaiəl] reloj *m* de sol

sundries ['sʌndriz] *com* géneros *m/pl* diversos

sun|**flower** ['sʌnflauə] girasol

m; **~glasses** gafas *f/pl, Am* lentes *m/pl* de sol

sunken ['sʌŋkən] hundido

sun|**ny** ['sʌni] soleado; **~rise** salida *f* del sol; **~set** puesta *f* del sol; **~shade** parasol *m*; **~shine** sol *m*; **~stroke** insolación *f*; **~tan** bronceado

superb [sju(:)'pə:b] soberbio; magnífico

super|**cilious** [sju:pə'siliəs] desdeñoso, arrogante; **~ficial** superficial; **~fluous** [~'pə:fluəs] superfluo; **~human** sobrehumano

superintend [sju:pərin'tend] *v/t* vigilar; **~ent** inspector *m*; capataz *m*

superior [sju(:)'piəriə] superior; altivo; **~ity** [~'ɔriti] superioridad *f*

superlative [sju(:)'pə:lətiv] *a*, *s* superlativo *m*

super|**man** ['sju:pə'mæn] superhombre *m*; **~market** *m*; supermercado *m*; **~natural** sobrenatural; **~sede** *v/t* suplantar; **~sonic** supersónico; **~stition** [~'stiʃən] superstición *f*; **~stitious** supersticioso; **~vise** [~'vaiz] *v/t* supervisar; controlar; **~visor** supervisor *m*; inspector *m*

supper ['sʌpə] cena *f*

supple ['sʌpl] flexible

supplement ['sʌplimənt] *s* suplemento *m*; [~'ment] *v/t* suplir, complementar

suppl|**ier** [sə'plaiə] proveedor(a) *m* (*f*), suministrador(a) *m* (*f*); **~y** [~ai] *s* abasto *m*; provisiones *f/pl*; **~y and demand** oferta y demanda; *v/t* suministrar; abastecer

support [sə'pɔːt] *s* apoyo *m*; *v/t* mantener; sostener; apoyar; **~er** partidario(a) *m* (*f*); *sp* hincha *m*, *f*

suppose [sə'pəuz] *v/t* suponer; presumir; **~ed to do** deber hacer; **~edly** [~idli] según cabe suponer; **~ition** [sʌpə-'ziʃən] suposición *f*

suppress [sə'pres] *v/t* suprimir; **~ion** represión *f*

suprem|acy [sju'preməsi] supremacía *f*; **~e** [~'priːm] *a* supremo

surcharge ['səːtʃɑːdʒ] sobreprecio *m*; sobrecarga *f* (*en sellos*); resello *m* (*en billetes*)

sure [ʃuə] seguro; firme; **~ enough** efectivamente; **to make ~ of** verificar; **~ly** seguramente; **~ness** seguridad *f*; **~ty** garantía *f*

surf [səːf] oleaje *m*; olas *f/pl*

surface ['səːfis] *s* superficie *f*; *v/i* emerger

surge [səːdʒ] *s* oleada *f*; *v/i* agitarse

surg|eon ['səːdʒən] cirujano *m*; **~ery** gabinete *m* de cirujano; cirugía *f*; **~ical** quirúrgico

surly ['səːli] áspero, hosco

surmise ['səːmaiz] *s* conjetura *f*; [~'maiz] *v/t* conjeturar

surmount [səː'maunt] *v/t* superar

surname ['səːneim] apellido *m*

surpass [səː'pɑːs] *v/t* aventajar; exceder

surplus ['səːpləs] *a*, *s* sobrante *m*; *com* superávit *m*

surprise [sə'praiz] *s* sorpresa *f*; *v/t* sorprender

surrender [sə'rendə] *s* abandono *m*; entrega *f*; rendición *f*; *v/t*, *v/i* entregar(se); rendir(se)

surround [sə'raund] *v/t* circundar; cercar; **~ings** alrededores *m/pl*

surveillance [səː'veiləns] vigilancia *f*

survey [səː'vei] *s* examen *m*; escrutinio *m*; *v/t* inspeccionar; **~or** topógrafo *m*; agrimensor *m*

surviv|al [sə'vaivəl] supervivencia *f*; **~e** *v/t*, *v/i* sobrevivir; **~or** sobreviviente *m*, *f*

susceptible [sə'septəbl] susceptible; sensible

suspect [səs'pekt] *a* sospechoso; *v/t*, *v/i* sospechar

suspen|d [səs'pend] *v/t* suspender; **~ders** ligas *f/pl* (*de medias*), *Am* tirantes *m/pl*; **~sion** suspensión *f*; aplazamiento *m*; **~sion bridge** puente *m* colgante

suspicio|n [səs'piʃən] sospecha *f*; **~us** sospechoso

sustain [səs'tein] *v/t* sostener; sustentar; sufrir

sustenance ['sʌstinəns] sustento *m*, alimento *m*

swab [swɔb] estropajo m; med torunda f

swaddle ['swɔdl] empañar (criatura)

swagger ['swægə] v/i pavonearse

swallow ['swɔləu] s trago m; zool golondrina f; v/t tragar

swamp [swɔmp] pantano m; marisma f; **~y** pantanoso

swan [swɔn] cisne m

swarm [swɔ:m] s enjambre m; v/t, v/i enjambrar; pulular

swarthy ['swɔ:ði] moreno

swat [swɔt] v/t aplastar (mosca etc)

sway [swei] s balanceo m; dominio m; v/i tambalear; oscilar; v/t mover; influir en

swear [sweə] v/t, v/i jurar; blasfemar; **~word** palabrota f; fam taco m

sweat [swet] s sudor m; v/i sudar; **~er** suéter m, LA chompa f; **~y** sudoroso; sudado

Swed|e [swi:d] sueco(a) m (f); **~en** Suecia f; **~ish** sueco

sweep [swi:p] s barredura f; extensión f; **chimney ~** deshollinador m; v/t, v/i barrer; pasar (por); pasar la vista (sobre); **~er** barredor m; **~ing** extenso; comprensivo

sweet [swi:t] a dulce; s dulce m; bombón m; **~en** v/t endulzar; **~heart** enamorado(a) m (f); **~ly** dulcemente; **~ness** dulzura f; suavidad f; **~ pea** guisante m de olor; s dulce

potato batata f, camote m

swell [swel] a estupendo; s marejada f; v/i hincharse; **~ing** hinchazón f

sweltering ['sweltəriŋ] sofocante (calor)

swerve [swə:v] v/t, v/i desviar(se)

swift [swift] rápido; veloz; **~ness** rapidez f

swim [swim] v/i nadar; dar vueltas (la cabeza); **s to take a ~** ir a nadar; **~mer** nadador(a) m (f); **~ming** natación f; **~ming pool** piscina f; **~suit** traje m de baño

swindle ['swindl] s estafa f; v/t estafar; **~r** estafador m

swine [swain] cerdo m; puerco m; fig canalla m

swing [swiŋ] s balanceo m; columpio m; **in full ~** en plena marcha; v/t balancear; v/i oscilar; mecerse; **~ door** puerta f giratoria

swipe [swaip] v/t golpear fuerte; fam hurtar

swirl [swə:l] s remolino m; v/t, v/i arremolinar(se)

Swiss [swis] a, s suizo(a) m (f)

switch [switʃ] s agujas f/pl (de ferrocarril); elec interruptor m; v/t, v/i desviar(se); cambiar(se); **~ on** encender (la luz); **~ off** desconectar; apagar (la luz); **~board** cuadro m de distribución

Switzerland ['switsələnd] Suiza f

swollen ['swəulən] hinchado

swoon [swu:n] s desmayo m;
v/i desmayarse

swoop [swu:p] v/i: ~ **down on**
precipitarse sobre

sword [sɔːd] espada f

syllable ['siləbl] sílaba f

syllabus ['siləbəs] programa
m de estudios

symbol ['simbəl] símbolo m;
~**ic**, ~**ical** [~'bɔlik(əl)] sim-
bólico

symmetry [simitri] simetría f

sympath|etic [simpə'θetik]
compasivo; ~**ize** [~'θaiz]
compadecerse; ~**y** ['simpəθi]
compasión f

symphony ['simfəni] sinfonía
f

symptom ['simptəm] síntoma
m

synagogue ['sinəgɔg] sinagoga f

synchronize ['sinkrənaiz] v/t
sincronizar

syndicate ['sindikit] sindicato m

syndrome ['sindrəum] síndrome m

synonym ['sinənim] sinónimo m; ~**ous** [si'nɔniməs]
sinónimo

syntax ['sintæks] sintaxis f

synthe|sis ['sinθisis] sín-
tesis f; ~**tic** [~'θetik] sintético

syringe ['sirindʒ] jeringa f

syrup ['sirəp] almíbar m

system ['sistim] sistema m;
método m; ~**atic** [~'mætik]
sistemático

T

tab [tæb] lengüeta f; oreja f de
zapato

table ['teibl] mesa f; tabla f;
set the ~ poner la mesa;
~**cloth** mantel m; ~**land** meseta f; ~**spoon** cuchara f
grande

tablet ['tæblit] tableta f; pastilla f; comprimido m

taboo [tə'bu:] a, s tabú m

tacit ['tæsit] tácito; ~**urn**
[~ɔːn] taciturno

tack [tæk] s tachuela f; v/t clavar con tachuelas; hilvanar;
~**le** ['tækl] s avíos m/pl; mar
aparejo m; v/t abordar
(problema, etc); enfrentar

tact [tækt] tacto m; discreción
f; ~**ful** discreto

tactics ['tæktiks] táctica f

tactless ['tæktlis] indiscreto;
falto de tacto

tadpole ['tædpəul] renacuajo
m

taffeta ['tæfitə] tafetán m

tag [tæg] s herrete m; rabito
m; etiqueta f

tail [teil] cola f, rabo m; ~ **coat**
frac m; ~**light** luz f trasera;
~**s** cruz f (de moneda); fam
frac m

tailor ['teilə] sastre m

taint [teint] s corrupción f; v/t
corromper

take [teik] *v/t* tomar; coger; asir; llevar; recibir; ~ **advantage of** aprovecharse de; ~ **along** llevar consigo; ~ **away** quitar; ~ **back** devolver; retractar; ~ **in** admitir; abarcar; comprender; *fam* engañar; ~ **off** quitarse; ~ **out** sacar; ~ **over** encargarse de; ~ **pains** esmerarse; ~ **place** ocurrir; ~ **to heart** tomar a pecho; ~ **up** recoger; empezar algo; *v/i* tener efecto; arraigar; ~ **after** salir a; ~ **off** marcharse; *aer* despegar; ~ **to** aficionarse a; *s* presa *f*; *cine* toma *f*; ~**off** *aer* despegue *m*; ~**over** toma *f* de posesión

tale [teil] cuento *m*; fábula *f*

talent ['tælənt] talento *m*; capacidad *f*; ~**ed** talentoso

talk [tɔːk] *s* conversación *f*; charla *f*; conferencia *f*, discurso *m*; *v/t* hablar; ~ **into** persuadir a; ~ **out of** disuadir de; *v/i* hablar; charlar; ~ **to** hablar a; ~**ative** ['-ətiv] hablador; ~**er** conversador(a) *m (f)*

tall [tɔːl] alto; grande

tallow ['tæləu] sebo *m*

talon ['tælən] garra *f*

tambourine [tæmbə'riːn] pandereta *f*

tame [teim] *a* manso; domesticado; *v/t* domar; domesticar

tamper ['tæmpə]: ~ **with** *v/i* manipular indebidamente

tan [tæn] *s* bronceado *m*; *v/t* curtir; tostar

tangent ['tændʒənt] tangente *f*

tangerine [tændʒə'riːn] mandarina *f*

tangible ['tændʒəbl] tangible

tangle ['tæŋgl] *s* enredo *m*; embrollo *m*; *v/t* enredar; embrollar

tank [tæŋk] tanque *m*; depósito *m*; ~**er** *mar* petrolero *m*

tanner ['tænə] curtidor *m*

tantalizing ['tæntəlaiziŋ] tentador

tantrum ['tæntrəm] rabieta *f*

tap [tæp] *s* palmadita *f*; golpecito *m*; llave *f (de agua)*; espita *f (del barril)*; *v/t* tocar; espitar *(barril)*; utilizar

tape [teip] cinta *f*; ~ **measure** cinta *f* métrica

taper ['teipə] *s* cirio *m*; *v/i* ahusarse

tape recorder ['teipri'kɔːdə] magnetofón *m*

tapestry ['tæpistri] tapiz *m*; tapicería *f*; tenia *f*

tapeworm ['teipwəːm] solitaria *f*

tar [tɑː] *s* alquitrán *m*; brea *f* líquida; *v/t* alquitranar

target ['tɑːgit] blanco *m*; objetivo *m*

tariff ['tærif] tarifa *f*; arancel *m*

tarnish ['tɑːniʃ] *v/t* empañar(se); deslustrar(se)

tarpaulin [tɑː'pɔːlin] alquitranado *m*

tart [tɑ:t] a ácido; seco; s torta f

tartan ['tɑ:tən] tartán m

task [tɑ:sk] tarea f; **take to ~** reprender

tassel ['tæsəl] borla f

tast|e [teist] s gusto m; sabor m; v/t gustar; saborear; v/i **~e of** o **like** saber a; **~eful** de buen gusto; **~eless** insípido; **~y** sabroso

tatters ['tætəz]: **in ~** hecho jirones

tattoo [tə'tu:] tatuaje m

taunt [tɔ:nt] mofa f

taut [tɔ:t] tenso; tirante

tavern ['tævən] taberna f; tasca f

tawdry ['tɔ:dri] cursi, de mal gusto

tax [tæks] s impuesto m; v/t gravar; tasar; **~ation** impuestos m/pl; **~collector** recaudador m de impuestos

taxi ['tæksi] s taxi m; v/i aer carretear; **~ driver** taxista m

tax|payer ['tækspeiə] contribuyente m, f; **~ return** declaración f de renta

tea [ti:] té m

teach [ti:tʃ] v/t, v/i enseñar; **~er** maestro(a) m (f); profesor(a) m (f); **~ing** enseñanza f

tea|cup ['ti:kʌp] taza f de té; **~ kettle** tetera f

team [ti:m] s equipo m; tiro m (de caballos); yunta f (de bueyes); v/i **~ up** asociarse con; **~work** trabajo m de

equipo

teapot ['ti:pɔt] tetera f

tear [teə] s rasgón m; v/t rasgar; romper; **~ off** arrancar; **~ up** romper; desarraigar; v/i rasgarse

tear [tiə] lágrima f; **~ful** lacrimoso; lloroso

tease [ti:z] v/t fam tomar el pelo a; fastidiar

teaspoon ['ti:spu:n] cucharita f de té

teat [ti:t] teta f

techn|ical ['teknikəl] técnico; **~ician** [~'niʃən] técnico m; **~ique** [~'ni:k] técnica f; **~ocrat** tecnócrata m; **~ology** tecnología f

teddy bear ['tedibeə] osito m de felpa

tedious ['ti:djəs] aburrido

teen|ager ['ti:neidʒə] adolescente m, f; **~s** años desde 13 a 19

teethe [ti:ð] v/i endentecer

teetotaler [ti:'təutlə] abstemio(a) m (f)

telegram ['teligræm] telegrama m; **~ph** [~'grɑ:f] telégrafo m

telepathy [ti'lepəθi] telepatía f

telephone ['telifəun] s teléfono m; v/t, v/i telefonear; **~ booth** cabina f telefónica; **~ call** llamada f (telefónica); **~ directory** guía f telefónica; **~ exchange** central f telefónica

tele|printer ['teliprintə] tele-

251 **territory**

impresor m; **~scope**
[~'skəup] telescopio m
televis|e ['telivaiz] v/t televisar; **~ion** [~'viʒən] televisión f; **to watch ~ion** ver (por) televisión; **~ion set** televisor m
telex ['teleks] télex m
tell [tel] v/t, v/i contar; informar; **~er** cajero(a) m (f) (en bancos); **~tale** revelador
temper ['tempə] s humor m; mal genio m; temple m (metal); **to lose one's ~** perder la paciencia; v/t templar (metal); moderar; **~ament** temperamento m; **~ance** templanza f; **~ate** ['~rit] templado; **~ature** ['~pritʃə] temperatura f; fiebre f
tempest ['tempist] tempestad f; tormenta f
temple ['templ] templo m; anat sien f
tempora|l ['tempərəl] temporal; **~ry** temporáneo; provisional
tempt [tempt] v/t tentar; seducir; **~ation** tentación f; **~ing** tentador
ten [ten] diez
tenacious [ti'neiʃəs] tenaz
tenant ['tenənt] arrendatario m; inquilino m
tend [tend] v/t cuidar; atender; v/i tender a; **~ency** tendencia f
tender ['tendə] a tierno; delicado; med dolorido; s oferta f; v/t ofrecer; presentar; **~loin** ['~lɔin] filete m de solo-

millo; **~ness** ternura f
tendon ['tendən] tendón m
tenement house ['tenimənthaus] casa f de vecindad, Am esp de los barrios pobres
tennis ['tenis] tenis m; **~ court** pista f, LA cancha f de tenis
tenor ['tenə] mús tenor m
tense [tens] a tieso; tenso; s gram tiempo m; **~ness** tirantez f
tension ['tenʃən] tensión f
tent [tent] tienda f de campaña, LA carpa f
tentacle ['tentəkl] tentáculo m
tenuous ['tenjuəs] tenue
tepid ['tepid] tibio
term [tə:m] s término m; plazo m; período m académico; v/t nombrar; llamar; **~s** condiciones f/pl; **to be on good ~s** with estar en buenas relaciones con; **to come to ~s** llegar a un acuerdo
termina|l ['tə:minl] s estación f terminal; a terminal; mortal (enfermedad); **~te** ['~eit] v/t terminar; **~tion** terminación f
terrace ['terəs] terraza f; terraplén m
terrain ['terein] terreno m
terrible ['terəbl] terrible
terrif|ic [tə'rifik] fantástico, estupendo; **~y** ['terifai] v/t aterrar
territor|ial [teri'tɔ:riəl] territorial; **~y** ['~təri] territorio m

terror ['terə] terror m; espanto m; **~ism** terrorismo m; **~ist** terrorista m, f; **~ize** v/t aterrorizar

terse [tə:s] breve, conciso

test [test] s prueba f, ensayo m, experimento m; v/t ensayar; probar; examinar

testament ['testəmənt] testamento m

testify ['testifai] v/t, v/i atestiguar

testimony ['testiməni] testimonio m; atestación f

test tube ['testtju:b] probeta f; **~ baby** niño probeta m

testy ['testi] irritable

tetanus ['tetənəs] tétano m

text [tekst] texto m; **~book** libro m de texto

textile ['tekstail] textil; **~s** tejidos m/pl

texture ['tekstʃə] textura f

Thames [temz] Támesis m

than [ðæn, ðən] conj que (después del comparativo); **more ~ you** más que tú; de (después de números); **there are more ~** hay más de diez

thank [θæŋk] v/t agradecer; dar las gracias; **~ you!** ¡gracias!; **~ful** agradecido; **~less** ingrato; **~s** gracias f/pl

that [ðæt, ðət] a ese, ese; aquel, aquella; pron dem ése, ésa, eso, aquél, aquélla, aquello; pron rel que; quien; el cual, la cual, lo cual; **~ which** el que, la que, lo que

thatch [θætʃ] barda f; **~ed roof** techumbre f de paja

thaw [θɔ:] s deshielo m; v/t, v/i deshelar(se)

the [ðe, ð, ði:] art el, la, lo; los, las; adv (con comparativo) cuanto ... tanto, mientras más ... tanto más; **~ sooner ~ better** cuanto antes mejor

theater = **theatre**

theatre ['θiətə] teatro m; arte m dramático; **~ical** [θi'ætrikəl] teatral

theft [θeft] hurto m, robo m

their [ðeə] pron de su, sus; suyo(a, os, as); **~s** el suyo, la suya, los suyos, las suyas

them [ðem, ðəm] pron los, las, les; con prep ellos, ellas

theme [θi:m] tema m

themselves [ðem'selvz] pron pl ellos mismos; ellas mismas; con prep sí mismos, sí mismas

then [ðen] adv entonces; luego; después; en otro tiempo; **from ~ on** desde entonces; conj en tal caso; pues; por consiguiente

theologian [θiə'ləudʒən] teólogo m; **~y** [θi'ɔlədʒi] teología f

theoretical [θiə'retikəl] teórico; **~y** ['~ri] teoría f

therapy ['θerəpi] terapia f

there [ðeə] adv ahí, allí, allá; **~ is, ~ are** hay; **~ was, ~ were** había; hubo; interj ¡mira!; **~about(s)** por ahí; aproximadamente; **~after** después de eso; **~by** por eso; **~fore** por lo tanto; **~upon** en seguida; **~with** con eso

thermal [ˈθɜːməl] termal

thermo|meter [θəˈmɒmɪtə] termómetro m; **~s (flask)** termos m

these [ðiːz] a estos, estas; pron éstos, éstas

thesis [ˈθiːsɪs] tesis f

they [ðeɪ] pron ellos, ellas

thick [θɪk] espeso; grueso; tupido; denso; **~en** v/t, v/i espesar(se); **~et** [ˈ-ɪt] matorral m; **~ness** espesor m; densidad f; espesura f

thief [θiːf] ladrón(ona) m (f)

thigh [θaɪ] muslo m

thimble [ˈθɪmbl] dedal m

thin [θɪn] a delgado; fino; ralo; escaso; raro (aire); v/t, v/i adelgazar; aclarar; reducirse

thing [θɪn] cosa f; asunto m; objeto m; **the only ~** lo único; **tell him a ~ or two** decirle cuántos son cinco

think [θɪnk] v/t, v/i pensar; reflexionar; creer; **~ of** pensar en; acordarse de; idear; **~ over** pensar bien; **~ up** inventar; **~er** pensador(a) m (f); **~ing** pensamiento m

third-party insurance [ˈθɜːdˈpɑːtɪ] seguro m de responsabilidad civil; **~rate** de calidad baja; **2 World** el Tercer Mundo

thirst [θɜːst] sed f; **~y** sediento

this [ðɪs] a este, esta; pron éste, ésta, esto

thistle [ˈθɪsl] cardo m

thorn [θɔːn] espina f

thorough [ˈθʌrə] completo; cabal; perfecto; minucioso; **~bred** [ˈ-bred] caballo m de pura sangre; **~fare** camino m público; **~ly** a fondo; **~ness** minuciosidad f

those [ðəʊz] a esos, esas; aquellos, aquellas; pron ésos, ésas; aquéllos, aquéllas

though [ðəʊ] conj aunque; adv sin embargo

thought [θɔːt] pensamiento m; idea f; **~ful** pensativo; atento; **~less** descuidado; desatento

thousand [ˈθaʊzənd] mil

thrash [θræʃ] v/t trillar; apalear; **~ing** paliza f

thread [θred] s hilo m; tecn rosca f; v/t enhebrar; **~bare** raído

threat [θret] amenaza f; **~en** v/t, v/i amenazar; **~ening** amenazador

three [θriː] tres

thresh [θreʃ] v/t trillar; **~er** (máquina) trilladora f

threshold [ˈθreʃhəʊld] umbral m

thrift [θrɪft] economía f, frugalidad f; **~y** económico, ahorrativo

thrill [θrɪl] s emoción f; v/t emocionar; **~er** novela f o película f escalofriante; **~ing** emocionante, excitante

thrive [θraiv] v/i prosperar; **~ing** floreciente, próspero

throat [θrəut] garganta f

throb [θrɔb] v/i latir

throne [θrəun] trono m

throng [θrɔŋ] s muchedumbre f; v/t atestar; v/i apiñarse

throttle [θrɔtl] s aut obturador m; **to give full ~** acelerar al máximo; v/t ahogar; estrangular

through [θru:] a de paso libre; directo (tren); adv a través; de un extremo a otro; **~ and ~** por los cuatro costados; prep por; a través de; **~out** [~'aut] prep por todo; adv por todas partes

throw [θrəu] v/t, v/i echar; tirar; lanzar; **~away** arrojar, LA botar; **~ out** echar fuera; expeler; LA botar; **~ up** vomitar; s tiro m, tirada f; lanzamiento m

thrush [θrʌʃ] tordo m

thrust [θrʌst] s empuje m; empujón m; estocada f; arremetida f; tecn empuje m axial; v/t empujar; meter

thud [θʌd] s golpe m sordo

thumb [θʌm] pulgar m; **~tack** chincheta f

thump [θʌmp] s porrazo m; baque m; v/t, v/i aporrear

thunder ['θʌndə] s trueno m; v/i tronar; **~bolt** rayo m; **~storm** tronada f; **~struck** atónito, pasmado

Thursday ['θə:zdi] jueves m

thus [ðʌs] así, de este modo; por consiguiente

thwart [θwɔ:t] v/t frustrar

thyme [taim] tomillo m

tick [tik] s garrapata f; funda f; contramarca f; v/i hacer tictac; v/t contramarcar

ticket ['tikit] billete m, LA boleto m; entrada f; **~ office** taquilla f, LA boletería f

tickle ['tikl] v/t hacer cosquillas a; **~ish** cosquilloso (t fig)

tidal ['taidl] **wave** ola f de marejada; **~e** [taid] s marea f; fig corriente f; **high ~e** pleamar f; **low ~e** bajamar f

tidy ['taidi] a arreglado; limpio; v/t, v/i poner en orden

tie [tai] s corbata f; lazo m; sp empate m; v/t atar

tier [tiə] grada f; teat fila f

tiger ['taigə] tigre m

tight [tait] apretado; ajustado, ceñido; estrecho; **~** v/t, v/i apretar(se); estrechar(se); **~rope** cuerda f floja

tigress ['taigris] tigresa f

tile [tail] s teja f (de tejado); baldosa f (de piso); azulejo m (de color)

till [til] v/t labrar; cultivar; s caja f (de tienda); prep hasta; conj hasta que

tilt [tilt] s inclinación f; v/t, v/i inclinar(se)

timber ['timbə] madera f de construcción; viga f, madero m

time [taim] s tiempo m; hora f; vez f; época f; ocasión f;

toiletries

compás m; **for the ~ being**
por lo pronto; **from ~ to ~** a
veces; **in ~** a tiempo; **on ~**
puntual; **to have a good ~**
divertirse; **what ~ is it?** ¿qué
hora es?; **at ~s** a veces; v/t
fijar para el momento oportuno; regular; **~ limit** fecha f
tope; **~ly** oportuno; **~table**
horario m

tim|id ['timid] tímido; **~orous**
['~ərəs] miedoso

tin [tin] s estaño m; lata f; v/t
estañar; **~foil** papel m de
estaño

tinge [tindʒ] v/t teñir; fig mati-
zar; s tinte m; matiz m

tingle ['tiŋl] v/i sentir picazón

tinkle ['tiŋkl] v/i tintinear

tin|ned [tind] en lata; **~-
opener** abrelatas m; **~plate**
hojalata f; **~sel** ['tinsl] oropel m

tint [tint] v/t teñir; s matiz m,
tinte m

tiny ['taini] diminuto

tip [tip] s punta f; boquilla f;
propina f; aviso m confiden-
cial; v/t dar un golpecito a;
dar una propina a; **~ off** advertir; **~ out** verter; **~ over**
volcar

tipsy ['tipsi] achispado

tiptoe ['tiptəu] v/i andar de
puntillas

tire ['taiə] neumático m, LA
llanta f

tir|e ['taiə] v/t cansar; **~ed**
cansado; **~edness** cansan-

cio m; **~esome** pesado;
aburrido; latoso

tissue ['tiʃu:] gasa f; **~ paper**
papel m de seda

tit [tit] zool herrerillo m

titbit ['titbit] golosina f, boca-
dito m

titillate ['titileit] v/t estimular

title ['taitl] título m; derecho f
m, derecho m; **~ page** portada f

to [tu:, tu, tə] prep para; a;
hasta; hacia; menos (de la
hora); **it is five minutes ~ten**
son las diez menos cinco; **~
and fro** de un lado para otro;
to have ~ tener que

toad [təud] sapo m

toast [təust] s tostada f; brindis m; v/t tostar; brindar
por; **~er** tostador m

tobacco [tə'bækəu] tabaco m;
~nist's (shop) estanco m

toboggan [tə'bɔgən] tobogán
m

today [tə'dei] hoy

toddle ['tɔdl] v/i hacer pini-
tos; andar tambaleando

toe [təu] s dedo m del pie;
punta f (de media, etc)

toffee, ~y ['tɔfi] caramelo m

together [tə'geðə] a juntos;
adv juntamente; junto; a la
vez

toil [tɔil] s trabajo m duro; v/i
afanarse; esforzarse

toilet ['tɔilit] m tocado m; excusado m; **~ paper** papel m
higiénico; **~ries** artículos
m/pl de aseo

token ['təukən] señal f; prenda f

tolera|ble ['tɔlərəbl] tolerable; ~nce tolerancia f; ~nt tolerante; ~te ['~eit] tolerar; aguantar

toll [təul] s peaje m; v/i doblar (campanas)

tomato [tə'mɑːtəu] tomate m

tomb [tuːm] tumba f; ~oy ['tɔmbɔi] marimacho m; ~stone lápida f sepulcral

tomorrow [tə'mɔrəu] s, adv mañana f; ~ night mañana por la noche; the day after ~ pasado mañana

ton [tʌn] tonelada f

tone [təun] s tono m; v/t más entonar; ~ down suavizar

tongs [tɔŋz] tenacillas f/pl

tongue [tʌŋ] lengua f; to hold one's ~ callarse; ~ twister trabalenguas m

tonic ['tɔnik] tónico m; mús tónica f

tonight [tə'nait] esta noche

tonnage ['tʌnidʒ] tonelaje m

tonsil ['tɔnsl] amígdala f; ~litis [~si'laitis] amigdalitis f

too [tuː] adv demasiado; también; ~ many demasiados(as); ~ much demasiado

tool [tuːl] herramienta f

toot [tuːt] bocinazo m; silbido m

tooth [tuːθ] diente m; ~ache dolor m de muelas; ~brush cepillo m de dientes; ~paste pasta f dentífrica; ~pick palillo m

top [tɔp] s cima f, cumbre f; cabeza f (de una lista etc); tapa f; aut capota f; superficie f; at the ~ of a la cabeza de; from ~ to bottom de arriba abajo; on ~ of encima de; a más alto; máximo; v/t coronar; superar; llenar al tope; ~coat sobretodo m; ~ hat fam sombrero m de copa

topic ['tɔpik] asunto m; tema m

topsy-turvy ['tɔpsi'təːvi] trastornado; patas arriba

torch [tɔːtʃ] linterna f; antorcha f

torment ['tɔːment] s tormento m; suplicio m; [tɔː'ment] v/t atormentar

tornado [tɔː'neidəu] tornado m

torpedo [tɔː'piːdəu] torpedo m

torp|id ['tɔːpid] tórpido; inerte; ~or entumecimiento m

torrent ['tɔrənt] torrente m

torrid ['tɔrid] tórrido, ardiente

tortoise ['tɔːtəs] tortuga f

torture ['tɔːtʃə] s tortura f; v/t torturar; atormentar; fig tergiversar

toss [tɔs] s echada f; sacudida f; v/t tirar; lanzar; agitar

total ['təutl] a total; completo; entero; s total m; v/t sumar; ~itarian [~tæli'tεəriən] totalitario; ~ity [~'tæliti] totalidad f

totter ['tɔtə] v/i tambalear(se)

touch [tʌtʃ] s tacto m; toque m; contacto m; rasgo m; **in ~ with** en contacto o comunicación con; **out of ~** sin noticias; v/t tocar; alcanzar; conmover, afectar; concernir; **~ off** hacer estallar; v/i tocar(se); **~ down** aer aterrizar; **~ and go** dudoso; **~ing** conmovedor; patético; **~y** susceptible; quisquilloso

tough [tʌf] fuerte, resistente; duro; rudo; vulgar; **~en** v/t, v/i endurecer(se); **~ness** tenacidad f; dureza f

tour [tuə] s excursión f; v/t viajar por; **~ist** turista m; **~ist office** oficina f de turismo

tournament ['tuənəmənt] torneo m

tousled ['tauzld] despeinado

tow [təu] s remolque m; v/t remolcar

toward(s) [tə'wɔːd(z)] hacia; para

towel ['tauəl] toalla f

tower ['tauə] s torre f; v/i elevarse; **~ above** descollar entre

town [taun] ciudad f; villa f; población f; **~ council** concejo m municipal; **~ hall** ayuntamiento m, LA municipalidad f

towrope ['təurəup] cable m de remolque

toxic ['tɔksik] tóxico

toy [tɔi] s juguete m; v/i jugar; juguetear

trace [treis] s rastro m; huella f; señal f; v/t trazar; delinear; seguir la pista de

track [træk] s huella f, camino m; senda f; vía f férrea; trocha f; ruta f; vereda f; sp pista f; **off the beaten ~** lugar apartado; **on the right ~** ir por buen camino; v/t rastrear; seguir la pista de

trac|tion ['trækʃən] tracción f; arrastre m; **~or** tractor m

trade [treid] s comercio m; negocio m; oficio m; v/i comerciar; traficar; v/t trocar; vender; **~ agreement** tratado m comercial; **~mark** marca f de fábrica; **~ union** sindicato m

tradition [trə'diʃən] tradición f; **~al** tradicional

traffic ['træfik] s tráfico m, tránsito m, circulación f; v/i comerciar; traficar; **~ jam** embotellamiento m del tráfico; **~ light** semáforo m

trag|edy ['trædʒidi] tragedia f; **~ic** [~ʒik] trágico

trail [treil] s rastro m; pista f; sendero m; v/t arrastrar; v/i rezagarse; **~er** remolque m; cine avance m

train [trein] s tren m; séquito m; serie f; cola f; v/t, v/i disciplinar; entrenar; formar; **~er** entrenador m; domador m; **~ing** entrenamiento m; formación f

trait [trei] rasgo m

traitor ['treitə] traidor m

tram ['træm], **~car** tranvía m

tramp [træmp] s marcha f pesada; caminata f; vagabundo m; v/t, v/i vagabundear; marchar; pisar con fuerza; patullar; ~**le** v/t pisar; hollar

tranquil [ˈtræŋkwil] tranquilo; ~**lity** [ˈkwiliti] tranquilidad f; ~**lize** v/t, v/i tranquilizar(se)

transact [trænˈzækt] v/t tramitar, despachar; ~**ion** transacción f; negocio m

transatlantic [ˈtrænzətˈlæntik] transatlántico

transcend [trænˈsend] v/i trascender; v/t exceder; ~**ent** sobresaliente

transcribe [trænsˈkraib] v/t transcribir; ~**pt** [ˈtrænskript] trasunto m, copia f; ~**ption** transcripción f

transfer [ˈtrænsfəː] s transferencia f, traspaso m; [trænsˈfəː] v/t transferir; transbordar; v/t trasladarse; ~**able** [ˈfəːrəbl] transferible

transform [trænsˈfɔːm] v/t transformar; ~**ation** transformación f; ~**er** tecn transformador m

transfusion [trænsˈfjuːʒən] transfusión f (de sangre)

transgress [trænsˈgres] v/t traspasar, violar; ~**ion** transgresión f

transient [ˈtrænziənt] pasajero; transitorio

transistor [trænˈsistə] transistor m

transit [ˈtrænsit] tránsito m;

~**ion** [ˈsiʒən] transición f; paso m; ~**ive** gram transitivo; ~**ory** transitorio

translate [trænsˈleit] v/t traducir; transbordar f; ~**or** traductor(a) m (f)

transmission [trænsˈmiʃən] transmisión f; ~**t** v/t transmitir; ~**tter** transmisor(a) m (f)

transparent [trænsˈpɛərənt] transparente

transpire [trænsˈpaiə] v/t transpirar; v/i revelarse

transplant [trænsˈplɑːnt] v/t trasplantar; ~**ation** trasplante m

transport [trænsˈpɔːt] s transporte m; v/t transportar

trap [træp] trampa f; tecn sifón m; v/t atrapar; aprisionar; ~**door** trampa f; teat escotillón m

trapeze [trəˈpiːz] trapecio m

trap|per [ˈtræpə] cazador m de pieles; ~**pings** arreos m/pl; adornos m/pl

trash [træʃ] s hojarasca f; cosas f/pl sin valor; basura f; ~**y** [ˈtræʃi] inútil

travel [ˈtrævl] s el viajar; v/t, v/i viajar (por); ~ **agency** agencia f de viajes; ~**(l)er** viajero(a) m (f); ~**(l)er's cheque** cheque m para viajeros; ~**(l)ing bag** maletín m (de viaje)

traverse [ˈtrævə(ː)s] v/t cruzar, atravesar

travesty [ˈtrævisti] parodia f

trawl [trɔːl] v/i pescar a la

rastra; **~er** barco *m* rastreador

tray [trei] bandeja *f*

treacher|ous ['tretʃərəs] traicionero, traidor; **~y** traición *f*

treacle ['tri:kl] melaza *f*

tread [tred] *s* paso *m*; pisada *f*; *v/t, v/i* andar; pisar; **~le** *mec* pedal *m*

treason ['tri:zn] traición *f*

treasur|e ['treʒə] *s* tesoro *m*; *v/t* atesorar; **~er** tesorero *m*; **~y** tesoro *m*; **2y** Ministerio *m* de Hacienda

treat [tri:t] *s* convite *m*; placer *m*; *v/t, v/i* tratar; convidar; **~ise** ['~iz] tratado *m*; **~ment** trato *m*; **~y** tratado *m*; pacto *m*

treble ['trebl] *a* triple; *s* tiple *m* (*voz*); *v/t, v/i* triplicar(se)

tree [tri:] árbol *m*

trek [trek] caminata *f*; viaje *m* largo y peligroso

tremble ['trembl] *v/i* temblar

tremendous [tri'mendəs] tremendo; formidable

tremor ['tremə] temblor *m*; **~ulous** ['~julas] trémulo

trench [trentʃ] trinchera *f*

trend [trend] tendencia *f*; **~y** de última moda

trespass ['trespəs] *s* intrusión *f*; transgresión *f*; *v/i* violar; infringir; **~er** transgresor(a) *m* (*f*)

tress [tres] trenza *f*

trestle ['tresl] caballete *m*

trial ['traiəl] prueba *f*; ensayo

m; for proceso *m*; **on ~** com a prueba; for en juicio

triangle ['traiæŋgl] triángulo *m*; **~ular** [~'æŋgjulə] triangular

tribe [traib] tribu *f*

tribunal [trai'bju:nl] tribunal *m*; **~e** ['tribju:n] tribuno *m*; tribuna *f*

tribut|ary ['tribjutəri] *a, s* tributario *m*; *geog* afluente *m*; **~e** ['~u:t] tributo *m*

trick [trik] *s* maña *f*; engaño *m*; truco *m*; *v/t* engañar; **~ery** trampería *f*

trickle ['trikl] *v/i, v/t* (hacer) gotear

tricycle ['traisikl] triciclo *m*

trident ['traidənt] tridente *m*

trifl|e ['traifl] *s* friolera *f*; bagatela *f*; postre *m* (*de bizcocho, fruta, helado y nata*); **a ~e** un poquito; *v/i* **~e with** jugar con; **~ing** baladí, insignificante

trigger ['trigə] gatillo *m*

trill [tril] *v/i* gorjear; trinar; *s* trino *m*

trim [trim] *a* pulcro; arreglado; *s* (buena) condición *f*; recorte *m* (*del pelo*); *v/t* arreglar; recortar; podar; afinar; **~mings** guarnición *f*; aderezos *m/pl*; accesorios *m/pl*

Trinity ['triniti] *relig* Trinidad *f*

trinket ['trinkit] baratija *f*

trip [trip] *s* excursión *f*; viaje *m*; *v/t* echar la zancadilla a;

tecn soltar; *v/i* tropezar; brincar
tripe [traip] *coc* callos *m/pl*
triple ['tripl] *a* triple; *v/t* triplicar; **~ts** ['~its] trillizos(as) *m (f)/pl*
tripod ['traipɔd] trípode *m*
trite [trait] trillado; vulgar
triumph ['traiəmf] *s* triunfo *m*; *v/i* triunfar; **~ant** ['~Am-fənt] triunfante
trivial ['trivial] trivial, común, insignificante
trolley ['trɔli] carretilla *f*
trombone [trɔm'bəun] trombón *m*
troop [tru:p] tropa *f*; banda *f*; **~er** soldado *m* de caballería
trophy ['trəufi] trofeo *m*
tropic ['trɔpik] trópico *m*; **~al** tropical; **~s** trópicos *m/pl*
trot [trɔt] *s* trote *m*; *v/i* trotar
trouble ['trʌbl] *s* molestia *f*; dificultad *f*; *to take the* **~** tomarse la molestia; *what's the* **~**? ¿qué pasa?; *v/t* molestar; preocupar; inquietar; **~d** inquieto; preocupado; **~some** molesto; dificultoso
trough [trɔf] abrevadero *m*
trousers ['trauzəz] pantalones *m/pl*
trousseau ['tru:səu] ajuar *m*
trout [traut] trucha *f*
truant ['tru:(ə)nt] *a* holgazán; *s* tunante *m*; *to play* **~** hacer novillos
truce [tru:s] tregua *f*
truck [trʌk] camión *m*; *f c* vagón *m*

truculent ['trʌkjulənt] agresivo; áspero
trudge [trʌdʒ] *v/i* caminar cansadamente
true [tru:] *a* verdadero; legítimo; verídico; fiel; *to come* **~e** realizarse; **~ism** tópico *m*
truly ['tru:li] verdaderamente; sinceramente; *Yours* **~** su seguro servidor
trump [trʌmp] triunfo *m* (*en juegos de naipes*)
trumpet ['trʌmpit] trompeta *f*; **~er** trompetero *m*
truncheon ['trʌntʃən] vara *f*; porra *f*
trunk [trʌŋk] tronco *m*; baúl *m*; trompa *f* (*de elefante*); **~ call** llamada *f* interurbana
trust [trʌst] *s* confianza *f*; *com* trust *m*; *for* fideicomiso *m*; **~ee** [~'i:] fideicomisario *m*; **~ful, ~ing** confiado; **~worthy** confiable, fidedigno; *y* leal, fidedigno
truth [tru:θ] verdad *f*; **~ful** verídico, veraz
try [trai] *s* tentativa *f*; prueba *f*; *v/t, v/i* probar; ensayar; tratar; **~ on** probarse (*ropa*); **~ out** someter a prueba; **~ing** difícil, penoso
T-shirt ['ti:ʃə:t] camiseta *f*
tub [tʌb] cuba *f*; tina *f*
tube [tju:b] tubo *m*; *fam* metro *m*
tuberculosis [tju(:)bə:kju-'ləusis] tuberculosis *f*

tuck [tʌk] *s* pliegue *m*; *v/t* alforzar; recoger; **~ up** arropar

Tuesday ['tju:zdi] martes *m*

tuft [tʌft] mechón *m* (de pelo); manojo *m*

tug [tʌg] *s* tirón *m*; remolcador *m*; *v/t* remolcar; tirar de

tuition [tju:(:)'iʃən] cuota *f* de enseñanza

tulip ['tju:lip] tulipán *m*

tumble ['tʌmbl] *s* caída *f*; vuelco *m*; *v/i* tumbar, caer; revolcarse; *v/t* tumbar; **~r** vaso *m*

tummy ['tʌmi] *fam* barriguita *f*

tumo(u)r ['tju:mə] tumor *m*

tumult ['tju:mʌlt] tumulto *m*; **~uous** [~'mʌltjuəs] tumultuoso

tuna ['tu:nə] atún *m*

tune [tju:n] *s* tonada *f*; melodía *f*; **in ~** más afinado; **out of ~** desafinado; *v/t* sintonizar; afinar; *v/i* armonizar; **~up** afinamiento *m* (de un motor)

tunnel ['tʌnl] *s* túnel *m*

tunny ['tʌni] atún *m*

turbine ['tə:bin] turbina *f*

turbulent ['tə:bjulənt] turbulento

turf [tə:f] *s* césped *m*

Turk [tə:k] turco/a *m* (*f*)

turkey ['tə:ki] pavo *m*; **2** Turquía *f*

Turkish ['tə:kiʃ] turco

turmoil ['tə:moil] desorden *m*, disturbio *m*

turn [tə:n] *s* turno *m*; vuelta *f*; giro *m*; cambio *m*; favor *m*; **in ~**, **by ~s** por turnos; **it is your ~** es su turno; *v/t* volver; dar vuelta a; girar; convertir; **~ down** rechazar; **~ off** apagar (*luz*, *agua*); **~ on** poner (*radio*); **~ out** echar; **~ over** volcar; entregar; *v/i* dar la vuelta; girar; revolver; ponerse (*agrio*, *triste*, *etc*); **~ aside** desviarse; **~ away** volver la espalda; **~ in** acostarse; **~ out** resultar; **~ up** llegar, aparecer; **~coat** *pol* renegado *m*; **~ing** vuelta *f*; ángulo *m*

turnip ['tə:nip] nabo *m*

turn|off ['tə:nɔf] salida *f* (*del camino*); **~out** producción *f* (total); concurrencia *f*; **~over** *com* volumen *m* de negocios; **~stile** ['~stail] torniquete *m*

turpentine ['tə:pəntain] trementina *f*

turtle ['tə:tl] tortuga *f* (de mar); **~dove** tórtola *f*

tusk [tʌsk] colmillo *m*

tutor ['tju:tə] preceptor *m*; *for* tutor *m*

TV ['ti:'vi:] televisión *f*; **TV viewer** televidente *m*, *f*

tweed [twi:d] paño *m* de lana

tweet [twi:t] *v/i* gorjear

tweezers ['twi:zəz] pinzas *f/pl*

twice [twais] dos veces

twig [twig] ramita *f*

twilight ['twailait] crepúsculo *m*

twin [twin] *a*, *s* gemelo *m*

twine [twain] *s* guita *f*; *v/t* rodear; enrollar

twin-engined ['twin'endʒind] bimotor

twinkle ['twiŋkl] *s* centelleo *m*; parpadeo *m*; *v/t*, *v/i* (hacer) centellear; (hacer) parpadear

twirl [twɔ:l] *s* rotación *f*; remolino *m*; *v/t*, *v/i* (hacer) girar

twist [twist] torcedura *f*, torsión *f*; torcimiento *m*; *v/t*, *v/i* torcer(se)

twitch [twitʃ] sacudida *f*; tic *m* nervioso

twitter ['twitə] *s* gorjeo *m*; *v/i* gorjear (*pájaros*)

two [tu:] dos; *to put ~ and ~ together* atar cabos; **~faced**

falso; **~fold** *a* doble; *adv* dos veces; **~piece** de dos piezas; **~way** *aut* en ambas direcciones

tycoon [tai'ku:n] magnate *m* industrial

type [taip] *s* tipo *m*; *v/t*, *v/i* escribir a máquina; **~ewriter** máquina *f* de escribir

typhoid (fever) ['taifoid] fiebre *f* tifoidea

typhoon [tai'fu:n] tifón *m*

typhus ['taifəs] tifus *m*

typical ['tipikəl] típico

typist ['taipist] mecanógrafo(a) *m* (*f*)

tyrann∥ize ['tirənaiz] *v/t* tiranizar; **~y** tiranía *f*

tyre ['taiə] neumático *m*, *LA* llanta *f*

U

udder ['ʌdə] teta *f*; ubre *f*

UFO ['ju:'ef'əu] ovni *m*

ugly ['ʌgli] feo; repugnante

ulcer ['ʌlsə] úlcera *f*

ultimate ['ʌltimit] último; final; **~ly** por último; al final

ultimatum [ʌlti'meitəm] ultimátum *m*

umbilical [ʌm'bilikl]: **~ cord** cordón *m* umbilical

umbrella [ʌm'brelə] paraguas *m*

umpire ['ʌmpaiə] *s* árbitro *m*; *v/t*, *v/i* arbitrar

unabated ['ʌnə'beitid] no disminuido

unable [ʌn'eibl] incapaz

unabridged ['ʌnə'bridʒd] íntegro (*libro*)

unacceptable ['ʌnək'septəbl] inaceptable

unaccountable ['ʌnə'kauntəbl] inexplicable

unaccustomed ['ʌnə'kʌstəmd] insólito

unacquainted ['ʌnə'kweintid]: **~ with** no versado en

unaffected [ʌnə'fektid] natural; sincero

unaided [ʌn'eidid] sin ayuda

unalterable [ʌn'ɔ:ltərəbl] inalterable

unanimous [ju(:)'næniməs] unánime

unapproachable [ʌnə'prəutʃəbl] inabordable; inaccesible

unarmed ['ʌn'ɑːmd] desarmado

unashamed ['ʌnə'ʃeimd] desvergonzado; insolente

unassuming ['ʌnə'sjuːmiŋ] modesto

unattainable [ʌnə'teinəbl] inasequible

unauthorized ['ʌn'ɔːθəraizd] desautorizado

unavoidable [ʌnə'vɔidəbl] inevitable

unaware ['ʌnə'wɛə]: *be ~ of* ignorar; *~s* de improviso

unbalanced ['ʌn'bælənst] desequilibrado

unbearable [ʌn'bɛərəbl] insoportable; inaguantable

unbeatable ['ʌn'biːtəbl] imbatible

unbelievable [ʌnbi'liːvəbl] increíble

unbending ['ʌn'bendiŋ] inflexible

unbiased ['ʌn'baiast] imparcial

unborn ['ʌn'bɔːn] nonato; no nacido aún

unbounded [ʌn'baundid] ilimitado

unbroken ['ʌn'brəukən] intacto; indómito

unburden [ʌn'bəːdn] *v/t* descargar; aliviar

unbutton ['ʌn'bʌtn] *v/t* desabotonar

uncalled-for [ʌn'kɔːldfɔː] impropio; innecesario

uncanny [ʌn'kæni] misterioso; extraño

unceasing [ʌn'siːsiŋ] incesante

uncertain [ʌn'səːtn] incierto; dudoso

unchallenged ['ʌn'tʃælindʒd] incontestado

unchangeable [ʌn'tʃeindʒəbl] inmutable; invariable

unchecked ['ʌn'tʃekt] desenfrenado

uncivil ['ʌn'sivl] descortés; **~ized** bárbaro; inculto

unclaimed ['ʌn'kleimd] no reclamado

uncle ['ʌŋkl] tío *m*

unclean ['ʌn'kliːn] sucio

uncomfortable [ʌn'kʌmfətəbl] incómodo; molesto

uncommon [ʌn'kɔmən] raro; extraño; poco común

uncompromising [ʌn'kɔmprəmaiziŋ] intransigente

unconcern ['ʌnkən'səːn] desinterés *m*; despreocupación *f*

unconditional ['ʌnkən'diʃənl] incondicional

unconfirmed ['ʌnkən'fəːmd] no confirmado

unconquerable [ʌn'kɔŋkərəbl] invencible

unconscious [ʌn'kɔnʃəs] inconsciente; *med* sin sentido; **~ness** inconsciencia *f*; insensibilidad *f*

uncontrollable [ʌnkən'trəuləbl] ingobernable

unconventional ['ʌnkən'venʃənl] original; desenfadado

uncouth [ʌn'ku:θ] grosero; tosco

uncover [ʌn'kʌvə] v/t descubrir; destapar

uncultivated ['ʌn'kʌltiveitid] inculto, yermo

undamaged [ʌn'dæmidʒd] indemne; ileso

undated ['ʌndeitid] sin fecha

undaunted [ʌn'dɔ:ntid] impávido

undecided ['ʌndi'saidid] indeciso

undeniable [ʌndi'naiəbl] innegable; incontestable

under ['ʌndə] prep debajo de; bajo; menos de; conforme a; adv debajo, bajo, abajo; ~ **age** menor de edad

underclothing ['ʌndəkləuðiŋ] ropa f interior

undercurrent ['ʌndə'kʌrənt] fig tendencia f oculta

underdeveloped ['ʌndədi'veləpt] subdesarrollado

underdog ['ʌndə'dɔg] desvalido m

underdone ['ʌndə'dʌn] coc poco hecho

underestimate ['ʌndə'estimeit] v/t subestimar

undergo [ʌndə'gəu] v/t sufrir; sostener

undergraduate [ʌndə'grædjuit] estudiante m, f (universitario)

underground ['ʌndəgraund] a subterráneo; s metro m

undergrowth ['ʌndəgrəuθ] maleza f

underhanded ['ʌndəhændid] clandestino

underline [ʌndə'lain] v/t subrayar

undermine [ʌndə'main] v/t socavar; minar

underneath [ʌndə'ni:θ] adv abajo; prep bajo; debajo de

undernourished ['ʌndə'nʌriʃt] desnutrido

underpaid ['ʌndə'peid] mal pagado

underpants ['ʌndəpænts] calzoncillos m/pl

underpass ['ʌndəpɑ:s] paso m inferior

underprivileged ['ʌndə'privilidʒd] desamparado

underrate [ʌndə'reit] v/t desestimar

undershirt ['ʌndəʃə:t] camiseta f

undersigned [ʌndə'saind] infrascrito m

understaffed ['ʌndə'stɑ:ft] corto de personal

understand [ʌndə'stænd] v/t, v/i entender; comprender; **~able** comprensible; **~ing** a comprensivo; s entendimiento m; inteligencia f; acuerdo m

understatement ['ʌndə'steitmənt] declaración f insuficiente

undertak|e [ʌndə'teik] v/t, v/i

emprender; encargarse de; comprometerse a; **~er** empresario *m* de pompas fúnebres; **~ing** empresa *f*

undervalue ['ʌndə'vælju:] *v/t* despreciar; menospreciar

underwater ['ʌndə'wɔ:tə] submarino

underway ['ʌndə'wei] en camino

underwear ['ʌndəwεə] ropa *f* interior

underweight ['ʌndə'weit] de peso menor que el normal

underworld ['ʌndəwə:ld] infiernos *m/pl*; hampa *f*

undesirable ['ʌndi'zaiərəbl] indeseable

undignified [ʌn'dignifaid] indecoroso

undisciplined [ʌn'disiplind] indisciplinado

undisputed ['ʌndis'pju:tid] incontestable

undisturbed ['ʌndis'tə:bd] imperturbable; inalterado

undo ['ʌn'du:] *v/t* deshacer; desatar; **~ing** perdición *f*; ruina *f*

undone [ʌn'dʌn] sin hacer; desatado

undoubted [ʌn'dautid] indudable

undress ['ʌn'dres] *v/t*, *v/i* desnudarse

undue ['ʌn'dju:] indebido

undulate ['ʌndjuleit] *v/t* ondular; fluctuar

unearth ['ʌn'ə:θ] *v/t* desenterrar

uneasy [ʌn'i:zi] inquieto

uneducated ['ʌn'edjukeitid] ignorante; no educado

unemployed ['ʌnim'plɔid] desocupado; parado; **~ment** desempleo *m*, paro *m*

unequal ['ʌn'i:kwəl] desigual; dispar; **~led** incomparable; sin par

unerring ['ʌn'ə:riŋ] infalible; seguro

uneven ['ʌn'i:vən] desigual

uneventful ['ʌni'ventful] sin novedad

unexpected ['ʌniks'pektid] inesperado

unfading [ʌn'feidiŋ] inmarcesible

unfailing [ʌn'feiliŋ] infalible; incansable

unfair ['ʌn'fεə] injusto

unfaithful ['ʌn'feiθful] infiel; **~ness** infidelidad *f*

unfamiliar ['ʌnfə'miljə] poco común; desconocido

unfashionable ['ʌn'fæʃnəbl] fuera de moda

unfasten ['ʌn'fɑ:sn] *v/t* desatar

unfavo(u)rable ['ʌn'feivərəbl] desfavorable

unfeeling [ʌn'fi:liŋ] insensible, impasible

unfinished ['ʌn'finiʃt] inacabado; inconcluso; incompleto

unfit ['ʌn'fit] impropio; incapaz; inepto

unfold [ʌn'fauld] *v/t* desdoblar; desplegar; desarrollar

unforeseen [ˌʌnfɔː'siːn] imprevisto

unforgettable [ˌʌnfə'getəbl] inolvidable

unforgiving [ˌʌnfə'givin] implacable

unfortunate [ʌn'fɔːtʃnit] desgraciado; desafortunado; ~ly desgraciadamente

unfounded [ˌʌn'faundid] infundado

unfriendly [ˌʌn'frendli] poco amistoso; hostil

unfurnished [ˌʌn'fɔːniʃt] sin amueblar

ungainly [ʌn'geinli] desgarbado

ungodly [ʌn'gɔdli] impío; *fam* atroz

ungovernable [ʌn'gʌvənəbl] ingobernable

ungrateful [ʌn'greitful] desagradecido; ingrato

ungrudging [ʌn'grʌdʒin] generoso; incondicional (*apoyo etc*)

unguarded [ʌn'gɑːdid] desguarnecido; desprevenido

unhappy [ʌn'hæpi] infeliz, desdichado

unharmed [ʌn'hɑːmd] ileso; sano y salvo

unhealthy [ʌn'helθi] enfermizo; insalubre

unheard-of [ʌn'hɔːdɔv] inaudito

unheeded [ʌn'hiːdid] desatendido; ~ing desatento

unhesitating [ʌn'heziteitin] resuelto; ~ly sin vacilar

unhook [ʌn'huk] v/t desenganchar; desabrochar; descolgar

unhoped-for [ʌn'həuptfɔː] inesperado

unhurt [ʌn'hɔːt] ileso; indemne

unidentified [ˌʌnai'dentifaid] sin identificar

uniform ['juːnifɔːm] *a* uniforme; invariable; constante; *s* uniforme *m*

unify ['juːnifai] v/t unificar

unimaginable [ˌʌni'mædʒinəbl] inimaginable

unimportant [ˌʌnim'pɔːtənt] sin importancia

uninhabitable [ˌʌnin'hæbitəbl] inhabitable; ~ed inhabitado; despoblado

uninjured [ʌn'indʒəd] ileso; incólume

unintelligible [ˌʌnin'telidʒəbl] ininteligible

unintentional [ˌʌnin'tenʃənl] involuntario

uninteresting [ʌn'intristin] falto de interés

uninterrupted [ˌʌnintə'rʌptid] ininterrumpido

uninvited [ˌʌnin'vaitid] no convidado; ~ing poco atractivo; desagradable

union ['juːnjən] unión *f*; sindicato *m*, gremio *m* (*de obreros*)

unique [juː'niːk] único

unison ['juːnizn] *s* unisonancia *f*; **in ~** al unísono

unit ['juːnit] unidad *f*; ~e

[ʌ'nait] *v/t* unir; unificar; *v/i* unirse; juntarse; **2ed Nations** Naciones *f/pl* Unidas; **2ed States** Estados *m/pl* Unidos; **~y** unidad *f*

univers|al [juːniˈvəːsəl] universal; **~e** [ˈjuːnivəːs] universo *m*; **~ity** [ˈvəːsiti] universidad *f*

unjust [ʌnˈdʒʌst] injusto

unkempt [ʌnˈkempt] descuidado; desarreglado

unkind [ʌnˈkaind] poco amable; duro

unknown [ʌnˈnoun] desconocido

unlawful [ʌnˈlɔːful] ilícito

unleash [ʌnˈliːʃ] *v/t* soltar; *fig* desencadenar

unless [ənˈles] *conj* a menos que; a no ser que

unlike [ʌnˈlaik] diferente, distinto; **~ly** improbable; inverosímil

unlimited [ʌnˈlimitid] ilimitado

unload [ʌnˈloud] *v/t* descargar

unlock [ʌnˈlɔk] *v/t* abrir con llave

unlucky [ʌnˈlʌki] desafortunado; **to be ~** tener mala suerte

unmanageable [ʌnˈmænidʒəbl] inmanejable

unmarried [ʌnˈmærid] soltero, célibe

unmask [ʌnˈmaːsk] *v/t* desenmascarar

unmatched [ʌnˈmætʃt] incomparable

unmerciful [ʌnˈməːsiful] despiadado

unmindful [ʌnˈmaindful]: **~ of** sin pensar en

unmistakable [ˈʌnmisˈteikəbl] inconfundible

unmoved [ʌnˈmuːvd] inalterado, impasible

unnatural [ʌnˈnætʃrəl] antinatural; inhumano; desnaturalizado; perverso

unnecessary [ʌnˈnesisəri] innecesario; superfluo

unnoticed [ʌnˈnoutist] inadvertido

unobserved [ˈʌnəbˈzəːvd] inadvertido

unobtainable [ˈʌnəbˈteinəbl] inasequible

unobtrusive [ˈʌnəbˈtruːsiv] discreto, moderado

unoccupied [ʌnˈɔkjupaid] desocupado; libre; vacante

unofficial [ˈʌnəˈfiʃəl] no oficial

unorganized [ʌnˈɔːgənaizd] no organizado

unpack [ʌnˈpæk] *v/t* desempaquetar; desembalar; deshacer las maletas

unpaid [ʌnˈpeid] pendiente de pago, *LA* impago

unparalleled [ʌnˈpærəleld] sin par; inigualado

unpardonable [ʌnˈpaːdnəbl] imperdonable

unpaved [ʌnˈpeivd] sin pavimentar

unpleasant [ʌnˈpleznt] desagradable; **~ness** desavenencia f; disgusto m

unplug ['ʌn'plʌg] v/t desenchufar

unpopular ['ʌn'pɔpjulə] impopular

unprecedented [ʌn'presidəntid] sin precedente

unpredictable ['ʌnpri'diktəbl] imprevisible

unprejudiced [ʌn'predʒudist] imparcial

unpremeditated ['ʌnpri'mediteitid] impremeditado

unprepared ['ʌnpri'pɛəd] no preparado

unpretentious [ʌnpri'tenʃəs] sin pretensiones, sencillo

unproductive ['ʌnprə'dʌktiv] improductivo

unprofitable [ʌn'prɔfitəbl] nada lucrativo

unprovoked ['ʌnprə'vəukt] no provocado

unpublished ['ʌn'pʌbliʃt] inédito; no publicado

unqualified [ʌn'kwɔlifaid] incapaz, incompetente; incondicional

unquestionable [ʌn'kwestʃənəbl] indiscutible

unravel [ʌn'rævl] v/t desenmarañar

unreal ['ʌn'riəl] irreal; ilusorio

unreasonable [ʌn'riːznəbl] irrazonable

unrelated ['ʌnri'leitid] inconexo; sin relación

unrelenting ['ʌnri'lentiŋ] inexorable, implacable

unreliable ['ʌnri'laiəbl] de poca confianza

unrepeatable ['ʌnri'piːtəbl] irrepetible

unrepentant ['ʌnri'pentənt] impenitente

unrequited ['ʌnri'kwaitid] no correspondido

unreserved [ʌnri'zə:vd] sin reservas, incondicional

unrest ['ʌn'rest] inquietud f; disturbio m

unrestrained ['ʌnri'streind] desenfrenado

unrestricted ['ʌnri'triktid] sin restricción

unripe ['ʌn'raip] verde; inmaduro

unrival(l)ed [ʌn'raivəld] sin rival; incomparable

unroll ['ʌn'rəul] v/t desenrollar

unruffled ['ʌn'rʌfld] tranquilo; sereno

unruly [ʌn'ruːli] revoltoso

unsafe ['ʌn'seif] inseguro; peligroso

unsaid ['ʌn'sed] sin decir

unsatisfactory ['ʌnsætis'fæktəri] insatisfactorio

unsavo(u)ry ['ʌn'seivəri] ofensivo; desagradable

unscrew ['ʌn'skruː] v/t desatornillar

unscrupulous [ʌn'skruːpjuləs] sin escrúpulo

unseemly [ʌn'siːmli] indecoroso

unseen ['ʌn'siːn] no visto

unselfish ['ʌn'selfiʃ] altruista; desinteresado

unsettled ['ʌn'setld] inestable; pendiente; variable; despoblado; *com* por pagar

unshaven ['ʌn'ʃeivn] sin afeitar

unshrink|able ['ʌn'ʃriŋkəbl] que no se encoge; **~ing** intrépido

unsightly [ʌn'saitli] feo

unskilled ['ʌn'skild] inexperto; **~ labo(u)r** mano *f* de obra no cualificada

unsociable ['ʌn'səuʃəbl] insociable; reservado

unsold ['ʌn'səuld] sin vender

unsolved ['ʌn'sɒlvd] sin resolver

unsound ['ʌn'saund] defectuoso; erróneo

unspeakable [ʌn'spi:kəbl] indecible

unspoiled ['ʌn'spɔilt] no corrompido, intacto

unspoken ['ʌn'spəukn] tácito

unstable ['ʌn'steibl] inestable

unsteady ['ʌn'stedi] inestable; inconstante; irregular

unsuccessful ['ʌnsək'sesful] sin éxito; fracasado

unsuitable ['ʌn'sju:təbl] impropio

unsure ['ʌn'ʃuə] inseguro

unsuspect|ed ['ʌnsəs'pektid] · insospechado; **~ing** confiado

unswerving ['ʌn'swɜ:viŋ] inquebrantable

untangle ['ʌn'tæŋgl] *v/t* desenmarañar

unthink|able [ʌn'θiŋkəbl] inconcebible; **~ing** irreflexivo

untidy [ʌn'taidi] desordenado; desarreglado

untie [ʌn'tai] *v/t* desatar

until [ən'til] *prep* hasta; *conj* hasta que

untimely [ʌn'taimli] intempestivo; prematuro; *at an ~ hour* a deshora

untiring [ʌn'taiəriŋ] incansable

untold [ʌn'təuld] nunca contado

untouched [ʌn'tʌʃt] intacto

untried [ʌn'traid] no probado

untroubled [ʌn'trʌbld] tranquilo

untru|e [ʌn'tru:] falso; **~th** [~'tru:θ] falsedad *f*; **~thful** mentiroso; falso

unused [ʌn'ju:zd] no usado; nuevo

unusual [ʌn'ju:ʒuəl] insólito, extraordinario

unvarying [ʌn'vɛəriiŋ] invariable

unveil [ʌn'veil] *v/t* descubrir; quitar el velo a

unvoiced [ʌn'vɔist] *gram* sordo

unwanted [ʌn'wɒntid] no deseado

unwarranted [ʌn'wɒrəntid] injustificado

unwelcome [ʌn'welkəm] mal acogido; inoportuno

unwell [ʌn'wel] indispuesto,

enfermizo; **to feel ~** sentirse mal

unwholesome [ʌn'həulsəm] insalubre; dañino

unwieldy [ʌn'wi:ldi] abultado; difícil de manejar

unwilling [ʌn'wiliŋ] desinclinado; **~ to** poco dispuesto a; **~ly** de mala gana

unwind [ʌn'waind] v/t desenvolver; desenredar

unwise [ʌn'waiz] poco aconsejable, imprudente

unwittingly [ʌn'witiŋli] inconscientemente

unworthy [ʌn'wə:ði] indigno

unwrap ['ʌn'ræp] v/t desenvolver; desempaquetar

unyielding [ʌn'ji:ldiŋ] obstinado, inflexible; rígido

up [ʌp] a inclinado; ascendente; adv arriba; hacia arriba; en pie, levantado; **~ and about** restablecido; **~ and down** de arriba abajo; de un lado a otro; **~ against** tener que habérselas con; **~ to now** hasta ahora; **what's ~?** ¿ qué pasa?; **s on the ~ and ~** cada vez mejor; **the ~s and downs** los altibajos m/pl (de la vida)

up-and-coming ['ʌp-ənd'kʌmiŋ] fam joven y prometedor

upbraid [ʌp'breid] v/t reprochar

upbringing ['ʌpbriŋiŋ] crianza f; educación f

update [ʌp'deit] v/t poner al día

upgrade ['ʌpgreid] v/t mejorar

upheaval [ʌp'hi:vəl] trastorno m; fig cataclismo m

uphill ['ʌp'hil] a ascendente; fig laborioso; adv cuesta arriba

uphold [ʌp'həuld] v/t sostener

upholster [ʌp'həulstə] v/t tapizar; **~er** tapicero m; **~y** tapizado m

upkeep ['ʌpki:p] mantenimiento m

upon [ə'pɔn] sobre; encima de

upper ['ʌpə] superior; más elevado; **get the ~ hand** obtener dominio sobre; **~most** más alto

upright ['ʌp'rait] vertical; derecho; recto

uprising [ʌp'raiziŋ] sublevación f; alzamiento m

uproar ['ʌprɔ:] tumulto m

uproot [ʌp'ru:t] v/t desarraigar

upset [ʌp'set] s vuelco m; contratiempo m; med trastorno m; v/t volcar; desarreglar; trastornar; revolver (el estómago); a perturbado; enfadado

upshot ['ʌpʃɔt] resultado m

upside down ['ʌpsaid'daun] al revés

upstairs ['ʌp'steəz] arriba

upstart ['ʌpsta:t] a, s advenedizo m

upstream ['ʌp'stri:m] río arriba

up-to-date [ʌptə'deit] al día; moderno

upward(s) ['ʌpwəd(z)] ascendente; hacia arriba

uranium [ju'reinjəm] uranio *m*

urban ['ə:bən] urbano

urbane [ə:'bein] cortés; mundano

urchin ['ə:tʃin] golfillo *m*

urge [ə:dʒ] *s* impulso *m*; *v/t* instar; impulsar; incitar; **~nt** urgente

urine ['juərin] orina *f*

urn [ə:n] urna *f*

Uruguay [juərəgwai] el Uruguay; **~an** *a, s* uruguayo(a) *m (f)*

us [ʌs, əs] *pron* nos; (*después de preposiciones*) nosotros(as)

U.S.A. = *United States (of America)* EE.UU.

us|age ['ju:zidʒ] uso *m*; tratamiento *m*; **~e** [ju:s] *s* empleo *m*, aplicación *f*; utilidad *f*; *it is no ~e* es inútil; *what is the ~e of?* ¿para qué sirve?; [ju:z] *v/t* usar; emplear; utili-

zar; **~e up** consumir; **~ed** [~sd] gastado; usado; de ocasión; [~st] acostumbrado; **~ed to (do)** solía (hacer); *to get ~ed to* acostumbrarse a; **~eful** útil; **~eless** inútil; inservible

usher ['ʌʃə, ~ret] acomodador(a) *m (f)*

usual ['ju:ʒuəl] acostumbrado; usual; *as ~* como de costumbre

usur|er ['ju:ʒərə] usurero *m*; **~y** ['~ʒuri] usura *f*

utensil [ju:(')tensl] utensilio *m*

uterus ['ju:tərəs] útero *m*

utili|ty [ju:'tiliti] utilidad *f*; *public ~ties* servicios *m/pl* públicos; **~ze** ['ju:tilaiz] *v/t* utilizar

utmost ['ʌtməust] extremo; último; *to the ~* hasta más no poder

utter ['ʌtə] *a* completo, total; absoluto; *v/t* proferir; pronunciar; **~ance** pronunciación *f*; expresión *f*; **~ly** totalmente

V

vaca|ncy ['veikənsi] vacío *m*; vacante *f*; **~nt** vacante; vacío; desocupado; **~te** [və'keit] *v/t* dejar; desocupar; **~tion** vacaciones *f/pl*

vaccin|ate ['væksineit] *v/t* vacunar; **~ation** vacuna *f*

vacuum ['vækjuəm] vacío *m*;

~ cleaner aspiradora *f*

vagabond ['vægəbɔnd] *a, s* vagabundo(a) *m (f)*

vagrant ['veigrənt] *a, s* vagabundo *m*; *fig* errante

vague [veig] vago; incierto

vain [vein] vano; vanidoso; *in ~* en vano

valet ['vælit] criado *m*

valiant ['væljənt] valiente

valid ['vælid] válido; **~ity** [və'liditi] validez *f*

valise [və'liːz] maleta *f*, valija *f*

valley ['væli] valle *m*

valo(u)r ['vælə] valor *m*

valuable ['væljuəbl] valioso; **~ables** objetos *m/pl* de valor; **~ation** valuación *f*; tasa *f*; **~e** ['~juː] *s* valor *m*; **~ added tax** impuesto *m* sobre el valor añadido; *v/t* valorar; tasar; **~eless** sin valor

valve [vælv] válvula *f*

van [væn] camioneta *f*; furgoneta *f*

vane [vein] veleta *f*

vanilla [və'nilə] vainilla *f*

vanish ['væniʃ] *v/i* desvanecerse; desaparecer

vanity ['væniti] vanidad *f*; engreimiento *m*; **~ case** polvera *f*; neceser *m*

vapo(u)r ['veipə] vapor *m*; vaho *m*; **~ize** ['veipəraiz] *v/t* vaporizar

varia|ble ['vɛəriəbl] variable; **~nce** desacuerdo *m*; diferencia *f*; **~nt** variante *f*; **~tion** variación *f*; cambio *m*

varicose ['værikəus]: **~ veins** varices *f/pl*

var|iety [və'raiəti] variedad *f*; surtido *m*; **~iety show** variedades *f/pl*; **~ious** ['vɛəriəs] vario; diverso; varios

varnish ['vaːniʃ] *s* barniz *m*; *v/t* barnizar

vary ['vɛəri] *v/t*, *v/i* variar

vase [vaːz] florero *m*, vaso *m*; jarrón *m*

vaseline ['væsəliːn] vaselina *f*

vast [vaːst] vasto; inmenso

vat [væt] tina *f*, cuba *f*

Vatican ['vætikən] Vaticano *m*

vault [vɔːlt] *s* bóveda *f*; cueva *f*; salto *m*; *v/t*, *v/i* saltar

veal [viːl] carne *f* de ternera

vegeta|ble ['vedʒitəbl] verdura *f*; legumbre *f*; hortaliza *f*; **~rian** [və'tɛəriən] vegetariano(a) *m* (*f*); **~te** ['~eit] *v/i* vegetar; **~tion** vegetación *f*

vehemen|ce ['viːiməns] vehemencia *f*; **~t** vehemente

vehicle ['viːikl] vehículo *m*

veil [veil] *s* velo *m*; *v/t* velar

vein [vein] vena *f*

velocity [vi'lɔsiti] velocidad *f*

velvet ['velvit] terciopelo *m*

venal ['viːnl] venal

vend|er, ~or ['vendə] vendedor(a) *m* (*f*); **~ing machine** distribuidor *m* automático

venera|ble ['venərəbl] venerable; **~te** ['~eit] *v/t* venerar

venereal [vi'niəriəl]: **~ disease** enfermedad *f* venérea

Venetian [vi'niːʃən]: **~ blind** persiana *f*

Venezuela [vene'zweilə] Venezuela *f*; **~n** *a*, *s* venezolano(a) *m* (*f*)

vengeance ['vendʒəns] venganza *f*; **with a ~** *fam* con creces

venison ['venzn] venado *m*

venom ['venəm] veneno m (t fig); **~ous** venenoso

vent [vent] s respiradero m; agujero m; abertura f; v/t desahogar; **~ilate** v/t ventilar; **~ilation** ventilación f

venture ['ventʃə] s empresa f; negocio m arriesgado; v/i atreverse; arriesgarse

verb [vəːb] verbo m; **~atim** palabra por palabra; **~ose** ['~bəus] verboso

verdict ['vəːdikt] veredicto m; fallo m; dictamen m

verge [vəːdʒ] s borde m; margen m,f; vara f; **on the ~ of** al borde de; v/i **~ on** rayar en

verify ['verifai] v/t verificar

vermin ['vəːmin] bichos m/pl; sabandijas f/pl

vermouth ['vəːmuːθ] vermut m

vernacular [vəːnækjulə] s lengua f vernácula; a vernáculo

versatile ['vəːsətail] adaptable; flexible; versátil

vers|e [vəːs] verso m; estrofa f; **~ed** versado; **~ion** ['~ʃən] versión f

versus ['vəːsəs] contra

vertebra ['vəːtibrə] vértebra f

vertical ['vəːtikəl] vertical

very ['veri] a mismo; mero; solo; completo; adv mucho; muy

vessel ['vesl] vasija f; mar barco m

vest [vest] s camiseta f; Am chaleco m; **~ed interests** in-

tereses m/pl creados

vestige ['vestidʒ] vestigio m

vestry ['vestri] sacristía f

vet [vet] fam veterinario m; veterano m

veteran ['vetərən] a, s veterano m

veterinary (surgeon) ['vetərinəri] veterinario m

veto ['viːtəu] s veto m; v/t vetar

vex [veks] v/t fastidiar; irritar; **~ation** irritación f

vibrat|e [vai'breit] v/t, v/i vibrar; **~ion** vibración f

vicar ['vikə] vicario m; párroco m; **~age** vicaría f

vice [vais] vicio m

vice [vais] (prefijo) vice-; **~ president** vicepresidente m

vicinity [vi'siniti] vecindad f

vicious ['viʃəs] vicioso; cruel; depravado; cruel

victim ['viktim] víctima f; **~ize** v/t hacer víctima; tomar represalias contra

victor ['viktə] vencedor m; **~ious** [~'tɔːriəs] victorioso; **~y** ['~təri] victoria f

video ['vidiəu] vídeo m; **~ camera** videocámara f; **~ cassette** videocassette f; **~ disc** videodisco m; **~ recorder** magnetoscopio m

vie [vai]: **~ with** v/i competir con

view [vjuː] s vista f; perspectiva f; panorama m; opinión f; **in ~** a la vista; **in ~ of** en vista de; **on ~** expuesto; **with a ~ to**

con miras a; *v/t* contemplar; considerar; **~er** espectador *m*; **~finder** *foto* visor *m*; **~point** punto *m* de vista

vigil ['vidʒil] vela *f*; vigilia *f*; **~ant** vigilante

vigo|rous ['vigərəs] vigoroso; **~(u)r** vigor *m*

vile [vail] vil; odioso

village ['vilidʒ] aldea *f*; pueblo *m*; **~r** aldeano(a) *m* (*f*)

villain ['vilən] malvado *m*; **~y** vileza *f*

vindicat|e ['vindikeit] *v/t* vindicar; justificar; **~ion** vindicación *f*; justificación *f*

vindictive [vin'diktiv] vengativo

vine [vain] parra *f*; vid *f*; **~gar** ['viniɡə] vinagre *m*; **~yard** ['vinjəd] viñedo *m*

vintage ['vintidʒ] vendimia *f*; **~ wine** vino *m* añejo

viola [vi'əulə] *mús*, bot viola *f*

violat|e ['vaiəleit] *v/t* violar; **~ation** violación *f*

violen|ce ['vaiələns] violencia *f*; **~t** violento

violet ['vaiəlit] *s* color *m* violado; violeta *f*; *a* violado

violin [vaiə'lin] violín *m*

VIP ['vi:ai'pi:] *= very important person* persona *f* muy importante

viper ['vaipə] víbora *f*

virgin ['vɜ:dʒin] virgen *f*; **~ity** [~'dʒiniti] virginidad *f*

viri|le ['virail] viril; **~ity** [~'riliti] virilidad *f*

virtu|al ['vɜ:tʃuəl] virtual; **~e**

[~ju:, ~ʃu:] virtud *f*; **~ous** ['~juəs] virtuoso

virus ['vaiərəs] virus *m*

visa ['vizə] visado *m*

vis-à-vis [vizə'vi:] respecto a; frente a frente

visib|ility [vizi'biliti] visibilidad *f*; **~le** ['vizəbl] visible; manifiesto

vision ['viʒən] visión *f*

visit ['vizit] *s* visita *f*; *v/t* visitar; **~or** visitante *m*, *f*

visor ['vaizə] visera *f*

visual ['vizjuəl] visual; **~ize** *v/t*, *v/i* imaginar(se)

vital ['vaitl] vital; esencial; enérgico; **~ity** [~'tæliti] vitalidad *f*; **~ize** ['~laiz] *v/t* vitalizar; **~s** partes *f/pl* vitales

vitamin ['vitəmin] vitamina *f*

vivaci|ous [vi'veiʃəs] animado, vivaz; **~ty** [~'væsiti] vivacidad *f*

vivi|d ['vivid] vivo; intenso; gráfico; **~dness** claridad *f*; **~fy** ['~fai] *v/t* vivificar

voca|bulary [vəu'kæbjuləri] vocabulario *m*; **~l** ['vəukəl] vocal *f*; **~l cords** cuerdas *f/pl* vocales; **~lize** *v/t* vocalizar

vocation [vəu'keiʃən] vocación *f*

vogue [vəug] moda *f*; *in ~* en boga

voice [vɔis] *s* voz *f*; *v/t* expresar; hacerse eco de; **~d** [~t] *gram* sonoro

void [vɔid] *a* vacío; *for* nulo; *v/t* invalidar; desocupar

volatile ['vɔlətail] volátil

volcano [vɔl'keinəu] volcán m

volley ['vɔli] s mil descarga f; salva f; voleo m (tenis); v/t, v/i sp volear; **~ball** vóleibol m

volt [vəult] voltio m; **~age** voltaje m

voluble ['vɔljubl] locuaz

volum|e ['vɔljum] tomo m; volumen m; **~inous** [və'ljuminəs] voluminoso

voluntary ['vɔləntəri] voluntario; **~eer** [~'tiə] s voluntario m; v/i ofrecerse como voluntario

voluptuous [və'lʌptʃuəs] voluptuoso

vomit ['vɔmit] s vómito m; v/t, v/i vomitar

voraci|ous [və'reiʃəs] voraz;

~ty [~'ræsiti] voracidad f

vot|e [vəut] s voto m; sufragio m; v/t, v/i votar; **~er** votante m, f; **~ing** votación f

vouch [vautʃ] v/t atestiguar; **~ for** responder de; **~er** comprobante m; fiador m; **~safe** [~'seif] v/t conceder

vow [vau] s voto m; v/t hacer voto de; jurar

vowel ['vauəl] vocal f

voyage ['vɔiidʒ] s viaje m marítimo; travesía f

vulgar ['vʌlgə] vulgar; grosero; cursi; ordinario; **~ism** vulgarismo m; **~ity** [~'gæriti] vulgaridad f

vulnerable ['vʌlnərəbl] vulnerable

vulture ['vʌltʃə] buitre m

W

wad [wɔd] s fajo m; mil taco m; bolita f (de algodón etc)

waddle ['wɔdl] v/t anadear

wade [weid] v/t, v/i vadear

wafer ['weifə] barquillo m

waffle ['wɔfl] (especie de) panqueque m, LA wafle m

waft [wɑ:ft] s soplo m; v/i flotar

wag [wæg] s meneo m; v/t menear; mover (el rabo); v/i oscilar

wage [weidʒ] s salario m; sueldo m; **~ war** hacer la guerra; **~earner** asalariado(a) m (f)

wager ['weidʒə] s apuesta f;

v/t, v/i apostar

wag(g)on ['wægən] carro m; f c vagón m de carga

wail [weil] s lamento m; gemido m; v/t, v/i lamentarse; gemir

waist [weist] anat cintura f; **~coat** ['weiskəut] chaleco m; **~line** talle m

wait [weit] s espera f; v/t, v/i esperar; **~ at table** servir a la mesa; **~ for** esperar a; **~er** camarero m; **~ing** espera f; **~ing room** sala f de espera; **~ress** camarera f

waive [weiv] v/t renunciar; **~r** renuncia f

wake [weik] s estela f (del barco); velatorio m; v/i ~ up despertar(se); **~ful** insomne; fig despierto; **~n** v/t, v/i despertar(se)

Wales [weilz] Gales f

walk [wɔːk] s paseo m; caminata f; **to go for a ~, to take a ~ of life** dar un paseo; ~ **of life** condición f social; ~ profesión f; v/i andar; pasear; ~ **in** entrar; ~ **out** salir; para declararse en huelga; v/t recorrer

walkie-talkie ['wɔːki'tɔːki] transmisor-receptor m portátil

walking ['wɔːkiŋ] **papers** 'peipəz] fam carta f de despido; ~ **stick** nastón m

walkout ['wɔːkaut] fam huelga f

wall [wɔːl] pared f; muro m; muralla f

wallet ['wɔlit] cartera f

wallop ['wɔləp] v/t zurrar

wallpaper ['wɔːlpeipə] papel m pintado

walnut ['wɔːlnʌt] (nuez f de) nogal m

walrus ['wɔːlrəs] morsa f

waltz [wɔːls] s vals m; v/i valsar

wan [wɔn] pálido; descolorido

wand [wɔnd] vara f

wander ['wɔndə] v/i vagar, errar; ~ **about** deambular; **~er** vagabundo m; **~ing** errante; nómado

wane [wein] v/i menguar

want [wɔnt] s falta f; necesidad f; **for ~ of** por falta de; v/t querer; desear; necesitar; **~ed** se busca; se necesita; v/i **be ~ing** faltar; **be ~ing in** estar falto (de)

war [wɔː] s guerra f; **at ~** en guerra

ward [wɔːd] s pupilo m; tutela f; sala f; pabellón m (de hospital); v/t **~ off** desviar; **~en** guardián m; **~er** carcelero m; **~robe** guardarropa m, f; ropero m; vestidos m/pl

ware|s [wɛəz] mercancías f/pl; **~house** almacén m; depósito m

warm [wɔːm] a caliente; caluroso; v/t calentar; ~ **up** recalentar; v/i ~ **up** calentarse; **~th** [-θ] calor m

warn [wɔːn] v/t avisar; poner en guardia; amonestar; **~ing** s aviso m; advertencia f; a de aviso

warp [wɔːp] s urdimbre f; v/t deformar; pervertir; v/i torcerse; alabearse

warrant ['wɔrənt] s garantía f; **for** mandato m judicial; v/t autorizar; garantizar; **~y** garantía f

war|rior ['wɔriə] guerrero m; **~ship** buque m de guerra

wart [wɔːt] verruga f

wary ['wɛəri] cauteloso

wash [wɔʃ] s lavado m; ropa f para lavar; v/t, v/i lavar(se); ~ **up** lavar los platos, Am t lavarse; **~able** lavable; **~**

waylay

and wear de lava y pon; **~er** *tecn* arandela *f*; **~ing** lavado *m*; **~ing machine** lavadora *f*

wasp [wɔsp] avispa *f*

waste [weist] *s* desperdicios *m/pl*; desperfarro *m*; basura *f*; **a ~ of time** una pérdida del tiempo; *a* desechado; superfluo; desolado; *v/t* malgastar; despilfarrar; *v/i* **~ away** consumirse; menguar; **~ful** pródigo; derrochador; **~paper basket** cesto *m* de papeles; **~ pipe** tubo *m* de desagüe

watch [wɔtʃ] *s* guardia *f*; vigilancia *f*; reloj *m*; **to be on the ~** estar a la mira; **to keep ~** estar de guardia; *v/t* mirar; observar; vigilar; *v/i* velar; **~ for** esperar; **~ out** tener cuidado; **~band** correa *f* de reloj; **~dog** perro *m* guardián; **~ful** vigilante; **~maker** relojero *m*; **~man** vigilante *m*, sereno *m*; **~word** santo *m* y seña

water [wɔːtə] *a* acuático; *s* agua *f*; **fresh ~** agua *f* dulce; **running ~** agua *f* corriente; *v/t* regar; abrevar (*ganado*); mojar; **~ down** suavizar; *v/i* hacerse agua; *mar* tomar agua; **my mouth ~s** se me hace la boca agua; **~closet** inodoro *m*; **~colo(u)r** acuarela *f*; **~fall** salto *m* de agua; **~ing** riego *m*, **~ing can** regadera *f*; **~ing place** balneario *m*; abrevadero *m*; **~level** ni-

vel *m* de agua; **~logged** empapado; **~mark** filigrana *f*; **~melon** sandía *f*; **~ power** fuerza *f* hidráulica; **~proof** impermeable; **~shed** *fig* momento *m* crítico; **~ skiing** esquí *m* acuático; **~spout** tromba *f* marina; **~ tank** cisterna *f*; depósito *m* de agua; **~tight** estanco; hermético; **~wheel** rueda *f* hidráulica; **~works** planta *f* de agua potable; **~y** acuoso; aguado

watt [wɔt] vatio *m*

wave [weiv] *s* ola *f*; onda *f*; ondulación *f*; *v/t*, *v/i* agitar(se); hacer señales; ondear; **~length** longitud *f* de onda

waver [weivə] *v/i* vacilar; titubear

wax [wæks] *s* cera *f*; *v/t* encerar; (*luna*) crecer

way [wei] camino *m*; vía *f*; rumbo *m*; medio *m*; modo *m*; **by the ~** a propósito; **by ~ of** por vía de; **go out of one's ~** darse la molestia; **have a ~ with people** tener don de gentes; **in a ~** en cierto modo; **lose one's ~** extraviarse; **on the ~** en el camino; **out of the ~** lejano; aislado; **this ~** por acá; **to be in the ~** estorbar; **to give ~** ceder; **to lead the ~** enseñar el camino; **to make one's ~** abrirse paso; **~ in** entrada *f*; **~ out** salida *f*; **which ~?** ¿por dónde?; **~lay** [wei'lei] *v/t* acechar; **~ward** voluntarioso; rebelde

we [wiː, wi] *pron pers* nosotros(as)

weak [wiːk] débil; flojo; **~en** *v/t, v/i* debilitar(se), atenuar(se); **~ling** canijo *m*; **~ness** debilidad *f*

wealth [welθ] riqueza *f*; opulencia *f*; **~y** rico

wean [wiːn] *v/t* destetar

weapon ['wepən] arma *f*

wear [weə] *s* uso *m*; **~ and tear** desgaste *m*; *v/t* llevar puesto; calzar; vestir de; **~ down, ~ out** desgastar, cansar; *v/i* durar, resistir el uso; conservarse; **~ away** desgastarse

wear|iness ['wiərinis] cansancio *m*; **~isome** fastidioso; **~y** *a* cansado; fatigado; *v/t* fatigar; cansar

weasel ['wiːzl] comadreja *f*

weather ['weðə] *s* tiempo *m*; intemperie *f*; *v/t* resistir a; aguantar; **~beaten** curtido por la intemperie; **~chart** mapa *m* meteorológico; **~forecast** parte *m* meteorológico; **~vane** veleta *f*

weav|e [wiːv] *v/t* tejer; **~er** tejedor(a) *m* (*f*)

web [web] telaraña *f*; red *f*; alma *f* (*de riel*); *zool* membrana *f*

wed [wed] *v/t* casar; casarse con; *v/i* casarse; **~ding** boda *f*; casamiento *m*; **~ding ring** anillo *m* de boda

wedge [wedʒ] *s* cuña *f*; calce

m; *v/t* acuñar; calzar

wedlock ['wedlɔk] matrimonio *m*

Wednesday ['wenzdi] miércoles *m*

weed [wiːd] *s* mala hierba *f*; *v/t* escardar; **~ out** extirpar

week [wiːk] semana *f*; **~day** día *m* laborable; *LA* día *m* de semana; **~end** fin *m* de semana; **~ly** *a* semanal; *s* semanario *m*

weep [wiːp] *v/t, v/i* llorar; **~ing** llanto *m*; **~ing willow** sauce *m* llorón

weigh [wei] *v/t, v/i* pesar; **~t** *s* peso *m*; pesa *f*; **~ts and measures** pesos *m/pl* y medidas; *v/t* cargar; **~tlessness** ingravidez *f*; **~t lifting** *sp* levantamiento *m* de pesas; **~ty** pesado

weir [wiə] presa *f*

weird [wiəd] extraño; misterioso; fantástico

welcome ['welkəm] *a* bienvenido; grato; *s* bienvenida *f*; *v/t* dar la bienvenida; acoger; *you're ~!* ¡no hay de qué!

weld [weld] *s* soldadura *f*; *v/t* soldar; **~ing** soldadura *f*

welfare ['welfɛə] bienestar *m*; prosperidad *f*; **~ state** *pol* estado *m* benefactor

well [wel] *s* pozo *m* (*agua, petróleo*); *arq* caja *f* de la escalera

well [wel] *a* bien; sano; *to be o feel ~* sentirse bien; *adv* bien;

muy, mucho; **~as** también, a la vez; **as ~ as** así como también; ¡*vaya!*; *interj* pues; bueno; ¡vaya!; **~advised** bien aconsejado; **~behaved** bien educado; **~being** bienestar *m*; **~bred** bien criado; **~informed about** bien enterado de; **~known** muy conocido; **~meaning** bienintencionado; **~nigh** casi; **~off** con dinero; **~timed** oportuno; **~to-do** acomodado, rico

Welsh [welʃ] *a* galés; *s* idioma *m* galés; **~man** galés *m*; **~woman** galesa *f*

west [west] *a* occidental; *s* oeste *m*, occidente *m*; **~ern** occidental

wet [wet] *a* mojado; húmedo; *v/t* mojar; **~ness** humedad *f*; **~nurse** ama *f* de cría

whack [wæk] *s* golpe *m* fuerte; *fam* tentativa *f*

whale [weil] ballena *f*

wharf [wɔːf] muelle *m*

what [wɔt] *pron* qué; cómo; el que, la que; la cual; **~about?** ¿qué te parece?; ¿qué se sabe de?; **~for?** ¿para qué?; **so ~?** ¿y qué?; **~'s new?** ¿qué hay de nuevo?; *interj* **~a!** ¡qué!; *a interrog y rel* qué; **~ever** cualquier; todo lo que; **or ~ever** lo que sea

wheat [wiːt] trigo *m*

wheel [wiːl] *s* rueda *f*; volante *m* (auto); *v/t* hacer rodar; *v/i* girar; rodar; **~barrow** carre-

tilla *f*; **~chair** silla *f* de ruedas

whelp [welp] cachorro *m*

when [wen] *adv* ¿cuándo?; *conj* cuando; si

whenever [wen'evə] cuando quiera que; siempre que

where [weə] *adv* ¿dónde?; ¿adónde?; *conj* donde, adonde; **~abouts** paradero *m*

where|as ['weə'æz] por cuanto, visto que; mientras que; **~by** por lo cual; **~fore** por lo que; **~in** ¿en dónde?; **~on** en que

wherever [weə'evə] dondequiera

whet [wet] *v/t* afilar; *fig* abrir (el apetito)

whether ['weðə] si; sea que

which [witʃ] *pron rel e interrog* que; el, la, los, las que; lo que; el, la cual; lo cual; *a interrog y rel* ¿qué?, ¿cuál?; cuyo; el, la cual

whiff [wif] soplo *m*; vaharada *f*

while [wail] *s* rato *m*; tiempo *m*; **for a ~** por algún tiempo; **in a little ~** dentro de poco; *conj* mientras; mientras que; aun cuando; *v/t* **~away** pasar, entretener (el tiempo)

whim [wim] antojo *m*; capricho *m*

whimper ['wimpə] *v/i* lloriquear; gimotear

whimsical ['wimzikəl] caprichoso; extraño

whine [wain] *s* quejido *m*; gemido *m*; *v/i* quejarse; gemir

whinny [wini] *v/i* relinchar

whip [wip] *s* fusta *f*; látigo *m*; azote *m*; *v/t* dar latigazos a; azotar; **~ped cream** crema *f*, nata *f* batida; **~ping** azotamiento *m*, paliza *f*

whirl [wəːl] *s* remolino *m*; *v/t*, *v/i* girar; **~pool** remolino *m*; **~wind** torbellino *m*

whisk [wisk] *s* escobilla *f*; cepillo *m*; movimiento *m* rápido; *v/t* barrer; cepillar; **~away** arrebatar; *v/i* pasar de prisa

whiskers ['wiskəz] patillas *f/pl*

whisk(e)y ['wiski] whisky *m*

whisper ['wispə] *s* susurro *m*; cuchicheo *m*; murmullo *m*; *v/t*, *v/i* cuchichear; susurrar

whistle ['wisl] *s* pito *m*; silbato *m*; *v/t*, *v/i* silbar

white [wait] *a* blanco; pálido; *s* blanco *m* (*del ojo*); clara *f* (*del huevo*); **~collar worker** oficinista *m*; **~lie** mentirilla *f*; **~n** *v/t* blanquear; **~ness** blancura *f*; **~wash** *s* blanqueo *m*; *v/t* enjalbegar; blanquear; *fig* encubrir

Whitsuntide ['witsntaid] Pentecostés *m*

whizz [wiz] *s* silbido *m*; *v/i* silbar; **~by** rehilar

who [huː, hu] *pron interrog y rel* quien(es); el, la, lo, los, las que; el, la, los, las cual(es); ¿quién?; **~ever**

quienquiera; cualquiera que

whol|e [həul] *a* todo; entero; íntegro; intacto; total; *s* todo *m*; totalidad *f*; conjunto *m*; **on the ~e** en general; **~ehearted** cien por cien; **~esale** *com* al por mayor; **~** en masa; **~esaler** mayorista *m*; **~esome** salubre; **~e wheat** de trigo integral; **~ly** enteramente; íntegramente

whom [huːm] *pron* a quién(es), a quien(es)

whoop [huːp] *s* alarido *m*; *v/i* gritar; **~ing cough** tos *f* ferina

whore [hɔː] puta *f*

whose [huːz] *pron y a rel* cuyo, cuya; cuyos, cuyas; de quien; de quienes; *a interrog* ¿de quién?

why [wai] *adv* ¿por qué?; ¿para qué?; *conj* porque; por lo cual; *s* porqué *m*; *interj* pues; ¡toma!

wick [wik] mecha *f*

wicked ['wikid] malo; perverso; malvado

wicker ['wikə] mimbre *m*

wicket ['wikit] postigo *m*

wide [waid] ancho; extenso; vasto; **~awake** despabilado; muy despierto; **~ly** muy, mucho; **~n** *v/t* ensanchar; extender; **~spread** difundido

widow ['widəu] viuda *f*; **~er** viudo *m*; **~hood** viudez *f*

width [widθ] anchura *f*

wife [waif] esposa *f*

wig [wig] peluca *f*

wiggle ['wigl] *v/t, v/i* menear(se) rápidamente

wild [waild] *a* salvaje; silvestre; feroz; desgobernado; descabellado; **~cat strike** huelga *f (no autorizada)*; **~erness** ['wildənis] desierto *m*; yermo *m*; **~life** fauna *f* silvestre; **~ly** desatinadamente; ferozmente

wile [wail] ardid *m*

wil(l)ful ['wilful] premeditado; testarudo; voluntarioso

will [wil] *s* voluntad *f*; intención *f*; testamento *m*; **at ~** a voluntad; *v/t* querer; *for* legar; **~ing** voluntario; dispuesto; **~ingness** buena voluntad *f*

willow ['wiləu] sauce *m*

wilt [wilt] *v/t, v/i* marchitar(se)

wily ['waili] astuto

win [win] *v/t, v/i* ganar; conquistar; lograr; *s sp* triunfo *m*

wince [wins] *v/t* hacer mueca de dolor; recular

winch [wintʃ] cigüeña *f*; torno *m*

wind [wind] viento *m*; aliento *m*; *med* flatulencia *f*; **to get ~ of** enterarse de

wind [waind] *v/t* dar cuerda a *(reloj)*; enrollar; **~ up** concluir; *v/i* serpentear

wind|ed ['windid] falto de aliento; **~fall** golpe *m* de suerte; **~ing** ['waindiŋ] tor-

tuoso; en espiral; **~ing staircase** escalera *f* de caracol

windlass ['windləs] *tecn* torno *m*

windmill ['windmil] molino *m* de viento

window ['windəu] ventana *f*; **~pane** cristal *m* de ventana; **~shopping: to go ~shopping** mirar los escaparates sin querer comprar; **~sill** alféizar *m*

wind|pipe ['windpaip] *anat* tráquea *f*; **~screen**, *Am* **~shield** parabrisas *m*; **~screen**, *Am* **~shield wiper** limpiaparabrisas *m*; **~ward** de barlovento; **~y** ventoso

wine [wain] vino *m*; **~ cellar** bodega *f*; **~grower** viticultor *m*; **~ tasting** degustación *f* de vinos

wing [wiŋ] ala *f*; *sp* extremo *m*; **on the ~** al vuelo; **~s** *teat* bastidores *m/pl*

wink [wiŋk] *s* guiño *m*; *v/i* guiñar; *not sleep a ~* no pegar ojo

winn|er ['winə] ganador(a) *m* (*f*); **~ing** ganador, vencedor, *fig* cautivador; **~ing-post** poste *m* de llegada; **~ings** ganancias *f/pl*

wint|er ['wintə] *s* invierno *m*; *a* invernal; *v/i* invernar; **~ry** ['~tri] invernal; *fig* frío

wipe [waip] *v/t* limpiar; enjugar; **~ off** borrar; **~ out** *fig* aniquilar; borrar con

wir|e ['waiə] *s* alambre *m*; hilo

m; telegrama *m*; *v/t* instalar alambres en; telegrafiar; **~eless** radio *f*; **~y** ['~ri] nervudo; delgado pero fuerte

wis|dom ['wizdəm] sabiduría *f*; juicio *m*; **~e** [waiz] sabio; prudente; juicioso; **~ecrack** *fam* agudeza *f*

wish [wiʃ] *s* deseo *m*; anhelo *m*; *v/i* desear; anhelar; **~ful** deseoso; **~ful thinking** espejismo *m*

wishy-washy ['wiʃiwoʃi] flojo, débil, sin carácter

wistful ['wistful] añorante; pensativo

wit [wit] ingenio *m*; sal *f*; agudeza *f*

witch [witʃ] bruja *f*; **~craft** brujería *f*; embrujo *m*

with [wið] con; de

withdraw [wið'drɔ:] *v/t* retirar; retractar; *v/i* retirarse; **~al** retirada *f*; **~n** reservado; introvertido

wither ['wiðə] *v/t*, *v/i* marchitar(se)

withhold [wið'həuld] *v/t* negar; retener

with|in [wi'ðin] dentro de; al alcance de; *s* falta de; lo **~out** prep sin; a falta de; lo **~out** pasarse sin; *adv* fuera; **from ~out** desde fuera

withstand [wið'stænd] *v/t* resistir a

witness ['witnis] *s* testigo *m*; testimonio *m*; *v/t* atestiguar; presenciar

witty ['witi] ingenioso; gracioso

wizard ['wizəd] brujo *m*; mago *m*

wobble ['wobl] *v/i* tambalear(se); vacilar

woe [wəu] dolor *m*; aflicción *f*; **~ is me!** ¡ay de mí!

wolf [wulf] *s* lobo *m*; *v/t* fam engullir

wom|an ['wumən] mujer *f*; **~anhood** feminidad *f*; las mujeres; **~anly** mujeril, femenino

womb [wu:m] *anat* matriz *f*; *fig* seno *m*

women's ['wiminz]: **~ liberation** movimiento *m* feminista; **~ rights** derechos *m/pl* de la mujer

wonder ['wʌndə] *s* maravilla *f*; asombro *m*; *v/i* admirarse; *v/t* preguntarse; **~ful** maravilloso

woo [wu:] *v/t*, *v/i* cortejar

wood [wud] madera *f*; bosque *m*; leña *f*; **~cut** grabado *m* en madera; **~cutter** leñador *m*; **~ed** arbolado; **~en** de madera; rígido; **~pecker** pájaro *m* carpintero; **~winds** *mús* maderas *f/pl*; **~work** obra *f* de carpintería

wool [wul] lana *f*; **~(l)en** de lana; **~(l)y** lanoso

word [wə:d] *s* palabra *f*; noticia *f*; **in other ~s** es decir; *v/t* expresar; **~ing** expresión *f*; fraseología *f*; **~ processor** procesador *m* de textos; **~y** verboso

work [wə:k] s trabajo m; obra f; empleo m; **~ of art** obra f de arte; **at ~** trabajando; en juego; **out of ~** sin trabajo; v/t hacer trabajar; operar; cultivar; **~ out** resolver; v/i trabajar; funcionar; surtir efecto; **~able** practicable; **~aholic** adicto m al trabajo; **~day** día m laborable; **~er** trabajador(a) m(f), obrero(a) m(f); **~ing class** clase f obrera; **~manship** hechura f, confección f; habilidad f; **~s** fábrica f; mecanismo m; **~shop** taller m

world [wə:ld] mundo m; **~ly** mundano; **~-power** potencia f mundial; **~ war** guerra f mundial; **~wide** mundial

worm [wə:m] gusano m; lombriz f; **~-eaten** carcomido; apolillado

worn-out ['wɔ:n'aut] gastado; raído; agotado

worr|ied ['wʌrid] preocupado, inquieto; **~y** s inquietud f; preocupación f; v/i inquietarse; v/t preocupar

worse [wə:s] a, adv peor; **~ and ~** de mal en peor; s algo peor; **a turn for the ~** empeoramiento m; **~n** v/t, v/i empeorar(se)

worship ['wə:ʃip] s adoración f; culto m; v/t adorar

worst [wə:st] a peor; pésimo; adv pésimamente; s lo peor, lo más malo

worth [wə:θ] s valor m; mérito m; precio m; a de valor; **to be ~** valer; **to be ~ it** valer la pena; **~less** sin valor; inútil; despreciable; **~while** valioso; **~y** ['~ði] digno

wound [wu:nd] s herida f; v/t herir

wrangle ['ræŋgl] disputa f; riña f

wrap [ræp] v/t envolver; cubrir; **~ up** arroparse; **~per** cubierta f; sobrecubierta f (de libro); **~ping** envoltura f; **~ping paper** papel m de envolver

wrath [rɔθ] cólera f; ira f

wreath [ri:θ] guirnalda f; corona f

wreck [rek] s naufragio m; fig ruina f; v/t arruinar; **~age** restos m/pl; despojos m/pl

wrench [rentʃ] s arranque m; med distensión f; tecn llave f (inglesa); v/t arrancar

wrest [rest] v/t arrebatar (**from** a); **~le** ['resl] v/t luchar con

wretch [retʃ] s infeliz m, desgraciado m; **~ed** ['~id] miserable; desgraciado

wriggle ['rigl] v/i culebrear, serpentear

wring [riŋ] v/t torcer; escurrir

wrinkle ['riŋkl] s arruga f; v/t arrugar; **~ one's brows** fruncir el ceño; v/i arrugarse

wrist [rist] anat muñeca f; **~watch** reloj m de pulsera

writ [rit] escritura f; for orden f; mandato m

writ|e [rait] *v/t, v/i* escribir; **~e down** apuntar; **~e off com** borrar (*deudas*); *fig* dar por perdido; **~e out** escribir en forma completa; extender (*cheque, etc*); **~er** escritor(a) *m (f)*; autor(a) *m (f)*; **~e-up** crónica *f*, reportaje *m*

writhe [raið] *v/i* retorcerse

writing ['raitiŋ] letra *f*; escritura *f*; escrito *m*; **in ~** por escrito; **~ desk** escritorio *m*; **~ paper** papel *m* de cartas

written ['ritn] escrito

wrong [rɔŋ] *a* erróneo; equivocado; malo; injusto; inexacto; **to be ~** equivocarse; no tener razón; andar mal (*reloj*); *adv* mal; al revés; **go ~** salir mal; *s* mal *m*; injusticia *f*; perjuicio *m*; agravio *m*; *v/t* injuriar; ofender; agraviar; **~doer** ['~du:ə] malhechor(a) *m (f)*; **~fully** injustamente

wrought [rɔːt] forjado; labrado; **~up** sobreexcitado

wry [rai] torcido; irónico; tergiversado; **~ face** mueca *f*

X

Xmas ['krisməs] = *Christmas*

X-ray ['eks'rei] *v/t* hacer una radiografía; *s* rayo *m* X; ra-

diografía *f*

xylophone ['zailəfəun] xilófono *m*

Y

yacht [jɔt] yate *m*

yam [jæm] *bot* ñame *m*, camote *m*

yap [jæp] *v/i* dar ladridos agudos

yard [jɑːd] yarda *f* (*91,44 cm*); patio *m*; **~stick** criterio *m*, norma *f*

yarn [jɑːn] hilo *m*; *fam* cuento *m*

yawn [jɔːn] *s* bostezo *m*; *v/i* bostezar

year [jəː] año *m*; **~ly** anual

yearn [jəːn] (**for**) anhelar; **~ing** anhelo *m*

yeast [jiːst] levadura *f*

yell [jel] *s* grito *m*; *v/t, v/i* gritar; chillar

yellow ['jeləu] amarillo; **~ish** amarillento

yelp [jelp] *v/i* gañir; *s* gañido *m*

yes [jes] sí; **~ indeed** sí por cierto; **to say ~** asentir

yesterday ['jestədi] ayer; **the day before ~** anteayer

yet [jet] *conj* sin embargo; no obstante; *adv* ya (*en la pregunta*); aún, todavía; **as ~** hasta ahora; **not ~** aún no; todavía no

yew [ju:] tejo *m*

yield [ji:ld] *s* rendimiento *m*; *com* producto *m*; cosecha *f*; *v/t* producir, rendir; admitir; ceder; *v/i* rendirse; ceder; consentir; **~ing** flexible; complaciente

yogurt ['jəugət] yogur *m*

yoke [jəuk] *s agr* yunta *f*; yugo *m*; *v/t* acoplar

yolk [jəuk] yema *f*

yonder ['jɔndə] *adv* allá

you [ju:, ju] tú; vosotros(as); usted; ustedes

young [jʌŋ] *a* joven; **~ lady** señorita *f*; *s* jóvenes *m/pl*; cría *f (de animales)*; **~er** más joven; menor; **~ster** ['~stə] joven *m, f*

your [jɔ:] *a pos* tu, tus, su, sus; vuestro(a, os, as); de usted(es)

yours [jɔ:z] *pron pos* tuyo(a), tuyos(as); el (la) tuyo(a), lo tuyo; los (las) tuyos(as); suyo(a), suyos(as); el (la) suyo(a), lo suyo; los (las) suyos(as); vuestro(a), vuestros(as); el (la) vuestro(a), los (las) vuestros(as); el, la, lo, los, las de usted(es)

yourself [jɔ:'self] *pron pers sing* tú mismo(a); usted mismo(a); **by ~** solo

yourselves [jɔ:'selvz] *pron pers pl* ustedes mismos(as); vosotros mismos(as)

youth [ju:θ] juventud *f*; joven *m*; **~ful** juvenil; **~ hostel** albergue *m* juvenil

Z

zany ['zeini] alocado

zeal [zi:l] celo *m*, ardor *m*; ahínco *m*; **~ous** ['zeləs] celoso; apasionado; fervoroso

zebra ['zi:brə] cebra *f*; **~ crossing** paso *m* de peatones

zenith ['zeniθ] cenit *m (t fig)*

zero ['ziərəu] cero *m*; **~ growth** crecimiento *m* cero; **below ~** bajo cero

zest [zest] deleite *m*; gusto *m*

zinc [ziŋk] cinc *m*

Zionism ['zaiənizəm] sionis-

mo *m*

zip| fastener ['zip-]. **~per** cremallera *f*, *LA* cierre *m*

zippy ['zipi] brioso, vivaz

zodiac ['zəudiæk] zodíaco *m*

zone [zəun] zona *f*

zoo [zu:] parque *m* zoológico

zoolog|ical [zəuə'lɔdʒikəl] zoológico; **~y** [~'ɔlədʒi] zoología *f*

zoom [zu:m] *v/i* volar zumbando; **~ lens** foto objetivo *m* zoom *(de foco variable)*

zucchini [zu'kini] calabacín *m*

A

a to; towards (*with verbs expressing movement*); at; on, by, in (*with verbs expressing state or position*); **~ mano** at hand; **poco ~ poco** little by little; **~ pie** on foot; **~ mediodía** at noon; **~ las seis** at six o'clock; **voy ~ Londres** I am going to London; **sabe ~ limón** it tastes of lemon; **~ la española** in the Spanish way

abad *m* abbot; **~esa** *f* abbess; **~ía** *f* abbey

abajo *adv.* down; underneath; below; *interj* down with!

abalanzar *v/t* to balance; to weigh; **~se sobre** to rush upon

abandon|ado abandoned; deserted; **~ar** *v/t* to abandon; to leave; **~o** *m* abandon; slovenliness

abani|car *v/t* to fan; **~co** *m* fan

abaratar *v/t* to cheapen

abarca *f* wooden sandal

abarcar *v/t* to include; to comprise; *LA* to monopolize

abarrotes *m/pl LA* provisions

abastar *v/t* to supply; to provide with

abastec|edor *m* supplier; **~er** *v/t* to supply; to provision; **~imiento** *m* supply; provisions; stores, stock

abasto *m* supplying

abat|ible folding; **~ido** dejected, depressed; discouraged; *com* depreciated; **~imiento** *m* depression; **~ir** *v/t* to knock down; to depress; strew down; **~irse** to loose heart; to become depressed; **~irse sobre** to swoop down on

abdica|ción *f* abdication; **~r** *v/t* to abdicate

abdomen *m* abdomen

abecedario *m* alphabet; spelling book

abedul *m* birch tree

abej|a *f* bee; **~ón** *m* drone; **~orro** *m* bumblebee

abertura *f* aperture; opening; crack

abeto *m* fir

abierto open; clear; *fig.* open, generous

abigarrado variegated; multi-colo(u)red; motley

abism|al abysmal; **~ar** *v/t* to cast down; to ruin; **~o** *m* abyss

abjurar *v/t* to abjure, to disavow

ablandar v t, v i to soften; to mollify; to mitigate; **~se** to get softer

abnega|ción f abnegation, self-denial; **~rse** to deny oneself

abofetear v t to slap (in the face)

aboga|do(a) m (f) lawyer, barrister; **~r por** v/i to plead (for); to advocate

abolengo m ancestry; for inheritance

aboli|ción f abolition; **~r** v/t to abolish; to revoke

abolla|dura f dent; **~r** v/t to dent; to emboss

abomina|ble abominable; **~ción** f abomination; horror; **~r** v/t to abominate

abon|ado m subscriber; holder of a season ticket; **~ar** v/t to guarantee; to assure; com to pay; to credit; **~arse** to subscribe; **~aré** m promissory note; **~o** m payment; subscription; season ticket

abordar v/t mar to board (a ship); to approach; to tackle (a person, a subject); v/i to put into port

aborigen a, m aboriginal

aborrec|er v/t to hate, to abhor; **~imiento** m abhorrence, hatred

abort|ar v/i to abort; to miscarry; to fail; **~o** m abortion; miscarriage; monstrosity

abotonar v/t to button; v/i to bud

abovedar v t to vault

abrasar v/t to burn (up); agr to parch; **~se (de, en)** fig to burn (with)

abraz|adera f bracket; clasp; **~ar** v/t to clasp; to embrace; to comprise; **~o** m embrace, hug

abrecartas m letter opener

abrelatas m can opener

abreva|dero m watering-place; **~r** v/t to water (cattle)

abrevia|ción f abbreviation; shortening; **~r** v/t to abbreviate; to abridge; to shorten; **~tura** f abbreviation

abridor m (tin, etc) opener

abrig|ar v/t to shelter; to wrap up; to keep warm; fig to cherish; **~o** m shelter; protection; overcoat

abril m April

abrir v/t to whet (the appetite); v/i to open

abrochar v/t to fasten; to buckle; to button; LA to staple

abrogar v/t to abrogate, to repeal

abrumar v/t to weigh down; to overwhelm

abrupto rugged; abrupt

absceso m abscess

ábside m or f apse

absolu|ción f absolution; acquittal; **~tismo** m absolutism; **~to** absolute; **en ~to** by no means; not at all (in negative sentences)

absor|ber v/t to absorb; **~ción** f absorption

abstemio(a) m (f) teetotaller; a abstemious

abstención f abstention

abstenerse to abstain, to refrain

abstra|cción f abstraction; **~cto** abstract; **~er** v/t to abstract; v/i: **~er de** to do without; **~erse** to be lost in thought

absurdo absurd

abuchear v/t to boo; to jeer at

abuel|a f grandmother; fig old woman; **~ita** f fam granny, grandma; **~ito** m fam grandpa; **~o** m grandfather; fig old man; **~os** m/pl grandparents

abulta|do bulky; **~r** v/t to enlarge; v/i to be bulky

abunda|ncia f abundance, plenty; **~nte** abundant, plentiful; **~r** v/i to abound

aburri|do boring, tiresome; **~miento** m boredom; tedium; **~r** v/t to bore; to annoy; **~rse** to be bored

abus|ar de v/i to abuse; to impose upon; **~ivo** improper, abusive; **~o** m abuse; misuse

acá here; over here; **de ~ para allá** to and fro

acaba|do a finished, complete; perfect; m finish; **~r** v/t, v/i to finish, to complete; to end; **~r con** to put an end to; **~r de** to have just; **él ~ de llegar** he has just arrived; **~rse** to run out of; to be all over

academia f academy

académico(a) m (f) academician; a academic

acaec|er v/i to happen; to occur; **~imiento** m event

acallar v/t to silence

acalora|miento m ardo(u)r; passion; anger; **~r** v/t to warm up; to heat; to excite; **~rse** to get overheated

acampar v/t to camp

acanala|do fluted; corrugated; **~r** v/t to groove, to flute

acantilado m cliff; a steep

acantona|miento m billet; **~r** v/t mil to quarter

acapara|dor(a) m (f) hoarder; monopolizer; **~miento** m hoarding; **~r** v/t to hoard; to monopolize; to corner the market in

acariciar v/t to caress

acarre|ar v/t to cart, to convey; to haul; **~o** m carting, cartage; transport

acaso adv by chance; perhaps; **por si ~** just in case; m chance, accident; **al ~** at random

acata|miento m respect; observance (of a law); **~r** v/t to respect, to treat with deference

acaudala|do wealthy; **~r** v/t to amass (fortune, etc)

acaudillar v/t to lead

acce|der v/t to accede; to agree; **~sible** accessible; **~sión** f accession; **~so** m access; entry; med fit, attack; **~sorio** a, m accessory

accident|ado troubled; rugged; **~al** accidental; **~almente** accidentally; **~e** m accident

acción f action; act; gesture; com share

accion|ar v/t tecn to set in motion; to drive; **~ista** m, f shareholder

acebo m holly

acech|ar v/t to spy upon; to lie in wait for; **~o** m spying; ambush; **cazar al ~o** to stalk

acedía f acidity; heartburn

aceit|e m oil; **~e de ricino** castor oil; **~era** f oil cruet; tecn oiler; **~oso** oily; **~una** f olive

acelera|ción f acceleration; **~dor** m accelerator; **~r** v/t to accelerate; to hasten

acelgas f/pl Swiss chard

acent|o m accent; stress; **~uar** v/t to stress; to emphasize

acepillar v/t tecn to plane; to brush

acepta|ble acceptable; **~ción** f acceptance; approbation; **~r** v/t to accept; to approve of

acequia f irrigation ditch

acera f pavement, Am sidewalk

acerbo harsh; sour, bitter

acerca de about; with regard to; concerning

acerca|miento m bringing nearer; pol rapprochement; **~r** v/t to bring near; **~rse** to approach; to come near to

acero m steel; **~ damasquino** damask steel; **~ inoxidable** stainless steel

acerolo m hawthorn

acérrimo all-out; zealous

acerta|do proper, correct; **~r** v/t to hit the mark; v/i to be right

acertijo m riddle; puzzle

acha|car v/t to impute; **~que** m ailment

achicar v/t to reduce; to dwarf

achispado fam tipsy

acidez f acidity

ácido m acid; a acid; sour

acierto m good shot; success; skill

aclama|ción f acclamation; **~r** v/t to acclaim; to applaud

aclara|ción f explanation; **~r** v/t to make clear; to explain; v/i to clear up (weather)

aclimata|ción f acclimatization; **~r** v/t to acclimatize

acobardar v/t to intimidate; **~se** to become frightened; to flinch

acodado bent

acoge|dor welcoming, inviting; **~r** v/t to receive; to welcome; **~rse a** to take refuge in

acogida f reception

acolchar v/t to quilt

acomet|er v/t to attack; to undertake; **~ida** f attack; assault

acomod|ación f accommodation; adaptation; **~adizo** accommodating; **~ado** wealthy, well-to-do; **~ador(a)** m (f) usher, usherette; **~amiento** m agreement; **~ar** v/t to accommodate; to adapt; to arrange; v/t to suit; **~arse** to adapt oneself; **~o** m arrangement

acompaña|miento m accompaniment; escort; teat extra; **~r** v/t to accompany; to enclose (in letter)

acondiciona|do in (good or bad) condition; **~r** v/t to arrange, to prepare; tecn to condition

aconseja|ble advisable; **~r** v/t to advise; **~rse** to take advice

acontec|er v/i to happen; to occur; **~imiento** m event

acopi|ar v/t to gather together; **~o** m gathering; storing

acopla|dura f, **~miento** m tecn connection; coupling; **~r** v/t to connect; to join; to mate (animals); **~rse** zool to mate

acorazado m battleship

acorazonado heart-shaped

acord|ar v/t to decide; to agree upon; to agree; **~arse de** to remember; **~e** a agreed; m mús chord

acordeón m accordion

acorralar v/t to round up; to pen up (cattle); fig to corner

acortar v/t to abridge; to shorten

acosar v/t to pursue; to hound; to harass

acostar v/t to put to bed; **~se** to go to bed; to lie down

acostumbra|do usual, customary; **~r** v/t to accustom; v/i to be in the habit of; **~rse** to become accustomed

acotar v/t to survey; to annotate (a page)

acre a acrid (t fig); sharp; sour; m acre

acrecentar v/t to promote; to increase

acrecer v/t to increase

acreditar v/t to accredit; com to credit; to answer for; to guarantee

acreedor m creditor

acribillar v/t to riddle (with bullets, etc); to pester

acróbata m, f acrobat

acta f record; minutes (of a meeting)

actitud f attitude

activ|ar v/t to hasten; to expedite; **~idad** f activity; **~o** a active; m com assets

act|o m act; **~or** m actor; **~triz** f actress; **~uación** f performance; **~ual** present; **~ualidad** f present time; current topic; **~ualmente** at present; presently; **~uar** v/i to act

acuar|ela *f* water-colo(u)r;
~o *m* aquarium
acuartelar *v/t mil* to quarter
acuático aquatic
acuchillar *v/t* to knife; to stab
acuclillarse to squat
acudir *v/i* to come up; to present oneself; **~ a** to attend; to
frequent
acuerdo *m* agreement; resolution; **de ~** in agreement;
estar de ~ con to agree with
acumula|dor *m* storage bat-
tery; **~r** *v/t* to accumulate
acuñar *v/t* to mint; to coin
acurrucarse to huddle up, to
nestle; *fig* to cower
acusa|ción *f* accusation;
~dor(a) *m (f)* accuser; **~r** *v/t*
to accuse; to acknowledge
(*receipt*); *for* to indict; **~tivo**
m gram accusative
acústica *f* acoustics
adapta|ción *f* adaptation;
~dor *m* adapter; **~r** *v/t* to
adapt
adecuado adequate
adelant|ado advanced; fast
(*watch*); **pagar por ~ado** to
pay in advance; **~ar** *v/t, v/i* to
advance; to progress; to
overtake (*car*); to take
the lead; **~e** forward; ahead;
de hoy en ~e from now on;
~o *m* progress; advance, advance payment
adelgazar *v/t* to make slender
ademán *m* gesture; *pl* manners

además moreover; besides
adentro within; inside
adepto *m* follower; partisan
aderez|ar *v/t* to season; to
adorn; **~o** *m* dressing; seasoning
adeudar *v/t* to debit; to owe;
~se to get into debt
adhe|rencia *f* adhesion;
~rir(se) *v/i* to adhere; **~sivo**
adhesive
adición *f* addition; *LA* check
(*in restaurant, etc*)
adicion|al additional; extra;
~ar *v/t* to add
adicto *a* addicted; devoted; *m*
(*drug*) addict; follower
adiestrar *v/t* to train (*horses*);
to instruct
adinerado wealthy, moneyed
adiós *interj, m* good-bye
adivin|anza *f* riddle; puzzle;
~ar *v/t* to guess; to prophesy; **~o** *m* diviner; fortune-tel-
ler
adjetivo *m* adjective
adjudicar *v/t* to adjudge; **~se**
to appropriate
adjunto *a* adjoining; enclosed; *m* assistant
administra|ción *f* administra-
tion; **~dor** *m* administra-
tor; manager; **~r** *v/t* to ad-
minister; **~tivo** administra-
tive
admira|ble admirable; **~ción**
f admiration; **~r** *v/t* to ad-
mire; **~rse de** to be surprised at; to wonder at
admi|sión *f* admission; ac-

afeitarse

ceptance; **~tir** v/t to admit; to accept

adob|lar v/t to pickle; to season; **~e** m adobe; **~o** m seasoning

adolecer v/i to fall ill

adolescen|cia f adolescence; **~te** m, f, a adolescent

adonde conj where

adónde adv interrog where?

adop|ción f adoption; **~tar** v/t to adopt; **~tivo** adopted

adoquín m paving stone; **~inado** m paved floor

adora|ble adorable; **~ción** f adoration; worship; **~r** v/t to worship; to adore

adorm|ecer v/t to put to sleep; to lull; to calm; **~idera** f opium poppy

adorn|ar v/t to adorn; **~o** m adornment; decoration

adqui|rir v/t to acquire; to buy; **~sición** f acquisition; purchase; **~sitivo** acquisitive; **poder** m **~sitivo** purchasing power

adrede on purpose

adscribir v/t to appoint

aduana f customs; customs duty

aducir v/t to adduce

adueñarse to take possession

adul|ación f flattery; **~ar** v/t to flatter; **~ón** a cringing; m toady

adulter|ación f adulteration; **~ar** v/t to adulterate; v/i to commit adultery

adúltero(a) m (f) adulterer(ess); a adulterous

adulto(a) a, m (f) adult

adven|edizo f a newly arrived; m newcomer; **~idero** forthcoming; **~imiento** m arrival, coming

adverbio m adverb

advers|ario m adversary, opponent; **~idad** f adversity; **~o** adverse

advert|encia f advice; warning; **~ir** v/t to notice; to advise; to warn

Adviento m Advent

adyacente adjacent

aéreo aerial

aerodeslizador m hovercraft

aerodinámico aerodynamic; streamlined

aeródromo m airfield

aero|moza f LA air hostess, stewardess; **~náutica** f aeronautics; **~nave** f airship; **~puerto** m airport

afable affable; complaisant

afamado famous

afán m industry; anxiety; eagerness

afan|ar v/t to press; **~arse** to work eagerly; **~oso** arduous, difficult

afec|ción f affection; **~tación** f affectation; **~tar** v/t to affect; LA to injure; **~tivo** affective, emotional; **~to a** fond of; **~tuoso** affectionate

afeitar v/t to shave; **~se** to (have a) shave

afeminado effeminate

aferrar v/t to grasp; **~se a, en** to persist obstinately in

afianzar v/t to guarantee

afición f enthusiasm

aficion|ado a fond of; m fan; **~arse a** to take a fancy to; to become fond of

afila|dor m sharpener; **~r** v/t to sharpen, to whet; to grind

afín akin; similar; bordering

afin|ar v/t to perfect; to tune; **~idad** f affinity

afirma|ción f affirmation; **~r** v/t to affirm; **~tiva** f assent

afligir v/t to afflict, to distress; **~se** to grieve

aflojar v/t to loosen; to slacken; v/i to weaken; to diminish; **~se** to get loose

aflu|encia f inflow, influx; crowd; **~ente** m tributary; a flowing; eloquent; **~ir** v/i to flow into; to congregate

aforrar v/t to line (clothes)

afortunado fortunate

afrenta f affront; insult; **~r** v/t to insult

África f Africa; **~ del Norte** North Africa

afrontar v/t to confront; to face, to defy

afuera adv outside; outward; **~s** f/pl suburbs; outskirts

agachadiza f zool snipe

agacharse to stoop; to squat; to crouch

agalla f bot gall; **~s** pl guts, courage

agarra|dero m handle; **~r** v/t to grasp; to seize; **~rse** to grapple

agasaj|ar v/t to entertain; to regale; **~o** m lavish reception, banquet

agen|cia f agency; LA pawnshop; **~cia de viajes** travel agency; **~da** f memo book; **~te** m agent; **~te de bolsa** stockbroker; **~te de policía** policeman; **~te inmobiliario** (real) estate agent

ágil nimble; agile

agilidad f nimbleness; agility

agio m com agio, speculation

agita|ción f agitation; disturbance; **~r** v/t to agitate; to ruffle; to shake; **~rse** to flutter; to get excited

aglomerar v/t to agglomerate; to gather

agobi|ar v/t to oppress; to exhaust; to weigh down; **~o** m oppression; exhaustion

agolparse to crowd together

agonía f agony; violent pain

agonizar v/t to annoy; v/i: **estar agonizando** to be dying

agost|ar v/t to parch; **~o** m August

agota|do sold out, out of stock; out of print; **~miento** m exhaustion; **~r** v/t to exhaust; to wear out; **~rse** to give out; to be sold out

agracia|do graceful, pretty, charming; **~r** v/t to adorn; to make more attractive

agrad|able agreeable; pleasant; **~ar** v/t to please; **~ecer** v/t to thank; **muy ~ecido** much obliged; **~ecimiento** m gratitude; **~o** m affability; taste

agrandar v/t to enlarge; to increase

agrario agrarian

agravar v/t to aggravate; to make heavier

agravi|ar v/t to wrong; **~o** m offence; insult

agre|dir v/t to assault; **~sión** f aggression, assault; attack

agriarse to become sour

agrícola agricultural, agrarian

agricult|or(a) m, f farmer; **~ura** f agriculture

agridulce bittersweet

agri|etar v/t to crack, to chap; **~o** sour; acid; fig disagreeable

agrupa|ción f grouping; gathering; **~r** v/t to group; to cluster

agua f water; rain; **~ destilada** distilled water; **~ mineral** mineral water; **~ potable** drinking water; **~ abajo** downstream; **~s arriba** upstream; **~cate** m avocado; **~cero** m shower, downpour; **~nieve** f sleet

aguant|able bearable; **~ar** v/t to stand; to bear; **~arse** to contain oneself; **~e** m stamina; endurance; patience

aguar v/t to dilute

aguardar v/t to await; to wait for, to expect

aguardiente m brandy; liquor; **~ de caña** rum

aguarrás m turpentine oil

agud|eza f sharpness; **~o** sharp; acute; witty

agüero m omen

aguij|ada f spur; **~ar** v/t to spur; to goad; **~ón** m prick; sting; goad

águila f eagle

aguj|a f needle; hand (of clock); **~erear** v/t to prick; to pierce; **~ero** m hole; **~etas** f/pl muscle cramps

aguzar v/t to sharpen; **~ las orejas** to prick one's ears

ahí there; **por ~** that way, over there

ahija|da f goddaughter; **~do** m godson; **~r** v/t to adopt (children)

ahínco m eagerness; zeal

ahog|ar v/t to suffocate; to drown; **~arse** to drown; to be suffocated; **~o** m distress; med shortness of breath

ahora now; **~ bien** now then; **~ mismo** at this very moment

ahondar v/i to delve (into); v/t to deepen

ahorcar v/t to hang

ahorr|ar v/t to save; **~os** m/pl savings

ahuecar v/t to hollow (out)

ahumar v/t to smoke; to cure (meat)

ahuyentar *v/t* to put to flight; to frighten away

airado angry; irate

air|e *m* air; wind; appearance; **al ~e libre** in the open air; **con ~e acondicionado** air-conditioned; **darse ~es** to put on airs; **~oso** airy; windy; graceful; successful

aisla|miento *m* isolation; insulation; **~r** *v/t* to isolate; to insulate (*heat; current*)

ajar *v/t* to crumple; *m* garlic field

ajedrez *m* chess

ajeno belonging to another; alien; foreign; **~ de** devoid of

ajetreo *m* hustle and bustle

ajo *m* garlic

ajuar *m* furniture; dowry; trousseau

ajust|ado tight; right; **~ar** *v/t* to fit in; to arrange; **~e** *m* adjustment; agreement

ala *f* wing; brim (*of hat*); leaf (*of table*); **~ delta** hang-gliding

alabar *v/t*, **~se** to praise; to boast

alabearse to warp

alacrán *m* scorpion

alambr|ado *m* wire fencing; **~e** *m* wire

alameda *f* (*tree-lined*) avenue; poplar grove

álamo *m* poplar; **~ temblón** aspen

alarde *m* parade; show; **~ar** *v/i* to boast; to show off

alargar *v/t* to lengthen; to stretch

alarido *m* howl; shriek; yell

alarm|a *f* alarm; **~ante** alarming; **~ar** *v/t* to alarm

alba *f* dawn

albacea *m* executor (*of will*)

albahaca *f* basil

albañil *m* bricklayer; mason; **~ería** *f* masonry; brickwork

albaricoque *m* apricot

albedrío *m* free will; caprice

alberca *f* *LA* swimming pool

alberg|ar *v/t* to lodge; to put up; to shelter; **~ue** *m* hostel; refuge; **~ue para jóvenes** youth hostel

albóndiga *f* meatball

albornoz *m* bathrobe

alborot|adizo excitable; **~ado** agitated; riotous; **~ador** *a* turbulent; disorderly; *m* rioter; **~ar** *v/t* to disturb; to agitate; *v/i* to riot; **~o** *m* excitement, disturbance; uproar

alboroz|ar *v/t* to make merry; **~arse** to rejoice exceedingly; to exult; **~o** *m* merriment

álbum *m* album; **~ de recortes** scrapbook

albúmina *f* albumin

alcachofa *f* artichoke

alcald|e *m* mayor; **~ía** *f* mayor's office

álcali *m* alkali

alcan|ce *m* reach; pursuit; **~ce de** within reach or range of; **dar ~ce** to overtake; for *m* camphor; **~tarilla** *f* sewer;

~zar v/t to reach; to catch up with; *LA* to hand, to pass; v/i to suffice

alcaparra f caper

alcázar m fortress; citadel

alce m elk, moose

alcoba f bedroom

alcoh|ol m alcohol; **~ólico** alcoholic

Alcorán m Koran

alcornoque m cork tree

aldea f village; **~no(a)** m (f) villager

alega|ción f allegation; **~r** v/t to allege

alegoría f allegory

alegórico allegorical

alegr|ar v/t to gladden; to cheer; **~arse de** to be glad of; **~e** merry; cheerful; **~ía** f gaiety; joy

aleja|miento m removal; separation; **~r** v/t to remove; **~rse** to withdraw; to recede

alemán, alemana m, f, a German

Alemania f Germany

alenta|dor encouraging; **~r** v/t to encourage; v/i to breathe

alergia f allergy

alero m eaves; *sp* wing

alerta f alarm; alert; **~r** v/t to alert

aleta f small wing; *zool* fin, flipper

alfabeto m alphabet

alfalfa f alfalfa

alfarer|ía f pottery; **~o** m potter

alférez m second lieutenant

alfil m bishop (*in chess*)

alfiler m pin; **~ de seguridad** safety pin

alfombra f carpet; **~illa** f doormat

alforja f knapsack; saddlebag

alga f seaweed

algarabía f Arabic; *fig* hubbub

algazara f din, tumult

álgebra f algebra

algo pron something; adv somewhat

algodón m cotton; **~ absorbente** med cotton wool

alguacil m constable; bailiff

alguien somebody; anybody

algún some (*before masculine gender nouns*); **~ día** some day; **de ~ modo** somehow

algun|o(a) a some, any; **~a vez** some time; **~os días** some days; **en ~a parte** somewhere; pron somebody; pl some, some people

alhaja f jewel

alia|do(a) m (f) ally; a allied; **~nza** f alliance; **~rse** to enter into an alliance

alicates m/pl pincers; pliers

aliciente m attraction; inducement

alienar v/t to alienate

aliento m breath; **contener el ~** to hold one's breath

aligerar v/t to lighten; to shorten; to hasten

aliment|ación f food; feeding; **~ar** v/t to feed; to nourish; **~o** m food

alimenticio nourishing

alinear v/t to align

aliñar v/t to adorn; to season (food)

alisar v/t to smooth; to polish

alistar v/t to list, to enrol(l); **~se** to enlist

alivi|ar v/t to ease, to relieve; to alleviate; **~o** m relief

allá there; over there; **más ~** further on; **más ~ de** beyond

allana|miento m levelling; **~r** v/t to level; to flatten; to overcome; **~rse** to level out; fig to acquiesce

allegar v/t to collect; to gather together

allí there; **por ~** around there

alma f soul; spirit

almacén m warehouse, storehouse; shop; **en ~** in store

almacen|amiento m (computer) data storage; **~r** v/t to store; **~es** m/pl department store; **~ista** m warehouse owner

almanaque m almanac, calendar

almeja f clam

almendr|a f almond; **~o** m almond tree

alm|íbar m syrup; **~ibarado** syrupy; oversweet (t fig)

almidón m starch

almidonar v/t to starch

almirante m admiral

almizcle m musk

almohad|a f pillow; **~illa** f small cushion

almorranas f/pl hemorrhoids

alm|orzar v/i to have lunch; **~uerzo** m lunch

aloja|miento m lodging; **~r** v/t to lodge

alondra f lark

alpargata f espadrille

alp|estre Alpine; **~inista** m, f mountain climber, mountaineer; **~ino** Alpine

alpiste m bird seed

alquil|ar v/t to let, to lease; to hire out; to rent; **se ~a** to let; for rent; **~er** m rent; **de ~er** for hire

alquitrán m tar; pitch

alrededor adv around; **~ de** about; around; **~es** m/pl outskirts

alta f certificate of discharge (hospital)

altaner|ía f haughtiness; **~o** haughty; arrogant

altar m altar; **~ mayor** high altar

altavoz m loudspeaker; amplifier

altera|ción f alteration; disturbance; **~r** v/t to alter; to disturb; **~rse** to grow angry; to become upset

alterca|do m argument, altercation; **~r** v/i to dispute; to quarrel

altern|ar v/t, v/i to alternate; **~ativa** f alternative; option; **~o** alternate; elec alternating

alt|eza f height; **2eza** Highness (title); **~ibajos** m/pl ups

and downs (of fortune);
~itud f height; altitude; **~ivo**
haughty; **~o a** high; tall; eminent; loud; **¡~o!** stop; **en lo
~o** at the top; **~as horas**
small hours; **pasar por ~o** to
overlook; to disregard; adv
high; loud; loudly; **~oparlante** m LA loudspeaker;
~ura f height; altitude; **estar
a la ~ura de** to be equal to

alubia f French bean

alucina|ción f hallucination;
~r v/t to hallucinate; to
delude

alud m avalanche

aludir v/i to allude; to refer

alumbra|do m lighting;
~miento m illumination;
childbirth; **~r** v/t to light; to
illuminate; to give birth to

aluminio m aluminium

alumno(a) m (f) pupil; student

aluniza|je m lunar landing;
~r v/i to land on the moon

alusi|ón f allusion; reference;
~vo allusive

alza f rise; **~da** f height (of
horse); appeal (to a higher
tribunal); **~do** raised, elevated; LA insolent; **~miento** m
lifting; rising, rebellion; **~r**
v/t to raise; to lift; **~rse** to go
fraudulently bankrupt; to
rise in rebellion; **~rse con** to
steal, to make off with

ama f mistress (of the house);
nurse; **~ de casa** housewife;
~ de cría or **de leche** wet

nurse; **~ de llaves** housekeeper

amab|ilidad f kindness; affability; **~le** nice; amiable; kind

amaestrar v/t to train; to
coach; to break in (horses)

amainar v/t to shorten
(sails); to calm; v/i to subside

amanecer m dawn; daybreak; v/i to dawn; to wake
up

amansar v/t to tame

amante m, f lover

amañ|ar v/t to do cleverly;
~arse to be expert; **~o** m
cleverness; pl tools

amapola f poppy

amar v/t to love

amarar v/i aer to land on water

amarg|ar v/t to make bitter;
to embitter; v/i to be bitter;
~o bitter; harsh; **~ura** f bitterness

amarill|ento yellowish; **~o**
yellow

amarr|a f mar cable; pl moorings; **~r** v/t to fasten; to moor

amas|ar v/t to knead; to massage; **~ijo** m kneading

amatista f amethyst

Amazonas m Amazon

ámbar m amber

ambición f ambition

ambicioso ambitious

ambiente m atmosphere;
setting; **medio ~** environment

ambigüedad f ambiguity

ambiguo ambiguous

ámbito m bounds; area; ambit

ambos(as) both

ambulan|cia f ambulance; **~te** ambulant; **vendedor ~te** peddler

amenaza f threat; **~r** v/t to threaten

amenguar v/t to diminish

amen|idad f amenity; pleasantness; **~o** pleasant; light

América f America; **~ del Norte** North America; **~ Latina** Latin America

americana f jacket

americano(a) m (f), a American

amerizaje m splashdown

ametralladora f machine gun

amianto m asbestos

amiga f friend; mistress; **~bilidad** f friendliness; **~ble** friendly

amígdala f tonsil

amig|dalitis f tonsilitis; **~o** m friend, lover

aminorar v/t to reduce

amist|ad f friendship; **~arse** to become friends; **~oso** friendly

amnistía f amnesty

amnistiar v/t to grant an amnesty to

amo m master; owner; employer

amoladera f grindstone

amoldar v/t to mo(u)ld; to fashion

amonesta|ción f admonition; **~ciones** pl banns; **~r**

v/t to admonish, to warn

amoníaco m ammonia

amontonar v/t to heap; to pile up

amor m love; **¡por el ~ de Dios!** for God's sake!; **~propio** self-respect

amoral amoral

amorío m love affair

amortigua|dor m damper; **~dor de choque** shock absorber; muffler; **~r** v/t to cushion; to dampen; to muffle

amortiza|ción f amortization; **~r** v/t to pay off; to refund

ampar|ar v/t to protect; **~o** m protection; shelter

ampli|ación f amplification; extension; enlargement; **~ar** v/t to amplify; to extend; to enlarge; **~o** ample; extensive; **~tud** f amplitude; extent

ampolla f blister; bubble

amuebla|do furnished; **~r** v/t to furnish

ánade m, f duck

anadear v/i to waddle

analfabeto illiterate

análisis m or f analysis

analítico analytic

ananás m pineapple

anaquel m shelf

anarquía f anarchy

anárquico anarchistic

anatomía f anatomy

anca f rump (of horse), haunch

anch|o wide; **~oa** f anchovy; **~ura** f width; breadth

anciano(a) m (f) old man, old woman

ancla f anchor

anclar v/i to anchor

andaluz(a) m (f), a Andalusian

andamio m scaffold(ing)

anda|nte walking; errant; **~nza** f event; fortune; **~r** v/i to walk; to move; **~r a gatas** to go on all fours; **~r a tientas** to grope in the dark; **~r** m gait; **~s** f/pl stretcher; bier

andén m fc platform

andrajo m rag, tatter; pl rags, tatters

anejo m annex; a annexed

anex|ar v/t to annex; **~o** m annex, extension

anfitrión m host

ángel m angel; **~ de la guarda** guardian angel

angélico angelic

angina f angina; **~ de pecho** angina pectoris

angosto narrow

anguila f eel

ángulo m angle; **~ recto** right angle

angustia f anguish; **~r** v/t to distress

anhel|ar v/t, v/i to long for; to yearn; to breathe hard; **~o** m longing

anillo m ring; **~ de boda** wedding ring

ánima f soul

anim|ación f cheerfulness; **~ado** lively, cheerful; **~al** m animal; **~ar** v/t to animate; to encourage; **~arse** to cheer up; to revive

ánimo m spirit; courage; ¡~! cheer up!

animos|idad f animosity; nerve; **~o** brave; spirited

aniquilar v/t to annihilate

anís m anise; aniseed

aniversario m anniversary

ano m anus

anoche last night; **~cer** v/i to grow dark; m nightfall; dusk

anomalía f anomaly

anómalo anomalous

anonimidad f anonymity

anónimo anonymous

anotar v/t to annotate; to jot down

ansi|a f anxiety; tension; yearning; **~ar** v/t to long for; **~edad** f anxiety; **~oso** anxious; eager

antagonis|mo m antagonism; **~ta** m, f antagonist

antaño last year; long ago

antártico antarctic

ante m elk; buckskin; suède leather

ante prep before; in view of; at; in the presence of; **~ todo** first of all

ante|anoche the night before last; **~ayer** the day before yesterday

antebrazo m forearm

antece|dente a, m antecedent; **~ntes** m/pl background; **~r** v/t to precede

antecesor(a) *m* (*f*) predecessor

antedicho aforesaid

antelación *f* priority; precedence; **con ~** in advance

antemano: de ~ beforehand

antena *f* antenna; aerial

anteojos *m/pl* spectacles, eyeglasses

antepasados *m/pl* ancestors

antepecho *m* railing; parapet

anteponer *v/t* to put before

anterior former, previous; **~idad** *f* anteriority; priority; **con ~idad** beforehand

antes *adv* before; rather; sooner; **cuanto ~** as soon as possible; **conj ~ bien** on the contrary; **~ de que** before

antesala *f* vestibule, lobby

antibiótico *m* antibiotic

anticipa|ción *f* anticipation; **con ~ción** in advance; **~r** *v/t* to anticipate; to advance; **~rse (a)** to take place early

anticonceptivo *m* contraceptive

anticua|do antiquated; obsolete; old-fashioned; **~rio** *m* antiquarian

antideslizante non-skid

antifaz *m* mask

antig|ualla *f* ancient relic; **~üedad** *f* antiquity; **~uo** ancient; antique; former; *2uo Testamento* Old Testament; **~uos** *m/pl* the ancients

antílope *m* antelope

antipático disagreeable, not nice

antirreflejo nonreflecting

antisocial antisocial

antítesis *f* antithesis

antoj|arse to fancy; **~o** *m* whim; caprice; craving

antorcha *f* torch

antropofagia *f* cannibalism

antropófago(a) *m* (*f*), *a* cannibal

anua|l annual; **~lidad** *f* annual income; annuity; **~rio** *m* yearbook

anublar *v/t* to cloud; to darken

anudar *v/t* to join; to knot together

anula|ción *f* annul(l)ment; **~r** *v/t* to annul(l)

anunci|ar *v/t* to announce; **~o** *m* announcement; advertisement

anzuelo *m* fishhook; *tragar el ~* to swallow the bait

añadi|dura *f* addition; *por ~* in addition; into the bargain; **~r** *v/t* to add

añejo old; stale; (*wine*) vintage

añicos *m/pl* small pieces

añil *m* indigo plant; indigo blue

año *m* year; **~ bisiesto** leap year; *¡ Feliz 2 Nuevo!* Happy New Year!

añora|nza *f* longing, nostalgia; **~r** *v/t* to long for; to grieve for

apacentar *v/t* to feed (*cattle*); to pasture

apacib|ilidad *f* gentleness;

~le gentle; placid, peaceful

apacigua|miento m appeasement; **~r** v/t to appease; to pacify

apadrinar v/t to act as godfather to; to support

apaga|do listless; dull; faded; **~r** v/t to blow out; to extinguish; to put out; to turn off; to quench (*thirst*); **~rse** to go out; to die down

apagón m blackout, power cut

apalear v/t to beat; to winnow

apaña|do skil(l)ful; suitable; **~dor** m sp catcher; **~r** v/t to seize; to grasp; **~rse** v/t to know the ropes; to get on

apara|dor m sideboard; **~to** m apparatus; set (*radio*); **~toso** ostentatious, showy

aparcamiento m parking lot

aparcar v/t to park

aparcería f sharecropping

aparear v/t to match, to level up

aparecer v/i to appear

apareja|r v/t to prepare; to equip; **~o** m equipment; mar tackle; **~os** pl tools, gear

aparentar v/t to feign; to pretend; to seem to be

apari|ción f appearance; apparition; **~encia** f aspect; semblance

apartad|ero m fc siding; aut lay-by; road side; **~o** m post office box; a remote; distant

apartamento m flat, apartment

apart|ar v/t to separate; to remove; **~arse** to withdraw; **~e** m teat aside; paragraph; adv apart; at a distance; **~e de** except for, apart from

apasiona|do passionate; **~miento** m enthusiasm; **~r** v/t to impassion; to excite; **~rse por** to become devoted to

apatía f apathy

apea|dero m halt; stop; **~r** v/t to dismount

apegarse to become attached to; **~o** m affection; attachment

apela|ción f appeal; **~r** v/i to appeal; to have recourse

apellid|ar v/t to name; **~arse** to be called; **~o** m surname, last name

apenarse to grieve

apenas scarcely; hardly; barely

apéndice m appendix

apendicitis f appendicitis

apercibi|miento m preparation; provision; *for* summons; **~r** v/t to provide; to prepare

aperitivo m apéritif; appetizer

aperos m/pl implements, tools

apertura f opening

apestar v/t to infect with the plague; *fam* to annoy; to pester; v/i to stink

apet|ecer v/t to desire; to long for; **~ito** m appetite

ápice m apex, pinnacle

apicultor m beekeeper

apiñar v/t to press together

apio m celery

apisona|dora f steamroller; **~r** v/t to roll flat

aplacar v/t to placate

aplacer v/t, v/i to please

aplanar v/t to level; to flatten

aplastar v/t to crush; to squash

aplau|dir v/t to applaud; **~so** m applause

aplazar v/t to postpone; to adjourn

aplica|ción f application; **~r** v/t to apply; **~rse** to apply oneself

aplomar v/t to plumb; **~arse** to collapse; **~o** m aplomb; seriousness

apod|ar v/t to nickname; **~erado** m attorney, agent; representative; **~erar** v/t to empower; **~o** m nickname

apogeo m apogee

apología f defence; eulogy

apoplejía f apoplexy

aporrear v/t to beat (up); to thump (on)

aporta|ción f contribution; **~r** v/t to bring; to contribute

aposent|ar v/t to lodge; **~o** m room; lodging

apostar v/t to bet, to wager

apóstol m apostle

apóstrofo m gram apostrophe

apoy|ar v/t to support; to base; v/i to rest, to lean;

~arse to lean; to rest; **~o** m prop; support

apreci|able appreciable; considerable; **~ación** f valuation; **~ar** v/t to estimate; to value; **~o** m esteem; estimation; valuation

aprehen|der v/t to apprehend; fig to understand; **~sión** f apprehension

apremi|ante urgent; **~ar** v/t to urge, to hurry; **~o** m urgency; pressure

aprend|er v/t to learn; **~iz** m apprentice; **~izaje** m apprenticeship

aprens|ión f fear; distrust; **~ivo** apprehensive; fearful

apresar v/t to capture; to seize

aprest|ar v/t to prepare; to make ready; **~o** m preparation

apresura|do hurried, hasty; **~r** v/t to hasten; **~rse** to make haste

apretado difficult; tightly-packed

apret|ar v/t to clasp; to press, to tighten; to harass; **~ón** m pressure; squeeze; **~ón de manos** handshake

aprieto m crush; fix; difficulty

aprisco m corral, fold

aprisionar v/t to imprison

aproba|ción f approval; **~r** v/t to approve of; to pass

apropia|ción f appropriation; **~do** appropriate; **~r** v/t to apply; to adapt; *LA* to appropriate; **~se de** to take possession of

aprovecha|ble useful; **¿do** economical; **~miento** *m* advantage; use; **~ar** *v/t* to utilize; to take advantage of; *v/i* to be of use; to make progress; **~rse de** to avail oneself of

aproxima|ción *f* approximation; approach; **~damente** approximately; **~do** approximate; **~r** *v/t*, **~rse** to approach; to come near

apt|itud *f* aptitude; ability; **~o** apt; capable; qualified

apuesta *f* bet, wager

apunt|alar *v/t* to prop, to brace; **~ar** *v/t* to aim; to point at; to note down; *teat* to prompt; **~e** *m* note, notation; *teat* prompter; cue

apuñalar *v/t* to stab

apur|adamente hastily; **~ado** needy; **~ar** *v/t* to purify; to exhaust; *LA* to hurry; **~arse** to worry; to fret; **~o** *m* plight, need; hardship; *LA* haste

aquejar *v/t* to afflict; to ail

aquel(la), *pl* **aquellos(as)** *a* that; *pl* those; **aquél(la)**, *pl* **aquéllos(as)** *pron m, f* he, she; *pl* those

aquí here; now; **~ mismo** right here; now; **por ~ (cerca)** round here

aquiescencia *f* acquiescence; consent

aquietar *v/t* to soothe

árabe *m, a* Arab(ic)

arada *f* ploughed ground

arado *m* plough

arancel *m* tariff

arándano *m* bilberry; **~ agrio** cranberry

araña *f* spider; **~ de luces** chandelier

araña|r *v/t* to scratch; **~zo** *m* scratch

arar *v/t* to plough

arbitr|ar *v/t* to arbitrate; *sp* to referee; **~ariedad** *f* arbitrariness; **~ario** arbitrary; **~io** *m* free will

árbitro *m* umpire, referee

árbol *m* tree; *mar* mast; *tecn* arbor; shaft; **~ de Navidad** Christmas tree

arbol|ado *m* woodland; *a* wooded; **~eda** *f* grove

arbusto *m* shrub

arca *f* chest; ark

arcada *f* arcade

arcaico archaic

arce *m* maple tree

archiduque *m* archduke; **~sa** *f* archduchess

archipiélago *m* archipelago

archiv|ador *m* file cabinet; **~ar** *v/t* to file; **~o** *m* register; filing department; records

arcilla *f* clay

arco *m* arc; arch; bow; **~ iris** rainbow

arder *v/i* to burn

ardid *m* stratagem; trick

ardiente burning; ardent

ardilla *f* squirrel; **~ listada**

chipmunk; ~ *de tierra* gopher

ardor *m* ardo(u)r; heat; courage

arduo arduous; hard, tough

área *f* area; ~ *de descanso* rest area; ~ *de servicio* service area

arena *f* sand; ~ *movediza* quicksand; **~l** *m* sandy ground; pit

arenga *f* harangue; **~r** *v/i* to harangue

arenisca *f* sandstone

arenque *m* herring

arete *m* earring

argamasa *f* mortar

argénteo silver(y); silverplated

Argentina *f* Argentina

argentino(a) *a, m (f)* Argentinian; *a* silvery

argolla *f* (large) ring; tie, bond; *sp* croquet

argüir *v/i* to discuss; to dispute

argumento *m* argument; *teat* plot

aridez *f* drought; barrenness

árido dry; barren; arid

ariete *m* (battering) ram

arisco rude; snappish; surly

aristocracia *f* aristocracy

aristócrata *m, f* aristocrat

aristocrático(a) aristocratic

aritmética *f* arithmetic

arma *f* weapon; arm; ~ *de fuego* firearm; **~da** *f* navy; **~dor** *m* shipowner; **~dura** *f* armo(u)r; framework; ~

mento *m* armament; **~r** *v/t* to arm; to assemble; to cause; to arrange

armario *m* wardrobe; cupboard

armazón *m or f* framework

armería *f* armo(u)ry; **~o** *m* gunsmith

armiño *m* ermine

armisticio *m* armistice

armonía *f* harmony

armónico harmonic

armonizar *v/t* to harmonize

aro *m* hoop; ring

aroma *m* aroma

aromático(a) aromatic

aromatizar *v/t* to flavo(u)r

arpa *f* harp

arpía *f* harpy, shrew

arpón *m* harpoon

arque|ar *v/t* to arch; to gauge (*ships*); **~o** *m* tonnage

arqueología *f* archeology

arqueólogo *m* archeologist

arquitect|o *m* architect; **~ura** *f* architecture

arraig|ar *v/i* to take root; **~arse** to settle; **~o** *m* settling; rooting in

arranc|ar *v/t* to pull out; to root out; to start (*car, etc*); **~que** *m* sudden start; outburst (*of anger, etc*); *tecn* starter

arrasar *v/t* to level

arrastrar *v/t* to drag along; to carry away; **~e** *m* haulage

arrebat|ar *v/t* to snatch away; to carry off; **~o** *m* transport of passion; rage

arrecife m causeway; mar reef

arregl|ado orderly; moderate; **~ar** v/t to arrange; to adjust; **~arse** to turn out well; **~árselas** to manage; **~o** m arrangement; compromise; repair; **con ~o a** in accordance with

arremeter v/t to attack

arrenda|dor m landlord; **~miento** m lease; rent; **~r** v/t to lease; to rent; **~tario** m lessee; tenant

arrepenti|do repentant, sorry; **~miento** m repentance; **~rse** to repent; to regret

arrest|ar v/t to arrest; **~arse** to dare; **~o** m detention; arrest; enterprise

arriate m bot bed

arriba above; over; up; high; upstairs; **cuesta ~** uphill; **de ~ abajo** from top to bottom; from beginning to end; **por la calle ~** up the street

arribar v/i to arrive

arriero m muleteer

arriesga|do perilous; risky; **~r** v/t to risk; **~rse** to expose oneself to danger; to take a risk

arrimar v/t to place near; **~se** to come closer; to lean (against)

arrinconar v/t to corner

arroba f weight of 25 lbs.; **~miento** m ecstasy; **~r** v/t to enrapture

arrodillarse to kneel down

arrogan|cia f arrogance; pride; **~te** arrogant; brave

arro|llar v/t to throw; to hurl, to fling; **com** to show; **~arse** to fling oneself; to rush; **~o** m daring

arrollar v/t to roll up; to sweep away; to run (someone) down

arropar v/t to wrap up; to tuck up

arroyo m stream; brook; gutter

arroz m rice; **~al** m ricefield

arruga f wrinkle; crease; **~r** v/t to wrinkle; to rumple; to crease

arruinar v/t to ruin; to destroy

arrull|ar v/t to coo; to lull; **~o** m cooing; mús lullabye

arrumbar v/t to cast aside

arsénico m arsenic

arte m or f art; **bellas ~s** fine arts; **~facto** m appliance; contrivance

artejo m knuckle

arteria f anat, fig artery

artesan|ía f handicraft; craftsmanship; **~o** m artisan; craftsman

artesonado arq coffered (ceiling)

ártico arctic

articul|ación f articulation; anat joint; **~ar** v/t to articulate

artículo m article; **~ de fondo** leading article; **~s** pl **de consumo** consumer goods

artificiI|al artificial; **~o** m art; skill; contrivance; **~oso** skil(l)ful; cunning; ingenious

artiller|ía f artillery; **~o** m gunner

artilugio m gadget

artimaña f trick

artista m, f artist

arzobisp|ado m archbishopric; **~o** m archbishop

as m ace

asa f handle; haft

asado a roasted; baked; **bien ~** well done; m roast meat

asalariado m employee, wage-earner

asalt|ar v/t to attack; to storm; to break into; **~o** m assault

asamblea f assembly; meeting

asar v/t to roast

ascen|dencia f ancestry; **~dente** a ascending; **~der** v/i to ascend; to climb; **~sión** f ascension; **~so** m promotion; **~sor** m lift, Am elevator

asceta m ascetic

ascético ascetic

asco m nausea; loathing; **dar ~** to sicken, to disgust

asear v/t to clean; to embellish

asechar v/t to ensnare; to trap; to ambush

asedio m mil siege; com run (on a bank etc)

asegura|do m insured; a

guaranteed; assured; **~r** v/t to secure; to insure; to fasten; to assure; **~rse** to verify

asenso m assent

asent|ar v/t to seat; to establish; to settle; v/i to be suitable; **~ al debe** to debit; **~ al haber** to credit

asentimiento m assent

asentir v/i to agree

aseo m cleanliness; pl toilet; rest rooms

asequible accessible, attainable; available

aserradero m sawmill

aserrar v/t to saw

asesin|ar v/t to murder; pol to assassinate; **~ato** m murder; pol assassination

asesor|(a) m (f) consultant; legal adviser; **~ar** v/t to give legal advice to, to counsel

asestar v/t to aim; to point; to deal (a blow)

aseverar v/t to assert

asfalto m asphalt

asfixiar v/t to asphyxiate; to suffocate

así adv so; thus; therefore; **~, ~ so** so; **~ como** the same as; **~ como también** as well as

Asia f Asia; **~ Menor** Asia Minor

asiduo assiduous

asiento m chair; seat; site; bottom; **~ delantero** front seat; **tomar ~** to take a seat

asigna|ción f assignment; allotment; **~r** v/t to assign; to ascribe; **~tura** f course of study; **aprobar, suspender una ~tura** to pass, to fail a school subject

asilo m asylum; refuge

asimilar v/t to assimilate

asimismo likewise

asir v/t to seize; to grasp

asist|encia f attendance, presence; assistance; pl allowance; **~ente** m assistant; **~ir** v/t to help; to attend to; to serve; v/i to attend; to be present

asma f asthma

asno m ass

asocia|ción f association; fellowship; partnership; **~do** m associate; partner; **~r** v/t to associate; **~rse** to join; to form a partnership

asolar v/t to destroy; to lay waste

asomar v/t to show; to stick out; **~se** to appear, to show (up)

asombr|ar v/t to surprise; to astonish; **~arse** to be astonished; **~o** m astonishment; amazement

aspa f cross; reel; vane of windmill

aspecto m aspect; look; appearance

aspereza f acerbity; roughness

áspero rough, rugged; harsh; severe

aspiradora f vacuum cleaner

aspirina f aspirin

asque|ar v/t to disgust, to re-

atar

volt; **~roso** disgusting, revolting; foul

asta f lance; shaft; horn (of the bull); **~ de bandera** flagpole

asterisco m asterisk

astil m handle

astill|a f splinter; **~ar** v/t to splinter; to chip; **~ero** m shipyard

astring|ente m, a astringent; **~ir** v/t to astringe; to compress; fig to bind

astro m star; **~logía** f astrology

astrólogo m astrologer

astro|nauta m astronaut; **~nave** f spaceship

astronomía f astronomy

astrónomo m astronomer

astu|cia f shrewdness; cleverness; **~to** astute; shrewd; cunning

asu|mir v/t to assume; to take upon oneself; **~nción** f assumption

asunto subject; matter; business

asusta|dizo easily frightened; **~r** v/t to frighten; to scare

atabal m kettledrum

ata|car v/t to attack; **~do** bundle; a bashful; **~dura** f tying; bond; **~jo** m shortcut; **~laya** f lookout, watchtower; **~que** m attack; **~que aéreo** air raid

atar v/t to bind; to fasten; to tie (up)

atareado busy; occupied

atasc|ar v/t to stop up; to obstruct; **~arse** to jam; to get stuck; **~o** m obstruction; traffic jam

ataúd m coffin

ataviar v/t to dress up; to adorn

ateísmo m atheism

atemorizar v/t to terrify

atención f attention; pl duties, responsibilities; courtesies

atender v/i to attend; to pay attention to; to look after

atenerse: **~ a** to abide by; to rely on

atenta|do m criminal assault; a discreet; **~r** v/t to attempt (a crime)

atento thoughtful; attentive

atenua|ción f attenuation; **~r** v/t to attenuate

ateo(a) m (f) atheist; a atheistic

aterrar v/t to destroy; to knock down

aterriza|je m landing; **~je forzoso** aer emergency landing, forced landing; **~r** v/i to land

aterrorizar v/t to terrorize; to terrify

atesorar v/t to treasure, to hoard

atesta|ción f attestation; **~dos** m/pl for affidavit; **~r** v/t to cram; to crowd; to witness; to testify

atestigua|ción f testimony;

~r v/t to testify, to give evidence of

ático m attic

atisbar v/t to spy on; to peep at

atizar v/t to poke; to trim; to rouse

atlántico Atlantic

at|leta m, f athlete; **~lético** athletic; **~letismo** m athletics

atmósfera f atmosphere

atmosférico atmospheric

atolla|dero m obstacle; difficulty; mire; **~r** v/i to fall into the mire; to get stuck

atolondrar v/t to confuse; to perplex; **~se** to become bewildered

atómico atomic

átomo m atom

atónito stupefied, dumbfounded

atonta|do foolish; dim-witted; **~r** v/t to stun; to confound; **~rse** to grow stupid

atormentar v/t to torment

atornillar v/t to screw

atrac|ador m gangster; hold-up man; **~ar** v/t to attack, to hold up

atrac|ción f attraction; **~o** m hold-up, robbery; **~tivo** attractive

atraer v/t to attract; to lure

atrancar v/t to obstruct; to bar

atrapar v/t to catch; to take in

atrás backward; behind; ¡**~**! get back!

atras|ar v/t to slow up; to slow down; **~arse** to be late; to go slow (watch); **~o** m backwardness; delay; pl arrears

atravesar v/t to place across; to run through; to cross, to go across; **~se** to interrupt; to interfere

atreverse to dare

atrevi|do bold; audacious; **~miento** m boldness, insolence

atribu|ir v/t to ascribe; to attribute; **~to** m attribute

atril m music stand; lectern

atrocidad f atrocity; excess

atrofia f atrophy

atropell|ar v/t to hit; to knock down; to run over; **~o** m accident; outrage

atroz atrocious; heinous

atuendo m dress, attire

atún m tuna

aturdi|do giddy; distracted; **~r** v/t to perplex; to stun

auda|cia f audacity; boldness; **~z** audacious

audición f hearing; audition

audi|encia f audience; hearing; reception; **~tor** m judge; com auditor

auge m peak; apogee; popularity

augur|ar v/t to augur; to predict; **~io** m omen

aula f lecture room; classroom

aull|ar v/i to howl; **~ido** m howl

aument|ar v/t, v/i to raise; to increase; to augment; **~o** m increase

aun adv even; yet; although; **~ cuando** even if

aún adv yet; still; as yet; **~ no** not yet

aunque conj even though; although

aura f gentle breeze

áureo golden

aureola f halo

auricular m telephone receiver; pl earphones, headphones

ausen|cia f absence; **~te** absent

austero austere

austral southern; **2ia** f Australia; **~iano(a)** m (f), a Australian

Austria f Austria

austríaco(a) m (f), a Austrian

auténtico authentic

auto m sentence; edict; pl record of proceedings

auto m motorcar

auto|bús m bus; **~car** m coach; **~enfoque** m foto automatic focus; **~escuela** f driving school; **~mático** automatic; **~matización** f automation; **~motor** m Diesel train; **~móvil** m automobile; **~movilista** m motorist; **~nomía** f autonomy; home rule; **~pista** f motorway

autopsia f autopsy

autor m author

autoridad f authority
autoritario a authoritarian
autorizar v/t to authorize
autorretrato m self-portrait
autoservicio m self-service
autostop m hitch-hiking; **~ista**, m, f hitch-hiker
auxili|ar a auxiliary; v/t to help; **~o** m assistance; **primeros ~os** pl first aid
avaluar v/t to value; to appraise
avan|ce m advance; attack; **~zar** v/t to advance; to move forward
avar|icia f avarice; **~iento** avaricious; greedy; **~o** a miserly; mean; m miser
avasallar v/t to subdue
Avda. = **avenida**
ave f bird; **~ de paso** bird of passage; **~ de rapiña** bird of prey; **~s** pl **de corral** poultry
avellan|a f hazelnut; **~arse** to shrivel; **~o** m hazelnut tree
avena f oat(s)
avenencia f agreement
avenida f avenue
avenirse a to agree to
aventaj|ado advantageous; outstanding
aventajar v/t to surpass; to advance
aventur|a f adventure; **~ero(a)** m (f) adventurer, adventuress
avergonzar v/t to shame; **~se** to be ashamed
avería f damage; tecn breakdown

averiarse to suffer damage
averiguar v/t to find out, to ascertain; to inquire into
avestruz m ostrich
avia|ción f aviation; **~dor** m aviator; pilot; airman
aviar v/t to provide; to make ready; LA to lend
avidez f avidity; covetousness
ávido avid; covetous; eager
avión m aeroplane, Am airplane; **~ de reacción** jet-propelled aircraft; **por ~** by airmail
avíos m/pl tackle; kit
avis|ar v/t to advise; to announce; to inform; **~o** m notice; advice
avisp|a f wasp; **~ón** m hornet
avivar v/t to animate
¡ ay! oh!; alas!
ayer yesterday
ayud|a f help; **~nte** m assistant; **~r** v/t to help; to aid
ayuno m fast; **en ~** fasting
ayuntamiento m town hall, city hall
azabache m min jet
azada f hoe
azafata f air hostess, stewardess
azafrán m saffron
azahar m orange blossom
azar m hazard; risk; **al ~** at random; **por ~** by chance
azot|ar v/t to whip; to thrash; to beat; **~e** m whip; lashing
azotea f flat roof
azteca m, f, a Aztec

313

balonmano

azúcar m sugar
azucena f white lily
azufre m sulphur
azul blue; ~ **celeste** sky blue;
~ **marino** navy blue
azulejo m glazed tile
azuzar v/t to incite; to sic
(dogs)

B

bab|a f spittle; saliva; **~aza** f
slime; v/i to slobber;
~ero m bib
babor m mar port side
babosa f zool slug
baboso slimy; drooling
baca f luggage carrier (on car
roof)
bacalao m cod
bache m hole, pothole; rut
bachiller(a) m (f) holder of a
bachelor's degree; **~ato** m
baccalaureate; **~ear** v/i to
babble
bacteria f bacterium
báculo m walking stick
bagaje m mil baggage
bahía f bay
bailar v/i, v/t to dance; **~ín**
(**~ina**) m (f) dancer
baile m dance; ~ **de sociedad**
ballroom dance
baja f fall; casualty; **dar de** ~
mil to discharge; **~da** f de-
scent
baja|mar f low tide; **~r** v/t to
lower; to take down; v/i to
fall; to descend; to go down
baj|eza f meanness; **~ista** m
bear (at the stock exchange);
~o short (person); m
mús bass; adv down; below;
prep under

bala f bullet; com bale
balada f ballad
baladí frivolous; trivial
balance m oscillation; rocking; swinging; com balance
sheet; **~ar** v/t to balance; v/i
to roll (ship); to sway; to
waver
balancín m balance beam;
seesaw
balanza f scales; balance
balar v/i to bleat
balazo m shot
balbucear v/i to stammer; to
stutter; to babble (baby)
balcón m balcony
balde m bucket; **de** ~ gratis;
free of charge; **en** ~ in vain;
~ar v/t, v/i to wash, to flush
(down)
baldío m waste land
baldosa f tile (on floors)
Baleares f/pl Balearic Isles
balística f ballistics
baliza f mar (lighted) buoy
ballena f whale
ballesta f crossbow; spring
ballet m ballet
balneario m spa; health resort
balón m ball; football
balon|cesto m basketball;
~mano m handball

balsa f pool; mar raft; bot balsa wood

bálsamo m balsam, balm

báltico Baltic

baluarte m bulwark

bambolearse to sway

bambú m bamboo

banan|a f LA banana (tree); **~o** m LA banana (tree)

ban|ca f bench; banking; **~ario** banking; **~carrota** f bankruptcy; **~co** m bench; bank; **~co de ahorros** savings bank

banda f sash; band; gang; **~da** f flock (of birds)

bandeja f tray

bandera f flag; banner

bandido m bandit

bando m edict; faction; party; pl marriage banns; **~lero** m bandit, brigand; **~lerismo** m highway robbery

banque|ro m banker; **~te** m banquet

banquillo m footstool; for dock

bañ|ador m bathing suit; **~arse** to take a bath; to swim (in the sea); **~era** f bathtub; **~o** m bath; bathroom; **~o espumoso** bubble bath

baque m thud, thump

baqueta f ramrod; pl drumsticks

bar m bar; snackbar

baraja f pack of cards; **~r** v/t to shuffle (cards)

barandilla f railing

barat|ear v/t to sell cheap; **~ija** f trifle; **~o** cheap

barba f beard; chin

barbari|dad f barbarity; outrage; una **~dad** an enormous amount; **~e** f barbarism; cruelty

bárbaro(a) m (f) barbarian; a barbarous

barbecho m fallow (land)

barbero m barber

barbilla f chin

barbotar v/t to mumble

barbudo bearded

barca f boat; **~ de pedales** pedal boat; **~za** f lighter

barco m boat; ship; vessel; **~ de vela** sailing ship

bardar v/t to thatch

barítono m baritone

barlovento: de ~ mar windward

barniz m varnish; glaze

barnizar v/t to varnish; to glaze

barométrico barometric

barómetro m barometer

barquero m ferryman; boatman

barquillo m wafer; cone (for ice cream, etc)

barra f bar (of soap); loaf (of bread)

barraca f hut

barranc|a f precipice; ravine; gully; **~o** m gully; fig difficulty

barre|dero sweeping; dragging; **~duras** f/pl sweepings

barrena f drill; auger

barrendero m street cleaner
barrer v/t to sweep
barrera f barrier; ~ **sónica** sound barrier
barriada f district; suburb; LA slum
barricada f barricade
barriga f paunch, belly
barril m barrel
barrio m district; quarter; part of a town; ~ **bajo** poor neighbo(u)rhood; slum
barro m mud; clay
barroco baroque
barroso muddy; pimply
bártulos m/pl belongings; implements
barullo m confusion; noise
bas|ar v/t to base; to found; ~**arse en** to base one's opinion on; ~**e** f basis; base; ~**e de datos** data base
básico basic
¡basta! enough!
bastante a enough; LA too much; adv enough; rather
bastidor m frame; teat wing
basto a coarse; gross; m packsaddle; ace of clubs; pl clubs (cards)
bastón m walking stick; cane
basur|a f rubbish; waste; ~**ero** m dustman; garbage collector
bata f dressing gown; smock; housecoat
batall|a f battle; ~**ar** v/i to fight; ~**ón** m battalion
batata f sweet potato
bate m bat; ~**ador** m sp batter

batería f battery; mús percussion instruments; ~ **de cocina** pots and pans
batido m **de leche** milkshake; ~**dora** f whisk; mixer; ~**r** v/t to beat; to strike; to whip; to whisk
batista f cambric
batuta f baton; **llevar la** ~ to be in command
baúl m trunk
bautismo m baptism; christening; ~**zar** v/t to baptize; to christen; ~**zo** m baptism, christening
baya f berry
bayeta f baize
bayo bay (colour)
bayoneta f bayonet
baza f trick (at cards)
bazar m bazaar
bazo m anat spleen
beat|a f devout woman; lay sister; ~**ificar** v/t to beatify; ~**itud** f blessedness; holiness; ~**o** a happy; blessed; m lay brother
bebé m baby
bebedero m drinking trough; a drinkable
bebedizo drinkable
beb|edor m heavy drinker; ~**er** v/t, v/i to drink; ~**ida** f drink; beverage; ~**ido** tipsy, half-drunk
beca f scholarship
becerro m yearling calf
bedel m beadle; warden
befar v/t to mock; to scoff
béisbol m baseball

beldad *f* beauty

Belén *m* Bethlehem; ♀ Christmas crib; ♀ *fig* bedlam

belga *m, f, a* Belgian

Bélgica *f* Belgium

bélico bellicose; warlike

bell|coso warlike; quarrelsome; **~gerancia** *f* belligerence

bell|eza *f* beauty; **~o** beautiful

bellota *f* acorn

bemol *m* *mús* flat

bencina *f* benzine

bend|ecir *v/t* to bless; **~ición** *f* blessing; **~ito** blessed; happy

benefic|encia *f* beneficence; **~iar** *v/t* to benefit; **~iarse** to derive benefit; to profit; **~io** *m* benefit

benemérito worthy, meritorious

benevolencia *f* benevolence; kindness

benign|idad *f* benignity; **~o** benign; mild

beodo *a, m* drunk

berberecho *m* cockle

berenjena *f* eggplant

bermejo bright red

berrear *v/i* to low; to bellow

berrinche *m* *fam* anger; rage

berro *m* watercress

berza *f* cabbage

bes|ar *v/t* to kiss; **~ar la mano**, **~ar los pies** pay one's respects to; **~o** *m* kiss

bestia *f* beast; **~l** beastly; *fam* terrific; **~lidad** *f* bestiality

besugo *m* sea bream

betún *m* bitumen; shoe polish

biberón *m* baby bottle

Biblia *f* Bible

bíblico biblical

bibliotec|a *f* library; **~rio** *m* librarian

bicho *m* insect, bug; *pl* vermin; animal

bicicleta *f* bicycle

bidón *m* steel drum; large can

biela *f* connecting rod

bien *adv* well; right; certainly; very; surely; **más** ~ rather: o ~ or else; *m* good; property: *pl* assets; **~es raíces** real estate

bienaventura|do lucky; fortunate; blessed (*in Heaven*); **~nza** *f* bliss

bienestar *m* well-being; welfare

bienhechor(a) *m* (*f*) benefactor(-tress)

bienio *m* space of two years

bienvenida *f* welcome; **dar la** ~ to welcome

bifurca|ción *f* fork (*in road*); junction; **~rse** to branch off, to fork

bigamia *f* bigamy

bigote *m* moustache

bilingüe bilingual

bili|oso bilious; **~s** *f* bile

billar *m* billiards

billete *m* banknote; ticket; ~ **de ida y vuelta** return ticket, *Am* round trip ticket; ~ **de temporada** season ticket; ~ **directo** through ticket; ~

sencillo single ticket, *Am* one-way ticket; **no hay ~s** sold out; **~ro** *m* wallet; *t Am* billfold

billón *m* billion

bimotor *m* twin-engined plane

biografía *f* biography

biógrafo *m* biographer

biología *f* biology

biológico biological

biombo *m* folding screen

birrete *m* cap

bisabuel|a *f* great-grandmother; **~o** *m* great-grandfather; **~os** *m/pl* great-grandparents

bisagra *f* hinge

bisel *m* bevel

bisemanal twice-weekly

bisiesto leap (*year*)

bisniet|a *f* great-granddaughter; **~o** *m* great-grandson

bisonte *m* bison

bistec *m* (beef)steak

bisutería *f* costume jewelry

bizantino Byzantine

bizarro spirited; gallant; magnanimous

bizc|ar *v/i* to squint; to look cross-eyed; **~o** cross-eyed

bizcocho *m* biscuit; spongecake

blanc|o *a* white; *m* white man; target; **dar en el ~o** to hit the mark; **en ~o** blank; **~ura** *f* whiteness

blandir *v/t* to brandish

bland|o soft; mild; tender; flabby; **~ura** *f* softness; flat-

tery

blanque|ar *v/t* to bleach; to whiten; **~o** *m* bleaching; whitewash

blasfemia *f* blasphemy

blasón *m* coat of arms; heraldry

bledo: no importarle a uno un ~ not to give a hoot

blinda|je *m* armo(u)r; **~r** *v/t* to armo(u)r; *elec* to shield

bloc *m* pad (*of paper*)

bloque *m* block; **~ar** *v/t* to block up; to blockade; **~o** *m* blockade

blusa *f* blouse

bobada *f* foolishness; silly thing; foolish act

bobina *f* bobbin; spool; *elec* coil

bobo *m* simpleton; *a* stupid; foolish

boca *f* mouth; entrance; **~ de riego** hydrant; **~ abajo** face downwards; **~ arriba** face upwards; **~calle** *f* entrance to a street; intersection; **~dillo** *m* sandwich

bocado *m* bite; morsel; mouthful

boceto *m* sketch

bochorno *m* scorching heat; sultry weather; **~so** sultry

bocina *f* horn; **~zo** *m* honk, hoot

boda *f* wedding

bodeg|a *f* wine cellar; vault; bar; storeroom; shop; *LA* grocery; hold (*of a ship*); **~ón** *m* tavern

bofet|ada f slap; **~ear** v/t to slap in the face; to insult; **~ón** m blow; slap

boga f rowing; vogue; popularity; **en ~** in vogue

boicot m boycott; **~ear** v/t to boycott

boina f beret

bola f ball; marble; pl ball-bearings; **~ de nieve** snowball

bole|ar v/i to bowl; to lie; **~ra** f bowling alley

bolero m bolero (dance)

bolet|a f admission ticket; ballot; **~ería** f LA ticket office; **~ín** m bulletin; report; **~o** m LA ticket

boliche m jack (at bowls); dragnet

bolígrafo m ball-point pen

Bolivia f Bolivia

boliviano(a) m (f), a Bolivian

boll|ería f pastry shop; **~o** m small cake; bun, roll

bolo m game of ninepins

bols|a f bag; purse; pouch; **~a de comercio** stock exchange; **~a de papel** paper bag; **~a de plástico** plastic bag; **~a del trabajo** labo(u)r exchange; **~illo** m pocket; **~ista** m stockbroker; LA pickpocket; **~o** m purse

bomb|a f pump; bomb; **~a atómica** atom bomb; **~a de incendios** fire engine; **~ardear** v/t to bomb; to bombard; **~ardero** m bomber plane; **~ear** v/t mil to shell;

LA to fire; to dismiss; **~ero** m fireman

bombilla f light bulb

bombo m bass drum; mar lighter; **dar ~** to praise to the skies

bombón m sweet, Am candy

bonachón m kind person; a kindly; easy-going

bonaerense of or from Buenos Aires

bondad f goodness; kindness; **~oso** good; kind

bonifica|ción f allowance; increase; improvement; **~r** v/t to increase (production)

bonito m striped tunny; a nice; lovely; pretty

bono m bond; voucher

boquerón m large hole; opening; type of anchovy

boquete m gap

boquiabierto gaping; open-mouthed

boquilla f mús mouthpiece; cigarette holder

borbollar v/i to bubble

borbotar v/i to gush; to boil; to bubble up

borda|do m embroidery; **~r** v/t to embroider

bord|e m edge; border; rim; verge; **al ~e de** on the verge of; **~ear** v/t to skirt; to go round; **~illo** m kerb(stone), Am curb

bordo m mar shipboard; **a ~** on board

boreal northern

borla f tassel; pompon

borne *m elec* terminal

borra *f* fluff; nap, down; sediment; dregs

borrach|era *f* drunkenness; intoxication; **~o(a)** *m (f)* drunkard; *a* drunk

borrad|or *m* rough draft; *LA* rubber, eraser; **~ura** *f* erasure

borrar *v/t* to delete; to erase; to wipe out

borrasc|a *f* gale; storm; *fig* risk; **~oso** stormy

borrego *m (f)* yearling lamb

borric|a *f* she-donkey; *fam* fool; **~o** *m* donkey; *fam* ass; fool

borrón *m* blot; smudge

borroso blurred; smudged

bosque *m* wood; forest

bosquej|ar *v/t* to sketch; to outline; **~o** *m* sketch

bostez|ar *v/i* to yawn; **~o** *m* yawning

bota *f* boot; wineskin; leather wine bottle; **~s** *pl de goma* rubber boots

bota|dura *f* launching; **~r** *v/t* to launch; to hurl; to fling; *LA* to throw away; to throw out; to fire; *v/i* to bounce

botánic|a *f* botany; **~o** botanic

bote *m* boat; thrust; leap; bounce; can, tin; **~ de remos** rowboat; **~ plegable** folding boat; **~ salvavidas** lifeboat

botella *f* bottle

botica *f* chemist's (shop),

drugstore; **~rio** *m* chemist; *Am* druggist

botij|a *f*, **~o** *m* earthenware jar

botín *m* booty, loot

botiquín *m* medicine chest; first-aid kit

botón *m* button; bud

botones *m* bellboy, page

bóveda *f* vault; dome

bovino bovine

boxe|ador *m* boxer; **~ar** *v/i* to box; **~o** *m* boxing

boya *f mar* buoy; **~nte** thriving; *mar* buoyant

bozal *m* muzzle; *LA* halter

bracero *m* unskilled labo(u)rer

braga *f* diaper; hoisting rope; *pl* breeches; panties

brague|ro *m med* truss; brace; **~ta** *f* fly *(of trousers)*

bram|a *f zool* rut; **~ante** *m* twine; **~ar** *v/i* to roar; to bellow; **~ido** *m* roaring

bras|a *f* live coal; **~ero** *m* brazier

Brasil *m* Brazil

brasileño(a) *m (f)*, *a* Brazilian

brav|o brave, courageous; fierce; rough *(sea)*; **~ucón** *m* braggart; **~ura** *f* ferocity; fierceness; courage

braza *f mar* fathom; **~da** *f* armful; *sp* stroke; **~da de espaldas** backstroke

brazal *m* arm band

brazalete *m* bracelet

brazo *m* arm; branch

brea f tar; pitch

brebaje m med mixture; potion; draught

brecha f breach; opening; gap

brécol m broccoli

brega f strife; contest; **~r** v/i to toil, to work hard

breve a short; **en ~** soon; m apostolic brief; **~dad** f shortness; **~mente** briefly

breviario m breviary

brezal m heath; moorland

brezo m heather

bribón m loafer; knave; a idle; loafing

brida f bridle (of a horse); flange; clamp

brigada f mil brigade

brilla|nte m brilliant; a brilliant; glittering; **~ntez** f brilliance; **~r** v/i to shine; to sparkle; to glitter

brillo m lustre; glitter; shine; splendo(u)r

brinc|ar v/i to jump; to skip; to hop; **~o** m leap; jump

brind|ar v/i to drink to a person's health; v/t to offer; **~is** m toast

brío m strength; vigo(u)r; spirit

brioso vigorous; spirited; lively

brisa f breeze

británico British

broca f reel

brocha f painter's brush

broche m clasp; brooch

brom|a f joke; **en ~a** in fun;

gastar una ~a to play a joke; **~ear** v/i to joke, to fool; **~ista** m, f joker; gay person

bronca f fam quarrel

bronce m bronze; **~ amarillo** brass; **~ de cañón** gun metal; **~ar** v/t to bronze; to tan (skin)

bronco rough; harsh

bronqui|al bronchial; **~tis** f bronchitis

brot|ar v/i to sprout; to spring up; med to break out; **~e** m bud; outbreak

bruj|a f witch; **~ería** f witchcraft; **~o** m sorcerer

brújula f compass; magnetic needle

brum|a f mist; **~oso** misty

bruñir v/t to polish

brus|co brusque; rough; sudden; **~quedad** f abruptness

brut|al brutal; brutish; fam fabulous; **~o** m brute; a stupid

buce|ador m diver; **~r** v/i to dive

buche m crop, maw; stomach

bucle m ringlet

bucólico pastoral; bucolic

budín m pudding

buen, apocope of **bueno,** used only before a masculine noun: **~ hombre** good man, or before infinitives used as nouns: **eso es ~ decir** well said; **~amente** freely; easily; **~aventura** f good luck; **~o** good; well; all right; healthy; usable; **¡~os días!** good

morning!; good day!; **¡~as tardes!** good afternoon!; **¡~as noches!** good night!; **de ~a primeras** all of a sudden; **por las ~as** willingly
buey *m* ox; bullock
búfalo *m* buffalo
bufanda *f* scarf; muffler
buf|ar *v/i* to snort; to puff with rage; **~o** *m* clown; *a* clownish; comical
buhard|a *f*, **~illa** *f* attic, garret, loft
búho *m* owl
buitre *m* vulture
bujía *f* candle; spark-plug
bulbo *m* bot bulb
bulla *f* noise; chatter; uproar
bulli|cio *m* bustle; noise; din; **~cioso** noisy; lively; **~r** *v/i* to boil; to swarm, to teem
bulto *m* bundle; bulk; shape; swelling; bale; *LA* briefcase; **de ~** obvious
buñuelo *m* fritter; bun, doughnut
buque *m* boat; ship; **~ de guerra** warship; **~ mercante**

merchantman
burbu|ja *f* bubble; **~ear** *v/i* to bubble
burdégano *m* hinny
burdel *m* brothel
burdo coarse; ordinary
burgués(esa) *m* (*f*), *a* bourgeois; middle class
burl|a *f* scoff; taunt; joke; trick; **~arse de** to scoff at; to make fun of; **~ón** *m* joker; scoffer; *a* mocking; joking
burocracia *f* bureaucracy
burócrata *m*, *f* bureaucrat
burocrático bureaucratic
burro *m* donkey; *fig* idiot; *a* stupid
bursátil of the stock exchange
busca *f* search; **~r** *v/t* to look for; to seek; to search
búsqueda *f* search
busto *m* bust
butaca *f* armchair; *teat* orchestra seat, stall
buzo *m* diver
buzón *m* letterbox, mailbox; **echar al ~** to post, to mail

C

cabal *a* exact; right; full; complete, thorough; *adv* perfectly; exactly
cabalgar *v/i* to ride on horseback
caballa *f* mackerel
caball|eresco chivalrous; **~ería** *f* horse; mule; cavalry; knighthood; **~eriza** *f* stable;

~ero *m* horseman; knight; nobleman; gentleman; **~e-roso** gentlemanly; **~ete** *m* easel; bridge (*of nose*); **~ito** *m* pony; **~ito del diablo** dragonfly; **~o** *m* horse; knight (*in chess*); *fam* heroin; *a* **~o** on horseback; **~o de fuerza** horsepower; **~o**

de pura sangre thorough-bred

cabaña f cabin; hut

cabece|ar v/i to nod; mar to pitch; **~o** m nodding; **~ra** f head (of the bed, of the table)

cabecilla m ringleader

cabell|era f wig; head of hair; **~o** m hair; **~udo** hairy

caber v/i to go in or into; to find room; to fit in; **no cabe duda** there is no doubt; **no cabe más** that's the limit

cabestr|illo m med sling; **~o** m halter

cabez|a f head; summit; lead; **a la ~a de** at the head of; **~a de turco** scapegoat; **lavarse la ~a** to wash one's hair; **perder la ~a** to lose one's head; **~ada** f blow on or with the head; nod; **~al** m med pad; bolster; **~ar** aut headrest; **~ota** m, f pig-headed person; **~udo** large-headed

cabida f space; capacity; room

cabina f cabin; booth; aer cockpit; **~ de teléfono** telephone box, Am booth

cabizbajo downhearted, downcast; dejected

cable m cable; wire; **~ de remolque** towline

cabo m end; tecn thread; mar rope; handle; geog cape; leader; corporal; **de ~ a rabo** from beginning to end; **llevar a ~** to finish; to carry out

cabotaje m coastal shipping

cabra f goat

cabrestante m capstan

cabriola f caper; capriole

cabrito m kid, young goat

cacahuete m peanut

cacao m cacao

cacarear v/i to cackle; to brag; to boast

cacatúa f cockatoo

cacería f hunt; hunting

cacerola f saucepan

cacharr|ería f crockery; **~o** m pot; jug; earthenware; fam junk; old vehicle

cachete m slap; blow (in the face)

cachiporra f bludgeon

cacho m small piece; LA horn (of bull, etc)

cachorro m puppy; cub; whelp

caciqu|e m LA chief; pol party boss; ringleader; **~ismo** m power of political bosses

caco m thief; pickpocket

cacto m cactus

cada every; each; **~ uno** each one

cadáver m corpse

cadena f chain; radio, TV network; fig tie; obligation; **~ perpetua** life imprisonment

cadera f hip

cadete m cadet

caduc|ar v/i to lapse; to run out; to expire; **~idad** f expiry; lapse

cae|dizo falling; unsteady; **~r** v/i to fall; to decline; to fit; to happen; **aer** to crash; **~r en la cuenta** to understand; **~rle bien** to fit him, to suit him

café *m* coffee; café; **~ con leche** coffee with milk; **~ solo** black coffee

cafeína *f* caffeine

cafetal *m* coffee plantation

cafeter|a *f* coffee pot, percolator; **~ía** *f* café; snack-bar; **~o** *m* coffee-shop owner

caída *f* fall; downfall; slope; hang (*of clothes*); *geol* fold; **aer** crash

caimán *m* alligator

caj|a *f* box, case; safe; well (*of stairs*); **~a de ahorros** savings bank; **~a de engranajes** gearbox; **~ero(a)** *m* (*f*) bank teller; cashier; **~etilla** *f* pack (*of cigarettes*); **~ita** *f* small box; **~ita de fósforos** matchbox; **~ón** *m* large box; locker; drawer

cal *f* lime; **~a** *f* creek, small bay

calabacín *m* crap marrow

calabaza *f* pumpkin; gourd

calabozo *m* dungeon; prison

calada *f* soaking

calado *m* draught (*of ship*)

calamar *m* squid

calambre *m* cramp

calamidad *f* calamity

calandria *f* manglingerer; calander

calar *v/t* to soak; to drench; to perforate; *fig* to see through

calavera *f* skull; *m* madcap

calca|do *m* tracing; **~r** *v/t* to trace; to copy

calceta *f* (knee-length) stocking; **hacer ~a** to knit; **~ín** *m* sock

calcio *m* calcium

calco *m* tracing; **~manía** *f* transfer (*picture*)

calcula|dora *f* calculator; **~r** *v/t* to calculate

cálculo *m* calculation; estimate; conjecture

calder|a *f* kettle; boiler; **~illa** *f* copper (*coin*); **~o** *m* small boiler

caldo *m* broth; sauce

calefacción *f* heating; **~ central** central heating

calendario *m* calendar

calenta|dor *m* heater; **~r** *v/t* to heat; **~rse** to get hot; to warm oneself up; *LA* to get angry; **~ura** *f* fever

calibr|ar *v/t* to gauge; **~e** *m* calibre

calidad *f* quality; condition

cálido hot; warm

calidoscopio *m* kaleidoscope

caliente hot; warm

califica|ción *f* qualification; assessment; **~r** *v/t* to rate; to assess; to qualify

cáliz *m* chalice, cup

calla|do silent; quiet; secretive; **~r** *v/t* to silence; **~rse** to hold one's tongue; to be silent; **~rse la boca** to shut up

calle *f* street; **~ de dirección única** one-way street; **~ pea-**

tonal pedestrian mall; **~ principal** main street; **~jear** *v/i* to saunter about; **~jón** *m* alley; passage; **~jón sin salida** blind alley; dead end; **~juela** *f* lane; narrow street

callo *m* corn; callus; **~so** callous, horny

calma *f* calm; lull; **~nte** *m* sedative; **~r** *v/t* to soothe; to calm; **~rse** to abate; to quiet down

caló *m* gipsy language; slang

calor *m* heat; warmth; **hace ~** it's hot; **~ía** *f* calorie

calumnia *f* calumny, slander; **~r** *v/t, v/i* to slander; to libel

caluroso hot; warm; ardent

calv|icie *f* baldness; **~o** bald

calz|a *f* wedge; *pl* breeches; **~ada** *f* highway; causeway; **~ado** *m* footwear; shoes; **~ar** *v/t* to put on (*shoes, tires*); to wedge; **~oncillos** *m/pl* underpants

cama *f* bed; **~ plegable** folding bed; *guardar* **~** to be laid up; **~da** *f* litter (*of young*); *geol* layer

cámara *f* chamber; cabin; *med* stool; *aut* inner tube; **~ de comercio** Chamber of Commerce; **~ lenta** slow-motion

camarada *m* comrade

camarer|a *f* maid; waitress; **~o** *m* waiter; steward

camarilla *f* clique; faction

camar|ín *m* teat dressing room; **~ón** *m* common prawn

camarote *m* cabin; stateroom

cambalache *m fam* swap

cambi|able changeable; **~ar** *v/t* to change; to exchange; to alter; *v/i* to change; **~o** *m* change; rate of exchange; small change; *a* **~o (de)** in return (for); **~o de velocidades** *aut* gearshift; **~sta** *m* moneychanger

camello *m* camel

camelo *m fam* joking; flirting

camilla *f* stretcher; litter

camin|ante *m* walker; **~ar** *v/i* to walk; to travel; **~ata** *f* long walk; **~o** *m* road; track; path; way; *en* **~o** under way; **~o de** on the way to; **~o de acceso** access road; **~o troncal** main road

camión *m* lorry; *Am* truck; *LA* bus; **~ de mudanzas** removal van, *Am* moving van

camioneta *f* van

camis|a *f* shirt; **~a de noche** nightdress, nightgown; **~ería** *f* shirt shop; **~eta** *f* undershirt; **~ón** *m* nightdress

camorra *f* quarrel, brawl

campamento *m* camp

campan|a *f* bell; **~ario** *m* belfry; church tower; **~illa** *f* handbell; electric bell; tassel

campánula *f azul* bluebell

campiña *f* countryside; campaign

campar *v/i* to camp; to excel

campechano frank; hearty

campeón(ona) m (f) champion; **~ titular** defending champion

campeonato m championship

campero in the open; **~esino(a)** m (f) peasant; **~estre** a rural; **~iña** f fields; countryside; **~o** m country; countryside; field; camp; **~o de golf** golf course or links; **a ~o travieso** cross-country; **~osanto** m cemetery

camuflar v/t to camouflage

can m dog

Canadá m Canada

canadiense m, f, a Canadian

canal m channel; canal; strait; **~ización** f canalization

canalla f mob; rabble; m scoundrel; rotter

canalón m arq gutter

canapé m couch, settee

Canarias f/pl Canary Isles

canario m canary

canasta f basket

canas f/pl grey hair

cancela f ironwork gate

cancela|ción f cancellation; **~r** v/t to cancel

cáncer m cancer

cancha f playing field; **~ de tenis** tennis court

canciller m chancellor

canción f song; **~ de cuna** lullaby

cancionero m song book

candado m padlock

candel|a f candle; **~ero** m candlestick

candente redhot

candidato m candidate

candidez f simplicity; naiveté

candil m oil lamp; **~ejas** f/pl footlights

candor m simplicity; candidness

canela f cinnamon

cangrejo m crab

canguro m kangaroo

canica f marble; pl marbles (game)

caniche m poodle

canícula f dog days

canijo m weakling

canilla f shinbone; tap; reel

canje m exchange; **~ar** v/t to exchange

canoa f canoe

canon m mús, pint, relig canon

canoso grey-haired

cansa|do tired, weary; **~ncio** m fatigue, weariness; **~r** v/t to tire, to weary; **~rse** to grow tired

canta|nte m, f singer; **~r** v/t, v/i to sing

cántaro m pitcher; jug; llover **a ~s** to rain cats and dogs

cantera f quarry

cantidad f quantity, amount

cantimplora f water bottle; canteen

cantina f canteen; wine cellar; LA saloon, bar

canto m singing; song; edge; crust (of bread); **~r** m singer

caña f reed; cane; stem; glass (of beer); **~ de azúcar** sugar cane; **~ de pescar** fishing rod; **~da** f gully; cattle path

cáñamo m hemp

cañería f pipeline; conduit

caño m pipe; tube; drain

cañón m gun, cannon; barrel; quill; **LA** canyon

cañon|azo m cannonshot; **~eo** m bombardment

caoba f mahogany

caos m chaos

caótico chaotic

capa f cloak; cape; cover; layer

capa|cidad f capacity; capability; **~citar** v/t to qualify

capataz m foreman, overseer

capaz capable; able; competent

capellán m chaplain

capilar capillary

capilla f chapel; choir of a church; **~ ardiente** funeral chapel

capital a capital; essential; important; f capital (of country); m capital; wealth; stock; **~ista** m, f, a capitalist; **~izar** v/t to capitalize

capitán m captain; **~ de puerto** harbo(u)r master

capitan|a f flagship; **~ía** f captaincy

capitulación f capitulation

capitular v/t to capitulate; to sign an agreement

capítulo m chapter; assembly; governing body

caporal m overseer; leader

capot|a f aut hood, bonnet; top (of convertible); **~e** m coat; overcoat; bullfighter's cape; **LA** beating; **~ear** v/t to get out of; to shirk

capricho m caprice; vagary; whim; **~so** capricious; whimsical; wayward

cápsula f capsule; **~ espacial** space capsule

capt|ar v/t to win; to attract; **~ura** f capture; **~urar** v/t to capture

capucha f hood

capullo m bud; cocoon

cara f face; front; surface; head (of coin); **~ o cruz** heads or tails; **dar ~ a** to face up to; **tener ~ de** to look like

carabina f carbine

caracol m snail; **¡~es!** good gracious!

carácter m character; type (in printing)

caracter|ístico characteristic; **~izar** v/t to characterize

¡caramba! heavens!; wow!; damn!

carámbano m icicle

caramelo m sweet; candy; caramel

carátula f mask; **LA** title page (of book)

carbón m coal; carbon; **~ de leña** charcoal

carboner|a f coal mine; **~ía** f coal yard

carbónico carbonic

carbonilla f cinders

carbunclo m carbuncle

carburador m carburet(t)or

carta

carcajada f guffaw, burst of laughter

cárcel f prison, jail; *tecn* clamp

carcelero m jailer; warden

carcom|a f woodworm; **~ido** worm-eaten

cardenal m *relig, zool* cardinal; weal

cárdeno purplish; livid

cardíaco cardiac

cardinal cardinal

cardo m thistle

carear v/t to confront; to bring face to face

care|cer v/i to lack; **~ncia** f lack

carestía f scarcity; dearth; high cost

careta f mask; **~ antigás** gas mask

carga f charge; loading; load; burden; cargo; *fig* tax; **~dero** m loading site; **~do** loaded; laden; sultry; *elec* live; **~dor** m loader; stevedore; **~mento** m load; **~r** v/t to load; to burden; *elec, for, com* to charge; v/i to load up; to rest (on); **~rse a uno** to someone in; **~rse de algo** to be full of something

cargo m loading; load; *com* debit; **a ~ de** in charge of; under the responsibility of

caribe Caribbean

caricia f caress

caridad f charity

caries f *med* cavity, tooth decay

cariño m affection; kindness; **~so** affectionate; loving

caritativo charitable

cariz m aspect

carmesí a, m crimson

carnal carnal

carnaval m carnival

carne f flesh; meat; pulp; **~ asada** roast meat; **~ congelada** frozen meat; **~ de gallina** goose-flesh, *Am* goosebumps; **~ picada** mincemeat, *Am* ground meat

carnero m ram; sheep; *coc* mutton

carnet m: **~ de conducir** driving licence; **~ de identidad** identity card

carnicería f butcher's shop; butchery; bloodshed

caro dear; expensive

carpa f carp; *LA* tent

carpeta f portfolio; folder; file; *LA* desk

carpintero m carpenter

carrera f run; race; career; course; **~ de caballos** horse race; **~ de relevos** relay race

carret|a f cart; **~e** m reel; **~era** f (main) road; highway; **~ero** m cartwright; carter; **~illa** f wheelbarrow

carril m rut; furrow; lane (*of highway*); *fc* rail

carrillo m cheek; jowl; pulley

carro m cart, wagon; *LA* car; **~cería** f body (*of car*)

carroza f coach; carriage

carruaje m carriage

carta f letter; document;

chart; playing card; **~ certificada** registered letter; **~ de crédito** com letter of credit; **~pacio** m satchel; briefcase

cartel m placard, poster; com cartel

cart|era f wallet; pocketbook; LA lady's handbag; briefcase; portfolio; **~ero** m postman

cartílago m cartilage

cartilla f booklet; certificate; primer; **leerle la ~ a** fig to lecture

cartografiar v/t to map

cartón m cardboard, pasteboard

cartucho m cartridge

casa f house; household; home; firm; **~ consistorial** town hall; **~ de huéspedes** boarding house; **~ pública** brothel; **en ~** at home; **~dero** marriageable; **~miento** m marriage

casar v/t to marry; to wed; fig to match; to join; **~se** to marry; to get married

cascabel m small bell

cascada f waterfall

casca|do worn out; cracked; **~jo** m gravel; grit; **~nueces** m nutcracker; **~r** v/t to break; to split

cáscara f shell; rind, peel; LA bark

casco m skull; helmet; hoof; fragment; hull (of a ship); empty bottle

caserío m hamlet

casero m landlord; proprietor; a domestic; homemade; home-loving

caseta f booth; stall

casi almost, nearly

casill|a f hut; lodge; pigeon-hole; teat box office; square

casino m club; casino

caso m case; event; occasion; matter; **en ~ de** in case of; **en todo ~** at any rate; **hacer ~ a** to take into consideration; **hacer ~ omiso de** to ignore; **no venir al ~** to be irrelevant

caspa f dandruff

casquillo m tip; metal cap

cassette m, f cassette

casta f lineage; race; breed; pedigree; caste

castañ|a f chestnut; **~etazo** m snap (of the fingers); **~o** m chestnut tree; **~o de Indias** horse chestnut; **~uela** f castanet

castellano(a) m (f), a Castilian; m Castilian language

castidad f chastity

castig|ar v/t to punish; to correct; **~o** m punishment; penalty

castillo m castle

castizo pure; authentic

casto chaste, pure

castor m beaver

castrar v/t to prune; to geld; to castrate

castrense military

casual fortuitous; **~idad** f

chance; accident; *por ~idad* by chance

casu|ca *f*, **~cha** *f* hovel, hut

catadura *f* sampling; taste

catalán(ana) *m* (*f*), *a* Catalan

catalejo *m* telescope, (spy)glass

catálogo *m* catalogue

Cataluña *f* Catalonia

cataplasma *m* poultice

catar *v*/*t* to sample; to taste; to examine; to look at

catarata *f* waterfall; *med* cataract

catarro *m* cold; catarrh

catástrofe *f* catastrophe

catecismo *m* catechism (*book*)

cátedra *f* professorship; chair (*at university*)

catedral *f* cathedral

catedrático(a) *m* (*f*) professor

categoría *f* category; group; *de ~* of importance

categórico categorical

católico(a) *m* (*f*), *a* Roman Catholic

catolicismo *m* Catholicism

catre *m* small bed; cot; *~ de tijera* camp bed

cauce *m* riverbed; channel

caucho *m* rubber

caución *f* caution; security

caudal *m* property; wealth; volume; *~oso* copious; wealthy; large (*river*)

caudill|aje *m* leadership; *~o* *m* leader

causa *f* cause; reason; *for* trial; *a ~ de* because of; *~r* *v*/*t* to cause; to create; to provoke

cautel|a *f* caution; prudence; *~oso* prudent; cautious; wary

cautiv|ar *v*/*t* to capture; *~o* *m* prisoner; captive

cauto cautious; wary

cavar *v*/*t* to dig

caverna *f* cavern; cave

cavidad *f* cavity; hollow

cavil|ar *v*/*t* to meditate upon; *~oso* distrustful

caza *f* hunt; hunting; shooting; chase; game (*animals*); *~ mayor* big game; *~dor* *m* hunter; *~dora* *f* hunting jacket

cazo *m* ladle; melting pan

cazuela *f* pan; casserole; *teat* gallery

cebada *f* barley

ceb|ar *v*/*t* to fatten; *~o* *m* feed; fodder

cebolla *f* onion; bulb (*of plant*)

cebra *f* zebra

cecear *v*/*i* to lisp

cecina *f* dried meat

ceder *v*/*t* to cede; to yield; to give up

cedro *m* cedar

cédula *f* document; slip (*of paper*); certificate

cegar *v*/*t* to blind

ceguedad *f* blindness

ceja *f* eyebrow; *fig* rim

cela|da *f* ambush; *~dor* *m*

watchman; **~r** v/t to watch over

celda f cell

celebérrimo very famous

celebrar v/t to acclaim; to applaud; to celebrate; to say (*mass*)

célebre famous

celebridad f fame; celebrity

celeridad f speed, swiftness

celeste heavenly; celestial

celibato m celibacy

célibe m, f, a celibate; unmarried

celo m zeal; rut (*of animals*); sticky tape, Am scotch tape; pl jealousy; **~sía** f lattice; **~so** zealous; jealous

célula f biol cell

celulosa f cellulose

cementerio m cemetery; graveyard

cement|ar v/t tecn to cement; **~o** m cement

cena f supper; evening meal

cenagal m mire; morass

cenar v/i to dine; to have supper

cencerrear v/i to rattle; to jangle

cenicero m ashtray

cenit m zenith

ceniza f ashes

censo m census

censura f censorship; **~r** v/t to criticize; to blame; to censor

centell|a f spark; flash; **~ear** v/i to sparkle; to twinkle

centenario m centennial

centeno m rye

centígrado centigrade

centímetro m centimetre, Am centimeter

centinela m or f sentinel; sentry

central f central; head office; power station; a central; **~izar** v/t to centralize

centro m centre, Am center; **~ comercial** shopping centre, Am center

ceñi|do tight; **~r** v/t to gird; to bind; **~rse** fig to economize

ceñ|o m frown; scowl; **~udo** scowling, gruff

cepa f vinestock; stem; stock

cepillo m brush; teen plane; **~ de dientes** toothbrush

cepo m branch; stocks, pillory; trap

cera f wax

cerámica f ceramic art; ceramics

cerca adv near; **~ de** prep near; close to

cerca|nía f proximity; vicinity; **~no** close; near; **~r** v/t to enclose; to fence; to besiege

cercenar v/t to cut off

cerco m enclosure; mil encirclement; siege; LA hedge

cerd|a f bristle; sow; **~o** m hog, pig

cereal m, a cereal

cerebr|al cerebral; **~o** m brain

ceremoni|a f ceremony; **~al**, **~oso** ceremonious, formal

cerez|a f cherry; **~o** m cherry tree

cerilla f taper; match; ear wax

cero m zero; **bajo ~** below zero

cerrado closed

cerradura f lock

cerraj|ería f locksmith's shop; **~o** m locksmith

cerrar v/t to lock; to shut; to close

cerro m hill

cerrojo m bolt (of the door); latch

certamen m competition

cert|ero sure; certain; **~eza** f, **~idumbre** f certainty

certifica|do m certificate; a registered (letter); **~r** v/t to register (letters); to certify

cervato m fawn

cerve|cería f brewery; bar; **~za** f beer; ale; **~za de barril** draught beer

cerviz f nape of the neck

cesante on half pay; jobless; **~ía** f dismissal; pension

ces|ar v/i to cease, to stop; **~e** m cease; stop; **~e de fuego** cease-fire

césped m lawn; turf

cest|a f basket; **~ero** m basketmaker; **~o** m basket; hamper; **~o de papeles** wastepaper basket

cetro m sceptre

chabacan|ería f bad taste; shoddiness; **~o** vulgar; in bad taste

chabola f shack

chacal m jackal

cháchara f chatter

chacharear v/i to chatter

chacra f LA small farm

chafar v/t to flatten

chaflán m bevel

chal m shawl

chalado fam cracked (in the head); nutty

chalán m hawker; huckster

chaleco m waistcoat; vest; **~ antibalas** bulletproof vest; **~ salvavidas** life jacket

chalet m cottage; bungalow

chalupa f sloop; launch

champaña m champagne

champiñón m mushroom

champú m shampoo

chamuscar v/t to scorch; to singe

chancear v/i to joke; to banter

chancho m LA hog, pig

chanchullo m dirty business, swindle

chancla f old shoe; slipper

chancleta f slipper

chanclo m clog; galosh

chándal m jogging suit

changador m LA porter

chantaje m blackmail

chanza f joke; fun

chapa f sheet of metal; board; **~r** v/t to cover, to plate; to panel

chaparrón m shower; cloudburst

chapotear v/i to splash; to paddle

chapuce|ar v/t to botch; to

bungle; **~ro** clumsy; shoddy (*work*)

chapurrear *v/t* to speak badly (*a language*)

chapuzar *v/i* to dive

chaqueta *f* jacket; *cambiar* **~** to be a turncoat

chaquete *m* backgammon

charc|a *f* pool; **~o** *m* puddle, pond

charla *f* chat; talk; **~r** *v/i* to chatter; to chat; to talk

charlatán *m* chatterbox; mountebank

charol *m* patent leather

chárter: vuelo *m* **~** charter flight

chas|car *v/i* to crack; to crackle; **~co** *m* trick; disappointment; **~quear** *v/t* to crack (*a whip*); to play tricks on; **~quido** *m* crack; click; snap

chato a snub-nosed; flattened; *m* small wineglass

chauvinista *a*, *m* chauvinist

chaval(a) *m* (*f*) boy; girl; kid

chaveta *f* cotter pin

checo(e)slovaco|a *a*, *m* (*f*) Czechoslovak; **2quia** *f* Czechoslovakia

chelín *m* shilling

cheque *m* cheque, *Am* ~ check; **~ para viajeros** travel(l)er's cheque, *Am t* check; **chequeo** *m med* check up; *aut* overhaul

chica *f* girl; maid

chichón *m* bruise; bump

chicle *m* chewing gum

chico *m* boy; *a* small

chiflado crazy

Chile *m* Chile

chileno(a) *m* (*f*), *a* Chilean

chill|ar *v/i* to yell; to scream; to shriek; **~ido** *m* scream; **~ón** shrill, noisy, loud

chimenea *f* chimney; fireplace; hearth; *mar* funnel

chimpancé *m* chimpanzee

China *f* China

chinche *m* or *f* bug; bedbug

chincheta *f* drawing pin, *Am* thumb tack

chino(a) *m* (*f*), *a* Chinese

chiquill|ada *f* childish speech or action; **~ería** *f* kids; children; **~o(a)** *m* (*f*) kid

chiquitín teeny

chiringuito *m* food and drink stand on the beach

chiripa *f* stroke of luck

chirriar *v/i* to chirp; to squeak; to screech (*brakes*)

chisme *m* gossip, rumor; trifle, thing; gadget; **~ar** *v/i* to gossip; to tell tales; **~oso** gossipy

chisp|a *f* spark; **~ear** *v/i* to spark; to sparkle; **~orrotear** *v/i* to sizzle

chiste *m* joke; funny story

chivo *m* kid, goat

choca|nte shocking; startling; *LA* annoying; **~r** *v/t* to startle; to shock; to clash; *v/i* to clash; to crash

chocolate *m* chocolate

chófer *m* driver

cholo(a) *a, m (f)* LA meztizo; half-breed

chompa *f* LA pullover, sweater

chopo *m* black poplar

choque *m* shock; jolt; crash

chorizo *m* red pork sausage

chorr|ear *v/i* to gush; to spout; to drip; **~o** *m* jet; spirt; *fig* stream

choza *f* hut, shack

christmas *m* Christmas card

chubasco *m* squall; heavy shower

chul|ada *f* vulgar speech; insolence; funny thing; **~eta** *f* coc chop, cutlet; **~o** *a* pretty, good-looking

chunga *f fam* joke; jest

chup|ar *v/t, v/i* to suck; to suck in; LA to drink; **~ete** *m* dummy, *Am* pacifier; **~ón** *m* sponger

churro *m* fritter; *fig* bad piece of work

chusco roguish

chusma *f* mob, rabble

chuzo *m* pike

ciática *f* sciatica

cicatriz *f* scar; **~ar** *v/i* to form a scar

ciclista *m, f* cyclist

ciclo *m* cycle; period

ciclón *m* cyclone

ciego blind; choked up

cielo *m* sky; atmosphere; heaven; **¡~s!** Good Heavens!

ciénaga *f* bog, morass

cien|cia *f* science; **~cias** *pl na-turales* (natural) sciences;

~tífico *a* scientific; *m* scientist; **~to** one hundred; *por* **~** to per cent

cierre *m* fastening; closing

cierto *a* certain; true; *adv* certainly; *por* **~** incidentally

cierva *f* hind; **~o** *m* stag, hart

cifra *f* figure; number

cigarra *f* cicada

cigar|illo *m* cigarette; **~o** *m* cigar

cigüeña *f* stork; *tecn* winch; **~l** *m* crankshaft

cilíndrico cylindrical

cilindro *m* cylinder; *impr* roller

cima *f* summit

cimentar *v/t* to lay the foundation of; to consolidate

cimiento *m* foundation

cinc *m* zinc

cincel *m* chisel; **~ar** *v/t* to engrave; to chisel

cinco five

cine(ma) *m* cinema; movies

cínico cynical

cint|a *f* ribbon; strap; **~a adhesiva,** LA **~a pegante** adhesive tape; **~a magnetofónica** recording tape; **~a métrica** tape measure; **~a transportadora** conveyor belt; **~ura** *f* waist; **~urón** *m* belt; **~urón salvavidas** lifebelt; **~urón de seguridad** safety belt; *aut* seatbelt

ciprés *m* cypress

circo *m* circus

circuito *m* circuit; network; **corto ~** short circuit

circula|ción *f* circulation; traffic; **~r** *f* circular; *a* circular; *v/i* to circulate

círculo *m* circle; club

circundar *v/t* to (en)circle; to surround

circunstan|cia *f* circumstance; **~cia atenuante** extenuating circumstance; **~te** *m* bystander

ciruela *f* plum; **~ pasa** prune

ciru|gía *f* surgery; **~jano** *m* surgeon

cisco *m* slack; *fam* hubbub

cisma *m* schism; disagreement

cisne *m* swan

cisterna *f* cistern; watertank

cita *f* appointment; engagement; quotation; summons; **~r** *v/t* to quote; to make an appointment *or* date with

ciudad *f* city; town; **~ano(a)** *m* (*f*) citizen; **~anía** *f* citizenship; **~ela** *f* citadel

cívico civic; patriotic

civil civil; polite; **~ización** *f* civilization; **~izar** *v/t* to civilize

cizalla *f* shears; pliers; metal clippings

clam|ar *v/i* to cry out; **~or** *m* outcry; **~oroso** clamorous; noisy

clandestino secret; clandestine

clara *f* white of an egg; fair spell (*of* weather)

claraboya *f* skylight

clarear *v/i* to lighten; to illuminate; *v/i* to dawn; to clear up

clarete *m* claret

clari|dad *f* brightness; clarity; light

clarín *m* bugle

claro light; bright; clear; distinct; *¡~!* naturally!; of course; **~ que sí** of course

clase *f* class; classroom; lesson; kind; **primera ~** first class; **~ media** middle-class; **~ obrera** working class

clásico classic; classical

clasifica|ción *f* classification; **~r** *v/t* to classify

claudicar *v/i* to limp; to give up

claustro *m* cloister

cláusula *f* clause

clavar *v/t* to nail; to fasten; to pierce

clave *f* key; clue; *mús* clef; *arq* keystone

clavel *m* carnation

clavícula *f* collar bone

clavija *f* peg; *tecn* pin

clavo *m* nail; spike; clove; **dar en el ~** to hit the nail on the head

claxon *m* *aut* horn

clemen|cia *f* clemency; mercy; **~te** merciful

clérigo *m* priest; clergyman

clero *m* clergy; priesthood

clientela *f* clientele

clima *m* climate; **~tización** *f* air conditioning

clínica *f* clinic; hospital

clip *m* paper clip; hairpin

cloaca f sewer
cloquear v/i to cluck
cloro m chlorine
cloroformo m chloroform
club m club; ~ **nocturno** night club
coagular v/t, ~**se** to coagulate
coalición f coalition
coartada f alibi
cobalto m cobalt
cobard|e m, f coward; a cowardly; ~**ía** f cowardice
cobaya f guinea pig
cobertizo m shed; shelter
cobija f LA blanket; ~**r** v/t to cover; to shelter; ~**se** to take shelter
cobra|dor m collector; ~**r** v/t to collect (money); to cash; to charge (price); to acquire; v/i to get paid
cobre m copper
cobro m collection (of money); cashing (of cheque)
cocaína f cocaine
coc|er v/t, v/i to cook; ~**ido** m stew
coche m car; fc coach; carriage; ~ **de alquiler** rented car; ~ **de carreras** racing car; ~ **fúnebre** hearse; ~ **de turismo** roadster
cochecito m: ~ **para bebé** pram, Am baby carriage
cochina f sow; ~**da** f dirt; filthiness; fam filthy thing; dirty trick
cochinillo m suckling pig
cocin|a f kitchen; stove; ~ **de**

gas gas stove; ~**ar** v/t to cook; v/i to do the cooking; ~**ero** m, ~**era** f cook
coco m coconut; fam head; ~**drilo** m crocodile; ~**tero** m coconut palm
cóctel m cocktail
codazo m nudge
codear v/i to elbow; v/t to nudge
códice m codex
codici|a f greed; covetousness; ~**ar** v/t to covet
código m code
cod|illo m zool knee; tecn elbow pipe; ~**o** m elbow
codorniz f quail
coexist|encia f coexistence; ~**ir** v/i to coexist
cofradía f guild; society
cofre m chest; trunk; case
coge|dor m dustpan; ~**r** v/t to seize; to grasp; to catch; to collect
cogote m nape of the neck
cohete m rocket, missile; ~ **teledirigido** guided missile; ~**ría** f rocketry
cohibido inhibited, self-conscious
coincidencia f coincidence
cojear v/i to limp, to hobble
cojín m cushion
cojinete m **de bolas** tecn ball-bearing(s)
cojo lame
cok m coke
col f cabbage; ~ **de Bruselas** Brussels sprout
cola f tail; extremity; queue,

Am line; **hacer** ~ to queue up, *Am* to line up

colaborador *m* collaborator; co-worker

colador *m* strainer; colander

colar *v/t* to filter; to strain; **~se** to sneak in; to slip in

colch|a *f* bedspread; counterpane; **~ar** *v/t* to quilt; **~ón** *m* mattress

cole = *colegio*

colección *f* collection

coleccionar *v/t* to collect

colect|ivo collective; **~or** *m* collector

colega *m, f* colleague

colegi|al *m* schoolboy; **~ala** *f* schoolgirl; **~o** *m* school

cólera *f* anger; wrath; *m* cholera; **montar en** ~ to fly into a rage

coleta *f* pigtail; *fig* postscript

colga|dero *m* peg; hanger; rack; **~dura** *f* hangings; drapery; **~r** *v/t* to hang up; to hang; *v/i* to hang; to be hanging

colibrí *m* hummingbird

cólico *m* colic

coliflor *f* cauliflower

colilla *f* cigarette stub

colina *f* hill

colindante adjoining

colisión *f* collision

collar *m* necklace; collar (*for animals*)

colmar *v/t* to heap; to fill up; to lavish

colmena *f* beehive

colmillo *m* canine tooth;

fang; tusk

colmo *m* heap; height; limit; **¡esto es el ~!** this is the limit!

coloca|ción *f* setting; arrangement; post; job; **~r** *v/t* to put, to place; to employ; **~se** to find a job for

Colombia *f* Colombia; **£no|a** *m (f)* Colombian

colon|ia *f* colony; **~ial** colonial; **~izar** *v/t* to colonize

color *m* colo(u)r; pigment; paint; **~ado** colo(u)red; red; **~ear** *v/t* to colo(u)r; **~ete** *m* rouge

colosal colossal; gigantic

columna *f* column; pillar; ~ **vertebral** spinal column

columpi|ar *v/t*, **~arse** to swing; **~o** *m* swing

coma *f gram* comma; *m med* coma

comadre *f* godmother

comadreja *f* weasel

comadrona *f* midwife

comanda|nte *m* commander; major; **~r** *v/t* to command; to lead

comando *m mil* command

comarca *f* region; district

comba *f* curve; bend; sag; **~r** *v/t* to curve; to bend

combate *m* fight; battle; **~iente** *m* combatant; **~ir** *v/t*, *v/i* to fight; to attack

combina|ción *f* combination; woman's slip; *f c* connection; **~r** *v/t*, *v/i* to combine; to plan; to figure out

combustible *m* fuel; *a* combustible

comedia *f* play; drama; comedy; **~nte** *m* (comic) actor; comedian

comedido prudent; polite

comedor *m* dining room

comensal *m* dependent; table companion

comentar *v/t* to comment upon; to explain; **~io** *m* commentary; **~ista** *m* (radio) commentator

comenzar *v/t, v/i* to start, to commence; to begin

comer *v/t, v/i* to eat; to dine; **~se** to eat up

comercial commercial; **centro** *m* **~** shopping center

comerci|ante *m, f* trader; dealer; merchant; **~ar** *v/t* to trade; to deal in; **~o** *m* business; trade; commerce; **~o exterior** foreign trade

comestible *a* edible; **~s** *m/pl* food

cometa *f* kite; *m* comet

cometer *v/t* to commit; **~ido** *m* task; commitment

cómico comic; funny

comida *f* food; meal; **~ deshidratada** dehydrated food; **~ liofilizada** freeze-dried food

comienzo *m* beginning

comillas *f/pl* quotation marks

comilón *m* glutton; big eater; *a* fond of eating

comisaría *f* police station

comis|ario *m* commissary; **~ión** *f* commission

comité *m* committee

comitiva *f* suite, retinue

como *adv* how; as; like; when; in order that; because; **¿cómo?** *interrog* what?; how?; **¡cómo!** *interj* you don't say so!; **~ no** of course, certainly

cómoda *f* chest of drawers

comod|idad *f* comfort; convenience; **~ín** *m* joker (card)

cómodo comfortable; easy

compacto compact

compadecer *v/t* to pity

compadre *m* godfather

compaginar *v/t* to arrange; **~se** to agree with

compañer|ismo *m* comradeship; **~o(a)** *m (f)* comrade, companion; **~o(a) de clase** classmate; **~o de cuarto** roommate

compañía *f* company; **~ de aviación** airline; **~ naviera** shipping company

compara|ble comparable; **~ción** *f* comparison; **~r** *v/t* to compare

comparecer *v/i* to appear (*in court, etc*)

comparti|miento *m* compartment; division; **~r** *v/t* to divide; to share

compás *m* compass; *mús* measure; rhythm; **llevar el ~** to keep time

compasión *f* pity, compassion

compatib|ilidad f compatibility; **~le** compatible

compatriota m, f compatriot

compendi|ar v/t to summarize; to abridge; **~o** m summary; compendium

compensa|ción f compensation; **~r** v/t to compensate; to indemnify

compet|encia f competition; rivalry; competence; capacity; **~ente** competent; capable; **~idor(a)** m (f) rival; competitor; a rival; **~ir** v/i to compete

compilar v/t to compile

compinche m crony; chum

complac|encia f pleasure; satisfaction; **~er** v/t to please, to oblige; to comply; **~erse** to be pleased; **~iente** obliging

complejo m, a complex

complement|ar v/t to complement; to complete; **~ario** complementary; **~o** m complement

completar v/t to complete

complicar v/t to complicate

cómplice m accomplice, accessory

complicidad f complicity

complot m plot; conspiracy

compone|nda f compromise; **~nte** component; **~r** v/t to compose; to arrange; to settle; to mend

comporta|miento m behavio(u)r; **~rse** to behave

composi|ción f composition;

settlement; **~tor** m composer

compostura f composure; repair

compota f stewed fruit; compote

compra f purchase; **ir de ~s** to go shopping; **~dor(a)** m (f) purchaser; **~r** v/t to purchase; to buy; fig to bribe

compren|der v/t to understand; to comprise; **~sible** comprehensible; understandable; **~sión** f comprehension; understanding

compres|a f compress; sanitary napkin; **~ión** f compression; **de alta ~ión** high-compression

comprimi|do m tablet, pill; **~r** v/t to compress

comproba|ción f proof; verification; **~nte** m proof; voucher; **~r** v/t to verify; to check; to prove

comprom|eter v/t to compromise; to jeopardize; to involve; **~eterse** to commit oneself; to become involved; **~iso** m commitment; engagement; arrangement; awkward situation

compuerta f hatch; floodgate

compuesto compound

compulsión f compulsion

computa|dor(a) m (f) computer; **~dor(a) personal** personal computer; **~r** v/t to compute; to calculate

condena

comulgar *v/i* to receive communion

común common; widespread; **en ~** in common; **por lo ~** usually

comunal communal

comunica|ción *f* communication; message, report; **~r** *v/t* to communicate

comuni|dad *f* community; **~ón** *f* communion

comunis|mo *m* communism; **~ta** *m*, *f*, a communist

con with; in spite of; **~ tal que** provided that

conato *m* endeavo(u)r; effort; *for* attempted crime

cóncavo concave

concebi|ble conceivable; **~r** *v/t* to conceive; to imagine

conceder *v/t* to concede; to grant

conceja|l *m* councillor; alderman; **~o** *m* town council

concentra|ción *f* concentration; **~r** *v/t*, **~rse** to concentrate

concepción *f* idea; conception

concepto *m* notion; conception; opinion; **bajo todos los ~s** in every way

concerniente concerning

concertar *v/t* to arrange; to coordinate

concesión *f* concession, grant

concesionario *m com* licensee, concessionary; *aut* dealer

concha *f* shell

concien|cia *f* conscience; **a ~cia** conscientiously; **~zudo** conscientious

concierto *m* agreement; harmony; concert

concilia|ción *f* conciliation; affinity; **~dor** conciliatory; **~r** *v/t* to reconcile; **~r el sueño** to get to sleep

conciso concise

conclu|ir *v/t* to conclude; to infer; *v/i* to end; **~sión** *f* conclusion; **~yente** conclusive

concordar *v/t* to reconcile; to harmonize; *v/i* to agree; to tally

concordia *f* harmony; agreement

concret|ar *v/t* to sum up; to make concrete; **~arse** to limit oneself; **~o** *a* concrete; *m LA* concrete

concubina *f* concubine

concurr|encia *f* crowd; gathering; attendance; **~ido** much frequented; **~ir** *v/i* to meet; to assemble; to concur; to attend; *com* to compete

concurso *m* assembly; competition; contest

concusión *f med* concussion

cond|ado *m* earldom; county; **~e** *m* earl; count

condecora|ción *f* medal, decoration; **~r** *v/t* to decorate (*with medals, etc*)

condena *f* sentence; conviction; **cumplir ~** to serve a sentence; **∼r** v/t to condemn; *for* to convict

condensa|ción f condensation; **∼dor** m condenser; **∼r** v/t to condense

condesa f countess

condescende|ncia f complaisance; **∼r** v/i to comply; to yield

condición f condition; position; nature; **a ∼ de que** on condition that

condiciona|do conditioned; **∼l** conditional; **∼r** v/t to condition; to determine

condiment|ar v/t to season; to spice; **∼o** m condiment; seasoning

condiscípulo(a) m (f) fellow student

condole|ncia f condolence; **∼rse** to sympathize

condominio m condominium

condonar v/t to condone

conduc|ción f conveyance; conduction; *aut* driving; **∼ir** v/t to convey; to transport; to lead; to drive; **∼ta** f conduct; behavio(u)r; **∼to** m conduit; pipe; duct; channel; **∼tor(a)** m (f) driver; leader; conductor (*of heat, electricity, etc*)

conectar v/t tecn to connect; to join

cone||era f rabbit warren; **∼illo** m bunny; **∼illo de Indias** guinea pig; **∼o** m rabbit

conexión f connection

confección f concoction; preparation; ready-made article; dress-making

confeccionar v/t to make (ready); to prepare

confedera|ción f confederation; confederacy; **∼r** v/t, **∼rse** to form a confederation

conferencia f lecture, talk; (*long-distance*) telephone conversation; **∼nte** m, f lecturer; **∼r** v/i to confer together; to hold a conference

conferir v/t to bestow; v/i to discuss; to confer

confes|ar v/t to confess; **∼ión** f confession; **∼ionario** m confessional; **∼or** m confessor

confia|do trusting, confident; unsuspecting; self confident; vain; **∼nza** f confidence, trust; reliance; **de ∼nza** reliable; **∼r** v/t to entrust; to confide in; v/i to trust; to be confident

confidencia f confidence; **∼l** confidential

configura|ción f shape; outline; **∼r** v/t to shape

confinar v/t to confine; v/i **∼ con** to border on

confirma|ción f confirmation; **∼r** v/t to confirm

confiscar v/t to confiscate

confit|e m confectionery; sweets, *Am* candy; **∼ería** f confectioner's shop, *Am* candy store; **∼ura** f preserves; jam

conflicto m conflict; struggle

conflu|encia f confluence; **~ir** v/i (rivers) to meet; (*people*) to come together

conform|ar v/t to shape; **~arse** to content oneself; to comply; **~e** a agreed; agreeing; **~e a** in accordance with; *adv* correspondingly; **~idad** f conformity

conforta|ble comfortable; **~nte** comforting; **~r** v/t to comfort

confrontar v/t to compare; to confront

confu|ndir v/t to confuse; to mix up; **~sión** f confusion; **~so** confused; obscure

congela|dor m freezer; **~r** v/t, v/i to freeze; to deep-freeze

congenia|l congenial; kindred; **~r** v/i to get along with

congestión f congestion

conglomerar v/t, **~se** to conglomerate

congoja f anguish; distress

congraciarse to ingratiate oneself

congratular v/t to congratulate; **~se** to be pleased

congrega|ción f congregation; **~r** v/t to gather; **~rse** to congregate; to assemble

congreso m congress

cónico conical

conífera f conifer

conjetura f conjecture; surmise

conjugar v/t to conjugate

conjun|ción f conjunction; **~tivo** m conjunctive; **~to** a connected; m whole; set; **en ~to** together; as a whole

conjura|ción f conspiracy; **~r** v/i, v/t to conspire

conmemorativo memorial; commemorative

conmigo with me

conmo|ción f commotion; unrest; **~vedor** moving; poignant; **~ver** v/t to move; to touch; to shake; to affect

conmuta|dor m elec switch; **~r** v/t for to commute; to change

cono m cone

conoc|edor(a) a expert; m (f) expert; connoisseur; **~er** v/t to know; to be familiar with; **~ido** well-known; **~imiento** m knowledge

conque so then; well then

conquista f conquest; **~dor** m conqueror; **~r** v/t to conquer; to win over

consabido well-known; aforesaid

consagrar v/t to consecrate; to devote; to sanctify

consanguíneo related by blood

consciente conscious

conscripción f LA conscription

consecuen|cia f consequence; **~te** consequent

consecutivo consecutive

conseguir v/t to obtain; to get; to succeed in

consej|ero m counsellor; adviser; **~o** *m* advice; council; advisory body; **~o de administración** board of directors; **~o de ministros** cabinet (council)

consenti|do spoilt (*child*); complaisant (*husband*); **~miento** *m* consent; **~r** *v/t* to permit; to spoil; to indulge

conserje *m* porter, janitor, doorkeeper; **~ría** *f* porter's office

conserva *f* preserved food; *pl* preserves; canned foods; **~ción** *f* conservation; maintenance; **~dor** *m pol* conservative; *a* conservative; **~r** *v/t* to preserve; to conserve; to keep up; **~torio** *m mús* conservatory

considera|ble considerable; **~ción** *f* consideration; **~do** considerate; **~r** *v/t* to consider

consigna *f* order; watchword; password; luggage-room (*at stations*); cloakroom; **~ción** *f* consignment; **~r** *v/t* to consign; to dispatch

consigo with him, with her, with you

consiguiente consequent; **por ~** consequently

consisten|cia *f* consistency; **~te** consistent

consol|ar *v/t* to console; to comfort; **~idar** *v/t*, **~se** to consolidate

consonante *f* consonant

consorte *m* partner; consort; (*law*) accomplice

conspira|ción *f* conspiracy; **~dor** *m* conspirator, plotter; **~r** *v/i* to plot; to conspire

consta|ncia *f* constancy; evidence; **dejar ~ncia de** to put on record; **~nte** constant; **~r** *v/i* to be evident; **hacer ~r** to certify

constelación *f* constellation

consternar *v/t* to dismay; to consternate

constipa|do *m* cold; **~rse** to catch cold

constitu|ción *f* constitution; **~cional** constitutional; **~ir** *v/t* to constitute; to set up

constituyente constituent

constreñir *v/t* to constrain; *med* to constipate

constru|cción *f* construction; building; **~ctor** *m* builder; **~ir** *v/t* to construct; to build

consuelo *m* consolation; solace

cónsul *m* consul

consulado *m* consulate

consulta *f* consultation; opinion; **horas** *f/pl* **de ~** doctor's consulting hours; **obra** *f* **de ~** reference book; **~r** *v/t* to consult

consumado accomplished; consummate

consum|ido lean; skinny; **~dor** *m* consumer; **~ir** *v/t* to consume; **~irse** to burn out; to waste away; **~o** *m* consumption

contab|ilidad f bookkeeping; accounting; **~le** m bookkeeper

contacto m contact; touch

contad|o rare; numbered; **al ~o** in cash; **~or** m meter (for water, gas, etc); accountant

contagi|ar v/t to contaminate; to infect; **~o** m contagion; corruption; **~oso** contagious

contamina|ción f contamination, pollution; **~ción ambiental** environmental pollution; **~r** v/t to contaminate; to pollute; fig to corrupt

contempla|ción f contemplation; **~r** v/t to contemplate; to gaze at

contemporáneo contemporary

conten|ción f contention; **~cioso** contentious; controversial; **~der** v/i to contend; to fight

conten|er v/t to contain; to hold; **~ido** m contents

content|ar v/t to satisfy; to please; **~arse** to be content; **~o** content; pleased

contesta|ción f answer; **~r** v/t to answer

context|o m context; **~ura** f contexture

contlenda f dispute; struggle

contigo with you

contiguo adjacent; adjoining

continente m continent

contingen|cia f risk; contingency; **~te** a contingent; m quota; mil contingent

continua|ción f continuation; **~damente** continually; continuously; **~r** v/t, v/i to continue; **~rá** to be continued

continuidad f continuity

continuo constant; continuous

contorno m form; outline, contour; pl environs

contra against

contraataque m counterattack

contrabajo m contrabass

contraband|ear v/i to smuggle; **~ista** m smuggler; **~o** m smuggling; contraband; pasar de **~o** to smuggle (in)

contracción f contraction

contrac|eptivo m contraceptive; **~orriente** f cross current; **~ultura** f counterculture

contrad|ecir v/t to contradict; **~icción** f contradiction

contraer v/t to contract; to enter into

contraespionaje m counter-espionage

contrafuerte m arq buttress

contraluz: a ~ against the light

contramaestre m boatswain

contramarcha f tecn reverse (gear)

contraorden f counterorder

contrapelo: a ~ against the grain

contraproducente self-de-
feating, counter-productive
contrari|ar v/t to go against;
to annoy; **~edad** f setback;
obstacle; vexation; **~o** contrary; **al ~o** on the contrary
contrarrestar v/t to counter-
act; to check
contrarrevolución f coun-
ter-revolution
contrasentido m misinter-
pretation; nonsense
contraseña f password,
watchword
contrast|ar v/t to resist; to
contrast, to be different; **~e**
m contrast; **en ~e con** in
contrast to
contrata f contract; **~r** v/t to
engage, to hire; sp to sign up
contratiempo m mishap, setback
contrato m contract
contraveneno m antidote
contravenir v/t to contravene
contraventana f shutter (of
window)
contribu|ción f contribution;
tax; **~ir** v/t to contribute;
~yente m, f contributor; tax-
payer
contrincante m rival
control m control, checking;
~ de la natalidad birth control; **~ador** m **aéreo** air traffic controller; **~ar** v/t to
control; com to audit
controversia f controversy
contumacia f obstinacy; for
contempt of court

contusión f bruise; contusion
convalec|encia f convales-
cence; **~er** v/i to convalesce
convenc|er v/t to convince;
~imiento m conviction
conven|ción f convention;
~iencia f conformity; con-
venience; **~iente** suitable;
convenient; **~io** m agreement; convention; **~ir** v/i to
agree; **~irse** to come to
terms; to agree
convent|illo m LA tenement
house; **~o** m convent
convergen|cia f conver-
gence; **~te** converging
conversa|ción f conversa-
tion; **~r** v/i to converse
conver|sión f conversion;
~tir v/t to convert
convicción f conviction
convidar v/t to invite
convincente convincing
conviv|ir v/i to live togeth-
er; **~ir** v/i to live together
convocar v/t to convoke
convoy m convoy; escort
conyugal conjugal
cónyuge m, f consort; husband; wife; pl married couple
coñac m brandy
coopera|ción f cooperation;
~r v/i to cooperate; **~tiva** f
cooperative society
coordina|ción f coordina-
tion; **~r** v/t to coordinate
copa f wineglass; sp cup;
tomar una ~ to have a
drink

copi|a f copy; **~adora** f copying machine; **~ar** v/t to copy; **~oso** copious; plentiful; abundant

copla f couplet; song; verse

copo m tuft; **~ de nieve** snowflake; **~s** pl **de avena** oatmeal

coqueta flirtatious; **~ear** v/i to flirt

coraje m courage; anger

corazón m heart; bot core; **llevar el ~ en la mano** to wear one's heart upon one's sleeve

corazonada f hunch; foreboding

corbata f necktie

corchete m hook and eye; impr bracket; **~ de presión** snap fastener

corcho m cork

corcovado hunchbacked

cordero m lamb

cordial friendly; **~idad** f cordiality; warmth; friendliness

cordillera f mountain range

cordón m cord; string; **~ de zapato** shoelace

cordura f good sense

cornada f goring (by bull)

corneja f crow

corneta f cornet; bugle; horn; m cornet player; bugler

cornudo a horned; m fig cuckold

coro m choir; chorus

corona f crown; **~ción** f coronation; **~r** v/t to crown

coronel m colonel

coronilla f top of the head; fam **estar hasta la ~** to be fed up

corpiño m bodice

corpora|ción f corporation; **~tivo** corporate

corpulento corpulent; stout; burly

corral m yard; farmyard; pen

correa f leather strap; leash; **~ de ventilador** fan belt

correc|ción f correction; correctness; **~to** correct; polite

corred|izo sliding; folding; **~or** m sp runner; com broker; **~or de apuestas** bookmaker; **~or de bolsa** stockbroker

corregir v/t to correct; to rectify; to reprimand

correo m mail; post office; **a vuelta de ~** by return mail; **~ aéreo** airmail; **~so** stringy; tough

correr v/i to run; to elapse (time); to flow; **a todo ~** at full speed; **~se** to move along; to run together

correspond|encia f correspondence; **~er** v/i to correspond; to reply; **~iente** corresponding

corresponsal m correspondent (of a newspaper)

corri|da f run, dash; bullfight; **~ente** a running; current; general; ordinary; f current; **estar al ~ente** to be informed (about); **~ente alterna** alternating current; **~ente continua** direct current; **~ente de aire** draught, *Am* draft

corroborar *v/t* to strengthen; to corroborate

corroer *v/t* to corrode; *geol* to erode

corromper *v/t* to corrupt; to seduce; to bribe

corrosión *f* corrosion

corrupción *f* corruption

cortabolsas *m* pickpocket

cortacésped *m* lawnmower

cortaplumas *m* penknife

cort|ar *v/t* to cut; **~e** *m* cutting; cut; style; length (*of cloth*); *f* court; entourage; yard; *LA* court of justice; **hacer la ~e** to court; *pl* Parliament (*in Spain*)

cortej|ar *v/t* to court, to woo; **~o** *m* courtship; wooing

cortés courteous; polite

cortesía *f* politeness; courtesy

corteza *f* bark (*of tree*); peel (*of fruit*); rind (*of cheese*)

cortijo *m* farmstead; farm

cortina *f* curtain

corto short; brief; **a ~ plazo** short-term

cortocircuito *m* short circuit

corvo curved, arched

corzo *m* roe-deer

cosa *f* thing; matter, business; **otra ~** something else; **poca ~** nothing much

cosech|a *f* crop; harvest; yield; **~ar** *v/t* to harvest, to reap

cos|er *v/t, v/i* to sew; **~ido** *m* sewing

cosmético *a, m* cosmetic

cósmico cosmic

cosmonauta *m* cosmonaut

cosmopolita *a, m, f* cosmopolitan

cosquill|as *f/pl* tickling; **hacer ~as** to tickle; **tener ~as** to be ticklish; **~ear** *v/t* to tickle

costa *f* coast; coastline; shore

costa *f* cost; price paid; **a ~ de** at the expense of

costado *m* side; flank

costar *v/i* to cost

Costa Rica *f* Costa Rica

costarriqueño(a) *a, m (f)* Costa Rican

coste *m* cost; expense; investment

costilla *f* rib

costo *m* cost; expense; **~so** high priced

costra *f* crust; *med* scab

costumbre *f* habit; practice; custom; **de ~** usually; **como de ~** as usual

costura *f* sewing; needlework; seam; **alta ~** haute couture

cotejar *v/t* to compare; to collate

cotidiano daily; everyday

cotiza|ción *f com* quotation; valuation; **~r** *v/t* to quote

coto m boundary; enclosure; landmark

coyuntura f joint (of bones); opportunity, occasion

coz f kick

cráneo m skull

cráter m crater

crea|ción f creation; **~dor** m maker; **~r** v/t to make; to create; to establish; **~tivo** creative

crec|er v/i to grow; to rise; **~es** f/pl increase; **con ~es** with a vengeance; **~ido** grown; **~iente** growing; crescent (moon); **~imiento** m growth; rise; **~imiento cero** zero growth

crédito m credit

credo m creed

crédulo credulous

cre|er v/t to believe; to think; **~íble** credible

crem|a f cream; **~a batida** whipped cream; **~allera** f zip fastener, zipper; **~oso** creamy

crepúsculo m twilight

cresa f maggot

crespo curly; displeased

cresta f crest; cock's comb

creyente a believing; m, f believer

cría f breeding

cria|dero m breeding place; bot nursery; deposit (of minerals); **~do(a)** m (f) servant; **~nza** f breeding; nursing; upbringing; **~r** v/t to raise; to nurse; to breed; to bring up;

~tura f creature; infant; baby

criba f sieve; **~r** v/t to sift

crim|en m crime; **~inal** a, m, f criminal

crin m mane

criollo(a) creole; LA native, local

cripta f crypt

crisis f crisis; **~ nerviosa** nervous breakdown

crispar v/t to contract, to make twitch (nerves, muscles)

cristal m crystal; glass; windowpane; **~ tallado** cut glass; **~ino** clear; limpid; **~izar** v/t to crystallize

cristian|dad f Christendom; **~ismo** m Christianity; **~o(a)** m (f), a Christian

Cristo m Christ

criterio m criterion

crítica f criticism; critique

criticar v/t to criticize

crítico m critic; a critical

criticón a faultfinding

croar v/i to croak

cromo m chromium

crónica f chronicle

cronista m chronicler; reporter

cronología f chronology

cronológico chronological

croqueta f croquette

croquis m sketch; outline

cruce m crossing; crossroads; **~ a nivel** grade crossing; **~ro** m crossing; cruiser

crucifi|car v/t to crucify; **~jo** m crucifix

crucigrama m crossword puzzle

crud|eza f crudity; rudeness; **~o** crude; raw

cruel cruel; severe; hard; **~dad** f cruelty; severity

cruji|do m creak; rustle; **~ente** crunchy; **~r** v/i to crackle; to creak; to rustle

cruz f cross; tails (of coin); **~ gamada** swastika; **2 Roja** Red Cross; **¡~ y raya!** that's enough!; **~ada** f crusade; **~ado** crossed; **~ar** v/t to cross

cuaderno m notebook; copybook

cuadra f hall; stable; LA city block

cuadrado square; checkered

cuadrante m dial; mat, mar quadrant

cuadrar v/t to square; v/i to tally; to fit in; **~se** to stand at attention

cuadrilla f gang; band; team (of bullfighters)

cuadrilongo a, m oblong

cuadro m painting; picture; frame; **~ de distribución** switchboard

cuadrúpedo m quadruped

cuaja|da f curd; **~r** v/i to coagulate; to curdle; to congeal; fig to turn out well

cual rel pron (with definite article) who; which; adv as; like; such as; **~ada** ~ each one

¿cuál?, ¿cuáles? interrog pron which?; what?

cualidad f quality

cual|quier a (used before nouns) any; **~quiera** a, sing pron any; anyone; anybody

cuan adv how; **~ ... tan** as ... as

cuando when; at the time of; if; **de ~ en ~** from time to time; **~ más** at most; **~ quiera** whenever

¿cuándo? (interrog) when?

cuantía f quantity; importance

cuantioso large; abundant; copious

cuanto a, pron rel as much as; all; whatever; adv **~ más barato tanto mejor** the cheaper the better; **en ~** as soon as; **en ~ a** as to; **~ antes** as soon as possible

¿cuánto(a)? interrog pron how much; how long; how far; pl how many?; **¿a ~s estamos?** what's the date?

cuarentena f quarantine

cuaresma f Lent

cuartel m barracks; **~ general** headquarters

cuarteto m mús quartet

cuartilla f sheet (of paper)

cuarto m room; apartment; quarter; **un ~ para** a quarter to (the hour); **(la hora) y ~ a** quarter past (the hour); **~ trasero** rump; **sin ~** penniless

cuarzo m quartz

cuatro four

cuba f cask; barrel; tub; drunkard; **2** f Cuba

cubano(a) *a, m (f)* Cuban

cubertería *f* silverware; cutlery

cubeta *f* small vat *or* cask

cubiert|a *f* cover; lid; deck (of *a ship*); **~a de popa** poop deck; **~a de proa** foredeck; **~o** *m* cover (*at table*)

cubilete *m* dicebox; baking mold

cubito *m* **de hielo** ice cube

cubo *m* cube; pail; bucket, scuttle; **~ de basura** trash can

cubrecama *f* coverlet

cubrir *v/t* to cover; to cloak; **~se** to cover oneself; to put on one's hat

cucaracha *f* cockroach

cuchar|a *f* spoon; **~ada** *f* spoonful; **~illa** *f*, **~ita** *f* teaspoon; **~ón** *m* ladle

cuchichear *v/i* to whisper

cuchill|a *f* large kitchen knife; **~ada** *f* slash, stab; **~o** *m* knife

cuclill|as: sentarse en ~as to squat; **~o** *m* cuckoo

cuello *m* neck; collar (of *shirt*, *etc*)

cuenca *f* basin (of *river*); socket (of *eye*)

cuenta *f* calculation; account; bill; report; **~ atrás** countdown; **~ corriente** current account; **a ~** on account; **dar ~** to report; to account for; **darse ~ de** to realize; **hacer las ~s** to settle accounts; to sum up; **actuar por su ~** to act for oneself; **tomar en ~** to take into account

cuent|ista *m* storyteller; **~o** *m* story; tale; **~o chino** cock and bull story; **~o de hadas** fairy tale; **~o de viejas** old wives' tale

cuerda *f* rope; cord; chord; *mús* string; spring (of *watch or clock*); **dar ~a** to wind up (*watch*; *clock*); **~ floja** tightrope; **~ de plomada** plumbine; **~ de remolque** tow line; **~ para la ropa** clothesline

cuerdo sane; prudent

cuerno *m* horn

cuero *m* leather; hide; skin; **en ~s** naked; **~ cabelludo** scalp

cuerpo *m* body; figure; **~ de bomberos** fire brigade; **~ diplomático** diplomatic corps

cuervo *m* raven

cuesta *f* slope; **~ abajo** downhill; **~ arriba** uphill

cuestión *f* problem; question; issue

cuestionar *v/t* to question; to discuss; to dispute; **~io** *m* questionnaire

cueva *f* cave; grotto; cellar

cuidado *m* care; worry; concern; **tener ~** to take care; *inter* **¡~!** careful!; take care!; **~so** careful

cuidar *v/t* to look after; to tend; *v/i* **~ de** to take care of

culata *f* butt (of *gun*)

culebra f snake; ~ **de cascabel** rattlesnake

culmina|nte culminating; **~r**
v/i to culminate; to peak

culo m bottom; buttocks;
ass

culpa f blame; fault; **~ble**
guilty; **~r** v/t to accuse; to
blame

cultiv|ar v/t to cultivate; to
till; **~o** m cultivation; biol
culture; crop

culto a cultivated; cultured;
elegant; learned; m worship;
cult

cultura f culture

cumbre f top; summit

cumpleaños m birthday

cumpli|do a full; complete;
polite; m compliment;
~miento m fulfillment; com-
pletion; **~r** v/t to carry out;
to comply (with); to reach;
v/i to end; to expire

cúmulo m heap

cuna f cradle

cundir v/i to spread; to increase

cuneta f gutter; ditch

cuña f wedge

cuñad|a f sister-in-law; **~o** m
brother-in-law

cuota f quota; share

cupón m coupon

cúpula f dome; cupola

cura m parish priest; f med
cure; **~ndero** m quack; **~r** v/t
to cure; **~rse** to recover

curios|ear v/i to snoop;
~idad f curiosity; **~o** curi-
ous

cursar v/t to frequent a place;
to take classes

cursi tasteless; showy, vulgar, cheap

cursillo m short course

cursiva f italics

curso m course

curtir v/t to tan (hides)

curv|a f curve; **~ilíneo** curvi-
linear

cúspide f geol peak

custodia f custody; care;
safekeeping; **~r** v/t to guard;
to watch; to look after

cutis m complexion; skin

cuyo(a, os, as) whose; of
whom; of which

D

daca: toma y ~ give-and-take

dactilografía f typing

dactilógrafo(a) m (f) typist

dádiva f gift

dado m die; pl dice

daga f dagger

dalle m scythe

daltonismo m colo(u)r

blindness

dama f lady; gentlewoman;
queen (chess); pl draughts,
Am checkers

damasco m damask; LA
apricot

damnificar v/t to hurt; to injure

danés(esa) *m* (*f*) Dane; *a* Danish

danza *f* dance; **~r** *v/i o* dance

dañ|ar *v/t* to hurt; to injure; **~ino** harmful; **~o** *m* damage; injury; **~oso** injurious

dar *v/t* to give; to grant; to yield; to strike (*the hour*); **~ a la calle** to face the street; **~ las gracias** to thank; **~ parte de** to inform about; **~ un grito** to cry out; **~ en** *v/i* to fall upon; **¡ qué más da!** what does it matter?

dardo *m* dart

dársena *f* quay; dock

dátil *m* date

dato *m* fact; item; *pl* particulars; data

de *of*; from; for; by; **un vaso ~ agua** a glass of water; **~ A a B** from A to B; **~ día** by day; **~ miedo** for fear; **~ veras** really; truly

deambular *v/i* to stroll

debajo *adv* underneath; below; **~ de** *prep* under

debat|e *m* debate; **~ir** *v/t* to debate; to discuss

deb|e *m com* debit; **~er** *m* duty; obligation; debt; **~eres** *pl* homework; **~er** *v/t* to owe; *v/i* to must; to have to; **~ido a** a fitting; due; **~ido a** owing to, due to

débil feeble; weak

debili|dad *f* feebleness; **~tar** *v/t* to weaken

década *f* decade

decadencia *f* decadence

decaimiento *m* decay; weakness; decline

decapitar *v/t* to behead

decena *f* ten

decencia *f* decency

decenio *m* decade

decente decent

decepción *f* disappointment

decepcionar *v/t* to disappoint

decible expressible

decid|ido determined; decided; **~ir** *v/t, v/i* to decide

decimal decimal

décimo *a, m* tenth

decir *v/t, v/i* to say; to tell; to speak; **es ~** that is to say; **¡ diga!** hello! (*on phone*); **¡ no me digas!** you don't say!

decis|ión *f* decision; **~vo** decisive

declamar *v/i* to hold forth; to speak out

declara|ción *f* declaration; **~ción de renta** tax-return; **~r** *v/t* to declare

declina|ción *f* decline; *gram* declension; **~r** *v/t* gram to decline; *v/i* to decline; to decay

declive *m* slope

decora|ción *f* decoration; **~do** *m teat* scenery; **~r** *v/t* to decorate

decoro *m* decorum; propriety

decrecer *v/i* to decrease

decrépito decrepit

decret|ar *v/t* to decree; to decide upon; **~o** *m* decree

dedal

dedal *m* thimble

dedicar *v/t* to dedicate; to devote

dedo *m* finger; ~ **del pie** toe; ~ **índice** index finger; ~ **meñique** little finger

deduc|ción *f* deduction; ~**ir** *v/t* to deduce; to infer; to deduct

defect|o *m* defect, fault, shortcoming; ~**uoso** defective

defen|der *v/t* to defend; ~**sa** *f* defence, *Am* defense; safeguard; ~**sa del ambiente** environment protection

deferencia *f* deference

deferir *v/i:* ~ **a** to defer to; to yield

deficien|cia *f* deficiency; defect; ~**te** faulty

defini|ción *f* definition; ~**do** definite; ~**r** *v/t* to define

deform|ar *v/t* to deform; ~**e** deformed; ~**idad** *f* deformity

defrauda|ción *f* fraud; ~**ción fiscal** tax evasion; ~**r** *v/t* to cheat; to deceive; to defraud

defunción *f* decease, demise

degenerar *v/i* to degenerate

degollar *v/t* to decapitate

degrada|ción *f* degradation; depravity; ~**r** *v/t* to degrade

degustación *f* tasting

dehesa *f* pasture, range

dei|dad *f* deity; ~**ficar** *v/t* to deify

deja|do slovenly; ~**r** *v/t* to leave; to abandon; to let, to

allow; ~**r en paz** to leave alone; ~ **de** *v/i* to stop (*doing*)

dejo *m* aftertaste

del *contraction of* **de el**

delantal *m* apron

delante *adv* in front; before; ~ **de** *prep* in front of

delanter|a *f* front; front row; lead; **llevar la ~a** to be in the lead; ~**o** *m sp* forward

delat|ar *v/t* to denounce; ~**or(a)** *m (f)* informer

delega|ción *f* delegation; ~**do** *m* delegate

deleit|arse *v/r:* ~**arse en** to delight or revel in; ~**e** *m* delight, pleasure

deletrear *v/t* to spell; to decipher; ~**o** *m* spelling

delfín *m* dolphin

delgad|ez *f* thinness; ~**o** thin; slim; slender

delibera|ción *f* deliberation; resolution; ~**damente** deliberately; ~**r** *v/i* to consider; to deliberate; *v/t* to decide

delicad|eza *f* delicacy; refinement; ~**o** delicate; delicious; dainty; refined

delici|a *f* delight; ~**oso** delicious; delightful

delimitar *v/t* to delimit

delincuen|cia *f* delinquency; ~**te** *m, f* criminal

delinear *v/t* to draw; to outline

delir|ar *v/t* to rave; ~**io** *m* delirium; ravings

delito *m* crime; ~ **mayor** felony; ~ *menor* misdemeano(u)r

demacrado emaciated

demagogia *f* demagogy

demanda *f* demand; petition; inquiry; lawsuit; **~nte** *m* plaintiff; **~r** *v/t* to demand; to claim; to sue

demarca|ción *f* demarcation; **~r** *v/t* to delimit; to mark out

demás *a* other; remaining; *los, las* ~ the others; the rest; *por lo* ~ as to the rest; apart from this

demasiado *a* too much; *pl* too many; *adv* too; too much

demencia *f* insanity

democracia *f* democracy

democrático democratic

demol|er *v/t* to demolish; **~ición** *f* demolition

demonio *m* demon; *¡~s!* hell!

demora *f* delay; **~r** *v/t* to delay; *v/i* to linger on

demostra|ción *f* demonstration; **~r** *v/t* to demonstrate; to prove

denega|ción *f* refusal; **~r** *v/t* to deny; *for* to overrule

dengue *m* affectation; *hacer* **~s** to be finicky

denigrar *v/t* to defame; to smirch; to revile

denomina|ción *f* denomination; **~r** *v/t* to name

denotar *v/t* to denote

dens|idad *f* density; thickness; **~o** dense; thick

denta|do toothed; jagged; **~dura** *f* denture; **~r** *v/t* to indent

dentista *m* dentist

dentro inside; indoors

denudar *v/t* to denude

denuncia *f* denunciation; *for* accusation; **~ción** *f* denunciation; **~r** *v/t* to denounce; to proclaim

departamento *m* department; compartment; *LA* apartment, flat

depend|encia *f* dependence; dependency; subordination; *com* branch office; **~er** *v/i* to depend; **~iente** *m* shop assistant

deplorar *v/t* to deplore

deponer *v/t* to lay down; to depose; *for* to give evidence

deporta|ción *f* deportation; **~r** *v/t* to deport

deport|e *m* sport; **~ista** *m, f* sportsman; sportswoman; **~ivo** sporting

deposi|ción *f* removal; *for* deposition; statement; **~tar** *v/t* to deposit

depósito *m* deposit; storehouse; ~ *de agua* water tank; ~ *de gasolina* gas tank

depravado depraved

depreciar *v/t* to depreciate

depresión *f* depression

deprimi|do depressed; **~r** *v/t* to depress; to humiliate

depurar *v/t* to purify; to cleanse

derech|a *f* right; right hand; **~ista** *m, f pol* rightwinger; **~o**

m right; law; justice; **~o de paso** right of way; **~os de autor** copyright; **con ~** rightly; justly; **de ~o** by right; *a* right; straight

deriva *f mar* drift; **~ción** *f* derivation; origin; **~do** derivative; **~r** *v/t* to derive

derogar *v/t* to repeal; to abolish

derramar *v/t* to shed (*blood*); to spill; to scatter; to pour out; **~se** to overflow; to run over

derrame *m* overflow

derrapar *v/i* to skid

derretir *v/t* to melt, to dissolve; **~se** to melt

derribar *v/t* to demolish; to knock down; **~o** *m* demolition

derrocar *v/t* to overthrow; to topple

derrochar *v/t* to squander; to waste; **~e** *m* squandering

derrota *f* defeat; **~r** *v/t* to defeat; to rout

derrumbamiento *m* collapse; cave-in; **~r** *v/t* to tear down; **~rse** to fall down; to collapse

desabotonar *v/t* to unbutton

desabrido tasteless; insipid

desabrigar *v/t* to uncover; to expose

desabrochar *v/t* to unclasp; to unfasten

desacatar *v/t* to be disrespectful to; **~o** *m* disrespect; *for* contempt

desacertar *v/i* to err; to be wrong; **~ierto** *m* mistake; blunder

desacomodado destitute; jobless; **~ar** *v/t* to inconvenience; to dismiss (*from job*)

desaconsejado ill-advised

desacostumbrado unusual; **~rse** to break a habit

desacreditar *v/t* to discredit

desacuerdo *m* disagreement

desafecto *m* dislike; disaffection

desafiante defiant; **~r** *v/t* to defy, to challenge

desafinar *i mús* to be out of tune; **~se** to get out of tune

desafío *m* challenge

desafortunado unlucky, unfortunate

desagradable disagreeable, unpleasant

desagradecido ungrateful; **~miento** *m* ingratitude

desagrado *m* discontent, displeasure

desagraviar *v/t* to indemnify

desagüe *m* drain; outlet; draining

desahogado brazen; roomy; comfortable; **~r** to relieve; to ease; **~rse** to unburden oneself; to relax

desahogo *m* relief; freedom; ease

desahuciar *v/t* to evict (*tenants*); **~o** *m* eviction

desairado unattractive; unsuccessful; **~r** *v/t* to snub; to ignore

desal|entar v/t to discourage; **~entarse** to lose heart; **~iento** m discouragement; dismay

desaliñado untidy; slovenly; grubby

desalmado heartless, pitiless

desalojar v/t to dislodge, to oust

desalquilado unoccupied; not rented

desalumbrado dazzled; bewildered

desamor m coldness; indifference

desampar|ar v/t to forsake; to desert; **~o** m abandonment; helplessness

desangrar v/t to bleed; **~se** to lose blood; to bleed to death

desanima|do downhearted; dispirited; **~r** v/t to discourage

desapacible unpleasant, disagreeable

desapar|ecer v/i to disappear; to vanish; **~ecido** missing; **~ición** f disappearance

desapercibido unprepared, unprovided; unnoticed; LA inattentive

desapoderar v/t to dispossess

desaprobar v/t to disapprove of; to frown on

desaprovechado backward; unproductive

desarm|ar v/t to disarm; **~e** m disarmament

desarraigar v/t to root out; to eradicate

desarregl|ado untidy; disorderly; out of order; **~ar** v/t to disarrange; **~o** m disorder; confusion

desarroll|ar v/t to develop; to unroll, to unwind; **~o** m development; **en ~o** developing

desarticulado disjointed

desaseado unclean, dirty; untidy

desasos|egar v/t to disquiet; to disturb; **~iego** m restlessness; anxiety

desast|re m disaster; **~roso** disastrous

desatar v/t to untie; **~se** to break loose; to go too far

desaten|ción f inattention; discourtesy; **~der** v/t to neglect; to disregard; **~to** inattentive; careless

desatinar v/t to confuse; v/i to act or speak foolishly

desaven|encia f discord; unpleasantness; **~irse** to disagree

desaventajado unfavo(u)rable

desav|iar v/t to mislead; **~ío** m misleading

desayun|ar v/i, **~arse** to have breakfast; **~o** m breakfast

desazón f insipidity; tastelessness; med discomfort

desbanda|da f disbandment; rout; **~rse** to disband

desbaratar v/t to ruin; to frustrate; v/t to talk nonsense

desbocar v/i to run or flow into; **~se** to run away (horse); to abuse

desborda|miento m flooding; **~r** v/t to overflow; fig to be beside oneself

descabellado dishevelled; rash

descabeza|do stunned; unreasonable; **~r** v/t to behead

descafeinado decaffeinated (coffee)

descalabr|ar v/t to wound in the head; **~o** m calamity; misfortune

descalificar v/t to disqualify

descalz|ar v/t to remove shoes; **~o** barefooted

descaminado misguided

descamisado ragged

descans|ar v/i to rest; to sleep; v/t to lean; **~illo** m landing; **~o** m rest; relief; break; teat, sp interval

descapotable m aut convertible

descarado shameless; brazen

descarga f unloading; discharge; **~dero** m wharf; **~r** v/t to unload; to discharge; v/i to flow (river into sea, etc)

descargo m discharge; com credit (in accounts); for acquittal

descaro m insolence; effrontery

descarrila|miento m derailment; **~r** v/i to derail

descartar v/t to discard; to reject

descen|dencia f descent; offspring; **~der** v/t to get or take down; v/i to descend; **~diente** m descendant; **~so** m descent; decline

descentralizar v/t to decentralize

descifrar v/t to decipher

descolgar v/t to take down (from a hook or peg); to unhook; **~se** to come down

descolorar v/t to discolo(u)r

descomedido excessive; rude

descompo|ner v/t to decompose; to disarrange; to shake up; **~nerse** to get out of order; to go to pieces; **~slclón** f decomposition; disturbance

descompuesto out of order

descon|certar v/t to disconcert, to take aback, to embarrass; to baffle; **~cierto** m confusion

desconectar v/t to disconnect; to switch off

desconfia|do distrustful; suspicious; **~nza** f distrust; **~r** de v/t to distrust

descongela|dor m defroster; **~r** v/t to defrost

desconoc|er v/t to fail to recognize; to ignore; to be ignorant of; **~ido** a unknown; m stranger; **~lmiento** m ignorance; ingratitude

desempacho

desconsiderado inconsiderate

desconsola|do disconsolate; **~rse** to sorrow; to be grieved

descontaminación f decontamination

descontar v/t to discount; to deduct; to detract

descontenta|do hard to please; **~r** v/t to displease

descontento dissatisfied; discontented

descontinuar v/t to discontinue

descorazonar v/t to dishearten; to discourage; **~se** to lose heart

descorchar v/t to uncork

descort|és impolite; **~esía** f impoliteness; discourtesy

descos|er v/t to unstitch; **~erse** to blurt out; **~ido** m fig babbler

descrédito m discredit

descri|bir v/t to describe; **~pción** f description; **~ptivo** descriptive

descuartizar v/t to carve up

descubierta: **a la ~** openly; out in the open

descub|ierto a clear; open; bareheaded; **poner al ~ierto** to expose; **~ridor** m discoverer; **~rimiento** m discovery; **~rir** v/t to discover; to uncover

descuento m discount

descuid|ado careless; negligent; **~arse** to be neglectful; to let oneself go; not to worry; **~o** m neglect; carelessness

desde prep since; from; after; **~ ahora** from now on; **~ entonces** since then; **~ luego** at once; of course; **~ que** adv since

desdecirse to retract

desdén m contempt; disdain

desdeñ|ar v/t to disdain; to scorn; **~oso** disdainful, contemptuous, scornful

desdicha f misfortune; **~do** unfortunate; unhappy

desdoblar v/t to unfold

desdoro m blot; stigma

dese|able desirable; **~ar** v/t to desire

desech|ar v/t to reject; to discard; to throw out; refuse; waste; **~os** m/pl refuse; waste

desembalar v/t to unpack

desembaraz|ar v/t to clear; to free; **~o** m freedom; naturalness

desembarc|ar v/t, v/i to put ashore; to disembark; **~o** m landing

desemboca|dura f mouth (of river); **~r** v/i to flow into; to lead to

desembols|ar v/t to pay out; to disburse; **~o** m disbursement

desembragar v/t to disengage; to release clutch

desembrollar v/t to disentangle

desempacho m ease; confidence

desempapelar v/t to unpack; to strip (*paper*)

desempaquetar v/t to unpack, to unwrap

desempeñar v/t to redeem (*from pawn*); to extricate

desempleo m unemployment

desencadenar v/t to unchain; to liberate; **~se** to break out; to break loose

desencajar v/t to dislocate; to disconnect

desencantar v/t to disenchant

desenchufar v/t to unplug

desenfad|ado free; easy; natural; **~arse** to quieten down; to regain poise; **~o** m ease; naturalness

desenfrena|do unbridled; unrestrained; **~rse** to lose control; to give way to passion

desenganchar v/t to unhook

desengañ|ar v/t to disillusion; to undeceive; **~arse** to lose illusions; to face reality; **~o** m disillusion

desenla|ce m outcome; **~zar** v/t to unlace; to undo

desenmascarar v/t to unmask

desenred|ar v/t to disentangle; **~o** m disentanglement

desenrollar v/t to unroll

desentenderse de to pay no attention to

desenterrar v/t to unearth

desenvol|tura f naturalness; ease of manner; **~ver** v/t to unfold; to unwind

desenvuelto open; free; easy; self-assured

deseo m desire; wish

desequilibr|ar v/t to unbalance; **~io** m lack of balance; disorder

deser|ción f desertion; **~tar** v/t, v/i to desert; **~tor** m deserter

desespera|ción f despair; **~nzarse** to deprive of hope; **~r** v/i, **~rse** to despair

desestimar v/t to belittle; to disparage

desfachatez f effrontery; cheek

desfalcar v/t to embezzle

desfallec|er v/i to faint; to weaken; **~imiento** m languor; swoon

desfavorable unfavo(u)rable

desfigurar v/t to disfigure; to deface; to misrepresent

desfil|adero m narrow passage; gorge; defile; **~ar** v/t to parade; to march past; **~e** m parade

desflorar v/t to deflower

desgajar v/t to tear off

desgana f lack of appetite; reluctance

desgarbado ungraceful; clumsy

desgarra|do licentious; dissolute; **~dor** heartbreaking; **~r** v/t to tear, to rend

desgast|ado worn (out), used up; treadless (*tires*); **~ar** *v/t* to wear away; to corrode; **~e** *m* wear and tear; corrosion

desgobernar *v/t* to misgovern; to mismanage

desgracia *f* adversity; misfortune; **disfavo(u)r**; **~do** *a* unlucky; wretched; unfortunate; *m* wretch; unfortunate person

desgreñar *v/t* to dishevel, to rumple, to tousle (*hair*)

desguarnec|er *v/t* to dismantle; to strip of ornaments; **~ido** bare; unguarded

deshabitado uninhabited

deshacer *v/t* to undo; to destroy; to take apart; to unpack; **~se** de to get rid of

desharrapado ragged

deshecho undone; exhausted; dissolved

deshelar *v/t* to thaw; to defrost

desheredar *v/t* to disinherit

deshielo *m* thaw

deshilvanado disjointed; incoherent

deshinchar *v/t* to reduce a swelling; to deflate; **~se** to subside (*swelling*)

deshojar *v/t* to strip the leaves off

deshonesto indecent; lewd

deshonra *f* loss of hono(u)r, disgrace; **~r** *v/t* to seduce; to disgrace

deshora: a **~** inopportunely, at the wrong time

deshuesar *v/t* to bone (*meat*); to stone (*fruit*)

desidia *f* laziness, indolence

desierto *a* deserted; uninhabited; *m* desert

design|ación *f* designation; appointment; **~ar** *v/t* to designate; to appoint; **~io** *m* design, plan

desigual dissimilar; unequal; uneven; **~dad** *f* inequality; unevenness

desilusión *f* disappointment

desilusionar *v/t* to disillusion; to disappoint

desinfectar *v/t* to disinfect

desinflar *v/t* to deflate

desinter|és *m* lack of interest; indifference; generosity; **~esado** unselfish; indifferent

desintoxicación *f* sobering up; detoxification

desistir de *v/i* to desist from; to give up

desleal disloyal, faithless; **~tad** *f* disloyalty

desleír *v/t* to dissolve; to dilute

deslenguado foul-mouthed

desliz *m* slip, lapse; **~ar** *v/i* to slip; to slide

deslucido unadorned; dull; inelegant

deslumbra|miento *m* dazzling; confusion; **~r** *v/t* to dazzle; to puzzle; to confuse

desmán *m* misconduct; excess; disaster

desmandado uncontrollable

desmantelar *v/t* to dismantle; to abandon

desmañado clumsy

desmay|arse to faint; to lose courage; **~o** *m* fainting fit; discouragement

desmedido excessive, disproportionate

desmejorar *v/t* to spoil; to impair; **~se** to deteriorate; to decline; to fail (*health*)

desmembrar *v/t* to dismember; to separate

desmenti|da *f* denial; **~r** *v/t* to contradict; to deny

desmenuzar *v/t* to crumble; to break into small pieces

desmesurado excessive

desmigajar *v/t* to crumble

desmilitarizado demilitarized

desmontar *v/t* to dismantle; to clear away; **~se** *v/t* to dismount

desmoralizar *v/t* to corrupt; to demoralize

desmoronar *v/t* to wear away; **~se** to decay; to crumble; to get dilapidated

desnatar *v/t* to skim (*milk*)

desnaturalizado unnatural

desnivel *m* unevenness; difference of level

desnud|ar *v/t* to strip; to denude; to undress; **~arse** to strip; **~o** a naked; *m* nude

desnutri|ción *f* malnutrition; **~do** undernourished

desobed|ecer *v/i* to disobey; **~iencia** *f* disobedience; **~iente** disobedient

desocupa|do idle; unemployed; unoccupied; **~r** *v/t* to vacate

desodorante *m* deodorant

desola|ción *f* desolation; affliction; **~do** distressed; **~r** *v/t* to lay waste; **~rse** to grieve

desorden *m* disorder; confusion; **~ado** untidy; **~ar** *v/t* to disorder; to disarrange

desorganiza|ción *f* disorganization; **~r** *v/t* to disorganize

desorientar *v/t* to mislead; to confuse

desovar *v/i zool* to spawn

despabila|do alert; wideawake, smart; **~r** *v/t* to trim (*candle*); **~rse** to wake up; to grow alert

despach|ar *v/t* to dispatch; to hasten; **~o** *m* office; dispatch

despacio slowly; gently; *LA* soft, low (*voice*)

despampante *fam* stunning

desparpajo *m* ease of manner; self confidence; charm

desparramar *v/t* to scatter, to spread

despavorido terrified, panic-stricken

despech|ar *v/t* to enrage; **~o** *m* spite; insolence; *a* **~o de** in spite of

despectivo contemptuous; scornful; derogatory

despedazar v/t to tear to pieces

despedi|da f farewell; dismissal; ~r v/t to dismiss; to fire; ~rse to say goodbye

despeg|ar v/t to unglue; to detach; ~ue m aer take-off; blast-off (of rocket)

despeinar v/t to ruffle, to tousle (hair)

despeja|do clear; smart; cloudless (sky); ~r v/t to clear (up); ~rse to relax

despeluznante hair-raising

despensa f pantry

despeña|dero m precipice; crag; ~r v/t to hurl down

desperdici|ar v/t to throw away; ~o m waste; refuse

desperezarse to stretch

desperfecto m damage; imperfection

desperta|dor m alarm clock; ~r v/t to wake up; ~rse to wake up

despiadado merciless, pitiless

despierto awake; alert; smart

despilfarr|ar v/t to waste; to squander; ~o m waste; extravagance

despist|ado absentminded; ~ar v/t to mislead

desplaza|miento m displacement; ~r v/t to displace, to move

despl|egar v/t to unfold; to

spread; mil to deploy; ~iegue m fig display; mil deployment

desplomarse to lean forward; to collapse

desplum|ar v/t to pluck (fowl); fig to fleece

despobla|do uninhabited; desert; barren; ~r v/t to lay waste

despoj|ar v/t to despoil; to strip; ~o m despoiling; plundering; pl leftovers

desposado newly married

desposeer v/t to dispossess

déspota m despot

despreci|able contemptible; ~ación f depreciation; loss of value; ~ar v/t to despise; ~o m contempt

desprender v/t to unfasten; to separate

desprendimiento m detachment; ~ de piedras rock slide

despreocupado carefree, free and easy, happy-go-lucky

desprestigiar v/t to disparage; ~se to lose prestige

desprevenido unprepared

desproporcionado disproportionate

desprovisto destitute

después adv after; afterwards; later; ~ de prep after; poco ~ soon after

despuntado blunt

desquiciar v/t to unhinge; ~se to lose one's reason

desquite 362

desquite *m* compensation; retaliation; *sp* return match

destaca|do prominent; outstanding; **~r** *v/t* to emphasize; *mil* to detach; **~rse** to stand out

destajo *m* piecework

destapar *v/t* to uncover

destartalado shabby

destello *m* sparkle; flash

destempla|do intemperate; dissonant; **~nza** *f* inclemency (*of weather*); intemperance; abuse; **~r** *v/t* to put out of tune; to disturb; **~rse** to get out of tune; to lose one's temper

desteñir *v/t* to remove the colo(u)r from; to fade

desterrar *v/t* to banish; to exile

destetar *v/t* to wean

destiempo: *a* **~** untimely; out of turn

destierro *m* exile; banishment

destilar *v/t*, *v/i* to distil(l)

destin|ar *v/t* to intend; to assign; to appoint; **~atario** *m* addressee; **~o** *m* destiny, fate; destination; employment

destitu|ción *f* dismissal; **~ir** *v/t* to dismiss

destornilla|dor *m* screwdriver; **~r** *v/t* to unscrew

destreza *f* dexterity, skill

destripar *v/t* to disembowel; *fig* to mangle

destroz|ar *v/t* to destroy; **~o**

m destruction

destru|cción *f* destruction; ruin; **~ctivo** destructive; **~ir** *v/t* to destroy

desunir *v/t* to separate

desuso *m* disuse

desvainar *v/t* to shell; to peel

desvalido destitute, helpless

desvalijar *v/t* to rob

desval|orización *f* devaluation; **~orizar** *v/t* to devalue

desván *m* attic, garret, loft

desvanec|er *v/t* to make disappear; **~erse** to fade away; to faint; **~imiento** *m med* faintness

desvel|ar *v/t* to keep awake; **~arse** to be sleepless; **~o** *m* sleeplessness; vigilance

desventaja *f* disadvantage

desventura *f* misfortune

desvergonzado shameless, insolent

desvestirse to undress

desviar *v/t* to divert; to deflect; **~se** to deviate; to turn aside

desvío *m* by-pass; detour

desvivirse: **~ por** to crave for; to give oneself up to

detalla|damente in detail, at length; **~r** *v/t* to detail; **~e** *m* detail; **~ista** *m* retailer

detección *f* detection, monitoring

detective *m* detective

deten|ción *f* arrest; delay; **~er** *v/t* to arrest; to stop; **~erse** to stop; to delay;

~idamente thoroughly; in detail

detergente m detergent

deteriorar v/t to spoil; **~se** to deteriorate

determina|ción f resolution; determination; **~r** v/t to determine; **~rse** to decide

detestar v/t to detest; to loathe

detona|ción f detonation; **~r** v/i to detonate

detrás behind; **por ~** in the back; behind one's back

detrimento m detriment; loss

deud|a f indebtedness; debt; pl liabilities; **~or(a)** m (f) debtor

devalua|ción f devaluation; **~r** v/t to devalue

devanar v/t to wind (threads); v/r **~se los sesos** to rack one's brains

devaneos m/pl delirium; ravings

devastar v/t to devastate

devoción f devotion; affection

devocionario m prayer book

devol|ución f return; restitution; pl com returns; **~ver** v/t to return; to give back; to restore

devorar v/t to devour

devoto devout, pious; devoted

día m day; **~ de fiesta** holiday; **~ por ~** day by day; **~ laborable** workday; **~ de semana** LA weekday; **al ~** up

to date; **de ~** by day; **de ~ en ~** from day to day; **el ~ de mañana** fig in the future; **el ~ siguiente** the next day; **hoy en ~** nowadays; **buenos ~s** good morning; **todo el ~** all day; **todos los ~s** every day; **un ~ sí y otro no** every other day

diabético diabetic

diablo m devil

diabólico diabolical, fiendish

diafragma m diaphragm

diagnóstico m diagnosis

dialecto m dialect

diálogo m dialogue

diamante m diamond

diámetro m diameter

diapositiva f foto slide, transparency

diario m daily newspaper; diary; a, adv daily

diarrea f diarrhea

dibuj|ante m sketcher; draftsman; **~ar** v/t to draw; to design; **~o** m sketch; drawing; **~o animado** cine cartoon

dicción f diction

diccionario m dictionary

dich|a f happiness; **~oso** happy; fortunate

dicho m saying; proverb

diciembre m December

dictad|o m dictation; **~or** m dictator; **~ura** f dictatorship

dictam|en m judgment; opinion; **~inar** v/t to judge; to express an opinion

dictar v/t to dictate; to pronounce

diente *m* tooth; prong (*of* fork); tusk; fang; **~ canino** eye-tooth; **~ de león** dandelion; **~s postizos** false teeth

diestr|a *f* right hand; **~o** right; dexterous; skil(l)ful; *a* **~o y siniestro** right and left, on all sides; *m* bullfighter

diet|a *f* diet; assembly; *pl* subsistence allowance; **~ético** dietary

diez ten; **~mo** *m* tithe

difama|ción *f* defamation, libel; **~r** *v/t* to defame, to libel

diferen|cia *f* difference; **~ciar** *v/t* to differentiate; *v/i* to differ; **~te** different

diferir *v/t* to defer, to delay; *v/i* to differ

difícil difficult; hard

dificult|ad *f* difficulty; **~ar** *v/t* to make difficult; **~oso** difficult

difteria *f* diphtheria

difundir *v/t* to diffuse; to spread

difunto(a) *m* (*f*), *a* deceased; dead; **día de los 2s** All Soul's Day

difus|ión *f* diffusion; broadcasting; **~o** diffuse; widespread

dige|rir *v/t* to digest; **~stión** *f* digestion

dign|arse *v/t* to condescend; **~o** deserving; dignified; **~o de** worthy of; deserving

dila|ción *f* delay; **~tación** *f*

expansion; *med* dilatation; **~tar** *v/t* to dilate; to spread; to delay; **~tarse** to expand; to linger

dilema *m* dilemma

diligen|cia *f* diligence; errand; **~te** diligent

dilucidar *v/t* to elucidate

dilu|ción *f* dilution; **~ir** *v/t* to dilute

diluvio *m* deluge; flood; pouring rain

dimanar *v/i* to flow; to spring from

dimensión *f* dimension

diminu|tivo diminutive; **~to** minute; tiny

dimi|sión *f* resignation (*from a post*); **~tir** *v/t* to resign

Dinamarca *f* Denmark

dinámi|ca *f* dynamics; **~o** dynamic

dinamita *f* dynamite

dínamo *f* dynamo

diner|al *m* fortune, large sum of money; **~o** *m* money; **~o en efectivo** cash

diócesis *f* diocese

Dios *m* God; **¡~ mío!** Good Heavens!; **¡por ~!** for God's sake!; **si ~ quiere** God willing

diosa *f* goddess

diploma *m* diploma

diplom|acia *f* diplomacy; **~ático(a)** *m* (*f*) diplomat; *a* diplomatic; tactful

diputa|ción *f* deputation; **~do** *m* delegate, deputy; member of parliament

dique m dike; dam

direc|ción f direction; management; board of directors; **~ción prohibida** aut no entry; **~tor** a directing; **~tor(a)** m (f) director; head; **~tor de orquesta** conductor; **~torio** m directory

dirigir v/t to direct; to address (letter, petition); to guide; to steer; **~se a** to speak to

discernir v/t to discern; to distinguish

disciplina f discipline; subject of study; **~r** v/t to discipline; to scourge

discípulo(a) m (f) disciple; pupil

disco m disk; phonograph record; tel dial; sp discus; **~ vertebral** spinal disk

díscolo naughty

discontinuo discontinuous

discorda|ncia f disagreement; **~r** v/i to disagree; to differ

discordia f discord; disagreement

discoteca f record store; discotheque

discreción f discretion; shrewdness; **a ~** at one's discretion

discrepa|ncia f discrepancy; **~r** v/i to disagree

discreto discreet; tactful; wise

disculpa f excuse; **~r** v/t to excuse; to pardon; **~rse** to apologize

discurrir v/i to roam; to pass, to take its course; to reflect; v/t to invent

discurso m speech; discourse

discusión f discussion; argument

discutir v/t to discuss; v/i to argue

diseminar v/t to disseminate

disentería f dysentery

disenti|miento m dissent; **~r** v/i to disagree

diseña|dor m designer; **~ar** v/t to design; **~o** m design; model; sketch; outline

disertar v/i to expound; to discourse

disfraz m mask; disguise; fancy dress; **~ar** v/t to disguise

disfrutar v/t, v/i to enjoy; to have a good time

disgust|ar v/t to displease; **~arse** to be angry; to fall out; to be annoyed; **~o** m displeasure; annoyance; sorrow; unwillingness; quarrel

disidente m, f dissident

disimul|ar v/t to disguise; to conceal; to feign; to excuse; **~o** m concealment; dissimulation

disipar v/t to dissipate

disminu|ción f diminution; decrease; **~ir** v/t, v/i to diminish

disol|ución f dissolution; **~uto** dissolute; **~ver** v/t to melt; to dissolve

disonancia f dissonance; discord

dispar unequal; unlike

disparar v/t to shoot; to discharge; to fire; **~se** to explode; to go off

disparat|ado absurd; **~e** m nonsense; absurdity

disparidad f disparity

disparo m shot

dispensar v/t to dispense; to exempt; **~io** m dispensary

dispers|ar v/t to disperse; to scatter; **~ión** f dispersal; dispersion

dispon|er v/t to dispose; to arrange; **~erse** to get ready; **~ible** available

disposición f disposition; arrangement; disposal

dispuesto a ready; arranged; disposed; **bien ~** well-disposed

disputa f quarrel; dispute; **~r** v/t, v/i to dispute; to debate; to quarrel

distan|cia f distance; **~ciar** v/t to place at a distance; **~te** far away, remote

distensión f distension; med strain

distin|ción f distinction; difference; **~guido** distinguished; **~guir** v/t to distinguish; **~to** different; clear, distinct

distra|cción f distraction; diversion; entertainment; **~er** v/t to distract; **~erse** to amuse oneself; to get absentminded; **~ído** absentminded

distribu|ción f distribution;

~idor m distributor; **~idor automático** vending machine; **~ir** v/t to distribute; to hand out

distrito m district

disturbio m disturbance

disuadir v/t to dissuade; to deter

diurno daily; bot diurnal

divagar v/i to wander; to digress, to ramble

divergencia f divergence; difference of opinion

divergir v/i to diverge; fig to disagree

divers|idad f variety; **~ión** f amusement; mil diversion; **~o** diverse; different; various

diverti|do amusing; enjoyable; **~r** v/t to amuse; **~rse** to amuse oneself; to have a good time; to make merry

divid|endo m dividend; **~ir** v/t to divide

divin|idad f divinity; **~o** divine; heavenly

divisa f badge; emblem; motto; pl foreign currency

divisar v/t to make out, to espy

divisi|ble divisible; **~ón** f division

divorci|ar v/t to divorce; to separate; **~arse** to get divorced; **~o** m divorce

divulgar v/t to divulge; to spread

dobla|dillo m hem; **~r** v/t to double; to fold; to bend; to turn (the corner); v/i to toll (bells); **~rse** to give in

doble *a* double; dual; **~gar** *v/t* to bend; to fold; to persuade; **~z** *m* fold; *f* duplicity

docena *f* dozen; **la ~ del fraile** the baker's dozen; **por ~** by the dozen

docente teaching; educational

dócil *a* docile; obedient; gentle

docilidad *f* docility; gentleness

docto *a* learned; *m* scholar; **~r** *m* doctor; **~rado** *m* doctorate

doctrina *f* doctrine

document|ación *f* documentation; **~al** *m* **cine** documentary; **~o** *m* document

dogal *m* halter; noose

dogmático dogmatic

dogo *m* bulldog

dólar *m* dollar (*U.S. money*)

dole|ncia *f* illness; ailment; **~r** *v/i* to hurt; to ache; **~rse** to pity; to be sorry for

dolor *m* pain; grief; ache; **~oso** painful

doloso deceitful; crafty

doma|dor *m* tamer (*of animals*); **~r** *v/t* to tame; to master

domesticar *v/t* to tame; to domesticate

doméstico domestic

domicili|ado resident; **~o** *m* residence

domin|ación *f* domination; **~ar** *v/t* to dominate; to subdue

domin|go *m* Sunday; **2go de**

Ramos Palm Sunday; **~io** *m* dominion; control

dominó *m* domino, masquerade costume

don *m* (*courtesy title used before Christian name*)

don *m* gift; ability; **~ación** *f* donation; gift

donaire *m* grace; poise

don|ante *m*, *f* donor; **~ar** *v/t* to donate

doncella *f* virgin; maid; lady's maid

donde (*interrog* **dónde**) where; **~quiera** wherever

donoso witty

doña *f* (*courtesy title used before Christian name*)

dora|do golden; gilt; **~r** *v/t* to gild

dormidera *f* poppy

dormi|lón *m* sleepyhead; **~r** *v/i* to sleep; **~rse** to go to sleep, to fall asleep; **~tar** *v/i* to doze, to snooze; **~torio** *m* bedroom; dormitory

dors|al dorsal; **~o** *m* back

dos two; **de ~ en ~** in twos; **los ~** the two of them

dosel *m* canopy

dosi|ficar *v/t* to dose out; **~s** *f* dose

dot|ación *f* endowment; **~ado** gifted; **~ar** *v/t* to endow; **~e** *f* dowry

draga *f* dredger; **~minas** *m* minesweeper; **~r** *v/t* to dredge

dragón *m* dragon; **mil** dragoon

drama m play; drama
dramático dramatic
dramaturgo m playwright
drástico drastic
drenaje m drainage
drog|a f drug; **~adicto(a)** m (f) drug addict; **~uería** f drugstore
dual dual; **~idad** f duality
ducha f shower
dúctil elastic; manageable; ductile
dud|a f doubt; **sin ~a** no doubt; **~ar** v/t, v/i to doubt; **~oso** doubtful
duelo m duel; grief; mourning
duende m goblin; an unexplainable enchantment
dueñ|a f owner; mistress; **~o**

m owner; master
dulc|e sweet; soft; **~zura** f sweetness; gentleness
duna f sand dune
dúo m duet
duplic|ado m duplicate; **~ar** v/t to double; to duplicate; **~idad** f duplicity
duque m duke; **~sa** f duchess
dura|ble durable; lasting; **~nte** prep during; **~nte todo el año** all year round; **~r** v/i to last; to endure
durazno m LA peach; peach tree
dureza f hardness
durmiente sleeping
duro a hard; firm; tough; m 5 peseta coin

E

ebanista m cabinetmaker; joiner
ébano m ebony
ebrio intoxicated; drunk
echa|da f cast; throw; LA boast; **~r** v/t to throw; to cast; to throw out; to pour; to spread; **~r al correo** to post; **~r abajo** to demolish; to ruin; **~r a perder** to ruin; **~r de menos** to miss; **~rse** to lie down; **~rse a perder** to go bad; to get spoiled
eclesiástico a ecclesiastical; m ecclesiastic, priest
eclipse m eclipse (t fig)

eco m echo
ecolog|ía f ecology; **~ista** m, f ecologist
economía f economy; thrift; **~ política** economics
económico economical; inexpensive
econom|ista m, f economist; **~izar** v/t to economize; to save
ecuación f equation
ecua|dor m equator; **el Ꝗdor** Ecuador; **~torial** equatorial; **~toriano(a)** a, m (f) Ecuadorian
edad f age; epoch; **de ~ madura** middle-aged; **mayor**

de ~ of age; **Ӫ Media** Middle
Ages
edición f edition
edific|ar v/t to build; **~io** m
building
edit|ar v/t to publish; **~or** m
publisher; **~orial** m leading
article; f publishing house
edredón m eiderdown; quilt
educa|ción f education; up-
bringing; manners; **~ción
cívica** civics; **~ción física**
physical education; **~r** v/t to
educate; to bring up
EE.UU. = Estados Unidos
efect|ivamente in fact; real-
ly; **~ivo** a real; effective; m
cash; **~o** m effect; purpose;
pl assets; **en ~o** as a matter of
fact; indeed; **~uar** v/t to carry out; **~uarse** to take place
efica|cia f efficacy; efficien-
cy; **~z** able; efficient
efusivo effusive, affectionate
egip|cio(a) m (f), a Egyptian;
Ӫto m Egypt
egocéntrico egocentric
egoís|mo m egoism; **~ta** m, f
egoist; a selfish
egregio eminent
egresar v/i LA to leave
(school)
eje m axle; axis; fig central
point; main topic; **~ tándem**
dual axle
ejecu|ción f execution; **~tar**
v/t to execute; to perform;
~tivo m executive
ejempl|ar m copy; specimen;
example; a exemplary; **~o** m

example; **por ~o** for example
ejerc|er v/t to exercise; to
practise, Am -ce; **~icio** m exercise; practice; fiscal year;
~itar v/t to train
ejército m army
ejido m LA cooperative
ejote m LA string bean
el art m sing (pl **los**) the
él pron m sing (pl **ellos**) he
elabora|do elaborate; **~r** v/t
to elaborate; to prepare
elasticidad f elasticity
elástico elastic
elec|ción f election; choice;
~cionario LA electoral; **~tor**
m elector; voter; **~torado** m
electorate
electricidad f electricity
eléctrico electric; electrical
electro|domésticos m/pl
household appliances;
~imán m electromagnet;
~motor m electromotor;
~tecnia f electrical engineer-
ing
elefante m elephant
elegan|cia f elegance; **~te**
elegant
elegi|ble eligible; **~r** v/t to
choose; to elect
elemento m element; factor
elenco m catalogue; teat cast;
sp team
elepé m long-playing record
eleva|ción f elevation; alti-
tude; height; **~do** high; **~dor**
m LA elevator; **~r** v/t to
raise; **~rse** to rise; to be
elated

eliminar v/t to eliminate

elipse f ellipse

elitista a, m, f elitist

ella pron f sing (pl **ellas**) she

ello pron neuter sing it

elocuen|cia f eloquence; **~te** a eloquent

elogi|ar v/t to praise; **~o** m praise; eulogy

eludir v/t to avoid; to elude

emana|ción f emanation; **~r** v/i to emanate from

emancipar v/t to emancipate

embadurnar v/t to smear

embajad|a f embassy; **~or** m ambassador

embala|je m packing; **~r** v/t to pack

embaldosa|do m tiled floor; **~r** v/t to tile

embalse m dam; reservoir

embaraz|ada pregnant; **~ar** v/t to obstruct; to make pregnant; **~o** m pregnancy; obstacle

embarc|ación f ship; boat; embarkation; **~adero** m pier; **~ar** v/t to put on board; to embark; **~o** m embarkation

embargar v/t to impede; to restrain; **~o** m embargo; seizure; **sin ~** nevertheless; however

embarque m shipment

embaucar v/t to trick; to fool

embellecer v/t to embellish

embesti|da f assault; **~r** v/t to attack; to assail

embetunar v/t to black (shoes); to pitch

emblema m emblem; symbol

embobar v/t to fascinate; **~se** to gape; to be amazed

embocadura f mouth (of river)

émbolo m piston; plunger

embolsar v/t to pocket; to put into a purse

emborracharse to get drunk

emboscada f ambush

embotar v/t to blunt (an edge); to weaken

embotella|miento m congestion, traffic jam; **~r** v/t to bottle

embozar v/t to muffle; fig to cloak

embrag|ar v/t mar to sling; teen to engage (a gear); **~ue** m tecn clutch

embriag|arse to get drunk; **~uez** f drunkenness; rapture

embroll|ar v/t to entangle; **~o** m tangle, muddle

embrujar v/t to bewitch

embrutecer v/t to brutalize; to coarsen

embudo m funnel

embuste m trick; fraud; **~ro** m habitual liar

embuti|do a stuffed, filled; m sausage; **~r** v/t to stuff; tecn to inlay

emerge|ncia f emergency; **~r** v/i to emerge

emigra|ción f emigration; **~do(a)** m (f) emigrant; **~r** v/i to emigrate

eminen|cia f eminence; **~te** eminent

emis|ario *m* emissary; **~lón** *f* emission; broadcast; **~ora** *f* broadcasting station

emitir *v/t* to broadcast; to emit; to give

emoción *f* emotion; excitement; thrill

emocion|ante exciting; **~ar** *v/t* to excite; to thrill

empach|ar *v/t* to impede; to upset; **~arse** to get embarrassed; to have indigestion; **~o** *m* bashfulness; indigestion; **~oso** embarrassing

empalag|ar *v/t* to cloy; to annoy; **~oso** oversweet; cloying; wearisome

empalm|ar *v/t* to couple; to join; **~e** *m* connection; junction

empana|da *f* (*meat, fish, etc*) pie; **~r** *v/t* to cover with batter *or* crumbs

empañar *v/t* to swaddle; to blur; to tarnish

empapar *v/t* to drench; to soak, to saturate

empapela|dor *m* paperhanger; **~r** *v/t* to wrap in paper; to paper (*walls*)

empaque *m* packing; *fig* air, mein; **~tar** *v/t* to pack; to wrap

empareda|do *m* sandwich; **~r** *v/t* to confine; to shut in

emparejar *v/t*, *v/i* to match; to pair off

emparentado related by marriage

empast|ar *v/t* to paste; to fill

(*teeth*); **~e** *m* filling (*of tooth*)

empat|ar *v/t* to (end in a) tie; **~e** *m sp* draw, tie

empedernido heartless; inveterate

empedrar *v/t* to pave with stones

empeine *m* groin; instep

empeñ|ar *v/t* to pawn; to compel(l); **~arse** to insist; to take pains; **~o** *m* pledge; insistence

empeor|amiento *m* deterioration; **~ar** *v/t* to make worse; *v/i* to grow worse, to deteriorate

empequeñecer *v/t* to make smaller; to belittle

empera|dor *m* emperor; **~triz** *f* empress

emperrarse *fam* to get stubborn

empezar *v/t*, *v/i* to begin

empina|do steep; **~r** *v/t* to raise; **~r el codo** *fam* to drink

empírico empirical

emplasto *m* plaster; poultice

emplaza|miento *m* placement; location; **~r** *v/t* to place; to summon

emple|ado(a) *m* (*f*) employee; **~ar** *v/t* to employ; to use; **~o** *m* job; post; use; *modo de* **~o** instructions for use

empobrecer *v/t* to impoverish; *v/i* to become poor

empollar *v/t* to hatch; *fam* to study hard

empolvar *v/t* to powder

emponzoñar v/t to poison

emprende|dor enterprising; bold; **~r** v/t to undertake; to take on

empresa f enterprise; company; **~rio** m contractor; manager; impresario

empréstito m (public) loan

empuj|ar v/t to push; to shove; **~e** m push; energy, drive; **~e axial** tecn thrust; **~ón** m push, shove

empuñar v/t to clutch

en m; at; into; on; upon; about; by

enaguas f/pl petticoat

enajena|ción f, **~miento** m alienation (of property); estrangement; **~ción mental** derangement; **~r** v/t to alienate

enaltecer v/t to praise; to extol

enamora|dizo quick to fall in love; **~do** a in love; **~do(a)** m (f) sweetheart; **~rse de** to fall in love with

enano(a) m (f) dwarf

enarbolar v/t to hoist

enardecer v/t to inflame; **~se** to take a passion for

encabeza|miento m heading; caption; census; **~r** v/t to head

encadenar v/t to chain

encaj|ar v/t to fit; to insert; **~e** m lace; inlaid work

encalar v/t to whitewash; agr to lime

encallar v/i mar to run aground; fig to get bogged down

encaminar v/t to guide; to direct; **~se** to set out for

encanecer v/i to grow gray

encant|ado delighted; charmed; pleased; **~ador** a charming; **~ar** v/t to enchant; to charm; to fascinate; **~o** m charm; spell

encañado m conduit (for water)

encapotarse to cloud over (sky)

encapricharse con to take a fancy to

encarar v/i to face; v/t to aim at; **~se con** to face, to stand up to

encarcelar v/t to imprison

encarecer v/t to raise the price of; to insist on, to emphasize

encarecidamente insistently

encarg|ado m agent; person in charge; **~ar** v/t to order; to charge; to entrust; **~arse de** to take charge of; **~o** m order; charge; commission

encarna|do red; flesh-colo(u)red; **~r** v/t to personify

encarnizar v/t to inflame; to enrage

encasar v/t med to set (a bone)

encasillar v/t to pigeonhole; to classify

encauzar v/t to channel; to lead

encend|edor m lighter; **~er**

endosar

v/t to light; **~erse** to light up; to catch fire; **~ido** *m tecn* ignition; **estar ~ido** to be on (*light*); **~r** *v/t* to be live (*wire*)

encera|do *m* oilcloth; *a* waxy; **~r** *v/t* to wax

encerrar *v/t* to shut in; to lock up

enchuf|ar *v/t* to connect; to plug in; **~e** *m* plug; socket; joint

encía *f* gum (*of teeth*)

enciclopedia *f* encyclopedia

encierro *m* confinement; enclosure; prison

encima *adv* above; over; at the top; *prep* **~ de** above; on; on top of; *por* **~ de todo** above all

encina *f* oak

encinta pregnant; **~do** *m* kerbstone, *Am* curb

enclavar *v/t* to nail

enclenque sickly; feeble

encoger *v/t* to contract; *v/i* to shrink; **~se** to shrink; *fig* to become discouraged; **~se de hombros** to shrug one's shoulders

encolar *v/t* to glue

encolerizar *v/t* to provoke; to anger; **~se** to get angry

encom|endar *v/t* to commend; to entrust; **~endarse** to entrust oneself; **~ienda** *f* commission; charge; patronage; *LA* parcel, postal package

encono *m* ranco(u)r; ill-will

encontrar *v/t* to meet; to find; **~se** to meet; to collide; to feel; to be

encorvar *v/t* to bend; to curve; **~se** to bend down

encresparse to curl; to become agitated; to become rough (*sea*)

encrucijada *f* crossroads; ambush; *fig* quandary, dilemma

encuaderna|ción *f* binding (*of a book*); **~r** *v/t* to bind

encuadrar *v/t* to frame

encubierta *f* fraud, deceit

encub|ierto hidden; **~ridor** *m* for accessory; abettor; **~rir** *v/t* to cover up; to conceal

encuentro *m* encounter; meeting; collision

encuesta *f* inquiry; poll; **~ demoscópica** opinion poll

encumbrar *v/t* to lift; to raise; **~se** to soar

encurtidos *m/pl* mixed pickles

ende: *por* **~** therefore

endeble feeble; weak

endecha *f* dirge

endémico endemic; rife

endemoniado possessed

endentecer *v/i* to teethe

enderezar *v/t* to straighten; to put right

endeudarse to run into debts

endiablado fiendish; bad-tempered; mischievous

endibia *f* endive

endiosar *v/t* to deify

endosar *v/t* to endorse

endulzar v/t to sweeten
endurecer v/t, ~se to harden
enebro m juniper
eneldo m dill
enemi|go(a) m (f) enemy; a hostile; ~stad f enmity
energía f energy; ~ nuclear nuclear energy; ~ solar solar energy
enérgico energetic
energúmeno m one possessed; wild person
enero m January
enervar v/t to enervate
enfad|arse to get angry; ~o m anger; annoyance
énfasis m emphasis; stress
enfático emphatic
enferm|ar v/i to fall ill; ~edad f illness; ~ería f infirmary; ~ero(a) m (f) nurse; ~izo sickly; infirm; ~o(a) m (f) patient; a ill
enfilar v/t to put in a row; to thread
enfo|car v/t to focus; ~que m focusing; approach
enfrenar v/t to bridle (horse); to restrain
enfrent|amiento m confrontation; ~ar v/t to put face to face; ~arse to face; ~e op posite
enfriar v/t to cool; ~se to grow cold; to cool down
enfurecer v/t to infuriate; to enrage; ~se to grow furious; to lose one's temper
enganch|ar v/t to hook; fig to catch; ~arse to enlist; ~e m

hooking; enlisting
engañ|ar v/t to cheat, to deceive; ~arse to be mistaken; ~o m deceit; trick; mistake; ~oso deceptive; misleading
engatusar v/t, to wheedle; to coax
engendrar v/t to beget
englobar v/t to include; to comprise
engomar v/t to gum; to stick
engordar v/t to fatten; v/i to grow fat
engorro m nuisance; trouble; ~so troublesome; awkward
engrana|je m tecn gear; gearing; ~r v/t to gear; v/i to interlock
engrandecer v/t to augment; to enlarge; ~imiento m enlargement
engras|ar v/t to grease; to lubricate; ~e m lubrication; lubricant
engreído conceited; stuck up
engreimiento m conceit
engrosar v/t to enlarge; to swell; v/i to grow fat
engrudo m paste
engullir v/t to wolf down, to gobble, to gorge
enhebrar v/t to thread
enhiesto (bolt) upright
enhilar v/t to thread; fig to put in order
enhorabuena f congratulations; dar la ~ a to congratulate
enigma m enigma; puzzle
enigmático enigmatic

enjabonar v/t to soap, to lather; *fig* to flatter

enjambre m swarm

enjaular v/t to cage

enjuagar v/t to rinse

enjuicia|miento m trial; **~r** v/t for to try; to judge

enla|ce m link; connection; liaison; **~r** v/t to can; **~zar** v/t to join; to connect

enloquecer v/t to madden; v/i to go mad

enlosar v/t to pave (with tiles or flagstones)

enlucir v/t to plaster (walls)

enmarañar v/t to entangle

enmascarar v/t to mask

enm|endar v/t to correct; to reform; **~ienda** f emendation; amendment

enmohecerse to grow rusty or mo(u)ldy

enmudecer v/t to silence; v/i to be silent; to become speechless

enoj|adizo short-tempered; irritable; **~ar** v/t to anger; **~arse** to get angry; to get annoyed; **~o** m anger; annoyance

enorgullecer v/t to make proud; **~se** to be proud

enorm|e enormous; **~idad** f enormity; wickedness

enrarecerse to grow scarce

enred|adera f bot vine, creeper; **~ador** troublemaking; **~ar** v/t to entangle; to confuse; to involve; **~arse** to get entangled; **~o** m mess,

tangle; plot

enreja|do m railings; trellis; **~r** v/t to surround with railings; to grate

enriquecer v/t to enrich; **~se** to grow rich

enrojecer v/t to make red; **~se** to blush

enrollar v/t to roll up

enronquecer v/t to make hoarse; v/i to grow hoarse

enroscar v/t to twist; to coil

ensalad|a f salad; **~era** f salad bowl; **~illa** f medley; patchwork

ensalzar v/t to praise; to exalt

ensamblar v/t to join; to connect; to assemble

ensanch|ar v/t to widen; to enlarge; **~e** m enlargement; widening; extension

ensangrentado blood-stained; bloodshot

ensañar v/t to enrage; **~se en** to vent one's anger on

ensay|ar v/t to try, to test; to rehearse; **~o** m test; trial; essay, *teat, mús* rehearsal

enseña|nza f teaching; education; schooling; tuition; **~r** v/t to teach; to show; **~r el camino** to lead the way

enseres m/pl chattels; household goods; gear

ensimismarse to fall into a reverie; *LA* to become conceited

ensordecer v/t to deafen; to muffle; v/i to go deaf

ensuciar v/t to soil; to foul; to pollute

ensueño m dream; daydream

entablar v/t to cover with boards; fig to enter into; **~ar juicio** to take legal action; **~illar** v/t med to splint

ente m entity; being

entender v/t to understand; to think; to mean; **~ido** understood; well-informed; **~imiento** m understanding

enterado knowledgeable; LA conceited; **~mente** entirely; **~rse** to find out

entereza f integrity, honesty

enternecer v/t to soften; to make tender

entero entire; complete

enterrar v/t to bury

entidad f entity; pol body

entierro m burial

entonar v/t to intone

entonces then; at that time; ¿**~ no**? so?; **desde ~** since; then; **por ~** at that time

entorpecer v/t to numb; to obstruct; to make difficult

entrada f entry; entrance; way in; (admission) ticket; **prohibida la ~** no admittance

entrambos(as) both

entrante next; coming; **la semana ~** next week

entrañable most affectionate

entrañas f/pl entrails; center; nature

entrar v/i to enter; to go in; to begin; **~ en**, LA **~ a** to go into; **~ en vigencia** to come into force

entre between; among; **~acto** m teat interval; **~cejo** m space between the eyebrows; **~cortado** m intermittent; **~dicho** m prohibition

entrega f delivery; **~r** v/t to deliver; to hand over; **~rse** to surrender

entrelazar v/t to interlace

entremedias in between

entremeses m/pl hors d'oeuvres

entremeter v/t to place between; **~se** to interfere, to meddle

entremezclar v/t to intermingle

entrenador m sp trainer; coach; **~ar** v/t, v/i to train

entresacar v/t to select; to thin out

entresuelo m entresol; mezzanine

entretanto meanwhile

entretejer v/t to interweave

entretener v/t to entertain; to keep in suspense; to hold up; **~ido** pleasant, amusing

entrever v/t to glimpse

entrevista f interview

entristecer v/t to sadden; **~se** to grow sad

entumecido numb; stiff

entusiasmar v/t to excite; to fill with enthusiasm; **~mo** m enthusiasm

entusiástico enthusiastic

enumerar v/t to enumerate

enunciar v/t to enunciate; to state

envainar v/t to sheathe

envanecer v/t to make vain

envasar v/t to bottle; to tin; to pack; **~e** m packing; container; bottle, tin

envejecerse to grow old

envenena|miento m poisoning; **~r** v/t to poison

envergadura f expanse; extent; scope; aer wingspan

envia|do m messenger; envoy; **~r** v/t to send

envidi|a f envy; **~ar** v/t to envy; **~oso** envious; jealous

envilecer v/t to debase

envío m dispatch; com remittance; shipment

envol|tura f wrapper; **~ver** v/t to wrap up; to envelop; mil to surround

enyesar v/t to plaster

épico epic

epidemia f epidemic

epidémico epidemic

epígrafe m title; inscription; epigraph

epiléptico epileptic

episcopado m bishopric

episodio m episode; incident

epítome m compendium, summary

época f epoch; period, time

equidad f equity; fairness

equilibr|ar v/t to balance; **~io** m equilibrium, balance

equinoccio m equinox

equip|aje m luggage; equipment; **~aje de mano** hand luggage; **~ar** v/t to fit out; to equip

equipo m team; kit, equipment; **~ de alta fidelidad** stereo system; hi-fi set; **~ de casa** sp home team

equitación f riding (on horse)

equitativo equitable; just

equivale|ncia f equivalence; **~nte** equivalent; **~r** v/i to be equivalent

equivoca|ción f mistake; misunderstanding; **~do** mistaken; **~rse** to be mistaken

equívoco equivocal; ambiguous

era f era

erección f establishment; erection

erguir v/t to raise; **~se** to straighten up

erial m uncultivated land

erigir v/t to erect; to raise; to establish

eriz|ado bristly; full; **~arse** to stand on end (hair); **~o** m hedgehog

ermita f hermitage; **~ño** m hermit

erótico erotic

erra|nte roving; **~r** v/t to miss; to fail; v/i to err; to go astray; to make a mistake; **~ta** f impr misprint

erróneo erroneous; wrong

error m mistake; error; por **~** by mistake

eructar v/i to belch

erudi|ción f learning; **~to** learned, scholarly

erupción f eruption; t med outbreak

esbel|tez f slenderness; **~to** slim, slender

esboz|ar v/t to sketch; **~o** m sketch

escabech|ar v/t to pickle; **~e** m marinade

escabroso rough; craggy; harsh

escabullirse to slip away

escafandra f diving suit

escala f ladder; scale; mar port of call; stopover; hacer **~ en** to stop at; **~lón** m list; register; **~r** v/t to scale; to climb

escaldar v/t to scald

escalera f stairs; staircase; ladder; **~ automática, ~ mecánica** escalator; **~ de incendios** fire-escape; **~ de servicio** backstairs

escalfar v/t to poach (eggs)

escalofrío m chill, shiver

escal|ón m step of a stair; rank; **~onar** v/t to place at regular intervals

escalpelo m scalpel

escam|a f scale (of fish or reptile); flake; fig grudge; **~oso** scaly; flaky

escamot|ar, ~ear v/t to make disappear; to swindle

escampar v/i to clear up (sky); v/t to clear out

escandalizar v/t to scandalize; **~se** to be shocked

escándalo m scandal

escandinavo a, m Scandinavian

escáner m scanner

escaño m bench; seat (in Parliament)

escapa|da f escape; flight; **~rate** m display window, shop window; **~rse** to escape; **~toria** f flight, escape; loophole

escape m escape; leak; flight; **tubo de ~** exhaust pipe

escarabajo m beetle

escarcha f frost; **~r** v/t to ice; to frost (a cake)

escardar v/t to weed

escarlat|a f scarlet; **~ina** f scarlet fever

escarm|entar v/t to punish severely; **~iento** m exemplary punishment

escarn|ecer v/t to ridicule; **~ecimiento** m, **~io** m derision

escarola f endive

escarpa f slope; escarpment; **~do** steep; craggy

escas|amente barely; hardly; **~ear** v/i to be scarce; **~ez** f scarcity; **~o** scarce; scanty

escayola f med plaster (cast)

escen|a f scene; **~ario** m teat scenery; stage

escepticismo m scepticism

escéptico sceptic

esclarec|er v/t to explain; to elucidate; to illuminate

esclav|itud f slavery; **~o(a)** m (f) slave

esclusa f lock; sluice

escob|a f broom; brush; **~lla** f whisk

escocer v/i to smart; to sting; **~se** to chafe

escocés(esa) m (f) Scotsman (-woman); a Scottish

Escocia f Scotland

escoger v/t to choose; to select; to pick out

escolar a scholastic; **edad ~** school age; m pupil, student

escollo m reef; pitfall; obstacle

escolta f escort; convoy; **~r** v/t to escort

escombr|ar v/t to clear of rubble; **~os** m/pl rubble

escond|er v/t to conceal; to hide; **~idas** adv: **a ~idas** secretly; **~rljo** m hideout; den

escopeta f shotgun

escoplo m chisel

escorbuto m scurvy

escoria f slag; dross; scum

escote m neckline; **~illa** f mar hatchway; **~illón** m teat trapdoor

escribano m court clerk; LA notary

escrib|iente m clerk; **~r** v/t to write

escrito m writing, document; letter; **por ~** in writing

escritor(a) m (f) writer

escritorio m desk; study, office

escritura f writing; for deed; **la Sagrada ~** 2 the Holy Scripture

escrúpulo m scruple

escrupuloso scrupulous

escrutinio m scrutiny

escuadra f mil squad; mar squadron

escuálido m scraggy; squalid

escuchar v/t to listen to

escudo m shield; coat of arms

escudriñar v/t to scrutinize; to scan; to examine

escuela f school; **~ de párvulos** kindergarten; **~ nocturna** night school; **~ primaria** elementary school

escul|pir v/t to sculpture; to cut; **~tor** m sculptor; **~tura** f sculpture

escupi|dera f spittoon; **~r** v/t, v/i to spit

escurri|dizo slippery; tecn aerodynamic; **~dor** m wringer; **~r** v/t to drain off; to wring out; **~se** to sneak off; to drip

ese, esa (pl **esos, esas**) a that; pl those

ése; ésa; eso (pl **ésos, ésas**) pron that one; the former; **eso es** that's right; **eso sí** yes, of course; **por eso** because of that

esencia f essence; **~l** essential

esfera f sphere; face (of watch)

esférico spherical

esfinge f sphinx

esforzar v/t to strengthen; to encourage; **~se** to make an effort; to exert oneself

esfuerzo m effort

esfumarse to fade away

esgrim|a f fencing; **~ir** v/t to brandish; v/i to fence

esguince m sprain (of joint)

eslabón m link

eslogan m slogan

esmalte m enamel

esmerado carefully done; painstaking

esmeralda f emerald

esmeril m emery

esmero m care; refinement

esmoquin m dinner jacket, Am tuxedo

espabilado bright; intelligent

espaci|ar v/t to space; **~o** m space; **~oso** spacious, roomy

espada f sword

espalda f shoulder; back

espantapájaros m scarecrow

espant|ar v/t to scare; to frighten; **~arse** to get frightened; **~o** m terror; shock; **~oso** frightful

España f Spain; **2ol(a)** m (f) Spaniard; a Spanish

esparadrapo adhesive tape; sticking plaster

esparci|do scattered; merry; **~r** v/t to scatter; to spread

espárrago m asparagus

espasmo m spasm

especia f spice

especial special; **~idad** f speciality; **~ista** m, f specialist; **~izar** v/i to specialize

especie f species; kind

específico specific

espect|áculo m show; entertainment; **~ador** m spectator, onlooker; viewer

especula|ción f speculation; **~r** v/t to consider; v/i to speculate

espej|ismo m mirage; illusion; **~o** m mirror; **~o retrovisor** rear view mirror

espeluznante hair-raising; lurid

espera f waiting; **en ~ de** waiting for; **~nza** f hope; **~r** v/t to hope for; to expect; to wait for; v/i to wait

esperma f sperm

espes|ar v/t to thicken; **~o** thick; **~or** m thickness

espía m, f spy

espiar v/t to spy on

espiga f peg; bot ear; tecn spigot

espina f thorn; spine; fish-bone; **~ dorsal** backbone, spinal column

espinacas f/pl spinach

espin|illa f shin(bone); **~oso** thorny, spiny

espionaje m espionage; spying

espiral f spiral

espíritu m spirit; mind; ghost; **2 Santo** Holy Ghost

espiritual spiritual

espléndido splendid

espliego m lavender

espoleta f wishbone; mil fuse

espolón m zool, geol spur; arq buttress; mar sea wall

esponja f sponge; **~rse** to glow with health

esponsales m/pl betrothal

espontáneo spontaneous

esporádico sporadic

espos|a f wife; pl handcuffs; **~ar** v/t to handcuff; **~o** m husband

espuela f spur (t fig)

espum|a f froth; foam; **~oso** frothy; foamy; sparkling (wine)

esputo m spit; spittle

esquela f note; **~ de defunción** death notice

esqueleto m skeleton

esquema m scheme; plan; chart; diagram

esquí m ski

esquiar v/i to ski

esquilar v/t to shear (sheep); to clip

esquilmar v/t to harvest

esquimal a, m, f Eskimo

esquina f corner (of a street or a house)

esquirol m fam strikebreaker

esquivar v/t to shun; to avoid

estab|ilidad f stability; **~ilizar** v/t to stabilize; **~le** stable; **~lecer** v/t to establish; to set up; to decree; **~se** to settle down; to establish oneself; **~lecimiento** m establishment; institution; **~lo** m stable

estaca f stake; cudgel; **~da** f fencing; mil stockade

estación f season; station, stop; (taxi) stand; **~ de servicio** service station

estacion|amiento m parking; **~ar** v/t, v/i to park (a car); **prohibido ~ar** no parking

estadio m stadium

estad|ista m statesman; **~ística** f statistics; **~ístico** statistical; **~o** m state, nation; condition; rank, status; **~o civil** marital status; **~o de emergencia** state of emergency; **~o mayor** mil staff; **os pl Unidos** United States

estadounidense m, f citizen of the United States

estaf|a f swindle; trick; **~dor** m swindler

estafeta f courier; district post office

estall|ar v/i to burst; to explode; **~ido** m bang; explosion; outbreak

estambre m worsted

estamp|a f print; engraving; impression; image; **~ado** m print (in textiles); **~ar** v/t to print; to stamp; to imprint; **~ido** m report (of a gun)

estampilla f rubber stamp; LA postage stamp

estan|car v/t to check; to stop; com to monopolize; **~carse** to stagnate; **~co** a watertight; m (state) monopoly; tobacconist; **~darte** m standard; banner; **~que** m pond; small lake

estante m shelf; bookcase; **~ría** f shelves

estaño m tin
estar v/i to be; ~ a to be priced at; ¿ a cuántos estamos? what is today's date?; está bien all right; ~ de viaje to be travelling; ~ de más to be superfluous; ~ en algo to understand something; ~ enfermo to be ill; ~ para to be in the mood for; está por ver it remains to be seen
estático static
estatua f statute
estatuto m statute; law
este m east
este, esta a (pl **estos, estas**) this (pl these)
éste, ésta pron (pl **éstos, éstas**) this one (pl these)
estela f wake (of a ship)
estenografía f stenography, shorthand
estepa f steppe
estera f mat, matting
estereo|fónico stereophonic; ~scopio m stereoscope; ~tipo m stereotype
estéril barren; sterile
esterili|dad f sterility; ~zar v/t to sterilize
estétic|a f aesthetics; ~o aesthetic
estevado bowlegged
estibador m stevedore
estiércol m dung; manure
estigma m mark; birthmark; stigma
estil|arse to be in fashion or use; ~o m style
estilográfica: pluma f ~

fountain pen
estima f esteem; ~r v/t to estimate; to esteem
estimula|nte m stimulant; a stimulating; ~r v/t to stimulate; to excite
estímulo m stimulus; fig incentive
estipula|ción f stipulation; ~r v/t to stipulate
estir|ado haughty, stiff; ~ar v/t to stretch; to pull; to extend; ~ón m jerk; tug; rapid growth
esto this; en ~ at this moment; ~ es that is to say
estocada f thrust (of sword)
estofar v/t to stew
estómago m stomach
estorb|ar v/t to hinder; to disturb; ~o m hindrance; obstacle; nuisance
estornud|ar v/i to sneeze; ~o m sneezing
estrado m dais; platform; pl court rooms
estrag|ar v/t to deprave; to pervert; ~o m ruin; ~os pl havoc
estrangula|ción f strangulation; throttling (of an engine); ~dor m tecn choke; ~r v/t to strangle; to choke; to throttle
estraperlo m black market
estratagema f stratagem; trick
estrat|egia f strategy; ~égico strategic, strategical
estrech|amente tightly;

closely; intimately; **~ar** v/t to
reduce, to tighten; to take in
(clothes); **~ar la mano** to
shake hands; **~arse** to draw
closer; to narrow; to tighten
up; **~ez** f narrowness; tight-
ness; poverty; **~o** a narrow;
tight; austere; rigid; intimate; m strait(s), narrows

estrella f star; **~ de cine**
film-star; **~ de mar** starfish;
~ fugaz shooting star; **~do**
starry; smashed; **~r** v/t to
smash

estremec|er v/t to shake;
~erse to shake; to shudder,
to tremble; **~imiento** m
shudder

estren|ar v/t to do or use for
the first time; **~o** m first use;
teat première

estreñi|do constipated; **~
miento** m constipation

estrépito m crash; din

estrepitoso deafening

estrés m stress

estribillo m refrain, chorus

estribo m stirrup

estribor m starboard

estricto strict; severe

estridente strident; shrill

estropajo m swab, mop; pan
scraper; dishcloth

estropear v/t to hurt; to
damage; to ruin; to spoil

estructura f structure

estruendo m crash, din;
uproar; bustle; **~so** noisy

estrujar v/t to press, to
squeeze out; to crush

estuche m case; etui; **~ de
pinturas** paintbox

estudi|ante m, f student; **~ar**
v/t, v/i to study; **~o** m study;
studio; **~oso** studious; in-
dustrious

estufa f stove; heater

estupefac|ción f stupefac-
tion; **~iente** m narcotic;
drug; **~ientes** m/pl narcot-
ics; **~to** stupefied

estupendo stupendous; terrific

estupidez f stupidity

estúpido stupid

estupro m for rape

etapa f stage; phase; period

éter m ether

etern|idad f eternity; **~o** eter-
nal

étic|a f ethics; **~o** ethical

etiqueta f formality; etiquette; label; **traje** m **de ~**
formal dress

Eucaristía f Eucharist

eufonía f euphony

Europa f Europe

europeo(a) m (f), a Euro-
pean

Euskadi Basque country

euskera m Basque language

evacua|ción f evacuation; **~r**
v/t to evacuate

evadir v/t to evade, to elude

evalua|ción f evaluation; **~r**
v/t to assess; to evaluate

evangelio m gospel

evangelizador m evangelist

evaporar v/t, **~se** to evaporate

evasi|ón f evasion, elusion; pretext; **~va** f excuse; pretext; **~vo** evasive, elusive; non-committal

evento m eventuality; *a cualquier ~* in any event

eventual accidental; possible; contingent; **~idad** f contingency; **~mente** possibly; by chance

eviden|cia f proof; **~te** evident; obvious

evitar v/t to avoid; to prevent

evoca|ción f evocation; **~r** v/t to evoke; to conjure up

evolu|ción f evolution; development; **~onar** v i to evolve; to develop

exact|itud f exactness; accuracy; **~o** exact; accurate; punctual

exagera|do exaggerated; overdone; excessive; **~r** v/t to exaggerate

exalta|do hot-headed; impetuous; **~r** v/t to exalt

exam|en m examination; inquiry; **~inar** v/t to examine; to investigate; to test; **~inarse** to take an examination

exangüe bloodless

exánime lifeless

exasperar v/t to exasperate; to irritate; **~se** to lose patience

excavar v/t to dig; to excavate

exce|dente a excessive; m surplus; **~r** v/t to exceed; to surpass

excelencia f excellence; excellency

excentricidad f eccentricity

excéntrico eccentric

excepción f exception

excep|cional exceptional; **~to** except; **~tuar** v/t to except; *for* to exempt

exces|ivo excessive; **~o** m excess; **~o de equipaje** excess luggage

excitar v/t to excite; **~se** to become excited

exclama|ción f exclamation; **~r** v/i to exclaim

exclu|ir v/t to exclude; **~siva** f exclusive interview; *com* sole right; **~sivamente** exclusively; **~sivo** exclusive

excomulgar v/t to excommunicate; to ban

excre|ción f excretion; **~mento** m excrement

exculpar v/t to exculpate; to forgive

excursión f excursion; outing; trip

excusa f excuse; apology; **~ble** excusable; **~do** m toilet; **~r** v/t to excuse; **~rse** to apologize

exen|ción f exemption; **~to** free from; devoid; exempt

exhalar v/t to exhale

exhausto exhausted

exhibi|ción f exhibition; **~ción-venta** sales exhibit; **~r** v/t to exhibit

exho|tar v/t to exhort

exig|encia f demand; **~ente**

demanding; exacting; **~ir** v/t
  to demand
eximir v/t to exempt
existen|cia f existence; **en
  ~cia** in stock; **~te** existent
existir v/i to exist, to be
éxito m success; outcome;
  teat hit; **~ de librería** best
  seller
éxodo m exodus
exonerar v/t to exonerate; to
  relieve
exorbitante exorbitant
exótico exotic
expansi|ón f expansion; **~vo**
  expansive
expatriar v/t to expatriate; to
  banish
expecta|ción f, **~tiva** f expec-
  tation; expectancy; **estar a
  la ~tiva** wait and see attitude
expedición f expedition;
  speed; dispatch
expedi|ente m resource; ex-
  pedient; **~r** v/t to dispatch; to
  send; **~tar** v/t LA to expedite
expende|dor m seller; dealer;
  agent; **~duría** f shop licensed
  to sell tobacco and stamps
experiencia f experience
experiment|ar v/t to experi-
  ence; to go through; **~o** m
  experiment
experto m, a expert
expiar v/t to atone for
expirar v/i to expire
explanar v/t to level
explica|ción f explanation;
  ~r v/t to explain; **~tivo** ex-
  planatory

explora|dor m explorer; boy
  scout; **~dora** f girl scout; **~r**
  v/t to explore
explosi|ón f explosion; **~vo**
  m, a explosive
explota|ción f exploitation;
  ~r v/t to exploit
expone|nte m, f, a exponent;
  ~r v/t to expose; to risk; to
  exhibit
exportación f export
exporta|dor m exporter; **~r**
  v/t to export
exposición f exposition; ex-
  hibition; show
exposímetro m foto exposure
  meter
exprés a express; m LA express train
expres|ar v/t to express; **~ión**
  f expression; **~o** m express
  train
exprimi|dor m juicer; **~r** v/t
  to squeeze out; fig to express
expropiar v/t to expropriate
expuesto exposed; on display; in danger
expuls|ar v/t to expel, to
  throw out; to oust; **~ión** f
  expulsion
exquisito exquisite; excellent
éxtasis m ecstasy
extemporáneo untimely
exten|der v/t to extend; to
  spread; to draw up (document); **~derse** v/r to reach; to
  reach; **~sión** f extension;
  ~so extensive; spacious
extenua|ción f emaciation;
  ~r v/t to weaken; to emaciate

exterior *a* external; exterior; *m* outside; **asuntos ~es** foreign affairs; **~izar** *v/t* to show; to make manifest

exterminar *v/t* to exterminate

externo external

extin|ción *f* extinction; **~guir** *v/t* to extinguish; **~to** extinct; **~tor** *m* fire extinguisher

extirpar *v/t* to uproot; to extirpate; to stamp out

extra|cción *f* extraction; **~er** *v/t* to extract; to mine; **~escolar** extracurricular; **~fino** superfine; **~limitarse** to go too far; **~muros** outside the city walls

extranjero(a) *m* (*f*) foreigner; *a* foreign; **en el ~** abroad

extrañar *v/t* to surprise greatly; to find strange; *LA* to miss; **~arse de** to be greatly surprised at; **~o** odd; foreign; strange

extraordinario extraordinary; unusual; **número ~** special issue

extravagan|cia *f* oddness; folly; **~te** odd; bizarre

extraviar *v/t* to mislay; to lose; **~se** to get lost

extrema|do extreme; excessive; **~r** *v/t* to carry to the extreme

extremaunción *f* extreme unction

extremista *a, m, f* extremist

extremo *a* last; extreme; excessive; *m* extreme; end

extrovertido extroverted; outgoing

exuberancia *f* exuberante; *bot* luxuriance

F

fábrica *f* factory; plant

fabrica|ción *f* manufacture; **~nte** *m* manufacturer; **~r** *v/t* to manufacture; to make

fábula *f* fable

fabuloso fabulous

facc|ión *f* faction; **~ones** *pl* features; **~oso** factious; rebellious

faceta *f* facet

facha *f fam* mien; aspect; appearance; **~da** *f* façade, front

fácil easy

facili|dad *f* facility; capacity; **~tar** *v/t* to facilitate; to supply

factor *m* factor; agent; **~ía** *f* factory; agency

factura *f* invoice; **pasar la ~** to send an invoice; **~r** *v/t* to invoice; to check; **~r el equipaje** to check in luggage

faculta|d *f* faculty; permission; **~r** *v/t* to authorize; **~tivo** optional

faena *f* task; job; **~s** *pl* chores

faisán *m* pheasant

faja *f* sash; belt; corset; **~o** *m* bundle; wad, roll (*of money*)

falaz deceitful; fallacious

fald|a f skirt; slope (of a mountain); **~ón** m flap (on clothing)

falla f fault; failure; LA lack; **~r** v/i to miss; to fail; v/t to pronounce a sentence

fallec|er v/i to die; **~imiento** m death; decease

fallo m decision; sentence; **~ humano** human error

fals|edad f falsehood; **~ificación** f forgery; **~ificado** forged; counterfeit; **~ificar** v/t to falsify; to forge; **~o** false; treacherous

falt|a f lack; deficiency; mistake; sp foul; **sin ~a** without fail; **~ar** v/i to be missing; to fail in; to be needed; **~o de dinero** short of money

fama f fame; reputation; **mala ~** notoriety

famélico ravenous; starving

familia f family; **~r** a familiar; m relative; **~ridad** f familiarity; intimacy; **~rizar** v/t to acquaint (with); to accustom

famoso famous

fanático a fanatical; m fanatic; LA fan

fanega f grain measure of about 55.5 litres, Am liters or 1.59 acres

fanfarr|ón m boaster; braggart; **~onear** v/i to boast; to brag; to swagger

fango m mud; mire; slush

fantasía f imagination; fantasy; caprice; fancy

fantasma m phantom; ghost

fantástico fantastic

fantoche m puppet; marionette

farándula f LA show business

fardo m bundle; bale

farfullar v/t to gabble

fariseo m Pharisee; hypocrite

farmacéutico(a) m (f) pharmacist; druggist; a pharmaceutical

farmacia f pharmacy

faro m lighthouse; beacon; headlight (of car)

farol m lantern; street lamp

farsa f farce; trick; **~nte** m trickster; fake

fascina|ción f fascination; **~r** v/t to fascinate; to captivate

fasci|smo m fascism; **~ta** m, f fascist

fase f phase; period

fastidi|ar v/t to annoy; to pester; to bore; to irk; **~o** m annoyance; nuisance; **~oso** annoying, wearisome

fastuoso luxurious; lavish

fatal fatal; irrevocable; fam awful; **~idad** f fate; calamity; **~ismo** m fatalism; **~ista** a fatalistic; m, f fatalist

fatídico prophetic; ominous

fatig|a f fatigue; weariness; **~ar** v/t to tire; to annoy; **~oso** wearisome

fatu|idad f foolishness; **~o** conceited

favor m favo(u)r; **a ~ de** in

favo(u)r of; **por ~** please; **~able** favo(u)rable; **~ecer** v/t to favo(u)r; to help; **~ito(a)** m (f), a favo(u)rite

faz f face; arq front

fe f faith; trust; belief; **dar ~** to testify; **de buena ~** in good faith; **de mala ~** in bad faith

fealdad f ugliness; foulness

febrero m February

febril feverish; fig hectic

fecha|a f date; **hasta la ~a** up to now; so far; **~ar** v/t to date; **~oría** f villainy, misdeed

fécula f starch

fecund|ar v/t to fertilize; **~o** fertile; fig fruitful

federa|ción f federation; **~l** federal

fehaciente for authentic

feli|cidad f happiness; **~cidades** f/pl congratulations; best wishes; **~citar** v/t to congratulate

feligrés m parishioner

feliz happy

felp|a f plush; **~udo** a plushy; m mat

femenino feminine

feminista m, f feminist

fenomenal fam great, terrific

fenómeno m phenomenon

feo ugly; disagreeable

feria f fair; market place

ferment|ar v/t, v/i to ferment; **~o** m ferment

fero|cidad f ferocity; **~z** fierce; savage

férreo ferrous; iron

ferretería f hardware store

ferro|carril m railway, Am railroad; **por ~carril** by rail; **~viario** m railwayman

fértil fertile; productive

ferv|iente ardent; fervent; **~or** m fervo(u)r; ardo(u)r

festiv|al m festival; **~idad** f festivity; **~o** festive; gay; **día ~o** holiday

fétido fetid; stinking

feto m f(o)etus

feudalismo m feudalism

fia|ble trustworthy; **~do** adv: **al ~do** on credit, on trust; **~dor** m guarantor

fiambres m/pl cold meats, Am cold cuts

fianza f deposit; security

fiar v/t to guarantee; to entrust; to sell on credit; **~se de** to trust; to rely upon

fibr|a f fibre, Am fiber; **~oso** fibrous

ficción f fiction; invention

ficha f file; index card

fichero m card index; filing cabinet

ficticio ficticious

fide|digno trustworthy; **~lidad** f faithfulness; accuracy; **alta ~lidad** high fidelity, hifi

fideos m/pl noodles

fiebre f fever; **~ del heno** hay fever

fiel faithful; loyal

fieltro m felt; felt hat

fiera f wild beast

flash

fiesta f feast; festivity; party; holyday

figura f shape; form; **~do** figurative; **~r** v/t to shape; to represent; v/i to figure; **~rse** to imagine

fijar v/t to fix; to stick; to secure; **~se en** to pay attention to

fijo firm; permanent

fila f row, tier; line; **en ~** in a line; **~ india** single file

filete m fillet (of fish or meat); thread (of screw)

filia|ción f filiation; connection; **~l** filial

Filipinas f/pl Philippines

filipino(a) a, m (f) Philippine

film|ación f cine shooting; **~ar** v/t to film; **~e** m film

filo m edge; blade

filólogo m philologist

filón m geol vein; seam

filosofía f philosophy

filósofo m philosopher

filtr|ar v/t to filter; to strain; **~arse** to seep; **~o** m filter; strainer

fin m end, finish; aim, purpose; **a ~ de** in order to; **al ~** at last; **al ~ y al cabo** in the end; after all; **por ~** finally; **~ de semana** weekend

finado(a) m (f), a deceased

final m end; a final; ultimate; **~idad** f purpose; **~izar** v/t to finish; v/i to end; **~mente** finally

financ|iar v/t to finance; **~ciero** m financier; a finan-

cial; **~zas** f/pl finances

finca f landed property; LA farm

fineza f fineness; courtesy

fingir v/t to feign; to pretend; to fake

finiquito m com settlement

finlandés(esa) a Finnish; m (f) Finn

Finlandia f Finland

fino fine; thin; refined

firma f signature; com firm; **~r** v/t to sign

firme a firm; stable; m surface; **~za** f firmness; stability

fiscal m public prosecutor; a fiscal

fisco m exchequer; treasury

físic|a f physics; **~a nuclear** nuclear physics; **~o** a physical; m physicist

fisiología f physiology

fisión f fission; **~ nuclear** nuclear fission

fisura f fissure

fisonomía f physiognomy

fláccido flaccid, flabby

flaco thin; weak

flagelar v/t to flog, to lash

flagrante flagrant; **en ~** red-handed

flamante brilliant; brand-new

flamear v/i to blaze, to flame

flamenco a, m Flemish; Andalusian gipsy (dance, song); m zool flamingo

flanquear v/t to flank

flaque|ar v/i to weaken; **~za** f leanness; weakness

flash m foto flash

flat|o *m med* wind; **~ulencia** *f* flatulence

flauta *f* flute

flecha *f* arrow

fleco *m* tassel; fringe

flema *f* phlegm

flet|ar *v/t* to charter; *LA* to hire; **~e** *m* freight

flexib|ilidad *f* flexibility; **~le** flexible

flirtear *v/i* to flirt

floj|ear *v/i* to weaken; to slacken; **~edad** *f* weakness; idleness; **~o** weak; slack; idle; lazy

flor *f* flower; **~ecer** *v/i* to blossom; to flower; **~ero** *m* flower vase; **~ista** *m, f* florist

flot|a *f* fleet; **~ador** *m* float; **~ar** *v/i* to float; **~e** *m*: **a ~e** afloat

fluctua|ción *f* fluctuation; **~r** *v/i* to fluctuate

fluido *a* fluid; flowing; *m* fluid; **~ eléctrico** electric current

flu|ir *v/i* to flow; **~jo** *m* flow; flux

foca *f* seal

foco *m* focus; focal point; centre; *LA elec* bulb

fofo spongy; soft

fogata *f* bonfire

fogón *m* stove

fogon|azo *m* flash (*of gun*); **~ero** *m* stoker

fogos|idad *f* verve; vehemence; **~o** fiery; ardent

folklore *m* folklore

follaje *m* foliage

folleto *m* pamphlet, brochure

follón *m* a lazy; *m* good-fornothing; hubbub, uproar, rumpus

foment|ar *v/t* to foment; to promote; **~o** *m* encouragement; fostering

fonda *f* inn, hostelry

fondear *v/t mar* to sound; to examine; *v/i* to anchor

fondo *m* ground; bottom; depth; *pl* funds; **a ~** thoroughly

fonética *f* phonetics

fonógrafo *m LA* phonograph

fontanero *m* plumber

forastero(a) *m* (*f*) stranger; visitor; outsider; *a* strange

force|ear *v/i* to struggle; **~o** *m* struggle

forestal of the forest

forj|a *f* forge; **~do** wrought; **~r** *v/t* to forge; to shape

forma *f* form; shape; way, means; **de ~ que** so that; **de todas ~s** at any rate; **~ción** *f* formation; education; **~l** formal; serious; **~lidad** *f* formality; **~lizar** *v/t* to formalize; to formulate; **~r** *v/t* to form; to shape; **~rse** to (take) form; to develop

formidable formidable; tremendous

fórmula *f* formula; prescription

formulario *m* form, blank

foro *m* forum; *for* bar; *teat* upstage

forraje *m* forage; fodder

forr|ar v/t to line, to pad; **~o** m lining

fortalecer v/t to strengthen

fort|aleza f fortress, fort; **~ifi-car** v/t to fortify

fortuito fortuitous; accidental

fortuna f chance; luck; fortune, wealth; **por ~** luckily

forz|ar v/t to force; to compel; **~oso** compulsory; forcible; inevitable

fosa f grave

fósforo m phosphorus; LA match

foso m moat; ditch

foto f photo; **~copia** f photocopy; **~grafía** f photograph; **~grafiar** v/t, v/i to photograph

fotógrafo m photographer

fotómetro m photometer

fotomontaje m photomontage

fotosíntesis f photosynthesis

frac m tails; dress coat

fracas|ar v/i to fail; **~o** m failure

fracción f fraction; pol faction; splinter group

fractura f fracture

fragancia f fragrance

frágil fragile; brittle

fragment|ario fragmentary; **~o** m fragment

fragua f forge; **~r** v/t to forge (metal); to contrive

fraile m friar; monk

frambuesa f raspberry

francamente frankly

francés(esa) m (f) Frenchman (-woman); a French

Francia f France

francmasón m freemason

franco frank; com free

franela f flannel

franja f fringe

franqu|ear v/t to exempt; to free; to stamp, to frank; **~eo** m postage; **~icia** f privilege; com franchise; **~ista** pro-Franco

frasco m flask; bottle

frase f sentence; phrase

fratern|al brotherly; **~idad** f fraternity

fraud|e m fraud; **~ulento** fraudulent

fray m relig (contraction of fraile; before Christian names) brother

frazada f LA blanket

frecuen|cia f frequency; **~tar** v/t to frequent, to patronize; **~te** frequent

frega|dero m kitchen sink; **~r** v/t to scrub, to scour; LA to annoy, to bother

freír v/t to fry

fren|ar v/t to brake; to restrain; **~o** m brake; **~o de mano** hand brake

frente f forehead; front; **al ~** in the front; **hacer ~ a** to face (a problem); to meet (a demand)

fresa f strawberry

fres|co fresh; **~cura** f freshness; impertinence; cheek

fresno m ash tree

frialdad f coldness; indifference

fricc|ión f friction; **~ionar** v/t to rub

frigidez f coldness; frigidity

frigorífico m refrigerator

frijol m dry bean

frío cold

friole|ra f trifle; **~o** shivery, feeling the cold

frito fried

frívolo frivolous

frondoso leafy; shadowy

fronter|a f frontier; **~izo** frontier; opposite

frotar v/t to rub

fructífero productive

frugal frugal; thrifty

frunc|e m ruffle; **~ir** v/t to gather, to ruffle; to pucker; **~ir el ceño** to frown

frustrar v/t to frustrate

frut|a f fruit; **~ería** f fruit shop; **~o** m fruit, result

fuego m fire; **~s** pl **artificiales** fireworks

fuelle m bellows

fuente f spring; fountain

fuera outside; **por ~** on the outside; **~ de** out of; besides; **~ de juego** sp off-side; **~ de servicio** out of order; **¡~! I get** out!; **~borda** outboard

fuero m jurisdiction; privilege

fuer|te a strong; vigorous; adv strongly; loudly; **~za** f strength; force; power; **a la ~za** by force; **~za mayor** act of God; **~zas** pl **armadas** armed forces

fug|a f flight; escape; **~arse** to flee; **~az** fugitive; passing; **~itivo(a)** m (f) fugitive

fulano so-and-so

fulgurante flashing; shining

fullero m crook, cheat

fulminante fulminating

fumar v/t, v/i to smoke; **prohibido ~** no smoking

funci|ón f function; teat performance; **~onar** v/i to function; to work; **~onario** m civil servant; official

funda f case, cover; sheath

funda|ción f foundation; **~dor** m founder; **~mento** m foundation; basis; **~r** v/t to found; to establish

fundi|ción f fusion; smelting; **~r** v/t to smelt; to fuse; **~rse** to blend, to merge

fúnebre funereal; mournful; lugubrious

funeral m funeral; **~es** pl funeral service

funesto ill-fated; dismal

funicular m funicular railway

furgón m wagon; van; f c luggage van

furgoneta f van

furi|a f fury; rage; **~oso** furious

furor m fury; rage; **hacer ~** to be all the rage

furúnculo m med boil

fuselaje m aer fuselage

fusible m elec fuse; a fusible

fusil m rifle; **~amiento** m execution by shooting

fusión f fusion; smelting; com merger

fust|a f whip; **~e** m wood; shaft; **de ~e** fig important

fútbol m football, Am soccer

futbolista m footballer, Am soccer player

fútil trivial

futuro(a) m (f) betrothed; future; a future

G

gabán m overcoat

gabardina f gabardine; raincoat

gabinete m pol cabinet; study; small reception room

gaceta f gazette; LA newspaper

gachas f/pl porridge

gacho bent; drooping

gafas f/pl eyeglasses; **~ de buceo** diving goggles; **~ de sol** sunglasses

gait|a f bagpipe; **~ero** m bagpiper; a gaudy

gajo m branch; slice, segment (of fruit)

gal|a f ornament; full dress; **de ~** in full dress

galán m ladies' man; suitor; teat leading man

galano elegant; graceful

galante courteous; gallant; **~ar** v/i to flirt; **~ría** f gallantry; compliment

galápago m giant turtle

galardón m reward

galaxia f galaxy

gale|ote m galley slave; **~ra** f galley

galería f gallery; corridor

Gales m Wales

galés(esa) m (f) Welshman

(-woman); a Welsh

galgo m greyhound

galimatías m gibberish

gallard|ear v/i to behave gracefully; **~ete** m pennant; **~ía** f elegance; gallantry

galleta f biscuit, cracker

gall|ina f hen; **~inero** m henhouse; bedlam; teat top gallery; **~o** m cock, rooster

galocha f clog; galosh

galón m gallon; braid; trim; stripe (on uniform)

galop|ar v/i to gallop; **~e** m gallop

gama f zool doe; mús scale; range

gamba f prawn; shrimp

gamberro m fam lout, hooligan

gamuza f chamois

gana f desire; wish; **de buena ~** willingly; **de mala ~** unwillingly, grudgingly; **tener ~s de** to feel like (doing)

ganad|ería f stock breeding; livestock; **~ero** m stockbreeder; **~o** m cattle; livestock

gana|dor m winner; gainer; **~ncia** f gain; profit; **~r** v/t to win; to earn; to gain

ganchillo *m* crochet (*needle and work*); **hacer ~** to crochet

gancho *m* hook; sex appeal; *LA* hairpin

gandul *fam* idle; lazy

ganga *f* bargain

gangrena *f* gangrene

gangueo *m* (nasal) twang

ganso *m* goose; gander

ganzúa *f* skeleton-key

gañir *v/i* to yelp

garabato *m* hook; scribble

garaje *m* garage

garant|ía *f* guarantee; security; **~izar** *v/t* to guarantee

garapiña|do candied; **~r** *v/t* to freeze; to ice, to candy

garbanzo *m* chick-pea; **~ negro** *fig* black sheep

garbo *m* grace; elegance; **~so** graceful; attractive

garganta *f* throat; gullet; ravine, gorge; **~ear** *v/i* to quaver (*voice*)

gárgara *f* gargle; **hacer ~s** to gargle

garita *f* sentry box; porter's lod

garra *f* claw, talon

garrafa *f* decanter; carafe

garrapata *f* *zool* tick

garrapatear *v/i* to scribble, to scrawl

garrocha *f* goad stick; *sp* pole

garro|tazo *m* blow with a cudgel; **~te** *m* cudgel

garúa *f* *LA* drizzle

garza *f* heron

gas *m* gas; vapo(u)r; fume; **~ lacrimógeno** tear gas; **~es** *pl* **de escape** exhaust fumes

gasa *f* gauze

gaseos|a *f* soda water; **~o** gaseous

gasfitero *m* *LA* plumber

gasolin|a *f* petrol, *Am* gas; **~era** *f* motorboat; petrol station, *Am* gas station

gasómetro *m* gasometer

gasta|do spent; worn out; **~dor** spendthrift; **~r** *v/t* to spend; to waste; to use up; to wear out

gasto *m* expense; **~s** *pl* **generales** *com* overhead

gastritis *f* gastritis

gastronomía *f* gastronomy

gat|a *f* she-cat; **a ~as** on all fours; **~ear** *v/i* to go on all fours; to climb; **~illo** *m* trigger; **~ito** *m* kitten; **~o** *m* cat; *tecn* jack; **~uno** feline

gaveta *f* drawer; locker

gavilla *f* sheaf (*of corn*); gang (*of thieves*)

gaviota *f* seagull

gazap|era *f* rabbit warren; **~o** *m* young rabbit; *fam* sly fellow; error

gazmoñero prudish; hypocritical

gaznate *m* gullet

gelatina *f* *coc* jelly

gemelo(a) *m* (*f*) twin; **~s** *m/pl* binoculars; cufflinks; **~s de**

campaña field glasses; **~s de teatro** opera glasses

gemi|do m moan; groan; **~r** v/i to moan; to howl; to whine

gen m gene

genera|ción f generation; **~dor** m generator

general a general; universal; **en ~, por lo ~** in general, on the whole; m general; **~idad** f generality; majority; **~ísimo** m commander-in-chief; **~izar** v/t to generalize

generar v/t to generate

género m genus; kind, sort; cloth; material; **~s pl de punto** knitwear

generos|idad f generosity; **~o** generous; brave

geni|al m gifted; talented; **~o** m temper; character; genius

genitivo m gram genitive

gente f people; folk; **~menuda** children; small fry

gentil handsome; elegant; **~eza** f charm; courtesy; elegance

gent|ío m big crowd; **~uza** f mob

genuino genuine

geofísica f geophysics

geografía f geography

geología f geology

geólogo m geologist

geometría f geometry

geranio m geranium

geren|cia f management; **~te** m manager

geriatría f geriatrics

germen m germ; source; origin; **~inar** v/i to germinate

gerundio m gram gerund

gestación f gestation

gesticular v/i to gesticulate; to make faces

gest|ión f step; management (of affairs); **~ionar** v/t to negotiate; **~o** m gesture; **~or** m agent

gib|a f hunchback; hump; **~oso** humpbacked

gigante m giant; a huge; **~sco** gigantic

gilipollas m, f/pl fam idiot

gimnasi|a f gymnastics; **~o** m gymnasium

gimnástica f gymnastics

gimotear v/i to whine

ginebra f gin

ginecólogo m gyn(a)ecologist

gira f tour, excursion

giralda f weathercock

girar v/i to rotate; to turn; to spin; com to draw (check, draft); **~ en descubierto** com to overdraw

girasol m sunflower

gir|atorio revolving; **~o** m rotation; trend; com draft; **~o en descubierto** com overdraft; **~o postal** money order

gitano(a) m (f), a gipsy

glacia|l glacial; icy; fig cold, stony; **~r** m glacier

glándula f gland

glicerina f glycerine

glob|**al** global; **~o** m globe; **~o aerostático** balloon; **~o de ojo** eyeball; **~ular** globular; spherical

glóbulo m biol globule

glori|**a** f glory; heaven; bliss; **~arse** to boast; **~eta** f traffic circle; **~oso** glorious

glosa f gloss; **~r** v/t to gloss; **~rio** m glossary; comment

glotón m zool glutton; a gluttonous

glucosa f glucose

glutinoso glutinous; viscid

gnomo m gnome

goberna|**dor** m governor; **~nte** a governing; m, f governor; **~r** v/t to govern; to rule; to manage

gobierno m government; control

goce m enjoyment

godo(a) m (f) Goth; a Gothic

gol m goal; **~eta** f schooner

golf|**illo** m urchin; **~o** m geog gulf; good-for-nothing; loafer

gollete m neck (of bottle)

golondrina f swallow

golos|**ina** f sweet; delicacy; **~o** sweet-toothed

golpe m blow; smack; clash; stroke; **de~** all of a sudden; **~ de calor** sunstroke; **~ de estado** coup d'état; **no dar ~** not to work; **~ de fortuna** stroke of luck; **~ar** v/t to

strike; to hit, to knock

goma f gum; rubber band

góndola f gondola

gord|**iflón** fat; chubby; **~o** fat; stout; greasy; **~ura** f corpulence, stoutness

gorgote|**ar** v/i to gurgle; **~o** m gurgle

gorila m gorilla; fam thug

gorjear v/i to trill, to tweet, to warble

gorra f cap; bonnet

gorrear v/i to sponge; to freeload

gorrión m house sparrow

gorrista m sponger

gorro m cap; **~ de baño** bath cap

gorrón m cadger, leech

got|**a** f drop; med gout; **~ear** v/i to leak; **~eo** m dripping; leakage; **~era** f leak; gutter (of roof)

gótico Gothic

go|**zar de** v/i to enjoy; to possess; **~zo** m joy; pleasure

graba|**ción** f recording; **~do** m engraving; print; **~do en madera** woodcut; **~dora** f (tape) recorder; **~dor-reproductor** m cassette player; **~r** v/t to engrave; to record; to tape

graci|**a** f grace; charm; witticism; **caer en ~a** to win the favo(u)r of, to please; **~as** thanks; **~as a** thanks to; **dar las ~as** to thank

grácil slender; slim

gracioso funny; charming; lively

grad|a f step; stair; row of seats; **agr** harrow; **~ar** v/t to harrow; **~erío** m tiers of seats; bleachers; **~o** m degree; step; rank; will, liking; **de buen ~o** willingly; **~uación** f graduation; **~ual** gradual; **~uar(se)** v/t, v/i to graduate

gráfico m or f graph; diagram; a graphic

grafito m graphite

gragea f candy sprinkles

gramátic|a f grammar; **~o** grammatical

gramo m gram(me)

gramófono m gramophone

grampa f staple; clamp

gran (apocope of **grande**, used before singular m or f nouns) large, big, grand

granad|a f pomegranate; mil grenade, shell; **~o** m pomegranate tree

Gran Bretaña f Great Britain

grand|e a big; large; great; m grandee; **en ~e** in a big way; **~eza** f bigness; greatness; nobility; **~ioso** grandiose; grand; **~ote** huge; enormous

grane|ado granulated; **~ro** m granary

graniz|ada f hailstorm; **~ado** m iced fruit drink; **~ar** v/i to hail; **~o** m hail; med cataract

granj|a f farmhouse; farm; **~ear** v/i to gain; to win; **~ero** m farmer

grano m grain; seed; pimple

granuja m rogue; scoundrel

granular v/t to granulate; a granular

grapa f staple; **~dora** f stapler

gras|a f grease; fat; **~iento** greasy; fatty

gratifica|ción f gratification; bonus; **~r** v/t to reward; to tip; to gratify

gratis gratis; free

grat|itud f gratitude; **~o** pleasant; agreeable; kind; LA grateful

gratuito gratis; free

grava f gravel

grava|men m obligation; tax; **~r** v/t to burden; to impose (tax) upon

grave grave; serious; **~dad** f gravity; seriousness

gravita|ción f gravitation; **~r** v/i to gravitate

graznar v/i to croak; to cackle; **~ido** m croak

Grecia f Greece

greda f clay; loam

gremio m guild; (trade) union

greña f mop (of hair); **~udo** dishevel(l)ed (hair)

gres m stoneware

gresca f uproar; brawl

grey f relig congregation

griego(a) m (f), a Greek

grieta f crack; fissure; chink; pol rift

grifo m tap; faucet

grill|ete m shackle; fetter; ~o m cricket; pl fetters

gringo m Yankee; foreigner (in Latin America)

gripe f influenza

gris grey, Am gray

grit|ar v/i to shout; ~ería f shouting; ~o m shout; outcry; yell

grosella f red currant

groser|ía f rudeness; coarseness; ~o rude; discourteous; coarse

grosor m thickness

grotesco grotesque; ridiculous

grúa f tecn crane

grueso a bulky; thick; stout; corpulent; m thickness; bulk

grulla f zool crane

gruñ|ido m grunt; ~r v/i to grunt; to growl

gruñón m grumbler

grupo m group; ~ sanguíneo blood group

gruta f cavern, grotto

guacho m LA orphaned

guadaña f scythe

gualdo m yellow; golden

guante m glove; ~s de cabritilla kid gloves

guapo pretty; handsome; good-looking

guarda m or f guard; keeper; custody; ~ de playa life-guard; ~barros m mudguard; ~bosque m game-keeper; forest ranger; ~coches m parking attendant; ~espaldas m bodyguard; ~meta m sp goalkeeper; ~polvo m dust cover; ~r v/t to keep; to guard; to preserve; to save; ~rropa m wardrobe; f cloakroom

guardería f day care center

guardia m policeman; guard; f custody; protection; estar de ~ to be on guard

guardián m keeper; custodian, warden

guardilla f attic, garret

guarida f zool lair

guarn|ecer v/t to garnish; to trim; to garrison; ~ición f provision; garrison; pl harness

guarro fam filthy

guas|a f joke; irony; ~ón joking

Guatemala f Guatemala

guatemalteco(a) a, m (f) Guatemalan

guateque m party; binge

guberna|mental, ~tivo governmental

guerr|a f war; warfare; ~a mundial world war; ~ear v/i to wage war; ~ero m warrior; a warlike; ~illa f guerrilla band; partisan; ~illero m guerrilla

guía m guide (person); f guide; ~ telefónica telephone directory

gular v/t to guide; to steer; to drive

guij|la f pebble; **~arro** m small round pebble; **~o** m gravel

guillotina f guillotine; paper cutter

guinda f sour cherry

guiñ|ar v/i to wink; **mar** to lurch; **~o** m wink

gulón m gram hyphen; script (of film)

guirnalda f garland, wreath

guisa: a **~ de** in the manner of; **dé tal ~** in such a way

guis|ado m stew; **~ante** m green pea; **~ar** v/t to cook; to

stew; to prepare (food); **~o** m cooked dish

guita f twine, string

guitarr|a f guitar; **~ista** m, f guitarist

gula f gluttony

gusano m worm; grub; **~ de seda** silkworm

gust|ar v/t to taste; to try; v/i to please, to be pleasing; **~ar de** to enjoy; to relish; **~o** m taste; relish; **con mucho ~o** with pleasure; **~oso** a tasty

gutural guttural

H

haba f broad bean

haber v/t to have, to possess; v/aux to have; **~ escrito** to have written; **hemos leído** we have read; v/imp there is, there are; **debe ~ mucha gente** there must be many people; **no hay duda** there is no doubt; v/i **~ de** to have to; to be due to; **he de leer este libro** I've got to read this book; **~ que** it is necessary; **hay que estar puntual** it is necessary to be punctual; m salary; pl com assets

habichuela f kidney bean

hábil clever; able; capable

habil|dad f skill; ability; **~tación** f qualification; **~tado** m paymaster; **~tar** v/t to qualify; to equip

habita|ción f room; lodging; **~nte** m, f inhabitant; **~r** v/t to inhabit; to live in

hábito m habit; custom; relig vestments

habituar v/t to accustom; **~se** to get accustomed

habl|a f language; speech; **~ador** talkative; **~aduría** f gossip; rumor; **~ar** v/i to talk; to speak; to converse; **de eso ni ~ar** it's out of the question; v/t to speak (a language); **~illa** f gossip

hacend|ado a landed; m landowner; **~ista** m economist

hacer v/t, v/i to make; to create; to manufacture; to prepare; to perform; **~ caso** to consider; **~ cola** to queue, Am line up; **~ como si** to act as if; ~ *las maletas* to pack; ~ *pedazos* to break into pieces; ~ *un papel* to act a part; ~ *calor* to be hot (*weather*); ~ *frío* to be cold (*weather*); ~*se* to become; to come to be; to turn (into); ~*se viejo* to grow old; **hace** since; ago; for; *hace mucho* long ago; *desde hace 3 años* for 3 years

hach|a *f* axe; hatchet; ~*ear* *v/t* to hew

hachís *m* hashish

hacia towards; ~ *abajo* downwards; ~ *adelante* forwards; ~ *arriba* upwards; ~ *atrás* backwards

hacienda *f* landed property; estate; ~ *pública* federal income; *Ministerio de 2* Ministry of Finance

hada *f* fairy

hado *m* fate; destiny

halag|ar *v/t* to flatter; ~*o* *m* flattery; ~*üeño* flattering

halcón *m* falcon; *pol* hawk

halla|r *v/t* to find; to come across; ~*rse* to find oneself (*in a place*); ~*zgo* *m* find; finding; discovery

hamaca *f* hammock; deck chair

hambr|e *f* hunger; famine; starvation; *tener* ~*e* to be hungry; ~*ear* *v/i* to starve; ~*iento* hungry; starved

hamburguesa *f* hamburger

hampa *f* underworld, world of criminals

harag|án *a* idle; *m* loafer; ~*anear* *v/i* to lounge around; ~*anería* *f* idleness

harap|iento ragged; ~*o* *m* rag

harin|a *f* flour; meal; powder; ~*a de maíz* corn meal; ~*oso* mealy; floury

hart|ar *v/t* to satiate; to glut; ~*o* sufficient; full; *estar* ~*o de* to be fed up with; to be sick of

hasta *prep* till; until; as far as; ~ *luego* see you later, so long; ~ *la vista* until next time; good-bye; *conj* even

hastiar *v/t* to weary; to disgust

hato *m* herd

hay there is; there are; ~ *que* it is necessary; *¡no ~ de qué!* don't mention it!; you are welcome!

haya *f* beech tree

haz *f* face; surface; right side (*of cloth*); *m* sheaf; bundle

hazaña *f* exploit, feat

hebilla *f* buckle

hebra *f* thread; strand

hebroso fibrous

hechi|cero/a *m* (*f*) wizard; witch; *a* bewitching; ~*zar* *v/t* to bewitch; to charm; ~*zo* *m* spell; *a* false

hech|o made; done; complete; ready; *m* fact; ~*o a mano* hand made; ~*ura* *f* making; workmanship

hectárea f hectare (2.47 acres)

hed|er v/i to stink; **~or** m stench

hela|da f frost; **~dería** f ice-cream shop; **~dero** m LA ice-cream vendor; **~do** m ice-cream; a frozen; icy; **~r** v/t to freeze, to ice; to congeal; to astonish; **~rse** to be frozen

helecho m fern

hélice f spiral; propeller

helicóptero m helicopter

hembra f female; nut (of a screw)

hemi|ciclo m semicircle; **~sferio** m hemisphere

hemorragia f h(a)emorrhage

hemorroides f/pl h(a)emorrhoids

henchir v/t to fill, to cram; **~se** to fill oneself

hend|edura f crack; crevice; **~er** v/t to cleave; to crack; to split

heno m hay

heráldica f heraldry

herb|aje m grass; pasture; **~icida** m weed-killer

hered|ad f estate; **~ar** v/t to inherit; **~era** f heiress; **~ero** m heir; **~itario** hereditary

hereje m, f heretic; **~ía** f heresy

herencia f inheritance; biol heredity

herético heretical

heri|da f wound; **~do** wounded; injured; **~r** v/t to wound

herman|a f sister; **~a política** sister-in-law; **~astra** f stepsister; **~astro** m stepbrother; **~dad** f brotherhood; alliance; **~o** m brother; **~o político** brother-in-law

hermético hermetic; airtight

hermos|ear v/t to beautify; **~o** beautiful; **~ura** f beauty

héroe m hero

heroico heroical

heroína f heroine; farm heroin

heroinómano(a) m (f) heroin addict

herra|dura f horseshoe; **~je** m ironwork; **~mienta** f implement; tool; **~r** v/t to shoe (horses); to brand (cattle)

herrer|ía f smithy; blacksmith's forge; **~o** m smith, blacksmith

herrete m tag, metal tip

herrumbre f rust

herv|idor m kettle; **~ir** v/i to boil; to bubble; v/t to boil; **~or** m boiling; ebullition; fervo(u)r

hez f dregs; scum; pl heces excrements

hibernar v/i to hibernate

hidalgo m nobleman

hidráulico hydraulic

hidro|avión m seaplane; **~carburo** m hydrocarbon; **~eléctrico** hydroelectric; **~fobia** f rabies

hidró|filo absorbent (cotton); **~geno** m hydrogen

hiedra f ivy

hiel 402

hiel f gall, bile; bitterness

hielo m ice; ~o *flotante* drift ice

hiena f hyena

hierba f grass; herb; *mala* ~ weed; ~*buena* f mint

hierro m iron; brand; ~ *colado*, ~ *fundido* cast iron; ~ *forjado* wrought iron

hígado m liver

higiénico hygienic

hig|o m fig; ~*o chumbo* prickly pear; ~*uera* f fig tree

hij|a f daughter; ~*astro(a)* m (f) stepchild; ~*o* m son; ~*o político* son-in-law

hila f row; line; ~*da* f row; line; ~*do* m spinning; thread

hilera f row; line; rank

hilo m yarn; thread; wire

himno m hymn; ~ *nacional* national anthem

hincapié: hacer ~ to take a stand; *hacer* ~ *en* to emphasize, to insist on

hincar v/t to thrust; ~*se de rodillas* to kneel; to genuflect

hincha m/f sp fan; ~*do* swollen; pompous; ~*r* v/t to swell; to inflate; ~*zón* f swelling

hinojo m fennel

hípica f sp equestrianism

hipnótico hypnotic

hipo m hiccup(s)

hipocresía f hypocrisy

hipócrita m, f hypocrite; a hypocritical

hipódromo m racecourse, hippodrome

hipopótamo m hippopotamus

hipoteca f mortgage; ~*r* v/t to mortgage

hipótesis f hypothesis

hirviente boiling

hispánico Hispanic

hispanoamericano Latin American

histeria f hysterics

histérico hysterical

historia f history; story; ~*dor* m historian

histórico historical

historieta f anecdote; ~*s* pl comics

hito m landmark; target

hocico m snout, muzzle; mouth; *fam* face; *meter el* ~ to meddle

hockey m hockey; ~ *sobre hielo* ice hockey

hogar m hearth; home

hoguera f bonfire; blaze

hoja f leave; blade; sheet; ~ *de afeitar* razor blade

hojalata f tin plate

hojaldre m or f puff pastry

hojarasca f dead leaves; trash

hoj|ear v/t to skim through a book *or* paper; ~*uela* f small leaf; foil; pancake

¡hola! hello!

Holanda f Holland

holandés(esa) m (f) Dutchman (-woman); a Dutch

holg|ado loose; comfortable; leisurely; well-off; ~*ar* v/i to rest; to be idle; to be unnecessary; *huelga decir* needless to say; **~azán** m idler; **~azanear** v/i to idle about; **~ura** f ampleness; enjoyment; ease; comfort

hollín m soot

hombr|e m man; ¡~*e*! I say!; good gracious!; **~e al agua** man overboard; **~e de estado** statesman; **~e-rana** m frogman; **~ía** f manliness

hombro m shoulder

homenaje m homage

homicidio m homicide, murder

homogéneo homogeneous

homosexual a, m, f homosexual

hond|a f sling; **~o** deep; profound; **~ura** f depth

Honduras f Honduras; **~ Británica** British Honduras

hondureño a, m (f) Honduran

honest|idad f honesty; decency; **~o** decorous; decent; chaste; honest; fair, just

hongo m mushroom; toadstool; fungus; bowler hat

honor m hono(u)r; virtue; reputation; **~able** hono(u)rable; **~ario** a honorary; **~** m fee

honr|a f hono(u)r; respect; self-esteem; **~adez** f honesty; **~ado** honest; **~ar** v/t to hono(u)r; **~oso** hono(u)rable

hora f hour; time; *a la* ~ on time; *a última* ~ at the last

moment; ~ *de llegada* arrival time; ~ *de salida* departure time; ¿ *qué* ~ *es*? what time is it?; ~ *punta* rush hour; **~s** pl *extraordinarias* overtime; **~rio** m timetable

horca f gallows, gibbet; pitchfork

horcajadas: *a* ~ astride

horchata f almond milk

horda f horde

horizont|al horizontal; **~e** m horizon

hormiga f ant

hormigón m concrete

hormig|uear v/i to itch; to teem; **~uero** m anthill

hormona f hormone

hornillo m small furnace; stove; ~ *eléctrico* hot plate

horno m oven; *alto* ~ blast furnace; ~ *microondas* microwave oven

horquilla f hairpin

horrendo dreadful; horrible

hórreo m granary

horri|ble horrible; frightful; **~pilante** horrifying, hairraising

horror m horror; dread; **~izar** v/t to horrify; to terrify; **~oso** horrible; hideous

hort|aliza f vegetable; **~elano** m market gardener; **~icultura** f horticulture

hosco sullen, surly; gloomy

hospeda|je board and lodging; **~r** v/t to put up; to lodge; **~rse** to take lodgings

hospicio m hospice; poor-house; orphanage

hospital m hospital; ~ **de sangre** mil field hospital; **~ario** hospitable; **~idad** f hospitality

hostal m inn

hostelero(a) m (f) innkeeper

hostil hostile; **~idad** f hostility; **~izar** v/t to antagonize; to harass

hotel m hotel; villa; **~ero** m hotelkeeper

hoy today; ~ **en día** now-adays; ~ **por** ~ at the present time

hoya f large hole, pit; **~o** m hole; cavity; pit; **~uelo** m dimple

hoz f sickle; ravine; gorge

hucha f large chest; piggy-bank; savings

hueco m hollow; a hollow; empty

huelga f strike; **declararse en** ~ **a** to go on strike, to walk out; ~ **a salvaje** wildcat strike; **~uista** m, f striker

huella f print; mark; footprint; ~ **s** pl **dactilares** fingerprints

huérfano(a) m (f) orphan

huerta f vegetable garden; irrigated land; **~o** m orchard; garden

hueso m bone; stone (of fruit)

huésped(a) m (f) guest; host, hostess

huevera f egg-cup; **~o** m egg; **~o duro** hard-boiled egg; **~o**

frito fried egg; **~o pasado por agua** boiled egg; **~os** pl **revueltos** scrambled eggs

huida f flight; **~ir** v/i to flee; to escape

hule m oilcloth; LA rubber

hulla f hard coal

humanidad f humanity, mankind; **~idades** pl humanities; **~itario** humanitarian; **~o** human; humane

humear v/i to smoke; to emit fumes; LA to fumigate

humedad f moisture; dampness; **~ecer** v/t to moisten, to damp

húmedo moist; damp; humid

humidificador m air humidifier

humildad f humility, **~e** humble, meek; lowly

humillar v/t to humble; to humiliate; to shame

humo m smoke; fume

humor m disposition; temper; nature; mood; **buen ~** good mood; **mal ~** ill temper; bad mood; **~ada** f joke; **~ismo** m humo(u)r; **~ista** m humo(u)rist; **~ístico** amusing, humoro(u)s

hundimiento m sinking; collapse; **~r** v/t to sink; to submerge; **~rse** to sink; to collapse; to vanish

húngaro(a) m (f), a Hungarian

Hungría f Hungary

huracán m hurricane

huraño shy; unsociable

hurón m ferret
hurtadillas: a ~ stealthily
hurt|ar v/t to steal; **~o** m theft; larceny

husmear v/t to scent, to smell out
huso m spindle
¡huy! interj ouch!

I

ibérico(a) m (f), a Iberian
icono m icon
ictericia f jaundice
icurriña f Basque national flag
ida f departure; trip; **~s y venidas** comings and goings
idea f idea; notion; **~l** a, m ideal; **~lismo** m idealism; **~lista** a, m, f idealist; **~r** v/t to devise; to plan
idéntico identical
identi|dad f identity; **~ficación** f identification; **~ficar** v/t to identify
ideología f ideology
idilio m idyll
idioma m language
idiomático idiomatic
idiot|a a stupid; m idiot; **~ez** f stupidity; idiocy
idolatría f idolatry
ídolo m idol
idóneo suitable; adequate
iglesia f church
iglú m igloo
ignomini|a f infamy; **~oso** ignominious; disgraceful
ignora|ncia f ignorance; **~nte** m ignorant person; a ignorant; **~r** v/t to be ignorant or unaware of
igual equal; same; level;

da ~ it makes no difference; **~ar** v/t to equalize; to level; **~dad** f equality; uniformity; evenness; **~mente** likewise
ilegal illegal
ilegible illegible
ilegítimo illegitimate
ileso unhurt
ilícito illicit; unlawful
ilimitado unlimited
ilógico illogical
ilumina|ción f illumination; lighting; **~r** v/t to light up; to illuminate; to enlighten
ilusión f illusion; delusion; **¡qué ~!** how thrilling!
ilus|ionado hopeful; excited; **~o** m dreamer; a deluded; **~orio** illusory, deceptive
ilustra|ción f illustration; enlightenment; **~r** v/t to illustrate
imag|en f image; likeness; **~inación** f imagination; fantasy; **~inar** v/t to imagine; **~inario** imaginary
imán m magnet
imbécil a, m, f imbecile
imitar v/t to imitate
impaciencia f impatience
impacto m impact; shock
impar odd (numbers)

imparcial impartial

impartir v/t to impart, to give; to convey

impasible impassive; unfeeling

impávido intrepid, undaunted

impecable impeccable, faultless

impedido invalid; crippled

impedi|mento m impediment; **~r** v/t to impede; to hinder; to prevent

impeler v/t to impel; to drive, to propel(l)

impenetrable impenetrable, impervious

impeniten|cia f impenitence; **~te** impenitent

impensado unexpected

imperativo a, m gram imperative

imperceptible imperceptible

imperdible m safety pin

imperdonable unpardonable

imperfecto imperfect

imperi|al a imperial; f top deck (of a bus); **~alismo** m imperialism; **~alista** m imperialist

impericia f inexperience; lack of skill

imperio m empire; **~so** imperious, imperial

impermeable a waterproof; m raincoat

impertinen|cia f impertinence; **~te** impertinent

imperturbado undisturbed

ímpetu m impetus; impetuousness; vehemence; momentum

impío godless; fig irreligious

implacable implacable; inexorable; unforgiving

implantar v/t to implant; introduce

implica|ción f implication; **~r** v/t to implicate; to imply

implorar v/t to implore

impone|nte imposing; **~r** v/t to impose (tax); to inflict; to inspire; **~rse** to get one's way

impopular unpopular

importa|ción f import; **~dor** m importer

importa|ncia f importance; **~nte** important; **~r** v/i to be important; to matter; **no ~** it doesn't matter; never mind; v/t to import

importe m amount; price, value

importuno inopportune; troublesome

imposibil|idad f impossibility; **~itar** v/t to make impossible

imposible impossible

imposición f imposition; com tax; deposit

impostor(a) m (f) impostor

impoten|cia f impotence; **~te** impotent

impracticable impracticable; impassable (of roads)

imprecación f curse
impregnar v/t to impregnate
impremeditado unpremeditated
imprenta f print; printing house
imprescindible indispensable; essential
impres|ión f impression; print; imprint; edition; **~ión digital** fingerprint; **~ionante** impressive; **~ionar** v/t to impress; **~os** m/pl printed matter; **~or** m printer
imprevisto unforeseen
imprimar v/t to prime (canvas)
imprimir v/t to print; to imprint; to stamp
improbab|ilidad f improbability; **~le** improbable, unlikely
ímprobo dishonest; difficult
improductivo unproductive; unprofitable
impropio unsuitable; unfit; incorrect; improper
improvisar v/t to improvise
improvisto unexpected; unforeseen
impruden|cia f imprudence; **~te** imprudent; rash
impúdico immodest; shameless
impuesto m tax; duty; **~ sobre la renta** income tax; **~ sobre el valor añadido**, LA **agregado** value added tax

impugnar v/t to contradict, to oppose
impuls|ar v/t to propel; **~ión** f impulsion; propulsion; **~ión por reacción** jet propulsion; **~ivo** impulsive; **~o** m impulse
impune unpunished
impureza f impurity
imputa|ble imputable; **~r** v/t to impute; to accuse of
inacaba|ble endless; **~do** unfinished
inaccesible inaccessible
inacción f inaction; inertia
inaceptable unacceptable
inactiv|idad f inactivity; **~o** inactive
inadaptable unadaptable
inadecuado inadequate
inadmisible inadmissible
inadvert|encia f inadvertence; carelessness; inattention; **~ido** careless; unnoticed, unobservant
inagotable inexhaustible
inaguantable intolerable
inajenable inalienable
inaltera|ble unchangeable, unalterable; **~do** unchanged; unperturbed
inamovible unremovable
inanición f inanition; starvation
inanimado lifeless; inanimate
inapagable inextinguishable
inapetencia f lack of appetite
inaplicable inapplicable

inapreciable priceless; inestimable

inarrugable crease resistent

inarticulado inarticulate

inasequible unattainable; out of reach

inaudito unheard of

inaugura|ción f inauguration, opening; **~r** v/t to inaugurate

incandescen|cia f incandescence; **~te** incandescent

incansable indefatigable, untiring

incapa|cidad f incapacity; inability; **~citar** v/t to incapacitate; **~z** incapable; unable

incauto incautious; heedless

incendi|ar v/t to set on fire; **~ario** incendiary; **~o** m fire

incentivo m incentive

incertidumbre f uncertainty; insecurity

incesante unceasing; incessant

inciden|cia f incidence; incident; **~tal**, **~te** incidental

incienso m incense

incierto uncertain; untrue

incinerar v/t to incinerate; to cremate

incipiente incipient

incisi|ón f incision; cut; **~vo** a incisive; m incisor (tooth)

incita|ción f incitement; provocation; **~r** v/t to incite

incivilizado uncivilized

inclemente inclement (weather); harsh; severe

inclina|ción f inclination; slope; bow; **~r** v/t to incline, to bow; to induce; **~rse** to be inclined; to lean

incluir v/t to include; to enclose; to comprise

inclus|ive inclusive; **~ivo** inclusive; **~o** enclosed; included

incógnit|a f unknown quantity; mystery; **~o** a unknown; m incognito

incoheren|cia f incoherence; **~te** incoherent

incoloro colo(u)rless

incólume uninjured; unharmed

incomod|ar v/t to inconvenience; **~arse** to take the trouble; to get angry; **~idad** f discomfort; inconvenience; nuisance

incómodo uncomfortable; inconvenient

incompatible incompatible

incompetente incompetent; unqualified

incompleto incomplete

incomprensible incomprehensible

incomunicado isolated; in solitary confinement

inconcebible inconceivable

incondicional unconditional, unqualified

inconfundible unmistakable

incongruo incongruous

inconmovible firm; unyielding

inconquistable unconquerable

inconscien|cia f unconsciousness; **~te** unconscious; unaware

inconsecuente inconsequent

inconsiderado inconsiderate

inconstan|cia f inconstancy; **~te** unsteady; unsettled

incontable innumerable

incontesta|ble undeniable; **~do** unquestioned, unchallenged

incontinente incontinent

inconvenien|cia f inconvenience; indiscretion; **~te** m drawback, disadvantage; *no tengo* **~te** *(en)* I don't mind; a improper; inconvenient

incorporar v/t to incorporate; **~se** to sit up *(in bed)*; *mil* to join

incorrec|ción f incorrectness; discourtesy; **~to** incorrect; inappropriate

incredibilidad f incredibility

incredulidad f incredulity; scepticism

incrédulo a incredulous; sceptical; m unbeliever

increíble incredible, unbelievable

increment|ar v/t to augment; **~arse en valor** to appreciate; **~o** m increase; rise; addition

increpar v/t to rebuke

incriminar v/t to incriminate

incrustar v/t to incrust

incuba|dora f incubator; **~r** v/t to incubate; to hatch

inculpa|ble blameless; **~ción** f accusation; blame; **~r** v/t to accuse; to blame

incult|o uncultured; uncouth; **~ura** f lack of culture

incumb|encia f duty; **~ir** v/i to be incumbent on

incurable incurable

incurrir v/i to incur

incursión f mil raid; incursion

indaga|ción f investigation; **~r** v/t to investigate

indebido undue; illegal

indecen|cia f immodesty; indecency; **~te** immodest; indecent

indecible unspeakable

indecis|ión f indecision; **~o** irresolute; undecided

indecoroso unseemly

indefectible unfailing

indefenso defenceless, *Am* defenseless

indefini|ble indefinable; **~do** indefinite; undefined

indeleble indelible

indemn|e unhurt; undamaged; **~izar** v/t to indemnify; to compensate

independiente independent

indescriptible indescribable

indeseable undesirable

indeterminado irresolute; indeterminate

India: *la* **~** India

indica|ción f sign; indication; hint; **~dor** m indicator, pointer; **~dor de camino** roadsign; **~r** v/t to indicate; **~tivo** a, m gram indicative

índice m index; pointer; forefinger

indicio m indication; sign

indiferen|cia f indifference; apathy; **~te** indifferent; apathetic

indígena a, m, f native

indigente destitute

indigest|ión f indigestion; **~o** indigestible

indign|ación f indignation; **~ar** v/t to irritate; **~arse** to become indignant; **~o** unworthy; ignoble

indio(a) m (f), a Indian

indirect|a f insinuation; **~o** indirect; roundabout

indisciplinado undisciplined

indiscre|ción f indiscretion; **~to** indiscreet

indisculpable inexcusable

indiscutible unquestionable, indisputable

indispensable indispensable

indis|poner v/t to indispose; to upset; **~poner con** to set against; **~ponerse** to fall ill; **~posición** f indisposition; **~puesto** indisposed; unwell

indisputable indisputable; evident

indistinto indistinct; vague; dim

individu|al individual; **~alidad** f individuality; **~o(a)** m (f), a individual

indiviso undivided

indócil unruly; intractable

indocumentado without identification

índole f character; nature; kind

indolente indolent

indomable indomitable; untam(e)able

inducción f (elec) induction

inducir v/t to induce

indudable doubtless

indulgen|cia f indulgence; **~te** indulgent; lenient

indult|ar v/t to pardon; to exempt; **~o** m pardon

indumentaria f clothing; apparel

industria f industry; manufacturing; trade; skill; **~l** m industrialist; a industrial; **~lizar** v/t to industrialize

inefica|cia f inefficiency; **~z** inefficient; ineffectual

ineludible unavoidable

inencogible unshrinkable

inep|cia f stupidity; ineptitude; **~to** inept; unfit

inequívoco unequivocal

inercia f inactivity

inesperado unexpected

inestab|ilidad f instability; **~le** unstable; unsettled

inevitable unavoidable, inevitable

inexacto inaccurate

inexhausto unused; inexhaustible

inexistencia f non-existence

inexperto inexperienced; unskilled

inexplicable unexplainable, inexplicable

inexpresable inexpressible

inexplorado unexplored

infalib|ilidad f infallibility; **~le** infallible

infamar v/t to defame; to slander; **~torio** slanderous

infam|e infamous, vile; **~ia** f baseness; infamy

infan|cia f infancy; childhood; **~te** m infant; prince; **~til** infantile; childish; **~tería** f infantry

infarto m med infarct; **~ del miocardio** heart attack

infatigable tireless

infecci|ón f infection; **~oso** infectious

infectar v/t to infect

infecundo sterile; infertile

infeliz unhappy

inferencia f inference

inferior inferior; lower; subordinate; **~idad** f inferiority

inferir v/t to infer; to lead to

infernal infernal; hellish

infiel unfaithful

infiern|illo m chafing dish; **~o** m hell, inferno

infiltrar v/t to infiltrate

ínfimo lowest

infini|dad f infinity; **~to** infinite; endless

inflación f inflation; swelling

inflacionista inflationary

inflama|ble inflammable; **~ción** f combustion; inflammation; **~r** v/t to ignite; to inflame; **~rse** to catch fire

inflar v/t to inflate; **~se** to swell; to become inflated

inflexi|ble inflexible; unbending, rigid; **~ón** f inflection

infligir v/t to inflict

influen|cia f influence; **~te** influential

influ|ir v/t to influence; **~jo** m influx; influence; **~yente** influential

información f information

informal unreliable; unconventional; **~idad** f irregularity; unreliability

inform|ar v/t to inform; **~ática** f data processing; computer science; **~ativo** informative; **~e** m report; a shapeless

infortunio m bad luck; misfortune

infracción f infringement; violation (of laws etc)

infrarrojo infrared

infrascrito undersigned

infrecuente infrequent

infringir v/t to infringe; to violate

infructuoso fruitless

infundado unfounded

infundir v/t to inspire with; to infuse

ingeni|ar v/t to think up;
~árselas to shift, to manage
ingeni|ería f engineering;
~ero m engineer; **~o** m inventiveness; talent; wit;
~osidad f ingenuity; **~oso**
ingenious
ingenuo ingenuous, naive
ingerir v/t to swallow; to ingest
Inglaterra f England
ingle f groin
inglés(esa) m (f) Englishman (-woman); a English
ingrat|itud f ingratitude; **~o**
ungrateful, unthankful;
thankless
ingravidez f weightlessness
ingrediente m ingredient
ingres|ar v/i to enter; to be admitted; v/t to deposit (money); **~o** m entrance; pl
earnings; receipts
inhábil unskil(l)ful; clumsy
inhabilitar v/t to disable, to disqualify
inhabita|ble uninhabitable;
~do uninhabited
inherente inherent
inhibir v/t to inhibit
inhospitalario inhospitable
inhumano inhuman
inhumar v/t to bury (a body)
inicia|l initial; **~r** v/t to initiate; **~tiva** f initiative; **~tiva privada** private enterprise
inicuo iniquitous; wicked
inigualado unparalleled

inimaginable unimaginable
ininteligible unintelligible
ininterrumpido uninterrupted, continuous
iniquidad f iniquity
injerir v/t to insert; **~se** to interfere, to meddle
injert|ar v/t to graft; **~o** m
graft
injuri|a f outrage; affront;
~ar v/t to insult; **~oso** insulting; offensive
injust|icia f injustice; **~o** unjust; unfair
inmaculado immaculate
inmaduro unripe; fig immature
inmanejable unmanageable
inmediat|amente immediately; **~o** immediate
inmejorable excellent; unsurpassable
inmen|so immense; **~surable** immeasurable
inmerecido undeserved
inmigra|ción f immigration;
~r v/i to immigrate
inminente imminent
inmobiliario pertaining to
real estate
inmoderado immoderate
inmodesto immodest
inmoral immoral; **~idad** f immorality
inmortal immortal; **~idad** f
immortality
inmóvil immobile, motionless
inmovilizar v/t to immobilize

inmuebles m/pl real estate

inmundo filthy; fig impure

inmunidad f immunity

inmutable changeless; immutable

innato innate, inborn

innecesario unnecessary

innegable undeniable

innoble ignoble, base

innocuo innocuous, harmless

innovar v/t to innovate

innumerable innumerable; countless

inobediente disobedient

inocen|cia f innocence; **~te** innocent; naïve

inocular v/t to inoculate

inodoro a odo(u)rless; m lavatory

inofensivo harmless

inoficial unofficial

inolvidable unforgettable

inopinado unexpected

inoportuno inconvenient; ill-timed; unwelcome

inoxidable stainless, unrustable

inquebrantable firm, inalterable

inquiet|ante disquieting; **~ar** v/t to trouble; **~arse** to worry; **~o** worried; uneasy; **~ud** f uneasiness; restlessness

inquilino(a) m (f) tenant

inquina f dislike; grudge

inqui|rir v/t to investigate; to enquire into; **~sición** f inquisition; **~sitivo** inquisitive

insaciable insatiable

insalubre unhealthy

insano unhealthy; insane

insatisfactorio unsatisfactory

inscri|bir v/t to inscribe; **~pción** f inscription

insect|icida m insecticide; **~o** m insect

insegur|idad f insecurity; **~o** insecure

insensat|ez f folly; **~o** stupid; foolish

insensible insensible; insensitive, unfeeling

insertar v/t to insert

inservible useless

insidioso insidious

insign|e distinguished; **~ia** f badge; pl insignia

insignifican|cia f insignificance; **~te** insignificant

insincero insincere

insinuar v/t to insinuate; **~se** to ingratiate oneself

insipidez f insipidity

insípido insipid; tasteless

insist|encia f insistence; **~ente** insistent; **~ir** v/i to insist

insociable unsociable

insolación f sunstroke

insolen|cia f insolence; **~te** impudent; insolent

insólito unusual

insolven|cia f insolvency; **~te** insolvent; bankrupt

insomne sleepless, wakeful; **~io** m insomnia

insondable unfathomable

insonor|izado soundproof; **~o** soundless; soundproof

insoportable intolerable, unsufferable, unbearable

insospechado unsuspected

insostenible indefensible

inspec|ción f inspection; **~cionar** v/t to inspect; **~tor** m inspector; superintendent; supervisor

inspira|ción f inspiration; **~r** v/t to inspire

instala|ción f installation; **~r** v/t to set up; to install; **~rse** to establish oneself

instan|cia f petition; rebuttal; for instance; plea; **~te** m instant; **al ~te** instantly, immediately

instantáne|a f snapshot; **~o** instantaneous; **café ~o** instant coffee

instar v/t to urge; to press

instigar v/t to instigate; to urge

instint|ivo instinctive; **~o** m instinct

institu|ción f institution; establishment; **~ir** v/t to institute; to establish; **~to** m institute; school; **~triz** f schoolmistress; governess

instru|cción f education; instruction; teaching; training; **~ctivo** instructive; **~ido** educated; learned; **~ir** v/t to instruct, to teach; to train

instrumento m instrument; **~ de cuerda** stringed instrument; **~ de viento** wind instrument

insubordina|do insubordinate; rebellious; **~rse** to rebel

insuficiente insufficient; inadequate

insufrible insufferable

insulina f insulin

insult|ar v/t to insult; to affront; **~o** m insult

insumergible unsinkable

insuperable insuperable

insur|gente insurgent; rebel; **~rección** f insurrection

intachable blameless; irreproachable

intacto intact; untouched

integr|al a integral; f mat integral; **~ar** v/t to integrate; **~idad** f integrity; honesty

íntegro entire; complete

intel|ecto m intellect; **~ectual** intellectual; **~igencia** f intelligence; **~igente** intelligent

intemperie f harsh weather; **a la ~** out in the open

intempestivo untimely; illtimed

intención f intention; **con ~** deliberately

intencionado deliberate; **bien ~** well-meaning

intens|idad f intensity; strength; **~ivo** intensive; **~o** intense

intento m intent; attempt; aim, intention

intercalar v/t to interpolate

intercambio m interchange; exchange

interceder v/i to intercede

interceptar v/t to intercept

interdicción f prohibition

interés m interest; **intereses** pl **creados** vested interests

interes|ado(a) *m* (*f*) interested party; *a* interested; mercenary; **~ante** interesting; **~ar** *v/t* to interest; **~arse por** to take an interest in

interestatal interstate

interferencia *f* interference; *pl* atmospherics (*radio*)

interino temporary; provisional; interim

interior *m* inside; interior; *a* internal; inner; **~idades** *f/pl* personal affairs

interjección *f gram* interjection

interlocutor(a) *m* (*f*) speaker

intermedi|ario intermediary; **~o** *m* interval; *sp* half-time

interminable endless

intermitente *a* intermittent; *m aut* blinker

internacional international

intern|ado *m* boarding school; **~ar** *v/t* to board; **~arse en** to go deeply into; **~o(a)** *m* (*f*) boarding pupil; *a* internal

interpelar *v/t* to appeal to; to address

interponer *v/t* to interpose

interpreta|ción *f* interpretation; explanation; **~r** *v/t* to interpret

intérprete *m*, *f* interpreter

interrogar *v/t* to interrogate; to question; *for* to examine

interru|mpir *v/t* to interrupt; **~pción** *f* interruption; **~ptor** *m elec* switch

intervalo *m* interval; gap

interven|ción *f* intervention; *med* operation; **~ir** *v/i* to intervene; *v/t* to audit; **~tor** *m* auditor; inspector

interviú *f* interview

intestin|al intestinal; **~o** *m* intestine

intim|ar *v/t* to hint; **~arse** to become intimate; **~idad** *f* intimacy; privacy

intimidar *v/t* to intimidate; to frighten

íntimo innermost; intimate

intoleran|cia *f* intolerance; **~te** intolerant

intoxica|ción *f* poisoning; **~r** *v/t* to poison

intraducible untranslatable

intranquil|izar *v/t*, **~izarse** to worry; **~o** restless; uneasy; worried

intransigente uncompromising; *t pol* die-hard

intransitable impassable

intransitivo intransitive

intratable unsociable

intrépido intrepid; daring

intriga *f* intrigue; **~r** *v/t* to intrigue; to fascinate; *v/i* to intrigue, to scheme

intrincado intricate; entangled

introduc|ción *f* introduction; **~ir** *v/t* to introduce

intromisión *f* interference

intrus|ión *f* intrusion; **~o** *m* intruder; *a* intrusive

intui|ción *f* intuition; **~r** *v/t* to intuit; **~tivo** intuitive

inunda|ción f flood; deluge; **~r** v/t to flood; to inundate
inusitado unusual; uncommon
inútil useless
invadir v/t to invade
inválido m invalid
invariable invariable; unchanging, unvarying
invasión f invasion
invencible invincible
inven|ción f invention; discovery; **~tar** v/t to invent; **~tariar** v/t to inventory; **~to** m invention; **~tor** m inventor
invern|áculo m greenhouse; **~adero** m winter quarters; hothouse; **~al** a: **estación** f **~al** winter resort; **~ar** v/i to spend the winter; **~izo** wintry
inverosímil improbable
inver|sión f inversion; investment; **~so** inverse; inverted; opposite; **~tido** a, m homosexual; **~tir** v/t to invert; to reverse; to turn upside down; com to invest
investiga|ción f research; investigation; **~r** v/t to investigate
investir v/t to invest; to confer upon
inveterado inveterate
invicto unconquered
invierno m winter
invio|la|ble inviolable; sacred; **~do** to inviolate
invita|ción f invitation; **~do(a)** m (f) guest; **~r** v/t to invite

invocar v/t to invoke
involuntario involuntary, unintentional
inyec|ción f injection; **~tar** v/t to inject
ir v/i to go; to move; to travel; to suit; **~ haciendo algo** to begin doing something; **va anocheciendo** it is beginning to grow dark; **~ a** to go to; to intend to; **voy a hacer unas compras** I am going to do some shopping; **~ a buscar** to fetch; **~ a pie** to walk; **~ en tren** to go by train; **¡ qué va!** nonsense!; **¡ vaya!** is that so?, really!; **~se** to go away
ira f anger; **~cundo** angry; irascible
iris m iris; rainbow
Irlanda f Ireland
irlandés(esa) m (f) Irishman (-woman); a Irish
ironía f irony
irónico ironical
irracional irrational
irradia|ción f radiation; **~r** v/t to radiate
irrazonable unreasonable
irreal unreal; **~idad** f unreality; **~izable** unattainable; unrealizable
irreconciliable irreconcilable
irreemplazable irreplaceable
irreflexivo unthinking
irregular irregular; abnormal; uneven; **~idad** f irregularity; unevenness

irreparable irreparable; beyond repair

irrespetuoso disrespectful

irresuelto irresolute; wavering

irrevocable irrevocable

irrigación f t med irrigation

irris|ión f derision; **~orio** derisory

irrita|ble irritable; short-tempered; **~r** v/t to irritate; to anger

irrompible unbreakable

isla f island; **~s** pl Baleares Balearic Islands; **~s** Canarias Canary Islands; **~s** Malvinas Falkland Islands

Islam m Islam

islámico Islamic

islandés(esa) m (f) Icelander

Islandia f Iceland

isl|eño(a) m (f) islander; **~ote** m small barren island

israelí a, m, f Israeli

istmo m isthmus

Italia f Italy

italiano(a) m (f), a Italian

itinerario m itinerary

I.T.V. = **inspección técnica de vehículos** vehicle inspection

I.V.A. = **impuesto sobre el valor añadido** value-added tax

izar v/t to hoist

izquierda f left side; left hand

izquierdista m, f leftist

J

jabalí m wild boar

jabalina f wild sow; javelin

jabón m soap

jabon|aduras f/pl soapsuds; **~ar** v/t to soap; fam to reprimand; **~era** f soap dish; **~ero** m soap maker

jaca f pony

jacinto m hyacinth

jacta|ncia f boasting; **~rse** to boast; to brag

jadear v/i to pant; to gasp

jaez m harness; **jaeces** pl trappings

jaguar m jaguar

jalar v/t, v/i LA to pull

jale|a f jelly; **~o** m hullabaloo; racket

jamás never; **nunca ~** never

jamón m ham

Japón m Japan

japonés(esa) a, m (f) Japanese

jaque m check (in chess); **~ mate** checkmate

jaqueca f headache, migraine

jarabe m syrup; sweet drink; **~ contra la tos** cough syrup

jarcias f/pl mar rigging

jardín m garden; **~ botánico** botanical garden; **~ de infancia** nursery school; **~ zoológico** zoo

jardinero(a) m (f) gardener

jarr|a f jar; pitcher; **~o** m jug; pitcher; **~ón** m urn; flower vase

jaspeado speckled

jaula f cage; cell

jauría f pack of hounds

jazmín m jasmine

jef|atura f leadership; headquarters; ~e m chief; leader; employer; boss; ~e de estación stationmaster; ~e del estado chief of state; ~e de tren conductor

jengibre m ginger

jeque m sheik

jerarquía f hierarchy

jerez m sherry

jerga f jargon

jeringa f syringe

jersey m jersey; jumper, Am sweater

jesuita m Jesuit

jinete m horseman

jira f strip (of cloth); picnic; tour; ~fa f giraffe

jocoso jocose; merry

jorna|da f working day; day's journey; de ~da completa full-time; ~l m wage; day's pay; ~lero m day labo(u)rer; worker

joroba f hump; ~do m hunchbacked

jota f jot, bit; no entender ni ~ not to understand a bit

joven m, f young man; young girl; young (of animals); a young; ~cito(a) m, f youngster

joy|a f jewel; gem; ~ería f jewelry shop; ~ero m jewel(l)er; jewelcase

jubila|ción f retirement; pension; ~r v/t to pension off;

~rse to retire (from job)

jubileo m jubilee

júbilo m joy; rejoicing

judaico Judaic; Jewish

judía f bean; ~ verde green bean

judicial legal; judicial

judío(a) m (f) Jew; Jewess; a Jewish

juego m game; sport; play; set (of dishes, etc); en ~ at stake; ~ de prendas forfeits; fuera de ~ offside; hacer ~ to match; ~ limpio fair play; ~ sucio foul play

juerga f spree; binge; ir de ~ to go out and live it up

jueves m Thursday

juez m judge

juga|da f play; move; stroke; throw; ~dor(a) m (f) player; gambler; ~r v/t, v/i to play; to gamble

jugo m juice; sap; substance; ~so juicy

juguet|e m toy; plaything; ~ear v/i to joy; to gambol; ~ón playful; frisky

juicio m judg(e)ment; sense; opinion; fuera de ~ out of one's mind; ~so sensible; prudent

julio m July

jumento m donkey

junco m bot rush; junk (boat)

jungla f jungle

junio m June

junt|a f board; council; meeting; ~a directiva board (of directors); ~a de accionistas stockholders' meeting; ~ar *v/t* to join; to connect; ~arse to meet; to assemble; ~o *a* joined; together; close; near; close; at the same time; ~o *a* next to; ~ura *f* joint; juncture; *tecn* seam

jura|**do** *m* jury; juror; ~**men-tar** *v/t* to swear in; ~**mento** *m* oath; ~**mento falso** perjury; **prestar ~mento** to take an oath; ~**r** *v/t, v/i* to swear; to curse

jurídico juridical; legal

juris|**dicción** *f* jurisdiction; ~**ta** *m, f* jurist; lawyer

just|**amente** *adv* justly; exactly; just, precisely; ~**icia** *f* justice; ~**iciero** just; severe; ~**ificar** *v/t* to justify; ~**ipreciar** *v/t* to appraise; ~**o** *a* just; exact; tight-fitting; *adv* tightly

juven|**il** juvenile; youthful; ~**tud** *f* youth

juzga|**do** *m* court of justice; tribunal; ~**r** *v/t, v/i* to judge; to pass judg(e)ment

K

karate *m* karate

kero|**seno, ~sén** *m* kerosene

kilo|**gramo** *m* kilogram; ~**metraje** *m* distance in kilometres

kilómetro *m* kilometre, *Am* kilometer

kilovatio *m* kilowatt

kiosco *m* kiosk; stand; newsstand

L

la *art f* the; *pron pers f* her; it

laberinto *m* labyrinth, maze

labia *f* glibness, fluency; **tener mucha ~** to have the gift of gab

labio *m* lip; brim (*of a cup*); edge

labor *f* work, labo(u)r; farming; needlework; ~ **de equipo** teamwork; ~**able** workable; ~**ar** *v/t* to work; to till (*soil*); ~**atorio** *m* laboratory; ~**ioso** laborious; (*person*) hardworking

labr|**ado** wrought; hewn; ~**ador** *m* ploughman; farm labo(u)rer; ~**antío** arable; ~**anza** *f* cultivation (*of land*); ~**ar** *v/t* to farm, to till; to work; ~**lego** *m* farm hand; peasant

laca *f* shellac, lacquer; hair spray; ~ **para uñas** nail polish

lacayo *m* footman

lacio limp; straight (*hair*)

lacr|**ar** *v/t* to seal with sealing wax; to injure (*health*); ~**e** *m LA* sealing wax

lacri|**mógeno** tear-produc-

ing; *gas m* ~**mógeno** tear
gas; ~**moso** tearful; lachry-
mose
lacta|ncia *f* lactation; ~**r** *v/t*
to nurse; *v/i* to suckle
lácteo milky
ladear *v/t* to tilt; *v/i* to deviate; ~**se** to lean; to incline
lad|era *f* slope; ~**o** *m* side; *al*
~**o** near, at hand; *al* ~**o** *de*
beside; ~**o a** ~**o** side by side;
de ~**o** sideways
ladr|ar *v/i* to bark; ~**ido** *m*
barking
ladrillo *m* brick
ladrón(ona) *m* (*f*) thief
lagart|ija *f* small lizard; ~**o** *m*
lizard
lago *m* lake
lágrima *f* tear
laguna *f* lagoon; gap
laico lay; secular
lamenta|ble regrettable, de-
plorable; ~**r** *v/t* to lament; to
regret; ~**rse** to wail
lamento *m* lament; wail
lamer *v/t* to lick
lámina *f* lamina; sheet (*of
metal*); engraving plate
lamina|do laminated; rolled;
~**r** *v/t* to laminate; to roll
(*metal*)
lámpara *f* lamp; light; tube
(*radio*); ~ *de destello* foto
flash bulb; ~ *de soldar* blow-
torch
lamparilla *f* small lamp;
nightlight
lana *f* wool
lance *m* throw; cast; event;

move; ~**ro** *m* lancer
lancha *f* launch; small boat;
lighter; ~ *automóvil* motor
launch; ~ *neumática* rubber
dinghy; ~ *salvavidas* lifeboat
langost|a *f* locust; lobster;
~**ino** *m* crawfish; prawn
languide|cer *v/i* to languish;
to pine; ~**z** *f* languor
lánguido languid
lanza *f* spear; lance; ~**dera** *f*
shuttle; ~**dor** *m* sp pitcher; ~**r**
v/t to launch; to throw; to
cast; ~**rse** to rush; ~**rse de
morro** aer to nose-dive
lapicero *m* pencil case
lápida *f* tablet; memorial
stone; ~ *sepulcral* tomb-
stone
lápiz *m* pencil; ~ *de labios*
lipstick
lapso *m* lapse; fall
larga: *a la* ~ in the long run;
~**rse** to leave; to make off
largo long; free; liberal; *a*
plazo com long-term; *a lo*
~ *de* alongside; along; *¡* ~ *de
aquí!* get out!; ~**metraje** *m*
feature film
larguero *m* door jamb; sp
crossbar
largueza *f* liberality; length
laring|e *f* larynx; ~**itis** *f* laryn-
gitis
lascivo lascivious; sensual,
lewd
lástima *f* pity; *dar* ~ to inspire
compassion; *¡qué* ~*!* what a
pity!

lastim|ar v/t to wound; to hurt; to offend; to pity; **~oso** pitiful; pitiable

lastre m ballast

lata f can; tin; fam nuisance; **dar la ~** to be a nuisance

lateral lateral; side

latido m throb; beat; throbbing

latifundio m large estate

latigazo m lash or crack of a whip

látigo m whip

latín m Latin

latinoamericano(a) m (f) Latin American

latir v/i to beat; to throb

latitud f latitude

lat|ón m brass; **~oso** fam a annoying, boring

latrocinio m theft; robbery

laudable laudable

lava|bo m washbasin, Am sink; lavatory; **~dero** m washing place; **~do** m washing; **~do del cerebro** brainwashing; **~dora** f washing machine

lavanda f lavender

lavandería f laundry

lavaparabrisas m windshield washer

lavar v/t to wash; **~ en seco** to dry clean; **~ y marcar** shampoo and set; **~se las manos** to wash one's hands

lavavajillas m dishwasher (machine)

laxante m laxative

laya f spade

laz|ada f bow, knot; **~o** m slip-knot; tie; bow (of ribbons); fig link; bond

le pron pers him; you; to him; to her; to it; to you

leal loyal; **~tad** f loyalty

lección f lesson

leche f milk; **~ de manteca** buttermilk; **~ desnatada** skimmed milk; **~ en polvo** powdered milk; **~ra** f dairymaid; milk can; **~ría** f dairy; **~ro** m milkman

lecho m bed; river-bed

lechón m suckling pig

lechuga f lettuce

lechuza f barn-owl

lec|tor(a) m (f) reader; **~tura** f reading

leer v/t, v/i to read

lega|ción f legation; **~do** m legacy; legate

legal legal; lawful; **~izar** v/t to legalize

lega|r v/t to bequeath; **~tario** m legatee

legendario a legendary

legible legible, readable

legión f legion

legisla|ción f legislation; **~dor** m legislator; a legislative; **~tivo** legislative; **~tura** f term of a legislature

legitim|ar v/t legitimize; legalize; **~idad** f legitimacy; lawfulness

legítimo legitimate; lawful

lego m lay brother; layman; a lay, secular

legua f league (5.5 km); **~ marítima** sea-mile

legum|bre f vegetable; **~ino-so** leguminous

lejan|ía f distance; **~o** distant; remote

lejía f lye; *fam* reprimand

lejos *adv* far away; far off; *a lo ~* in the distance; *desde ~* from a distance; *~ de* far from

lema m motto; catchword; slogan; theme

lencería f linen (goods); linen shop; lingerie

lengua f tongue; language; *~ materna* mother tongue; *tirar de la ~* to make talk

lenguado m sole

lenguaje m language; idiom; diction

lengüeta f tongue (*of shoe, etc*); flap; barb (*of dart*)

lente m or f lens; **~s** pl spectacles, glasses; **~s de contacto** contact lenses

lentej|a f lentil; **~uela** f spangle

lentillas f/pl contact lenses

lent|itud f slowness; **~o** slow

leña f firewood; **~dor** m woodcutter, lumberjack

león m lion; **~ marino** sea lion

leopardo m leopard

lepra f leprosy

lerdo dull, slow; clumsy

lesión f injury; lesion

lesionar v/t to injure

letal lethal

letanía f litany

letárgico lethargic

letr|a f letter; handwriting; words, lyrics (*of a song*); **~a de cambio** bill of exchange; draft; **~ negrilla** *impr* bold face; **~ado** m lawyer; *a* learned; **~ero** m sign; notice; placard

leva f press; *mil* levy; *tecn* cam

levadura f yeast, leaven; **~ de cerveza** brewer's yeast

levanta|miento m lifting; raising; rising, rebellion; **~miento de pesos** *sp* weight lifting; **~r** v/t to raise; to lift; **~rse** to rise; to get up; to stand up

levante m east; east wind

leve light; slight

léxico m lexicon

ley f law; standard; fineness (*of gold etc*); **~ marcial** martial law

leyenda f legend; caption

liar v/t to tie; **~se** to get involved

liber|ación f liberation; **~al** liberal; **~ar** v/t to liberate; to free; **~tad** f liberty; freedom; **~tador** m liberator; **~tar** v/t to liberate; to release; to set free

libertin|aje m licentiousness; **~o** m libertine

libra f pound; **~ esterlina** pound sterling

libra|dor m *com* drawer; **~r** v/t to free; to exempt; *com* to draw; **~rse de** to get rid of

libre free

librer|ía f bookshop; **~o** m bookseller

libro m book; **~ de bolsillo** paperback; **~ de consulta** reference book; **~ mayor** ledger

licencia f permit; **~ de manejar** LA driving licence, Am driver's license; **~ por enfermedad** sick leave; **~do** m licentiate; LA lawyer; **~r** v/t to permit; to license; mil to discharge; **~rse** to take a degree

lícito legal; lawful

licor m liquor; liqueur

lid f contest; dispute; **~iar** v/i to fight; v/t to fight (bulls)

líder m leader

liebre f hare

lienzo m linen cloth; canvas

liga f garter; league; **~dura** f ligature; **~mento** m ligament; **~r** v/t to bind; **~rse** to join together; to combine; **~s** f/pl suspenders; **~zón** f linking; union

liger|eza f lightness; levity; **~o** light; fast; flighty

lignito m lignite

lija f dogfish; **papel de ~** sandpaper

lila f lilac (flower and colo[u]r)

lima f lime; file; **~ para las uñas** nail file; **~dura** f filing; **~r** v/t to file, to polish

limero m lime tree

limitar v/t to limit

límite m limit; **~ de velocidad** speed limit

limítrofe bordering

limo m slime

limón m lemon

limonero m lemon tree

limosna f alms

limpia|botas m bootblack; **~dientes** m toothpick; **~parabrisas** m windscreen (Am windshield) wiper; **~r** v/t to clean; to cleanse; **~r en seco** to dry clean

limpie|za f cleanliness; cleaning; **hacer la ~za** to clean; **~o** clean; tidy

limusina f limousine

linaje m lineage; class

linaza f linseed

lince m lynx

linchar v/t to lynch

lind|ante adjoining; **~ar** v/i to border; **~e** m boundary

lind|eza f prettiness; **~o** pretty; beautiful; **de lo ~o** a lot; wonderfully

línea f line; **~ aérea** airline; **~ de montaje** tecn assembly line

lineal lineal; **~r** v/t to draw lines on

linfa f lymph

lingote m ingot

lingüista m linguist

lingüístic|a f linguistics; **~o** linguistic

lino m flax; linen

linóleo m linoleum

linterna f lantern; **~ eléctrica** flashlight

lío m bundle; intrigue; fam mess, jam

liofilización f freeze drying

liquida|ción f com liquidation; ~r v/t to liquefy; com to liquidate

líquido m, a liquid

lira f mús lyre

lírico lyrical

lirio m lily

lirón m zool dormouse

lisiado disabled, crippled

liso smooth; even; ~ y llano plain, simple

lisonja f flattery; ~ero flattering

lista f list; strip; slip (of paper); ~ de correos general delivery; ~ de precios price list

listo clever; quick; ready

litera f litter; berth; f c couchette

litera|rio literary; ~tura f literature

litig|ar v/i to dispute; ~io m dispute; lawsuit

litografía f lithography

litoral m littoral; seashore; coast

litro m litre, Am liter

liturgia f liturgy

liviano fickle; LA light (clothing, food)

lívido livid

llaga f wound; sore; ulcer; ~r v/t to wound

llama f flame; sudden blaze; zool lama

llama|da f call; knock; signal; impr reference (mark); ~da de larga distancia trunk call, Am long distance call; ~miento m call; ~r v/t to call; to summon; to invoke; v/i to knock or ring at the door; ~rse to be named; ¿cómo se ~ Ud.? what's your name?; ~tivo gaudy; showy

llamear v/i to blaze

llan|a f trowel; flat land; ~amente clearly; plainly; simply; ~o flat, even; level; plain, simple

llanta f rim (of wheel); LA tyre, Am tire

llanto m weeping; flood of tears

llanura f evenness; flatness; plain

llave f key; tecn wrench; faucet; tap; bolt; elec switch; mús key; ~ inglesa monkey wrench; ~maestra pass-key; ~ de tuercas spanner; ~ro m key ring

llavín m latch key

llega|da f arrival; ~r v/i to arrive; to come; to reach; ~r a ser to become; ~r a las manos to come to blows

llenar v/t to fill; to stuff; to occupy; to satisfy

lleno a full; complete; de ~ fully; m fill, plenty; teat full house

lleva|dero tolerable; ~r v/t to carry; to take; to bring; to lead (a life); to wear (clothes); to spend (time); to keep (books); to bear; to endure; **~r a cabo** to complete; to carry out; **~r adelante** to push ahead with; **~r puesto** to wear; **~rse** to take away; to carry off; **~rse bien con** to get on well with

llor|ar v/i to cry; to weep; to bewail, to mourn; **~iquear** v/i to snivel, to whimper; **~ón(ona)** m (f) weeper; a always weeping; **~oso** tearful

llovedizo a leaky; **agua ~a** rain water

llov|er v/i to rain; **~er a cántaros** to rain cats and dogs; **~iznar** v/i to drizzle

lluvi|a f rain; **~oso** rainy

lo art the; pers pron of **él** him, it; **~ bueno** the good; **no ~ hay** there isn't any; **~ mío** what is mine; **~ que** how

lobo m wolf; **~ de mar** sea dog; **~ marino** seal

lóbulo m lobe

local m premises; site; a local; **~idad** f place; seat (in the theatre); locality; **~izar** v/t to localize

loción f wash; lotion

loco a mad; m madman; **volverse ~** to go mad

locomo|ción f locomotion; **~tora** f locomotive, engine

locuaz talkative; garrulous

locura f madness

locutor m radio announcer; commentator

lodo m mud; **~so** muddy

lógic|a f logic; **~o** logical

logr|ar v/t to achieve; to succeed in; **~o** m achievement; gain; success

lombarda f red cabbage

lombriz f earthworm

lomo m loin; back; ridge (of a mountain)

lona f canvas

lonche m LA lunch; **~ría** f LA snack bar

Londres m London

longaniza f pork sausage

longitud f length; **~ de onda** wave length

lonja f exchange; market; slice

loro m parrot

los (las) the (pl); pron pers them

losa f flagstone; slab

lote m share; lot; **~ría** f lottery

loza f crockery

lubrica|nte m lubricant; **~r** v/t to lubricate, to oil

lucera f skylight

lucerna f chandelier

lucero m bright star

lucha f fight; struggle; **~ libre** wrestling; **~r** v/i to fight; to struggle; to wrestle

lucidez f lucidity; brightness; brilliancy

lúcido lucid, clear

luci|do brilliant; splendid; successful; **~érnaga** f glowworm; **~rse** to dress up; to shine

lucio m zool pike

lucro m gain, profit

luego *adv* immediately; then; later; ¡hasta ~! so long!; ~ que after; desde ~ of course

lugar *m* place; spot; position; *fig* reason; en primer ~ in the first place; dar ~ a give rise to; en ~ de instead of

lúgubre dismal, gloomy

lujo *m* luxury; ~so luxurious

lumbre *f* fire; brightness

luminoso luminous

luna *f* moon; mirror; plate glass; ~ de miel honeymoon

lunar *a* lunar; *m* mole; beauty spot

lunático *a* lunatic; *m* luna-tic, madman

lunes *m* Monday

luneta *f* lens; ~ trasera *aut* rear window

lupa *f* magnifying glass

lúpulo *m* bot hop; hops

lustrabotas *m* LA bootblack

lustr|e *m* gloss; polish; ~oso shining

luto *m* mourning; estar de ~ to be in mourning

luz *f* light; daylight; dar a ~ to give birth to; salir a ~ to come to light; (book) to be published; ~ de carretera bright lights; ~ de cruce dimmers; ~ de población parking lights; a todas luces anyway

M

maca *f* bruise (on fruit); spot; flaw

macabro macabre

macarrones *m/pl* macaroni

macarse to rot (fruit)

macedonia *f* (de frutas) fruit salad

maceta *f* flowerpot

macha|car *v/t* to pound; to crush; *v/i* to harp (on); ~do *m* hatchet

machina *f* crane, derrick

macho *m* male; man; hook (for an eye); *a* male; manly; virile

machucar *v/t* to pound; to bruise

machucho elderly; judicious

macis *f* coc mace

macizo *a* solid, massive; *m* mass, bulk; flowerbed

madeja *f* skein

mader|a *f* wood; timber; *m* Madeira wine; ~ laminada plywood; ~ero *m* timber merchant; ~o *m* beam (of timber); *fam* blockhead

madr|astra *f* stepmother; ~e *f* mother; *fig* origin; ~e patria mother country; ~e política mother-in-law; ~eperla *f* mother-of-pearl; ~eselva *f* honeysuckle

madriguera *f* burrow; den

maldad

madrileño(a) m (f) inhabitant of Madrid

madrina f godmother; **~ de boda** bridesmaid

madruga|da f dawn; early morning; **de ~da** very early; **~dor(a)** m (f) early riser; **~r** v/i to rise very early

madur|ar v/t to ripen; to think out; v/i to ripen; fig to mature; **~ez** f maturity; ripeness; **~o** mature; ripe; **de edad ya ~a** middle-aged

maestr|a f schoolmistress; teacher; **~ía** f mastery; title of a master; **~o** a masterly; m schoolmaster; master; **~o de ceremonias** master of ceremonies; **~o de obras** builder; foreman

mafia f Mafia

magia f magic

mágico magic; magical

magisterio m teaching profession

magistra|do m magistrate; **~l** magisterial; masterly; **~tura** f judicature

magnánimo magnanimous

magnético magnetic

magneti|smo m magnetism; **~zar** v/t to magnetize

magnetofón m tape recorder

magnetoscopio m video recorder

magnífico magnificent; excellent

magnitud f magnitude

mago m magician; wizard; **los Reyes 2s** the Three Wise Men

magro lean

magulladura f bruise

mahometano a, m Mohammedan

maíz m maize; Indian corn

maizal m maize field, Am corn field

majader|ía f silliness; annoyance; **~o** annoying, tiresome

majest|ad f majesty; **~uoso** majestic

majo(a) m (f) attractive man or woman; a good looking; pretty

mal a apocope of **malo**, used before masculine nouns; **un ~ consejo** a bad advice; m evil; harm; illness; disease; damage; **parar en ~** to come to a bad end; **~ de mar** seasickness; **~ de vuelo** airsickness; adv badly; hardly; **de ~ en peor** from bad to worse; **¡menos ~!** just as well!

malabarista m, f juggler

malaconsejado ill-advised

malacostumbrado having bad habits; spoiled

malagradecido unthankful, ungrateful

malandante unfortunate

malaventura f misfortune

malbaratar v/t to squander

malcasado unhappily married; unfaithful (in marriage)

malcontento discontented

malcriado ill-bred

maldad f wickedness

maldecir v/t to curse
maldición f curse
maldito wicked; bad; accursed; ¡~ sea! confound it!, damn!
malecón m pier, jetty
maléfico harmful
malentendido m misunderstanding
malestar m malaise; uneasiness; med discomfort; pol unrest
malet|a f suitcase; bag; hacer la(s) ~a(s) to pack; ~ero m aut boot, Am trunk; ~ín m small case, travel(l)ing bag
malevolencia f ill will
malévolo malevolent
maleza f undergrowth, scrub, shrubbery
malgastar v/t to waste, to squander
malhablado foulmouthed
malhecho a ill made; m misdeed; ~r m malefactor
malhumorado bad-tempered; cross; peevish
malic|ia f malice; cunning; ~oso malicious; suspicious
maligno malignant
malintencionado ill-disposed
malla f mesh; network
Mallorca f Majorca
mal|o bad; evil; ill; unpleasant, naughty; a las ~as LA by force; estar de ~as to be in a bad mood; ponerse ~o to fall ill
malogra|do abortive; frustrated; ~r v/t to waste; to lo-

se; to upset; to ruin; ~rse to fail; to come to an untimely end; LA to break down (machine)
malogro m failure; waste
malparir v/i to miscarry
malquerer v/t to dislike
malsano unhealthy
malta f malt
maltratar v/t to ill-treat
malva f bot mallow
malvado wicked
malvavisco m marshmallow
malversación f embezzlement
mamá f mamma; mummy
mama f breast; ~r v/t, v/i to suck
mameluco m fam simpleton; rompers
mamífero m mammal
mampostería f masonry
manada f flock; herd
mana|ntial m spring; fountain; well; source; ~r v/i to flow; to spring from
mancar v/t to cripple
mancha f stain; spot; ~r v/t to stain
manco one-armed; one-handed
mancomunidad f association; community; union
man|cornas, ~cuernas f/pl LA cufflinks
mand|ado m order; mandate; errand; ~amiento m relig commandment; order; ~ar v/t, v/i to order; to command; to bequeath; to send; to rule

mandarina f tangerine; mandarin orange

mandat|ario m agent; **~o** m order; command; pol mandate; rule

mandíbula f jaw

mand|o m command; **~o a distancia** remote control; pl controls; **~ón** imperious; domineering

manecilla f hand (of watch)

manej|ar v/t to handle; to wield; to manage; LA to drive; **~o** m handling; management

manera f manner; way; pl manners; **de ~ que** so that; **de ninguna ~** by no means

manga f sleeve; hose; mar beam; **tener ~ ancha** to be broadminded

mango m handle; **~near** v/i to meddle

manguera f water hose

manguito m muff; tecn sleeve

manía f mania; craze; **~co** m maniac; a mad

maniatar v/t to handcuff

manicomio m lunatic asylum, mental hospital

manicura f manicure

manifesta|ción f manifestation; declaration; pol demonstration; **~nte** m public demonstrator; **~r** v/t to show; to declare

manifiesto m manifest; a evident; obvious

manilla f bracelet; handcuff;

hand (of clock); **~r** m handlebar

maniobra f handiwork; man(o)euvre; operation; trick; **~r** v/t, v/i to handle; to man(o)euvre

manipula|ción f manipulation; **~r** v/t, v/i to handle; to manipulate

maniquí m mannequin

manivela f crank

mano f hand; forefoot; coat (of paint); hand (at cards); **~ de obra** labo(u)r, manpower; **a una ~** at hand; of one accord; **de segunda ~** second hand; **echar una ~ a** to lend a hand to; **estrechar la ~** to shake hands; **mudar de ~s** to change hands; **~jo** m bunch; **~pla** f mitten; **~sear** v/t to handle; to finger; to paw; **~tazo** m slap

mansión f mansion; abode

manso meek; gentle; tame

mant|a f blanket; plaid; **~ear** v/t to toss up in a blanket

mantec|a f fat; LA butter; **~a de cerdo** lard; **~oso** buttery; fat

mantel m tablecloth; **~ería** f table linen

manten|er v/t to maintain; to keep; to support; **~erse** to sustain oneself; **~imiento** m maintenance; support

mantequ|era f churn; butter dish; **~ero** m dairyman; **~illa** f butter

mant|illa f mantilla; pl baby

clothes; **~o** *m* cloak; **~ón** *m* shawl

manual *a* manual; handy; **trabajo ~** manual labo(u)r; *m* handbook, manual

manu|brio *m* crank; handle; **~factura** *f* manufacture; **~scrito** *m* manuscript; *a* handwritten; **~tención** *f* maintenance; maintaining; support

manzan|a *f* apple; block of houses; **~illa** *f* camomile; manzanilla wine; **~o** *m* apple tree

maña *f* skill; cleverness

mañana *f* morning; tomorrow; **por la ~** in the morning; **pasado ~** the day after tomorrow; **~ por la ~** tomorrow morning

mañoso skil(l)ful; clever

mapa *m* map; **~ de carreteras** road map; **~ meteorológico** weather chart

mapache *m* racoon

maquilla|je *m* make-up; **~rse** to make up (face)

máquina *f* machine; engine; apparatus; locomotive; **~ de afeitar** safety razor; **~ de coser** sewing machine; **~ de escribir** typewriter; **~ de venta automática** vending machine; **~ fotográfica** camera; **~ tragaperras** slot machine

maquin|ación *f* machination; **~aria** *f* machinery; **~ista** *m* *fc* engine driver; operator, machinist

mar *m* or *f* sea; **~ de fondo** ground swell; **en alta ~** on the high seas; **en el ~** at sea; **hacerse a la ~** to put out to sea; **la ~ de** a lot of; **por ~** by sea

maraña *f* thicket; tangle

maravill|a *f* marvel; **~arse** to wonder; to marvel; **~oso** marvel(l)ous

marca *f* mark; trademark; brand; standard; **de ~** excellent; **~ de fábrica** trade mark; **~dor** *m* scoreboard; **~pasos** *m med* pacemaker; **~r** *v/t* to mark; to score (*a hit, a goal*); to dial (*telephone*); to designate; to stamp

marcha *f* march; progress; departure; *tecn* motion, working; **~ atrás** reverse gear; **poner en ~** to put into gear; **~r** *v/i* to go; *tecn* to run; to work; **~r en vacío** *tecn* to idle; **~rse** to leave, to clear out

marchitarse to wither, to wilt

marco *m* frame; standard

mare|a *f* tide; **~a baja** low-tide; **~ado** seasick; dizzy; giddy; **~ar** *v/t fig* to annoy; **~arse** to get seasick; **~jada** *f* swell (*of the sea*); *fig* commotion; **~o** *m* seasickness; *fam* vexation

marfil *m* ivory

margarina *f* margarine

matasanos

margarita f daisy

margen m margin; border; f bank (of river)

marginados m/pl: **los** ~ the disenfranchised

marica f magpie; f fam milksop, effeminate man

marido m husband

marimacho m tomboy; mannish woman

marin|a f navy; seamanship; **~ero** a seaworthy; m sailor; **~o** marine

marioneta f puppet, marionette

maripos|a f butterfly; **~ear** v/i to flit about

mariquita f ladybird

mariscal m marshall; ~ **de campo** field marshall

marisco m shellfish; pl sea food

marisma f salt marsh (on the sea)

marítimo maritime

marmita f cooking pot

mármol m marble

marmota f marmot; **~ de Alemania** hamster; **~ de América** ground hog

maroma f thick rope

marqués m marquis

marquesa f marchioness

marquesina f marquee; canopy

marran|a f sow; fig slut; **~o** m hog; fam dirty person

marrón brown

marroquí a, m, f Moroccan; m morocco (leather)

Marruecos m Morocco

marsopa f porpoise

martes m Tuesday; ~ **de carnaval** Shrove Tuesday, Mardi Gras

martill|ar v/t to hammer; **~o** m hammer

martinete m drop hammer; pile driver

mártir m martyr

martiri|o m martyrdom; **~zar** v/t to torment

marzo m March

mas conj but; however; although

más more; most; besides; plus; **nada** ~ nothing else; ~ **bien** rather; **~o menos** more or less; **a lo** ~ at most; **a** ~ **tardar** at the latest; **por** ~ **que** however much; **no** ~ **que** only; **los** ~ the majority

masa f mass; bulk; dough

masaj|e m massage; **~ista** m, f masseur, masseuse

mascar v/t to chew; fam to mumble

máscara f mask; disguise; face mask

masculino masculine; male

masón m freemason

masticar v/t to masticate, to chew

mástil m mast; post; pole

mastín m mastiff

mata f bush; scrub

mata|dero m slaughterhouse; **~dor** m killer; **~nza** f slaughter; **~r** v/t to kill; **~sanos** m fam quack doctor

mate *a* dull; matte; *m* checkmate; maté tea

matemátic|as *f/pl* mathematics; **~o** *m* mathematician; *a* mathematical

materia *f* matter; material; subject; **~ prima** raw material; **~l** *a* material; *m* material; ingredient; **~lista** *m, f* materialist; *a* materialistic

matern|idad *f* maternity; motherhood; maternity hospital; **~o** motherly; maternal

matinal morning; matutinal

matiz *m* tint; shade; **~ar** *v/t* to colo(u)r; to shade; to tint; to match

matón *m* bully

matorral *m* thicket

matrícula *f* list; register; licence, *Am* license; plate number

matricularse *v/t* to matriculate; to enrol(l)

matrimonio *m* matrimony, marriage; couple

matriz *f* matrix; womb; *tecn* mould

matrona *f* matron

maullar *v/i* to mew, to meow

máxima *f* maxim

máxim|e especially; **~o** *a* highest; greatest; *m* maximum

maya *a* Mayan; *m, f* Maya; *f bot* daisy

mayo *m* May

mayonesa *f* mayonnaise

mayor *a* greater; bigger; older; major; **~ de edad** of age;

al por ~ wholesale; *m* chief; **mil** major; **~es** *m/pl* ancestors; elders

mayordomo *m* steward; butler

mayoría *f* majority

mayorista *m* wholesaler

mayúscula *f* capital letter

maza *f* mace

mazapán *m* marzipan

mazmorra *f* dungeon; jail

mazorca *f* **de maíz** corncob

me *pron pers* me; to me; myself

mear *v/i* to piss

mecáni|ca *f* mechanics; **~co** *m* mechanic; engineer; *a* mechanical

mecanismo *m* mechanism

mecanografía *f* typewriting

mecanógrafo(a) *m* (*f*) typist

mece|dora *f* rocking chair; **~r** *v/t* to rock; to swing

mech|a *f* wick; fuse; lock (*of hair*); **~ero** *m* burner (*of lamp*); cigarette lighter; shoplifter; **~ón** *m* lock (*of hair*); bundle (*of threads*)

medalla *f* medal

médano *m* sand dune

media *f* stocking; *LA* man's sock; mat major; **hacer ~** to knit; **los ~** *m/pl* (the) media

media|ción *f* mediation; **~do** half-full; *a* **~dos de enero** in the middle of January; **~dor** *a* mediating; *m* mediator; **~no** middle; medium; average; mediocre

medianoche *f* midnight

media|nte *a* intervening; *prep* by means of; **~ a** *v/i* to be in the middle; to mediate

medic|amento *m* medicine; drug; **~ina** *f* medicine

medición *f* measurement

médico *a* medical; *m* physician, doctor; **~ de urgencia** emergency doctor

medid|a *f* measure(ment); **~a que** at the same time as; **hecho a la ~a** made to measure; **~or** *m* LA meter

medio *a*, *adv* half; middle; **a ~ camino** halfway; **en ~ de** in the middle of; **de por ~** half; between; **por ~ de** by means of; *m* middle; half; means, way; **~s** *pl* means; resources; **~s de comunicación** mass media

mediocre mediocre

mediodía *m* midday; south

medir *v/t* to measure

meditar *v/t*, *v/i* to meditate; to ponder

mediterráneo *m* Mediterranean Sea; **2** *a* Mediterranean

medrar *v/i* to grow; to flourish

medroso timorous

médula *f anat* marrow; **~ espinal** spinal cord

medusa *f* jellyfish

megafonía *f* P.A. system

mejilla *f* cheek; **~ón** *m* mussel

mejor better; finer; superior; (*with definite article*) best; **lo ~** the best thing; **a lo ~** may-

be, as like as not; *tanto* **~** so much the better; **~a** *f* improvement; **~ar** *v/t*, *v/i* to improve; **~ía** *f* improvement

melancolía *f* melancholy

melaza *f* molasses

melena *f* long hair; mane

mella *f* notch; gap; **~r** *v/t* to nick, to notch

mellizo(a) *m* (*f*), *a* twin

melocotón *m* peach

melodía *f* melody

melón *m* melon

meloso sweet; syrupy

membrana *f* membrane; *zool* web

membrete *m* note; letterhead

membrillo *m* quince

memor|ándum *m* memorandum; notebook; **~ia** *f* memory; petition; report; *pl* memoirs; **~izar** *v/t* to memorize

mención *f* reference, mention

mencionar *v/t* to mention; **sin ~** to say nothing of, not to mention

mendi|gar *v/t* to beg; **~go** *m* beggar

mene|ar *v/t* to shake; to wag, to move; **~arse** to move; to be active; **~o** *m* shaking; wagging

menester *m* job; errand; **~es** *pl* duties; business; **ser ~** to be necessary; **~oso** needy, destitute

menestra *f* vegetable stew

mengua *f* decline; decrease; **~nte** *a* decreasing; *f* ebb tide; waning (*of moon*); **~r** *v/i* to diminish; to decrease, to dwindle; to wane

menor smaller; less; minor; younger; ~ **de edad** under age; **al por** ~ retail

menos *adv* less; least; fewer; fewest; **a** ~ **que** unless; ~ **de** less than; *m mat* minus (sign); except

menoscabo *m* detriment; damage; ~**preciar** *v/t* to despise; to belittle; to undervalue; ~**precio** *m* scorn; contempt

mensaje *m* message; ~**ro(a)** *m* (*f*) messenger

mensual monthly; ~**idad** *f* monthly salary *or* allowance

mensurable measurable

menta *f* mint; peppermint

mental mental; ~**idad** *f* mentality

mente *f* mind; intellect; *cambiar de* ~ to change one's mind

mentecato *m* fool

mentir *v/i* to lie; ~**a** *f* lie, falsehood; ~**illa** *f* white lie, fib; ~**oso(a)** *m* (*f*) liar; *a* untruthful, lying

mentís *m* denial; *dar un* ~ **a** to deny; to give the lie to

mentón *m* chin

menú *m* menu

menudear *v/t* to repeat; *v/i* to happen frequently; ~**illos** *m/pl* giblets (*of fowls*); ~**o** small; *a* ~**o** often

meñique *m* little finger

meollo *m* marrow; *fig* core

mercadear *v/i* to trade; ~**dería** *f* *LA* merchandise; ~**do** *m* market; market place; ~**do común** common market; ~**do negro** black market; ~**ncía** *f* merchandise, goods; commodity; ~**ntil** mercantile, commercial

merced *f* mercy; favo(u)r; grace; *vuestra* ~ your hono(u)r, your worship; *a la* ~ **de** at the mercy of

mercenario *m* mercenary soldier; *a* mercenary

mercería *f* dry goods store

mercurio *m* mercury

merecedor deserving, worthy; ~**er** *v/t* to deserve; to merit; ~**ido** deserved

merendar *v/i* to take a snack; to lunch

merengue *m* meringue

meridiano *m* meridian

meridional southern

merienda *f* snack; light meal; lunch

mérito *m* merit; worth

meritorio meritorious

merluza *f* hake

merma *f* shrinkage; loss; waste; ~**r** *v/i* to decrease, to become less

mermelada *f* jam, marmalade

mero *a* mere, pure, simple; *m* *zool* grouper

mes *m* month

mesa *f* table; desk; *poner la* ~ **a** to set the table; ~**eta** *f* tableland; plateau; ~**illa** *f* side table

mesón *m* inn

mestizo(a) *m* (*f*), *a* half-breed

mesura *f* moderation; restraint; **~do** moderate; restrained

meta *f* goal; objective; aim; *m* goalkeeper

metal *m* metal; *mús* brass

metálico *a* metallic; *m* specie, coin; **en ~** in cash

meteoro *m* meteor; **~logía** *f* meteorology

meter *v/t* to put in; to insert; to stake; to invest; **~se** to interfere; to intrude; **~se con** to pick a quarrel with; **~se en** to get into

meticuloso meticulous

metódico *m* methodical

método *m* method

metralla *f* shrapnel; **~eta** *f* submachine gun

métrico metric, metrical

metro *m* verse (*poetry*); metre, *Am* meter; underground, subway

metrópoli *f* metropolis

metropolitano *m* metropolitan

mexicano(a) *a*, *m* (*f*) Mexican

México *m* Mexico

mezcla *f* mixture; blend; **~r** *v/t* to mix; to mingle

mezcolanza *f fam* hotchpotch; jumble

mezquindad *f* niggardliness; meanness; **~o** wretched; mean; miserable, petty;

puny

mezquita *f* mosque

mí *pron pers* me

mi *pron pos* (*pl* **mis**) my

miaja *f* crumb

mico *m* long-tailed monkey

microbio *m* microbe

micrófono *m* microphone

microprocesador *m* microprocessor

microscopio *m* microscope

miedo *m* fear; dread; **de ~** wonderful; awful; **tener ~** to be afraid; **~so** timorous; afraid

miel *f* honey

miembro *m* member; limb

mientras while; **~ que** so long as; **~ tanto** meanwhile, in the meantime

miércoles *m* Wednesday

miga *f* crumb; **~ja** *f* small crumb

migración *f* migration

migraña *f* migraine

mijo *m* millet

mil a thousand

milagro *m* miracle; **~so** miraculous

milicia *f* militia; **~ciano** *m* militiaman; **~tante** militant; **~tar** *m* soldier; *a* military; *v/i pol* to be a party member; *mil* to serve

milla *f* mile; **~ náutica** nautical mile

millón *m* million

millonario *m* millionaire

mimar *v/t* to pet, to fondle; to spoil, to pamper

mimbre 436

mimbre *m* wicker
mimeógrafo *m* mimeograph
mímico mimic
mina *f* mine; *fig* storehouse;
~r *v/t* to mine; to excavate
miner|al *m, a* mineral; ore;
~ía *f* mining; ~o *m* miner
miniatura *f* miniature
minifalda *f* miniskirt
mínim|o minimum; smallest;
~um *m* minimum
minino *m* pussy(-cat)
minist|erial ministerial;
~erio *m* ministry; Ջerio de
Comercio Board of Trade;
Ջerio de Hacienda Treas-
ury; Ջerio de Relaciones
Exteriores Foreign Office;
~ro *m* minister; primer ~
prime minister
minoría *f* minority
minucios|idad *f* thorough-
ness; ~o minutely; precise
minúscula *f* small letter
minusválidos *m/pl* the hand-
icapped
minuta *f* rough copy; list; me-
mo; menu; *pl* minutes
minutero *m* minute hand
minuto *m* minute
mío, mía, míos, mías mine
miope short-sighted,
near-sighted
mira *f* sight; aim; con ~s a
with an eye to; ~da *f* look;
echar una ~da a to take a
look at; ~do considerate;
~dor *m* lookout point; ~r *v/t*
to look; to watch; to consider; ~r por to look after

mirasol *m* sunflower
mirlo *m* blackbird
mirón *m* onlooker; busybody
mirto *m* myrtle
misa *f* mass; ~ del gallo midnight mass
misceláneo miscellaneous
miser|able miserable,
wretched; mean; niggardly;
~ia *f* misery; poverty; ~icor-
dia *f* mercy
mísero wretched
misi|ón *f* mission; ~onero *m*
missionary
mismo same, similar; -self;
very; aquí ~ right here; yo ~ I
myself; el ~ rey the same
king; el rey ~ the king himself; lo ~ the same thing; lo ~
da it is all the same; lo ~ que
just like
misterio *m* mystery; ~so
mysterious
místico mystic
mitad *f* half; middle; a ~ del
camino midway; a ~ del precio at half price; cortar por
la ~ to cut down the middle
mitigar *v/t* to mitigate
mitin *m* meeting
mito *m* myth
mitra *f* mitre
mixto mixed
mobiliario *m* furniture
mocedad *f* youth; correr
sus ~es to sow one's wild
oats
mochila *f* knapsack
moción *f* motion; movement
moco *m* mucus; ~so *a* snot-

ty-nosed; *m* impudent youngster

moda *f* fashion; **de ~** fashionable

modales *m/pl* manners

model|ar *v/t* to model; **~o** *m* model; pattern; *f* model, mannequin

modera|ción *f* moderation; **~r** *v/t* to moderate; **~rse** to control oneself

modern|izar *v/t* to modernize; **~o** modern

modest|ia *f* modesty; **~o** modest

módico moderate; reasonable (*prices*)

modifica|ción *f* modification; **~r** *v/t* to modify

modismo *m* idiom; idiomatic expression

modista *f* dressmaker; milliner

modo *m* way; mode, method; manner; **de ~ que** so that; **de otro ~** otherwise, or else; **de ningún ~** by no means; **de todos ~s** at any rate, by all means

modula|ción *f* modulation; **~ción de frecuencia** frequency modulation; **~r** *v/i* to modulate

módulo *elec, aer* module

mofa *f* mockery; ridicule; derision; **~rse** to mock at

mofeta *f* skunk

mohín *m* grimace

moho *m* mo(u)ld, mildew; rust; **~so** musty; rusty

moja|do wet; soaked; damp; **~r** *v/t* to wet; to soak; **~rse** to get soaked

mojigato(a) *m* (*f*) hypocrite; *a* hypocritical; prudish

mojón *m* landmark

molde *m* mo(u)ld; form; cast; **~ar** *v/t* to mo(u)ld; to shape

molécula *f* molecule

moler *v/t* to grind; to mill; to annoy; **~ a palos** to beat up

molest|ar *v/t* to annoy; to upset; to trouble; **~arse** to get annoyed; to take the trouble; **~ia** *f* trouble; annoyance; **~o** troublesome; annoying

molin|ero *m* miller; **~illo** *m* hand mill; coffee grinder; **~o** *m* mill; **~o de viento** windmill

molleja *f* gizzard

mollera *f* crown of the head

moment|áneo momentary; **~o** *m* moment; **a cada ~o** at every moment; **al ~o** immediately; **de ~** at the moment

momia *f* mummy

mona *f* female monkey; *fam* hangover; **~cal** monastic; **~cillo** *m* acolyte; **~da** *f* silly thing; silliness; lovely thing; pretty child

monar|ca *m* monarch; sovereign; **~quía** *f* monarchy

monasterio *m* monastery

monda *f* pruning; paring; **~dientes** *m* toothpick; **~duras** *f/pl* peelings, parings; **~r** *v/t* to peel; to cleanse; to prune

moned|a f coin; money; currency; **~ero** m wallet; coin purse

monetario monetary

monigote m grotesque figure

monitor m monitor

monj|a f nun; **~e** m monk

mono m monkey; a pretty; cute

monóculo m monocle

monólogo m monologue

monopatín m skateboard

monopoli|o m monopoly; **~sta** m monopolist; **~zar** v/t to monopolize (t fig)

monotonía f monotony

monstruo m monster; **~sidad** f monstrosity; **~so** monstrous; freakish

monta f mounting; significance; **~mat** total; **~cargas** m hoist; lift (for baggage); **~discos** m disc jockey; **~do** mounted; **~dor** m fitter; **~je** m assembly; installing

montaña f mountain; **~as** f/pl **Rocosas** Rocky Mountains; **~és(esa)** m (f) highlander; **~oso** mountainous

montar v/i to mount; to ride; **~ a caballo** to ride a horse; **~ en bicicleta** to ride a bicycle; **~ en cólera** to fly into a rage; v/t to mount; to ride; to assemble

monte m mountain; hill; woodland; wilds; **~ alto** forest; **~ bajo** scrub; **~ de piedad** pawnshop

montería f hunting, chase

montículo m mound

montón m heap, pile

montura f mount; saddle

monumento m monument; memorial

monzón m, f monsoon

moño m knot; bun; tuft

moqueta f moquette; carpet

mora f mulberry; blackberry

morada f dwelling

morado purple

moral f morale; ethics; a moral; black mulberry tree; a moral; **~eja** f moral; maxim; lesson

mórbido soft; morbid; diseased

morboso morbid

morcilla f black sausage; teat gag

mord|az pungent; biting; **~aza** f gag; tecn clamp; **~edura** f bite; **~er** v/t to bite; **~iscar** v/t to nibble

moren|a f zool moray; **~o** brown-skinned; dark

morera f white mulberry tree

morfina f morphine

morir v/i to die

morisco Moorish

moro(a) m (f) Moor; a Moorish

morosidad f slowness; com delinquency

morral m nosebag (horse); knapsack

morriña f sadness; blues; homesickness

morro m snout; headland

morsa f walrus

mortaja f shroud
mortal mortal; fatal; **~idad** f mortality; death rate
mortero m mortar
mortífero deadly
mortificar v/t to mortify
mosaico m mosaic; relig Mosaic
mosca f fly; **soltar la ~** to give money
moscardón m hornet
moscatel muscatel (grape or wine)
mosquea|do spotted; **~rse** to take offense
mosquit|ero m mosquito net; **~o** m mosquito; gnat
mostaza f mustard
mosto m must, new wine
mostra|dor m counter; (hotel) desk; **~r** v/t to show; to display
mote m catchword; nickname
motín m riot; mutiny
motiv|ar v/t to cause; to motivate; **~o** m motive; motif; **con ~o de** on the occasion of
moto|cicleta f motorcycle; **~nave** f motor ship; **~r** a tecn motive; anat motor; m motor; engine; **~r de fuera de borda** outboard motor; **~r de reacción** jet engine; **~rista** m motorist
motriz motive; moving
move|dizo shifting; unsettled; loose; **~r** v/t, **~rse** to move
movible movable
movi|lidad f mobility; **~liza-**

ción f mobilization; **~lizar** v/t to mobilize; **~miento** m movement; motion; mús movement
moz|a f girl, lass; **~albete** m lad; **~o** m young man; servant; waiter; **~o de hotel** porter
mucama f LA maid
muchach|a f girl; **~o** m boy
muchedumbre f crowd
mucho a lot; much; pl many; con ~ by far; adv a lot; a great deal, considerably; ~ **más** much more; ~ **mejor** far better; **~ menos** let alone
mucos|a f mucous membrane; **~o** mucous
muda f change of clothing; zool mo(u)lt; **~nza** f move, removal; **~r** v/t, v/i to change; **~rse** to change; to move
mud|ez f dumbness; **~o** dumb; mute
mueble m piece of furniture; pl furniture
mueca f face; grimace; hacer **~s** to pull (Am make) faces
muela f millstone; molar tooth
muelle m spring (of watch, etc); quay; wharf; dock
muérdago m mistletoe
muert|e f death; de mala **~e** awful; **~o** (a) a dead; m (f) dead person
muestra f pattern; sample
muestrario m collection of samples

mugi|do *m* lowing (*of cattle*); **~r** *v/i* to low; to moo; to bellow

mugr|e *f* grime, dirt; **~iento** grimy, filthy

mujer *f* woman; wife; **~iego** womanizer

mul|a *f* mule; **~adar** *m* rubbish heap; **~o** *m* mule

mulato(a) *m* (*f*), *a* mulatto

muleta *f* crutch; red cloth used by bullfighters

multa *f* fine; **~r** *v/t* to fine

multicopista *f* duplicator

multinacionales *f/pl* multinational corporations

múltiple manifold, multifarious

multiplicar *v/t* to multiply

multitud *f* crowd, multitude

mund|ano worldly; **~ial** world-wide; **~o** *m* world; *todo el* **~o** everybody

munición *f* ammunition

municip|al municipal; **~alidad** *f* municipality; **~io** *m* town

muñeca *f* wrist; doll; dressmaker's model

muñón *m* stump (*of an amputated limb*); pivot

mural *a*, *m* mural

muralla *f* wall; rampart

murciélago *m* bat

murmullo *m* rustle; murmur

murmurar *v/i* to murmur; to criticize; to ripple (*of water*)

muro *m* wall

muscul|ar muscular, **~oso** muscular

músculo *m* muscle

muselina *f* muslin

museo *m* museum

musgo *m* moss

música *f* music

musical musical

músico *m* musician

musitar *v/i* to mumble

muslo *m* thigh

mustio sad; withered

musulmán(ana) *m* (*f*), *a* Moslem

muta|bilidad *f* mutability; **~ción** *f* mutation; change

mutila|do(a) *m* (*f*) cripple; disabled person; **~r** *v/t* to mutilate; to mangle

mutismo *m* muteness

mutualidad *f* mutuality; mutual benefit society

mutuo mutual

muy very; **~ señores nuestros** Dear Sirs (*in letters*)

N

nabo *m* turnip; *arq* newel

nácar *m* mother-of-pearl

nac|er *v/i* to be born; to sprout; to spring; to start; **~iente** nascent; growing; rising (*sun*); **~imiento** *m* birth; origin, beginning

naci|ón *f* nation; **2ones Unidas** United Nations

nacional national; **~idad** *f* nationality; **~izar** *v/t* to nationalize; to naturalize

nada f nothingness, nothing; *pron* nothing; **de ~** you are welcome; not at all; **~ de eso** none of that; **~ más** nothing else

nada|dor(a) m (f) swimmer; **~r** v/i to swim; to float

nadie nobody; no one; **~ más** nobody else

nafta f naphtha

nailon m nylon

naipe m playing card

nalgas f/pl buttocks

nana f lullaby; *fam* granny

naran|ja f orange; **~ada** f orangeade; **~al** m orange grove; **~o** m orange tree

narciso m daffodil

narcótico m narcotic; drug; a narcotic

narcotizar v/t to drug; to dope

nari|gudo big-nosed; **~z** f nose; nostril; bouquet (of wine); **sonarse las ~ces** to blow one's nose; **tabicarse las ~ces** to hold one's nose

narra|ción f narration, story; tale; **~r** v/t to narrate, to recite; **~tiva** f narrative

nata f cream; **~ batida** whipped cream

natación f swimming

natal native, natal; **~icio** m birthday; **~idad** f birthrate

nat|ividad f nativity; **~ivo(a)** m (f) native; indigenous; a natural; **~o** native

natural a natural; fresh, raw; m, f native; m nature, tem-

perament; **al ~** without additives; as it is; **~eza** f nature; **~eza muerta** still life; **~idad** f naturalness; **~ismo** m naturalism; **~izar** v/t to naturalize

naturismo m nudism

naufrag|ar v/i to be shipwrecked; **~io** m shipwreck

náufrago(a) m (f) shipwrecked person; a shipwrecked

náusea f nausea; disgust

náutic|a f navigation, seamanship; **~o** nautical

navaja f jackknife; penknife; razor

nav|al naval; **~e** f ship; nave (of church); **~e espacial** space ship; **~egador** m navigator; **~egante** a navigating; m aer navigator; **~egar** v/i to navigate; to sail; **~egar en tabla** to surf

Navidad f Christmas Day

naviero m shipowner

navío m ship; **~ de guerra** warship

neblina f mist

nebuloso cloudy; misty

neces|ario necessary; **~er** m vanity case; **~idad** f necessity; **~itado** poor; needy; **~itar** v/t to want; to need

necio foolish, silly

necrología f obituary

nefasto ominous; unlucky

nega|ción f negation; denial; **~r** v/t to deny; to refuse; to prohibit; **~tiva** f denial; re-

fusal; **~tivo** a negative; m
foto negative
negligen|cia f negligence; ne-
glect; carelessness; **~te**
careless; negligent
negoci|ación f negotiation;
business transaction; dealer;
~ante m businessman; dealer; **~ar**
v/i to trade; to negotiate; **~o**
m occupation; business
negro m negro; a black; **po-**
nerse ~ to get angry; **~ura** f
blackness
nene(a) m (f) baby, child
neón m neon
nervio m anat nerve; sinew;
energy; arq, bot rib; **~so**
nervous
neto neat; pure; com net
neumático m tyre, Am tire; a
pneumatic
neurótico neurotic
neutral neutral; **~idad** f neu-
trality
neutro neutral; gram neuter
neutrón m quim neutron
nev|ada f snowfall; **~ar** v/i to
snow; **~era** f ice box; **~oso**
snowy
ni conj neither, nor; **~ esto ~**
aquello neither this nor that;
~ siquiera not even
Nicaragua f Nicaragua
nicaragüense a, m, f Nicara-
guan
nicho m niche, recess
nido m nest
niebla f fog; mist; haze
niet|a f granddaughter; **~o** m
grandson

nieve f snow
nilón m nylon
ningún a (apocope of **ningu-**
no used before masculine
nouns) no, not one; **de ~mo-**
do by no means
ninguno(a) a no, not one,
not any; **~a cosa** nothing; **de**
~a manera in no way; pron
none, no one, nobody; **~o de**
ellos none of them
niñ|a f girl; **~era** f nanny; **~ez**
f childhood; **~o** m boy; **des-**
de ~o from childhood; **~o**
prodigio infant prodigy
níquel m nickel
níspero m medlar (tree and
fruit)
nítido bright, spotless; foto
sharp
nitrógeno m nitrogen
nivel m level; **~ de agua** water
level; **~ sonoro** noise level;
~ar v/t to level; to grade
no no, not; **~ más** no more; **~**
sea que lest
noble noble; highborn; **~za** f
nobility; aristocracy
noche f night; evening; **bue-**
nas ~ good evening; good
night; **por la ~** at night; **de la**
~ a la mañana overnight;
2buena f Christmas Eve; **~**
vieja New Year's Eve
noción f idea; notion
nocivo harmful; noxious
nocturno nocturnal
nodriza f wet nurse
nog|al m, **~uera** f walnut
(tree or wood)

nombr|amiento m appointment; **~ar** v/t to name; to appoint; **~e** m name; title; **~e de pila** Christian name, first name; **~e de soltera** maiden name

nomeolvides f forget-me-not

nómina f payroll

nomina|l nominal; **~ativo** m f nominative

non odd, uneven (number)

nopal m prickly pear

nordeste m northeast

noria f chain pump; ferris wheel (at fairs)

norma f norm; standard; rule; **~l** normal

noroeste m northwest

norte m north; **~america-no(a)** m, f North American (U.S.A.); **~ño** northern

norueg|o(a) m (f), a Norwegian; **2a** f Norway

nos pron pers us; each other

nosotros(as) pron pers pl we, ourselves; us

nostalgia f nostalgia; homesickness

nota f note; annotation; mark (in school); com account; bill; **tomar ~** to take note

nota|ble noteworthy, notable; **~r** v/t to note, to notice; to observe; to take down; **~rio** m notary

notici|a f piece of news; notice; information; pl news; **~ar** v/t to notify; to inform; **~ario** m newsreel; radio, TV newscast

notificar v/t to notify

notorio well-known

novato(a) m (f) beginner

novedad f novelty; latest news or fashion; **sin ~** as usual

novel|a f novel; story; fiction; **~a policíaca** detective story; **~ista** m, f novelist

novia f bride; fiancée; **~zgo** m engagement

novicio(a) a inexperienced; m (f) novice

noviembre m November

novill|a f heifer; **~ada** f fight with young bulls; **~o** m young bull; steer; **hacer ~os** to play truant

novio m bridegroom; fiancé; **los ~s** pl the bride and groom

nub|e f cloud; film (on the eye); **~ecita** f small cloud; **~lado** cloudy

nuca f nape of the neck

nuclear nuclear

núcleo m nucleus

nud|illo knuckle; **~o** m knot; **~oso** gnarled

nuera f daughter-in-law

nuestro(a, os, as) pron pos our, ours

nueva f piece of news; **~men-te** again; recently

nueve nine

nuevo new; novel; further; **de ~** all over again

nuez f walnut; nut; **~ de Adán** Adam's apple; **~ moscada** nutmeg

nul|idad f nullity; incompetence; annul(l)ment (of marriage); **~o** null, void
numera|ción f numeration; **~ción romana** Roman numerals; **~dor** m mat numerator; **~r** v/t to number; to count
numérico numerical
número m number; figure; **sin ~** countless
numeroso numerous

nunca never; **~ jamás** never again; **casi ~** hardly ever
nuncio m relig nuncio; messenger
nupcia|l nuptial, bridal; **~s** f/pl wedding, nuptials
nutria f otter
nutri|ción f nutrition; **~do** abundant; copious; **~r** v/t to nourish; to feed; **~tivo** nutritious

Ñ

ñandú m American ostrich
ñaño LA intimate; spoiled
ñapa f LA bonus; tip
ñaque m odds and ends; junk

ñoñ|ería f spinelessness; bashfulness; **~o** insipid; spineless; shy; fussy

O

o or; either
oasis m oasis
obed|ecer v/t to obey; **~iencia** f obedience; **~iente** obedient
obertura f mús overture
obes|idad f fatness; **~o** fat
obisp|ado m episcopate; **~o** m bishop
obje|ción f objection; **~tar** v/t to object; to oppose; **~tivo** m objective; **~tivo zoom** foto zoom lens; a objective; **~to** m object; thing; purpose
oblicuo oblique; slanting
obliga|ción f obligation; duty; pl com bonds, securities; **~r** v/t to oblige, to bind; **~rse**

to commit oneself; **~torio** compulsory
oblongo oblong
obr|a f work; creation; structure; building site; **~a de arte** work of art; **~a de consulta** reference work; **~a maestra** masterpiece; **~as** pl **públicas** public works; **~ar** v/t to manufacture; v/i to act; to behave; **~ero(a)** m (f) worker; **~ero calificado** skilled worker
obsceno obscene, indecent
obscur|ecer v/t to darken; to obscure; v/i to get dark; **~o** dark; obscure
obsequi|ar v/t to entertain, to present with; **~o** m courte-

ofrecer

sy; gift; attention; **~oso** attentive, obliging

observa|ción f observation; remark; **~dor(a)** m (f) observer; a observant; **~r** v/t to observe, to remark; to watch; to regard; **~torio** m observatory

obsesión f obsession

obstáculo m obstacle

obsta|nte: no ~nte nevertheless; however; **~r** v/i to obstruct, to hinder

obstina|ción f obstinacy, stubbornness; **~do** obstinate, stubborn; **~rse (en)** to persist (in)

obstruir v/t to obstruct; **~se** to be blocked

obten|ción f attainment; **~er** v/t to obtain; to attain

obtura|dor m aut throttle; foto shutter; **~r** v/t to stop up; to plug

obús m shell; howitzer

obvio obvious, evident

oca f goose

ocasión f occasion; **de ~** second-hand

ocasiona|l accidental; **~r** v/t to cause

ocaso m sunset; decline; west

occident|al western; occidental; **~e** m west

oceánico oceanic

océano m ocean; ♀ **Atlántico** Atlantic Ocean; ♀ **glacial Ártico** Arctic Ocean; ♀ **Pacífico** Pacific Ocean

ocho eight

ocio m leisure; idleness; **~so** idle; inactive; useless

octubre m October

ocul|ar a ocular; m eyepiece; **~ista** m oculist

ocult|ar v/t to conceal; to hide; **~o** hidden; occult

ocupa|ción f occupation; **~nte** m, f occupant; **~r** v/t to occupy; **~rse en** to look after; to be engaged in

ocurr|encia f occurrence; incident; witticism; **~ir** v/i to occur; to happen

odi|ar v/t to hate; **~o** m hatred; **~o de sangre** feud; **~oso** hateful, odious

odontólogo(a) m (f) odontologist

odorífero aromatic, fragrant

oeste m west

ofen|der v/t to offend; to insult; **~derse** to take offence, Am offense; **~sa** f offence, Am offense; **~siva** f offensive; **~sivo** offensive; **~sor(a)** m (f) offender; a offending

oferta f offer; proposal; com **~ y demanda** supply and demand

ofici|al a official; m officer; official; clerk; **~ar** v/i to officiate; **~na** f office; **~na de turismo** tourist office; **~na principal** head office; **~nista** m, f clerk; white-collar worker; **~o** m trade; profession; work; **~oso** officious

ofre|cer v/t to offer; to pre-

sent; **~cerse** to volunteer; to
offer oneself; **~cimiento** m
offer; **~nda** f offering
oftalmólogo m oculist
ofuscar v/t to mystify; to confuse

oí|ble audible; **~da** f hearing;
de ~das by hearsay; **~do** m
ear; sense of hearing; **de ~do**
by ear

¡**oiga!** tel hello!
oír v/t to hear; to listen
ojal m buttonhole
¡**ojalá!** interj if only it would;
conj **~ que** I wish; if only
ojea|da f glance, glimpse; **~r**
v/t to eye, to have a look
at
ojera f dark ring under the
eye
ojete m (sewing) eyelet
ojo m eye; eye of the needle;
¡**~!** look out!; **~ amoratado**
black eye; **a ~s cerrados**
blindly
ola f wave; **~ de marejada**
tidal wave; **la nueva ~** the
new wave
oleada f big wave; surge,
swell; fig wave
óleo m oil; oil painting
oleoducto m oil pipeline
oler v/t to smell; to scent; v/i
to smell; **~ a** to smell of
olfat|ear v/t, v/i to smell; **~o** m
sense of smell
oliv|a f olive; olive tree; **~ar** m
olive grove; **~o** m olive tree
olla f stew pot; saucepan; **~ de
presión** pressure cooker

olmo m elm tree
olor m smell, odo(u)r
olvid|adizo forgetful; **~ar** v/t
to forget; **~o** m forgetful-
ness; oblivion
ombligo m anat navel
omi|sión f omission; careless-
ness; **~tir** v/t to omit
omnipotente omnipotent
omnisciente omniscient
omóplato m shoulder blade
ond|a f wave (sea, hair, radio);
~a acústica sound wave;
~ear v/i to wave; to ripple;
to undulate; **~ulado** wavy;
waved; undulated
onza f ounce
opaco opaque
opción f option; choice; **en ~**
as an option
ópera f opera
opera|ción f operation; com
transaction; **~dor** m opera-
tor; cine camera-man; **~r** v/t
to operate; **~rio** m operative;
worker
opereta f operetta
opin|ar v/t to be of the opin-
ion; **~ión** f opinion; **cambiar
de ~ión** to change one's
mind; **en mi ~ión** in my opinion; **~ión pública** public
opinion
opio m opium
opo|ner v/t to oppose; **~ner-
se** to object; to be opposed;
~sición f opposition; **~si-
tor(a)** m (f) opponent; competitor
oportun|idad f opportunity;

~ista *m, f* opportunist; **~o** opportune; convenient

oposición *f* resistance; contrast; competitive exam (*for a job*)

opr|esión *f* oppression; **~esivo** oppressive; **~imir** *v/t* to oppress; to press

optar *v/t* to opt; to choose

óptic|a *f* optics; **~o** *a* optical; *m* optician

optimis|mo *m* optimism; **~ta** *m, f* optimist; *a* optimistic

óptimo best; very good

opuesto opposite; contrary

opulen|cia *f* opulence; **~to** opulent; rich

oración *f* speech; prayer; sentence

oráculo *m* oracle

ora|dor(a) *m* (*f*) orator; speaker; **~l** oral; **~r** *v/i* to make a speech; to pray

oratorio *m relig* oratory; chapel; *mús* oratorio

orbe *m* world; globe

órbita *f* orbit; **estar en ~** to be in orbit

orden *m* order; **~ del día** agenda; **en ~** in order; **llamar al ~** to call to order; *f* order, command; **~ de pago** money order; **por ~ de** on the orders of; **~ación** *f* arrangement; disposition; **~ador** *m* computer; **~ador de viaje** on-board computer; **~anza** *f* statute; ordinance; *m mil* orderly; **~ar** *v/t* to put in order; to order, to ar-

range; to command; to ordain; **~arse** to be ordained

ordeñar *v/t* to milk

ordinal ordinal

ordinario ordinary, vulgar; coarse; common

oreja *f* ear; tab (*of shoe*)

orfanato *m* orphanage

orfebre *m* goldsmith; silversmith; **~ría** *f* gold *or* silver work

organillo *m* barrel organ

organi|smo *m* organism; **~sta** *m, f* organist; **~zación** *f* organization; **~zar** *v/t* to organize

orgánico organic

órgano *m* organ

orgullo *m* pride; **~so** proud

orient|ación *f* orientation; **~al** oriental; **~ar** *v/t* to position; to guide someone; **~e** *m* orient; **el 2e** the East, the Orient; **2e Medio** Middle East; **2e Próximo** Near East

orificio *m* orifice; hole

origen *m* origin; source

original original; odd; **~r** *v/t* to originate; **~rse** to spring from

orilla *f* edge; bank, shore, riverside; **a ~s de** on the banks of

orina *f* urine; **~r** *v/t*, *v/i* to urinate

oriundo native (of)

orla *f* border, edging; **~r** *v/t* to border, to edge

orna|mento *m* ornament; **~r** *v/t* to adorn

oro m gold; ~ *batido* gold leaf
oropel m tinsel
orquesta f orchestra
orquídea f orchid
ortiga f nettle
orto|doncia f orthodontics; **~doxo** orthodox; **~grafía** f spelling; **~pedista** m, f orthop(a)edist
oruga f caterpillar
orzuelo m med sty
os pron pers you; to you
osadía f boldness; daring; **~bold**
oscila|ción f oscillation; **~r** v/i to swing; to oscillate
oscur|ecer v/t to darken; fig to confuse; v/i to grow dark; **~o** dark
oso m bear; ~ *blanco* polar bear
ostenta|r v/t,v/i to show off; to flaunt; **~tivo** ostentatious
ostra f oyster

otoño m autumn, fall
otorga|miento m granting, conferring; for deed; **~r** v/t to grant, to confer
otorrinolaringólogo(a) m (f) ear, nose and throat doctor
otr|o(a, os, as) other; another; ¡*~a!* teat encore!; **~o día** another time; **~a cosa** something else; **~a vez** again; **~os tantos** as many
ovación f ovation
oval, **~ado** oval
ovario m anat ovary
oveja f sheep; ewe
ovillo m ball (of wool)
ovni = *objeto volante no identificado* UFO (unidentified flying object)
oxidar v/t, **~se** to oxidize; to rust
oxígeno m oxygen
oyente m, f listener; hearer
ozono m ozone

P

pabellón m pavilion; ward (in hospital); mil bell tent; **~ de música** bandstand
pacer v/i to graze
pacien|cia f patience; **~te** m, f, a patient
pacifi|cación f peace, pacification; **~cador(a)** m (f) peacemaker; **~car** v/t to pacify; to appease; **~carse** to calm down
pacífico peaceful, pacific
pacifista m, f pacifist

pacotilla f trash, rubbish; *de* ~ of poor quality
pact|ar v/t to contract; to agree to; **~o** m pact
padec|er v/t to suffer from; to tolerate; **~imiento** m suffering
padr|astro m stepfather; fig obstacle; **~e** m father; priest; pl parents; ancestors; 2e *Santo* Holy Father (the Pope); 2e *Nuestro* Lord's Prayer, Our

Father; **~ino** *m* godfather; best man

padrón *m* census; register; *tecn* pattern; *fig* stain, blot

pag|a *f* salary, pay; **~adero** payable; **~ador(a)** *m* (*f*) payer

pagano(a) *m* (*f*), *a* pagan, heathen

pagar *v/t* to pay; to repay; *por* ~ *com* unpaid; **~é** *m* *B* promissory note; IOU

página *f* page (*of a book*)

pago *m* payment; ~ *al contado* cash payment; ~ *a cuenta* payment on account; ~ *a plazos* instal(l)ment plan

país *m* country; land; region; *♀ Vasco* Basque country; *los ~es subdesarrollados* underdeveloped countries

paisa|je *m* landscape; **~no(a)** *m* (*f*) fellow countryman (-woman); civilian; *vestido de ~no* in civilian clothes

Países *m/pl* **Bajos** Netherlands

paja *f* straw

pájaro *m* bird; sly fellow; ~ *cantor* song bird; **~ carpintero** woodpecker

paje *m* page; cabin boy

pala *f* shovel; spade; blade (*of oar*)

palabr|a *f* word; **~a por ~a** word for word; verbatim; **~ota** *f* swearword

palacio *m* palace

palad|ar *m* palate; taste; relish; **~ear** *v/t* to taste

palanca *f* *tecn* lever; bar; ~ *de cambio* gearshift

palangana *f* washbasin

palco *m* teat box

palenque *m* palisade

palet|a *f* small shovel; **~o** *m* rustic

pali|ar *v/t* to palliate; to lessen; **~tivo** *m* palliative

palide|cer *v/i* to pale, to turn pale; **~z** *f* pallor

pálido *a* pale

palillo *m* toothpick; *pl* chopsticks; castanets

palique *m* small talk

paliza *f* beating; thrashing

palm|a *f* *bot* palm tree; palm leaf; palm of the hand; *dar ~as* to clap hands; **~ada** *f* pat, slap; **~adas** *f/pl* applause; **~ar** *m* palm grove; **~atoria** *f* small candlestick; **~era** *f* palm tree; **~o** *m* span (*measure of length, 8 inches*); **~o a ~o** inch by inch

palo *m* stick; pole; cudgel; (*card*) suit; ~ *de golf* golf club

palom|a *f* pigeon; dove; **~ar** *m* pigeon house; dovecot; **~itas** *f/pl* (**de**) (**maíz**) popcorn

palpa|ble evident, palpable; **~r** *v/t* to touch, to feel; to grope along

palpitación *f* palpitation

paludismo *m* malaria

pampa *f* pampa, prairie

pan *m* bread; loaf; ~ *de jengibre* gingerbread; ~ *de oro* *tecn* gold leaf; ~ *integral* whole wheat bread

pana *f* corduroy; **~dería** *f* bakery; **~dero** *m* baker

panal *m* honeycomb

Panamá *m* Panama

panameño(a) *a, m (f)* Panamanian

pancarta *f* placard

pandereta *f* tambourine

pandilla *f* gang, pack (*of thieves*); clique; **~ero** *m LA* gangster

panecillo *m* roll (*bread*)

panfleto *m* pamphlet

pánico *m* panic

panqueque *m LA* pancake

pantaleta *f LA* panties; ladies' underpants

pantalla *f* screen; lampshade

pantalón *m* trousers

pantan|o *m* marsh; swamp; reservoir; **~oso** marshy

pantera *f* panther

pantorrilla *f* calf (*of the leg*)

panty *m* tights, *Am* panty hose

panz|a *f* paunch, belly; **~udo** pot-bellied

pañal *m* (baby's) nappy, *Am* diaper; **~es** *pl* swaddling clothes

pañ|ería *f* draper's shop; *Am* dry goods store; **~o** *m* cloth; duster; **~o de cocina** dishcloth; **~o higiénico** sanitary napkin; **~os menores** underclothes, undergarments; **~uelo** *m* handkerchief; kerchief

papá *m* father; daddy

papa *m* pope; *f LA* potato; **~do** *m* papacy

papagayo *m* parrot

papamoscas *m* flycatcher

papel *m* paper; *teat* part, role; *pl* (identification) papers; documents; ~ *carbón* carbon paper; ~ *de cocina* paper towels; ~ *de envolver* brown paper; ~ *de estaño* tinfoil; ~ *de fumar* cigarette paper; ~ *higiénico* toilet paper; ~ *de lija* sandpaper; ~ *de seda* tissue paper; ~ *moneda* paper money; ~ *pintado* wallpaper; ~ *secante* blotting paper; **~era** *f* wastepaper basket; **~ería** *f* stationer's; **~ero** *m* stationer; **~eta** *f* card; check; slip of paper; **~ucho** *m* scurrilous article; worthless paper

paperas *f/pl* mumps

papilla *f* pap

paquete *m* packet; parcel; **~s** *pl postales* parcel post

par *m* pair; couple; peer; *sin* ~ matchless; *a* even (*of numbers*); equal; *f* par; **a la** ~ equally

para for; intended for; to; ~ *que* in order that; *estar* ~ to be about to; ~ *¿qué?* what for?; ~ *que* in order that, so that

parabrisas *m* windscreen, *Am* windshield

paracaídas *m* parachute

paracaidista *m* parachutist

parachoques *m* bumper

para|da f stop; stopping place; **~da discrecional** request stop; **~da de taxis** taxi stand; **~dero** m whereabouts; LA busstop, railway stop; **~do** a motionless; LA standing up; unemployed; m unemployed worker

paradoja f paradox

paradójico paradoxial

parador m inn; tourist hotel

parafina f paraffin

paraguas m umbrella

Paraguay: el ~ Paraguay

paraíso m paradise; heaven

paraje m place, spot; situation

parale|la f parallel; **~o** parallel

parálisis f paralysis

paralítico paralytic

páramo m moor; bleak plateau

parapeto m breastwork, parapet

parar v/t to stop; to check (progress); v/i to stop; to stay; to end up; **~ en** to result in; **~se** to stop; LA to stand

pararrayos m lightning conductor

parásito(a) m (f) parasite

parasol m sunshade

parcela f parcel, plot (of ground); **~r** v/t to allot; to parcel out

parche m sticking plaster; patch

parcial partial, one-sided; **~idad** f partiality; bias

parco sparing; frugal

pard|o dark; brown; **~usco** greyish; drab

parec|er m opinion; appearance; looks; **a mi ~er** in my opinion; **al ~er** apparently; v/i to appear; to seem; **~erse** to resemble; **~ido** a like, similar; **bien ~ido** good-looking; m resemblance, likeness

pared f wall

pareja f couple; pair; partner

parente|la f relations, parentage; **~sco** m kinship

paréntesis f parenthesis; brackets

paria m, f outcast, pariah

paridad f parity, equality

pariente m, f relative

parir v/t, v/i to give birth

paritorio m delivery room

parl|amentar v/i to converse; **~amento** m parliament; **~anchín** m, f chatterbox; **~otear** v/i to prattle, to chatter

paro m lock-out; unemployment; zool titmouse

parodia f parody, travesty

parón m stop, delay

parpadear v/i to blink, to twinkle

párpado m eyelid

parque m park; **~ de atracciones**, LA **~ de diversiones** amusement park; **~ infantil** playground; **~ nacional** national park; **~ zoológico** zoo

parquímetro *m* parking meter

parra *f* climbing vine

párrafo *m* paragraph

parrilla *f* grill; grate

párroco *m* parish priest

parroquia *f* parish; parish church; **~no(a)** *m* (*f*) parishioner

parsimonia *f* frugality

parte *f* part; share; *for* party; side; **de ~ de** from; on behalf of; **de ~ a ~** through and through; **en ~** partly; **en todas ~s** everywhere; **por otra ~** on the other hand; **la mayor ~** most of; **~s** *pl anat* parts; *m* report; message; **~ meteorológico** weather forecast

participa|ción *f* share; participation; announcement; **~r** *v/t* to inform, to notify; *v/i* to participate; to share

participante *m*, *f* participant

participio *m gram* participle

partícula *f* particle

particular particular; special; private; **~idad** *f* particularity, peculiarity; **~izar** *v/t* to specify

partida *f* departure; certificate; *com* item; shipment; game (*of cards*); entry (*in a register*); **~ de matrimonio** marriage certificate; **~rio(a)** *m* (*f*) partisan, follower

parti|do *m pol* party; match, game (*in sport*); profit; **sacar ~do de** to take advantage of;

tomar ~do to make a decision; to take sides; **~r** *v/t* to part, to divide, to split; to break; to cut (*cards*); *v/i* to depart; **a ~r de hoy** from now on

partitura *f mús* score

parto *m* childbirth; **estar de ~** to be in labo(u)r

párvul|ario *m* nursery school; **~o** *a* small; tiny; small child

pasa *f* raisin; **~ de Corinto** currant

pasado *a* past; **~ de moda** old-fashioned, out of fashion; **~ mañana** the day after tomorrow; *m* past

pasador *m* bolt; pin; smuggler

pasaje *m* passage; voyage; fare; **~ro(a)** *m* (*f*) passenger

pasamano *m* banister, handrail

pasaporte *m* passport

pasar *v/t* to pass; to cross; to surpass; to hand; to transfer; to smuggle; to undergo; to endure; to overlook; **~lo bien** to have a good time; **~ por alto** to ignore; to overlook; *v/i* to manage; to go past; to end; **~ de** to exceed; **~ a** to proceed; **~ por** to be reputed; **¿qué pasa?** what's the matter?; what's the trouble?; **~se** to go over; **~se sin** to do without, to dispense with

pasatiempo *m* pastime

pascua f Passover; 2 **del Espíritu Santo** Pentecost; 2 **de la Navidad** Christmas; 2 **de Resurrección** Easter

pase m permit; pass

pase|arse to go for a walk; **~o** m walk; stroll; **dar un ~o** to take a walk

pasillo m corridor

pasión f passion

pasiv|idad f passivity; **~o** com liabilities; debit; a passive

pasm|ar v/t to stun; to amaze, to astonish; **~o** m amazement; **~oso** amazing

paso m pace; step; passing; gait; walk; **~ a nivel** grade crossing; **~ de peatones** pedestrian crossing; **~ superior** f c overpass; **a pocos ~s** at a short distance; **de ~** in passing; **abrirse ~** to make one's way; **ceder el ~** to make way; **marcar el ~** to mark time; **salir del ~** to get out of a difficulty

pasota m, f fam unconcerned, indifferent person; dropout

pasta f paste; dough; pl pastry; cookies; **~ de dientes** toothpaste

pastel m cake; pie; **~ería** f pastry shop; pastry; **~ero** m pastry cook

pastilla f tablet; cake (of soap); cough drop, lozenge

pasto m grazing; pasture; food; **~r(a)** m (f) shepherd(ess); **~ral** pastoral

pastoso pasty, doughy

pata f foot; leg; paw; **~s de gallo** crow's feet; **a cuatro ~s** on all fours; **~s arriba** upside down; **meter la ~** fig to put one's foot in it; **~da** f stamp (with the foot); kick

patán m rustic; lout

patata f potato

patear v/t, v/i to kick; to stamp

patent|e f patent; warrant; a patent, evident; **~izar** v/t to make evident

patern|al fatherly; paternal; **~idad** f paternity; **~o** paternal

patético moving, pathetic

patíbulo m gallows

patillas f/pl side whiskers; sideburns

patín m skate; **~ de ruedas** roller skate

patin|adero m skating rink; **~ador(a)** m (f) skater; **~aje** m skating; **~aje artístico** figure skating; **~ar** v/i to skate; to skid; **~eta** f scooter

patio m courtyard; teat pit

pato m duck; **pagar el ~** to be the scapegoat

patológico pathological

patraña f fake, swindle

patria f fatherland; native country

patrimonio m patrimony

patrio native; **~ta** m, f patriot; **~tero** m jingoist

patriótico patriotic

patriotismo m patriotism

patrocin|ador m patron, sponsor; **~ar** v/t to sponsor; **~io** m patronage; protection

patrón m patron; protector; landlord; boss; standard; (*sewing*) pattern

patron|a f patroness; landlady; **~ato** m trust; trusteeship; foundation

patrulla f patrol; squad; **~r** v/t, v/i to patrol

paulatinamente gradually

pausa f pause; rest; **~damente** leisurely, slowly; **~do** calm; slow; **~r** v/i to pause

pauta f rule; pattern; model

pava f turkey hen; **pelar la ~** to carry on a flirtation

paviment|ar v/t to pave; **~o** m pavement; paving

pavo m turkey; **~ real** peacock; **~nearse** to swagger, to show off

pavor m terror; dread

payas|ada f clowning; **~o** m clown

paz f peace, tranquillity

peaje m toll

peatón m pedestrian

peca f freckle

peca|do m sin; **~dor(a)** m (f) sinner; **~minoso** sinful

pecera f fish bowl

pechera f shirt front

pecho m chest; breast; bosom; slope; fig courage; **dar el ~** to breast feed; **tomar a ~** to take to heart

pechuga f breast (of fowls)

peculiar peculiar; **~idad** f

f peculiarity

pedag|ogía f pedagogy; **~ogo** m teacher

pedal m pedal; **~ear** v/i to pedal

pedante pedantic; **~ría** f pedantry

pedazo m piece, fragment

pedernal m flint

pedestal m pedestal

pedestre pedestrian

pediatra m pediatrician

pedicuro(a) m (f) chiropodist

pedi|do m demand; request; com order; **~r** v/t to ask for; to request; to demand; to sue for; com to order

pedo m fam fart; **soltar ~s** to fart

pedr|ada f hit with a stone; **~egoso** stony; **~ejón** m boulder; **~isco** m hailstorm

peg|a f gluing; sticking; fig difficulty; **~adizo** sticky; **~ado a** attached to; **~ajoso** sticky; **~ar** v/t to stick; to glue; to beat; **~ar fuego a** to set on fire; **no ~ar los ojos** not to sleep a wink; **~ar un tiro a** to shoot; **~arse** to adhere; to stick to; **~atina** f sticker; **~ote** m sticking plaster; fam sponger; **~otear** v/i fam to sponge

pein|ado m hairdo; **~ador** m dressing gown; **~adura** f combing; **~ar** v/t to comb; to search; **~e** m comb

pela|do shorn; peeled; **~uras** f/pl parings

pelar *v/t* to peel; to cut the hair off; to shear; to pluck (*fowls*); *fig* to fleece

peldaño *m* step (*of staircase*); rung (*of ladder*)

pelea *f* fight; quarrel; **~r** *v/i* to fight; to quarrel

pelele *m* dummy; simpleton

peletería *f* furrier's shop; **~o** *m* furrier

pelícano *m* pelican

película *f* film; movie; **~ muda** silent film

peligr|ar *v/i* to be in danger; **~o** *m* risk; peril; **correr ~o** to run a risk; **~oso** dangerous

pelillo *m* annoying trifle; **echar ~s** al mar to bury the hatchet; **pararse en ~s** to stick at trifles

pellnegro black-haired; **~rrojo** redheaded

pelleja *f*, **~** *m* skin; hide; **salvar el ~o** to save one's skin

pellizc|ar *v/t* to pinch; to nip; **~o** *m* pinch, nip

pel|o *m* hair; *tecn* fibre, *Am* fiber, filament; down (*of birds, fruit*); nap (*of cloth*); coat (*of animals*); **no tener ~os en la lengua** to be very outspoken; **por los ~os** by the skin of one's teeth; **tomar el ~o** to pull one's leg, to tease; **~ón** hairless; penniless

pelot|a *f* ball; **~a vasca** pelota (*ballgame*); **~ear** *v/t* to audit (*accounts*); *v/i* to knock a ball about; to argue

pelotón *m* tuft of hair; *mil* squad; **~ de ejecución** firing squad

peluca *f* wig; **~do** hairy, shaggy; **~quería** *f* hairdresser's shop; **~quero(a)** *m* (*f*) hairdresser; barber

pelusa *f* fluff; down (*on fruit*)

pen|a *f* grief, sorrow; punishment, penalty; **~a capital** capital punishment; **a duras ~as** with great trouble; **valer la ~a** to be worthwhile; **~ar** *v/t* to punish; **~arse** to grieve

pencazo *m* whiplash

pendenciero quarrelsome

pend|er *v/i* to hang; to dangle; **~iente** *a* pending; **~iente de pago** unpaid; *f* slope, hill; *m* earring

péndulo *m* pendulum

pene *m* penis

penetra|ción *f* penetration; insight; **~nte** penetrating; piercing; **~r** *v/t* to understand; to penetrate

penicilina *f* penicillin

península *f* peninsula

penique *m* penny

peniten|cia *f* penitence; penance; **~ciaría** *f* penitentiary; **~te** penitent

penoso distressing; arduous; unpleasant

pensa|do deliberate, premeditated; **bien ~do** well-intentioned; **poco ~do** ill considered; **~dor(a)** *m* (*f*) thinker; **~miento** m thought; thinking; bot pansy; **~r** v/t to think; to intend; **~r en** to think of; **~tivo** thoughtful, pensive

pensi|ón f pension; rent; boarding house; **~onar** v/t to pension; **~onista** m, f pensioner; boarder

pentecostés m Whitsuntide, Pentecost

penúltimo penultimate, next to last

penumbra f semi-darkness

penuria f poverty, need

peñ|a f rock; crag; group of friends; **~asco** m crag, cliff; **~ón** m large rock

peón m foot-soldier; LA farmhand, peon; pawn (chess)

peonza f spinning top

peor a, adv worse; worst; **de mal en ~** from bad to worse

pepin|illos m/pl gherkins; **~o** m cucumber; **no me importa un ~o** I couldn't care less

pepita f pip; seed (of fruit); nugget

pequeñ|ez f smallness; trifle; pettiness; **~o** little; small

pera f pear; goatee; **~l** m pear tree

perca f perch (fish)

percance m misfortune, accident, mishap

percatarse de to realize, to notice

percep|ción f perception; **~tible** perceptible; **~tivo** perceptive

percha f rack; coat stand

percibir v/t to collect (taxes); to receive; to perceive; to notice

percusión f percussion

perd|er v/t to lose; to waste; to miss; **echarse a ~er** to be ruined; **~erse** to get lost; to pass out of sight or hearing; **~ición** f perdition; ruin

pérdida f loss; **~s y ganancias** f/pl profit and loss

perdido lost; wasted; stray; incorrigible

perdiz f partridge

perdón m pardon; mercy; ¡~! sorry!

perdonar v/t to forgive; ¡perdóneme! excuse me!

perdurar v/i to endure; to last

perece|dero perishable; **~o** v/i to come to an end; to perish; to die

peregrin|ación f pilgrimage; **~ar** v/i to go on a pilgrimage; **~o(a)** m (f) pilgrim; a migratory

perejil m parsley

perenne perennial; **de hoja ~** evergreen

perentorio peremptory, decisive

perez|a f laziness, idleness, sloth; **~oso** a lazy, idle; m zool sloth

perfección f perfection

perfeccionar v/t to perfect; to improve

perfecto perfect, complete

perfidia f perfidy, treachery

pérfido perfidious, disloyal

perfil m profile, outline; **~ar** v/t to profile; to outline; **~arse** to take shape; to show one's profile

perfora|dora f hole puncher; **~dora neumática** pneumatic drill; **~r** v/t to punch; to perforate; to drill

perfum|ar v/t to scent; to perfume; **~ería** f perfume shop

pergamino m parchment

pericia f skill; expertness, know-how; **~l** expert

perico m parakeet

periferia f periphery

perilla f doorknob; goatee; **~ de la oreja** earlobe

periódico m newspaper; a periodical

periodi|smo m journalism; **~sta** m journalist

período m period

peripecia f vicissitude

perito m expert

perjudic|ar v/t to harm; to damage; **~ial** harmful

perjuicio m damage; hurt

perjur|ar v/i to commit perjury; **~io** m perjury; **~o** m perjurer

perla f pearl

permane|cer v/i to remain; to stay; to stay; **~ncia** f permanency; stay; sojourn; **~nte** f fam perm; a permanent

permi|sible permissible; **~sivo** permissive, tolerant;

~so m permission; leave; **con ~so** if I may; excuse me; **~tir** v/t to permit; to allow

permuta f exchange; barter; **~ción** f exchange, interchange; **~r** v/t to exchange

pernicioso harmful; pernicious

perno m bolt

pernoctar v/i to spend the night

pero but, yet

perogrullada f fam truism, platitude

perpendicular perpendicular

perpetrar v/t to perpetrate

perpetuo perpetual

perplej|idad f perplexity; **~o** perplexed

perr|a f bitch; pl fam small change; **~era** f kennel; drudgery; **~illo** m small dog; mil trigger; **~illo de falda** lap dog; **~ito caliente** m hot dog; **~o** m dog; **~o de aguas** spaniel; **~o de lanas** poodle; **~o de presa** bulldog; **~o guardián** watchdog; **~o pastor** sheepdog

persa m, f, a Persian

persecución f persecution; pursuit; harassment

perseguir v/t to pursue; to harass, to persecute

perseverar v/i to persevere, to persist

persiana f Venetian blind

persignarse to cross oneself

persisten|cia f persistency; **~te** persistent

persona f person; individual; *teat* character; **en ~** in person; **~je** m personage; **~l** a personal, private; m personnel; **~lidad** f personality; **~rse** to appear personally

personifica|ción f personification; **~r** v/t to personify

perspectiva f perspective, outlook, prospect

perspica|cia f perspicacity; sagacity; **~z** perspicacious, shrewd

persua|dir v/t to persuade; **~sivo** persuasive; inducing

pertene|cer v/i to belong; to appertain; to concern; **~ncia** f ownership; property

pértiga f pole

pertina|cia f stubbornness; **~z** stubborn, obstinate

pertinente pertinent; *for* concerning

pertrechar v/t, **~se** mil to equip; to supply; to store

perturba|ción f disturbance; **~r** v/t to confuse, to agitate, to perturb

Perú: **el ~** Peru

peruano(a) m (f), a Peruvian

perver|sión f perversion; **~so** perverse; **~tido** m pervert; **~tir** v/t to pervert, to corrupt

pesa f weight; *sp* shot; dumbbell; **~dez** f heaviness; sluggishness; **~dilla** f nightmare; **~do** heavy; massive; tedious; fat; **~dumbre** f sorrow; grief

pésame m condolences; **dar el ~** to express one's condolences

pesar v/t to weigh; to afflict; v/i to weigh; to be heavy; to be important; m sorrow, grief; **a ~ de** in spite of; **a ~ de todo** all the same, nevertheless; **~oso** sorry, regretful

pesca f fishing; **~dería** f fish shop; **~dero** m fishmonger; **~do** m coc fish; **~dor** m fisherman; **~r** v/t, v/i to fish; to catch, to angle

pescuezo m neck

pesebre m manger; stall

peseta f peseta (*Spanish currency unit*)

pesimista m, f pessimist

pésimo worst; vile, abominable

peso m weight; burden; heaviness; balance, scales; *LA* peso (*currency unit*)

pesquisa f inquiry; investigation

pestañ|a f eyelash; **~ear** v/t to wink; to blink

pest|e f pest; plague; stench; **~ífero** foul; **~ilencia** f pestilence

pestillo m door latch; bolt

petaca f cigar(ette) case

pétalo m petal

petard|ear v/t to swindle; v/i *aut* to backfire; **~o** m firecracker; *mil* petard; *fam* swindle

petición f petition; demand

petirrojo m robin

petrificar v/t to petrify

petróleo m petroleum, (mineral) oil

petulan|cia f arrogance; **~te** haughty, arrogant

pez m fish (living); f pitch, tar; ~ **gordo** fam bigwig

pezón m stalk; nipple

pezuña f hoof

piadoso pious; devout

piano m piano; ~ **de cola** grand piano

piar v/i to chirp, to peep

pica f pike; **~da** f sting; bite

picadero m riding school

picadillo m minced meat

picado a pricked; m aer dive

picadura f prick; sting; bite

picante hot, strongly spiced; biting

picaporte m door knocker; latch; door-handle

picar v/t to pick; to sting; to bite; to chop, to mince; ~ en to verge on; **~se** to be moth-eaten; to turn sour; to become choppy (sea); fam (drugs) to get a fix, to shoot up

pícaro a sly, crafty; base; roguish; m rogue; rascal

picazón f itch, itching

pichón m young pigeon

pico m beak, bill (of a bird); peak, summit; pick; spout (of teapot); woodpecker; **a las tres y ~** a little after three

picotazo m peck of a bird

pictórico pictorial

pie m foot; trunk (of tree);

stem (of plant); support; **a ~** on foot; **al ~ de la letra** literally; **buscar tres ~s al gato** to split hairs; **en ~** standing; upright; **dar ~** to give cause; **de ~s a cabeza** from head to foot; **estar de ~** to be standing; **ponerse en ~** to stand up

piedad. f piety; devoutness; mercy; pity

piedra f stone; hail; ~ **arenisca** sandstone; ~ **caliza** limestone; ~ **imán** lodestone

piel f skin; hide; leather

pienso m fodder; feed; thought; **ni por ~** by no means

pierna f leg; **dormir a ~ suelta** to sleep soundly

pieza f piece; tecn part; room; **de una ~** in one piece; ~ **de repuesto** spare part

pigmento m pigment

pijama m pyjamas, Am pajamas

pila f heap, stack; basin; water trough; relig font; elec battery; pile

pilar m pillar; trough

píldora f pill; ~ **anticonceptiva** birth control pill

pilla|je m plunder; **~r** v/t to pillage, to plunder; fam to catch

pillo m rascal; knave

pilón m trough; basin; loaf (sugar); mortar

pilot|ar v/t to pilot; to drive; to steer; **~o** m pilot; driver

piment|ero m pepper plant; pepper pot; **~on** m red pepper

pimient|a f black pepper; **~o** m green pepper; chili pepper

pimpollo m shoot; bud

pinar m pine grove

pincel m paint brush

pinch|ar v/t to prick, to puncture; **~azo** m prick; puncture (t aut)

pingüe greasy; fig fat (profits, etc)

pin|güino m penguin; **~ito** m first step; hacer **~itos** to toddle

pino m pine tree; **~cha** f pine needle

pinta f spot, mark; appearance; tener buena **~** to look good; **~do** spotted; speckled; **~r** v/t to paint; to depict; **~rse** to make up one's face

pintor|(a) m (f) painter; **~esco** picturesque

pintura f painting; paint

pinzas f/pl tweezers; forceps; tongs; claws (of crabs, etc)

pinzón m finch

piña f pineapple; pine cone

piñón m pine kernel; tecn pinion

pío a pious, devout; m zool cheeping

piojo m louse; **~so** lousy, mean

pionero m pioneer

pipa f pipe; cask; pl sunflower seeds

pique m pique, resentment;

echar a **~** v/t to sink; irse a **~** to sink; to be ruined

piquete m prick; mil picket

piragua f canoe

pirámide f pyramid

pirat|a m pirate; **~ear** v/i to pirate; **~ería** f piracy

Pirineos m/pl Pyrenees

pirop|ear v/t, v/i to compliment (a woman); **~o** m compliment

pis m fam piss; hacer **~** to piss, to pee

pisa f treading; **~da** f footstep; footprint; **~papeles** m paperweight; **~r** v/t to step on; to tread on; to trample

piscina f swimming pool

piscolabis m snack

piso m floor; flooring; pavement; stor(e)y; flat, apartment; **~ bajo** ground floor

pisón m rammer

pisotear v/t to trample on

pista f track; trail; scent; ring (of the circus); **~ de aterrizaje** runway; **~ de baile** dance floor; **~ de esquiar** ski run; **~ de patinaje** skating rink; **~ de tenis** tennis court

pistol|a f pistol; **~ero** m gangster, gunman

pistón m piston

pit|ar v/t to blow (whistle); LA to smoke; v/i to whistle; to boo; to honk horn; **~illera** f cigarette case; **~illo** m cigarette; **~o** m whistle; aut horn

pitón m protuberance, lump;

plegadizo

spout (of jar); LA nozzle; bot young shoot

pizarra f slate; blackboard

pizca f bit; crumb; dash; pinch (of salt, etc)

placa f plate; plaque; ~ de matrícula aut number or license plate; ~ giratoria turntable

place|ntero pleasant; ~r m pleasure; v/t to please

plácido placid

plaga f scourge; calamity; plague; v/t to infest

plagio m plagiarism

plan m plan; project; attitude; ~ de estudios curriculum; en ese ~ in that way

plana f impr page; primera ~ front page; a ~ y renglón line for line

plancha f iron; ~do ironed; ~r v/t to iron

planea|dor m aer glider; ~r v/i to glide; v/t to plan, to design

planeta m planet

planicie f plain

planificar v/t to plan

plano m plan; plane; map; primer ~ foreground; a level, flat; smooth

plant|a f plant; sole (of the foot); stor(e)y; ~ar v/t to plant; ~arse to stop (animal); to stand firm

plantear v/t to outline, to state; to propose, to present

plantel m nursery garden

plantilla f staff, personnel; inner sole (of a shoe)

plantío m planting; bot bed

plañi|dera f mourner; ~r v/i to weep, to lament

plasma m plasma

plástico a, m plastic

plata f silver; LA money

plataforma f platform; ~ de lanzamiento launching pad (for rockets)

plátano m banana; plane tree

platea f teat stalls, Am orchestra floor

plate|ado silverplated; silvery; ~ro m silversmith

plática f conversation; sermon

platicar v/i to talk, to chat

platija f plaice

platillo m saucer; small dish; pl cymbals; ~ volante flying saucer

platino m platinum

plato m dish; plate; course

playa f shore; beach

plaza f (public) square; market place; post; ~ de armas parade ground; ~ de toros bullring; ~ mayor main square; sentar ~ mil to enlist

plazo m term; due date; instal(l)ment; period; a ~s on credit, by instal(l)ments; corto ~ short notice

pleamar f high tide

pleb|e f common people, the masses; ~eyo a, m plebeian; commoner; ~iscito m referendum

plega|ble, ~dizo folding; collapsible; **~r** v/t to fold; to pleat

plegaria f prayer

pleito m lawsuit; fig dispute, controversy

plen|amente fully; **~ario** plenary; **~ipotencia** f full powers; **~itud** f plenitude; fullness; **~o** full; complete; **en ~o día** in broad daylight; **~o invierno** in the middle of winter

pleuresía f pleurisy

pliego m sheet (of paper); sealed letter or document

pliegue m fold, crease

plisar v/t to pleat

plomo m lead; lead weight

plum|a f feather; quill; pen; nib; **~a estilográfica** fountain-pen; **~aje** m plumage; **~azo** m feather pillow; **~ero** m feather duster; **~ón** m down; feather bed

plural m plural

pluralidad f majority

pluriempleo m holding various jobs; moonlighting

plusvalía f com appreciation; surplus value

pobla|ción f population; town; **~do** m town; village; inhabited place; **~r** v/t to populate, to people; to settle; to stock; **~rse** to fill with

pobre a poor; m, f poor person; beggar; **~za** f poverty

pocho díscolo(u)red; pale

pocilga f pigsty

pocíon f potion; dose (of medicine)

poco a little; scanty; adv little, not much; **dentro de ~** shortly; presently; **~ más o menos** more or less; **~ a ~** a little by little; **por ~** nearly; **tener en ~** to think little of

poda f pruning; **~r** v/t to prune

poder m power; authority; strength; might; **~ notarial** power of attorney; **en ~ de com** in possession of; **plenos ~es** full authority; v/t, v/i to be able; **a más no ~** to the utmost; **no ~ con** to be unable to bear

poder|ío m power; authority; dominion; wealth; **~oso** powerful

podri|do rotten; corrupt; **~rse** to rot, to putrefy

poe|ma m poem; **~sía** f poetry; poem; **~ta** m poet

poético poetic

polaco(a) a Polish; m (f) Pole

polarizar v/t to polarize

polea f pulley

polémica f polemics

policía f police; m policeman; **~co** of the police

polígamo m polygamist

polilla f moth

politécnico polytechnic

polítíc|a f politics; policy; **~a exterior** foreign policy; **familia ~a** in-laws; **~o** political; polite

póliza f certificate; draft; com

policy; ~ **de seguro** insurance policy

polizón m stowaway; tramp

polizonte m fam copper, policeman

poll|a f pullet; fam chick, young girl; ~**ada** f hatch of chickens; ~**ería** f poultry shop; ~**o** m chicken; fam youngster; ~**uelo** m chick

polo m pole; sp polo

polonés(esa) m (f), a Polish

Polonia f Poland

poltrón idle, lazy

polución f pollution

polv|areda f dust cloud; ~**era** f vanity case; ~**o** m dust; powder; pl toilet powder; **estar hecho** ~ to be worn out; ~**(s) de levadura** baking powder; ~**(s) de talco** talcum powder

pólvora f gunpowder

polvoriento dusty

pomelo m grapefruit

pómez: **piedra** f ~ pumice stone

pomp|a f pomp; show; ~**a de jabón** soap bubble; ~**oso** magnificent; grandiose; pompous

pómulo m cheekbone

ponche m punch (drink)

poncho m LA poncho, cloak, blanket

pondera|ción f deliberation; consideration; ~**r** v/t to weigh; to ponder

poner v/t to put; to place; to set (a table); to lay (eggs); to give (name); to turn on; to put on; to cause; to set to; ~ **en claro** to make clear; ~ **en duda** to doubt; ~ **en marcha** to start (an engine); ~**se** to become, to get; to set (the sun)

poniente m west; west wind

pontifica|do m pontificate; ~**l** pontifical

ponzoñ|a f poison; ~**oso** poisonous

popa f mar stern; **de** ~ **a proa** fore and aft; totally

populacho m populace, mob

popular popular; ~**idad** f popularity; ~**izarse** to become popular

poqu|edad f paucity; timidity; ~**ito** very little

por by; for; through; as; across; for the sake of; on behalf of; mat times; **escrito** ~ written by; **pasamos** ~ **Paris** we travel via Paris; **la mañana** in the morning; **se vende al** ~ **mayor** it is sold wholesale; ~ **ciento** percent; ~ **docena** by the dozen; ~ **adelantado** in advance; ~ **escrito** in writing; ~ **ahora** for now; **¡** ~ **cierto!** sure!; ~ **si acaso** just in case

porcelana f porcelain; china

porcentaje m percentage

porche m porch, portico

porción f portion; part

pordiosero m beggar

porfía f persistence; competition

porfiado obstinate

pormenor m detail; **~izar** v/t to detail

pornografía f pornography

poro m pore; **~so** porous

porque because; in order that

porqué m cause, reason; **¿por qué?** interrog why?; what for?

porquer|ía f dirt; rubbish; dirty business; **~o** m swineherd

porra f cudgel; truncheon; club; **mandar a la ~** to kick out; **~zo** m blow, thump; bump

porro dull, stupid; fam joint (drugs)

portaaviones m aircraft carrier

portada f doorway; porch; front; title page

portador(a) m (f) bearer

portaequipajes m boot, Am trunk; luggage rack

portal m porch; vestibule; door of house; gate; **~ón** m mar gangway

portamonedas m purse

portarse to behave

portátil portable

portavoz m spokesman

portazgo m toll

portazo m slam of a door

porte m carriage; postage; behavio(u)r; **~ franco** postage prepaid

porter|ía f porter's lodge; sp goal; **~o(a)** m (f) porter, janitor, concierge; superintend-

ent; sp goalkeeper

pórtico m porch; arcade

portilla f porthole

Portugal m Portugal

portugués(esa) m (f), a Portuguese

porvenir m future

posad|a f inn, hostel; **~ero** m innkeeper

posar v/t to pose; to perch (birds)

pose|edor(a) m (f) possessor; owner; **~er** v/t to possess; to own; **~ído** possessed; **~sión** f possession; ownership; **~sivo** possessive

posib|ilidad f possibility; **~ilitar** v/t to make possible; **~le** possible

posición f position; rank

positivo positive

posponer v/t to place behind; to postpone; to subordinate

postal postal; (**tarjeta**) f **~** postcard

pos(t)data f postscript

poste m post; pillar; pole; **~ de llegada** sp winning post; **~ indicador** signpost

postergar v/t to postpone; to pass over

posteri|dad f posterity; **~or** subsequent; rear; back

pos(t)guerra: de ~ postwar

postigo m wicket; shutter

postizo a false; artificial; m false hair

postra|do prone; prostrate; **~r** v/t to overthrow; to prostrate

postre m dessert; **~mo, ~ro** last; rear

postular v/t to claim; to postulate

póstumo posthumous

postura f posture, pose, position; *com* bid; stake

potable drinkable

potaje m vegetable stew

pote m pot; jar

poten|cia f power; potency; horsepower; **~cia mundial** world power; **~cial** m potential; capacity; *a* potential; **~te** powerful; potent

potesta|d f power; jurisdiction; **~tivo** facultative

potr|a f filly; **~ero** m pasture; paddock; *LA* cattle ranch; **~o** m foal, colt

poza f puddle; pool

pozo m well; **~ de mina** pit; shaft

práctica f practice, custom

practica|ble feasible; **~nte** m apprentice; **~r** v/t to practice; to perform

práctico *m mar* pilot; *a* practical; workable

prad|era f meadowland; **~o** m field, meadow

pragmático pragmatic

preámbulo m preamble

precario precarious

precaución f precaution

precavido cautious, wary

precede|ncia f precedence; priority; preference; **~nte** m precedent; **sin ~nte** unprecedented; *a* preceding; prior;

~r v/t to precede; to have priority over

precepto m precept; order; rule; **~r** m tutor

preciar v/t to value; to appraise

precint|ado presealed; prepackaged; **~o** m sealed strap

precio m price; cost; worth; value; esteem; **~ fijo** fixed price; **~so** precious; valuable; *fig* lovely

precipi|cio m precipice; **~ta-ción** f **radiactiva** fall-out; **~tar** v/t to precipitate; to hasten; **~tarse** to rush; to dash

precis|amente precisely; **~ar** v/t to define exactly, to specify; to need; **~ión** f precision; accuracy; need; **~o** precise; necessary

preconizar v/t to recommend; to favo(u)r; to foresee

precoz precocious

precursor(a) m (f) forerunner; precursor

predecesor m predecessor

predecir v/t to predict

predestinar v/t to predestine

prédica f sermon

predica|dor(a) m (f) preacher; **~mento** m category; *LA* predicament; **~r** v/t, v/i to preach

predicción f prediction

predilec|ción f predilection; **~to** favo(u)rite

predio m landed property; estate

predisposición f predisposition

predomin|ar v/t to predominate; **~io** m predominance; superiority

prefabricado prefabricated

prefacio m preface, prologue

prefecto m prefect

preferen|cia f preference; **~localidad de ~cia** teat reserved seat; **~cia de paso** aut right of way; **~te** preferential

preferi|ble preferable; **~r** v/t to prefer

prefijo m prefix

pregón m announcement; cry (of traders)

preguerra f prewar period

pregunta f question; **hacer una ~** to ask a question; **~r** (por) v/t, v/i to ask (for); **~rse** to wonder

prehistórico prehistoric

preju|icio m prejudice; **~zgar** v/t to prejudge

prelado m prelate

preliminar a preliminary; m preliminary

preludio m prelude

prematuro premature; untimely

premedita|ción f premeditation; **~do** premeditated; deliberate; **~r** v/t to premeditate

premi|ar v/t to reward; to award a prize to; **~o** m prize; com premium; **~o gordo** first prize

premisa f premise; assump-

tion

premura f pressure, urgency

prenda f pledge; token; forfeit; **en ~** in pawn; **~ perdida** forfeit; pl talents; **~r** v/t to pawn; to please

prende|dor m clasp; brooch; **~r** v/t to seize; to catch; LA to switch on; **~r fuego** to catch fire; **~ría** f pawnshop

prensa f press; **~do** m sheen (on material); **~r** v/t to press

preñado a pregnant with; full of; m pregnancy

preocupa|ción f worry; **~do** preoccupied, worried; concerned; **~r** v/t to worry; to preoccupy; **~rse** to worry; to concern oneself; to take an interest in

prepara|ción f preparation; **~r** v/t to prepare; **~rse** to get or make ready; **~tivo** a preparatory; **~tivos** m/pl preparations

prepondera|ncia f preponderance; **~r** v/i to prevail

preposición f gram preposition

prerrogativa f prerogative; privilege

presa f capture; prey, quarry; dam, weir

presagi|ar v/t to presage; **~o** m presage, omen

présbita far-sighted

presbítero m priest

prescindir de v/i to do without, to dispense with

prescri|bir v/t to prescribe;

~pción f prescription; **~to** prescribed

presencia f presence; bearing; appearance; **~ de ánimo** presence of mind; **~r** v/t to attend; to be present at; to witness

presenta|ción f introduction; presentation; **~dor(a)** m (f) TV moderator; **~r** v/t to introduce; to present; to display; **~rse** to present oneself; to turn up

presente a present; **al ~** at present; **tener ~** to bear in mind, to keep in view; m present (t gram)

presenti|miento m premonition; presentiment; **~r** v/t to have a presentiment of

preserva|ción f preservation; conservation; **~r** v/t to preserve; **~tivo** a, m preservative; m condom

presiden|cia f presidency; chairmanship; **~te** m president; chairman

presidi|ario m convict; **~o** m prison; mil garrison

presidir v/t to preside over

presilla f fastener; clip

presión f pressure; **a ~** under pressure; **~ atmosférica** air pressure; **~ sanguínea** blood pressure

preso m prisoner; a captured

presta|ción f lending; loan; **~do** loaned; **pedir ~do** to borrow; **~dor(a)** m (f) lender; **~mista** m moneylender,

pawnbroker

préstamo m loan

presta|r v/t to lend; **~tario** m borrower

prestidigitador m conjurer, magician

prestigio m prestige; **~so** famous, renowned

presto quick; ready

presu|mido conceited; presumptuous; **~mir** v/t to presume; to surmise; v/i to show off; to be conceited; **~nción** f presumption; **~nto** presumed, supposed; **~ntuoso** conceited; presumptuous; pretentious

presupuesto m budget

presuroso hasty; prompt

preten|der v/t to seek; to claim; to attempt; to pretend; to pay court to; **~dido** alleged; **~diente** m claimant; suitor; **~sión** f claim; pretension

pretérito m, a preterit(e); past

pretexto m pretext

prevalecer v/i to prevail; to take root

prevaricar v/i to act dishonestly; to fail in one's duty

preven|ción f prevention; warning; foresight; **~ir** v/t to prepare; to warn; to foresee; to prevent; **~irse** to get ready; to be prepared; **~tivo** preventive

prever v/t to foresee; to forecast

previo *a* previous, prior; *prep* after, following

previs|ión *f* foresight; forecast; **~or** farsighted; thoughtful

prieto blackish, dark; *LA* brunette

prima *f* female cousin; *com* premium; bounty

primacía *f* primacy

primado *m* primate

primario primary

primavera *f* spring; *bot* primrose

primer|amente in the first place; **~izo** *m* beginner; **~o(a)** *a* first; primary; foremost; **~ ministro** prime minister; **de ~a** first rate; first class; **de ~a mano** first hand; **en ~ lugar** firstly; **~os auxilios** first aid; *adv* first; rather

primitivo primitive

primo *m* cousin; **~ hermano**, **~ carnal** first cousin; *a mat* prime; **~génito** first-born

primor *m* excellence; beauty; ability; **~oso** excellent; exquisite; skil(l)ful

princ|esa *f* princess; **~ipado** *m* principality; **~ipal** *a* principal; main; *m* chief

príncipe *m* prince; **~ heredero** crown prince

principi|ante *m, f* beginner; **~ar** *v/t* to begin; to beginning; principle; **al ~o** at first; **a ~os del mes** at the beginning of the month

pring|ar *v/t* to dip in fat; to

baste; **~oso** greasy; sticky

prioridad *f* priority

prisa *f* haste, hurry, speed; **a toda ~** as quickly as possible; **darse ~** to hurry, to make haste, to be quick; **tener ~** to be in a hurry

prisión *f* prison, jail; imprisonment

prisionero(a) *m (f)* prisoner; captive

prism|a *m* prism; **~ático** prismatic; **~áticos** *m/pl* binoculars

priva|ción *f* privation; loss; want; **~do** private; personal; **~r** *v/t* to deprive; to prohibit; **~tivo** privative; special, exclusive

privilegi|ar *v/t* to privilege; **~o** *m* privilege; sole right

pro *m or f* profit; benefit; **en ~ de** for, on behalf of

proa *f mar* bow; prow; **de ~ a popa** from stem to stern

probab|ilidad *f* probability; likelihood; **~le** probable; likely

proba|r *v/t* to test; to try; to prove; to taste; to sample; **~torio** probative

probeta *f* test tube; **niño-~** *m* test tube baby

probidad *f* integrity; probity

problem|a *m* problem; **~ático** problematic

proced|encia *f* origin; **~ente** fitting; lawful; **~ente de** coming from; **~er** *v/i* to proceed; to be right; to behave;

~er a to proceed to; to start;
~er contra to proceed
against; ~er de to proceed
from; to originate in; m be-
havio(u)r; ~imiento m process; procedure; for proceedings
proces|ador m de textos
word processor; ~ar v/t to
prosecute; to put on trial;
~ar datos to process data;
~o m process; prosecution;
for trial, lawsuit
proclama|ción f proclama-
tion; ~r v/t to proclaim
procura|dor m attorney; so-
licitor; ~r v/t to try; to seek;
to cause
prodigar v/t to squander; to
lavish
prodigio m prodigy; wonder;
mitacle; ~so prodigious;
wonderful
pródigo prodigal; lavish;
~(a) m (f) spendthrift
produc|ción f production;
output; ~ción en serie mass
production; ~ente a produc-
ing; m producer; ~ir v/t to
produce; to yield; to cause;
to generate; ~tivo productive; ~to m product; pro-
duce; proceeds; yield; ~
tor(a) m (f) producer
proeza f exploit, heroic deed
profano a profane; ~(a) m (f)
layman (laywoman)
profecía f prophecy
proferir v/t to utter
profes|ar v/t to profess; to

feel; to practise, Am practice
(a profession); ~ión f profession; ~ional professional;
~or(a) m (f) teacher; professor; ~orado m teaching
staff; teaching profession;
~oral professorial
profeta m prophet; ~izar v/t
to predict, to prophesy
profund|idad f depth; ~izar
v/t to deepen; to study thoroughly; ~o profound; deep
profus|ión f profusion; abun-
dance; ~o profuse, abundant
programa m program(me);
~ción f programming
progres|ar v/i to progress;
~ivo progressive; ~o m progress
prohibi|ción f prohibition; ~r
v/t to prohibit; ~tivo pro-
hibitive
prohijar v/t to adopt
prójimo m neighbo(u)r; fellow being
proletari|ado m proletariat;
~o m, a proletarian
prolijo prolix; long-winded
prólogo m prologue
prolongar v/t to prolong; to
extend
promedio m average
prome|sa f promise; ~tedor
promising; ~ter v/t to prom-
ise; ~tido(a) m (f) fiancé(e),
betrothed
prominente prominent
promiscuo promiscuous; in
disorder
promoción f promotion; ad-

vancement; **la ~ de** the class of

promontorio *m* cape; headland

promo|tor *m* promoter; **~ver** *v/t* to promote; to foster; to provoke

promulgar *v/t* to promulgate; to publish officially

pronombre *m* pronoun

pronosticar *v/t* to foretell

pronóstico *m* forecast; prediction; *med* prognosis; **~ del tiempo** weather forecast

pront|itud *f* promptness, dispatch; **~o** *a* prompt; fast; ready; *adv* quickly; soon; early; **por lo ~o** for the time being; **tan ~o como** as soon as

pronuncia|ción *f* pronunciation; **~miento** *m* military revolt; **~r** *v/t* to pronounce; to utter

propaga|ción *f* propagation; spreading; **~nda** *f* propaganda; **~ndista** *m, f* propagandist; **~r** *v/t* to spread; to propagate

propens|ión *f* propensity, leaning, inclination; **~o** inclined, prone

propiamente properly

propicio favo(u)rable; propitious

propie|dad *f* ownership; property; special quality; **es ~dad** copyright; **~tario(a)** *m* (*f*) proprietor (-tress); landowner

propina *f* tip; gratuity

propio own; proper; suitable; typical; selfsame; **el ~ rey** the king himself

proponer *v/t* to propose

proporción *f* proportion; symmetry

proporciona|do proportionate; proportioned; **~r** *v/t* to provide; to adjust

proposición *f* proposition; proposal

propósito *m* purpose; object; **a ~** by the way, on purpose; **¿a qué ~?** to what end?; **de ~** on purpose; **fuera de ~** beside the point

propuesta *f* offer; proposal

propuls|ar *v/t* to propel; **~ión** *f* propulsion; propelling; **~or** *m* propellent

prorrat|a *f* quota, share; **~ear** *v/t* to apportion; **~eo** *m* allotment

prórroga *f* prolongation; extension (*of time*)

prorrogar *v/t* to prorogue; to extend (*in time*)

prosa *f* prose

prosáico prosaic; matter-of-fact

proscri|bir *v/t* to prohibit; to proscribe; to banish; **~to** *m* outlaw; *a* banned; outlawed

prose|cución *f* prosecution; pursuit; **~guir** *v/t* to go on with, to continue; *v/i* to continue; to resume

prospecto *m* prospectus

prosper|ar *v/i* to prosper, to thrive; **~idad** *f* prosperity

próspero prosperous

prostitu|ir v/t to protecting; to debase; **~ta** f prostitute

protagonista m, f protagonist; main character

protección f protection

prote|ctor a protecting; protective; m protector; **~ger** v/t to protect; **~gido(a)** m (f) protégé(e)

protesta f protest; **~ción** f protestation; **~nte** m, f Protestant; a protesting; **~r** v/t, v/i to protest

protesto m com protest (of a bill)

protocolo m protocol; etiquette

prototipo m prototype, model

protuberancia f protuberance

provecho m profit; ¡ buen **~!** bon appétit!; **~so** profitable

provee|dor(a) m (f) purveyor; supplier; **~r** v/t to supply; to provide

provenir de v/i to arise from; to originate in

proverbio m proverb

providencia f providence; forethought; foresight

provincia f province; **~l** provincial; **~no(a)** m (f), a provincial

provisión f supply; provision; store; pl provisions

provisional temporary, provisional

provoca|ción f provocation;

~r v/t to provoke; to annoy; to tempt; to cause

próxim|amente shortly; **~o** near; close; next; **el mes ~o** next month

proyec|ción f projection; **~tar** v/t to plan; to project; **~til** m projectile; missile; **~to** m plan; project; **~tor** m cine projector; searchlight

pruden|cia f prudence; **~te** prudent; cautious

prueba f proof; evidence; test; trial; **foto** proof; **~ de alcohol** alcohol level test; **~ de fuego** fig acid test; **a ~ de agua** waterproof; **a ~ de bala** bulletproof; **~ eliminatoria** sp heat; **poner a ~** to test

prurito m itch

psicología f psychology

psicológico a psychological

psicoterapia f psychotherapy

psiquiatra m psychiatrist

psiquiatría f psychiatry

púa f barb; tooth (of a comb); sharp point; **alambre m de ~s** barbed wire

pubertad f puberty

publica|ción f publication; **~r** v/t to publish

públicamente in public

publicidad f publicity; com advertising

público m public; audience; a public; common

puchero m cooking pot; stew; **hacer ~s** to pout

púdico chaste

pudor *m* modesty; decency; shame; **~oso** modest; bashful

pudrir *v/t* to rot; to vex; **~se** to rot; to decay

pueblo *m* nation; people; (country) town; village

puente *m* bridge; **~ colgante** suspension bridge; **~ levadizo** drawbridge

puerc|a *f* sow; **~o** *m* hog; wild boar; **~o espín** porcupine; *a* filthy

pueril puerile, childish

puerro *m* leek

puerta *f* door; entrance; **~ giratoria** swing(ing) door

puerto *m* port; mountain pass; **~ franco, ~ libre** free port

Puerto Rico Puerto Rico

puertorriqueño(a) *a, m (f)* Puerto Rican

pues since; because; then; well; **ahora ~** now then; **bien** well then, very well; **~ sí** well, yes

puesta *f* setting (*of the sun*); stake (*at cards*); **~ a punto** *aut* tune-up

puesto *m* place; stand (*on the market*); post; job; **~ de periódicos** news stand; **~ de socorro** first aid station; *a* dressed; arranged; **~ que** *conj* since; inasmuch as

pugilato *m* boxing; fight

pugna *f* battle; struggle; **~r** *v/i* to fight, to strive

puja|nte strong; vigorous; **~nza** *f* strength; vigo(u)r; **~r** *v/i* to struggle; to bid

pulcr|itud *f* neatness; **~o** neat; tidy; exquisite

pulga *f* flea; **tener malas ~s** to be bad tempered

pulga|da *f* inch; **~r** *m* thumb

puli|do neat; polished; **~mentar** *v/t* to polish; **~mento** *m* gloss; **~r** *v/t* to polish

pulla *f* cutting remark, taunt

pulm|ón *m* lung; **~ón de acero** iron lung; **~onía** *f* pneumonia

pulóver *m LA* pullover

pulpa *f* pulp

pulpo *m* octopus

pulsa|ción *f* pulsation; throb; *mús* touch; **~dor** *m* pushbutton; **~r** *v/t* to play (*stringed instrument*); *v/i* to throb

puls|era *f* bracelet; **~o** *m* pulse; **tomar el ~o** to feel the pulse

pulular *v/i* to abound; to swarm

pulverizar *v/t* to pulverize

punción *f med* puncture

pundonor *m* point of hono(u)r

puni|ble punishable; **~ción** *f* punishment

punt|a *f* point; tip; nib; end; promontory; **en la ~ de la lengua** on the tip of the tongue; **sacar ~a a** to sharpen; **~ada** *f* stitch; **~apié** *m* kick; **~ear** *v/t* to dot; *mús* to plunk; **∼ería** f aim; marksmanship; **∼iagudo** sharp; **∼illa** f lace edging; tack; **de ∼illas** on tiptoe; **∼o** m point; dot; full stop; nib (of pen); sight (in firearms); stitch (in sewing); **hacer ∼o** v/t, v/i to knit; **a ∼o de** about to (do), on the point of (doing); **∼o de partida** starting point; **∼o de vista** viewpoint; **∼o y coma** semicolon; **en ∼o** sharp; exactly

puntuación f punctuation

puntual punctual; **∼idad** f punctuality; **∼izar** v/t to fix; to describe in detail; **∼mente** punctually

puntuar v/t to punctuate

punz|ada f prick; puncture; stab (of pain); **∼ar** v/t to prick; to pierce

puñad|a f blow with the fist; **∼o** m handful; bunch

puñal m dagger; **∼ada** f stab (with a dagger; of pain)

puñetazo m punch

puño m fist; cuff; hilt; handle

pupa f pimple; blister

pupil|a f pupil (of the eye); **∼o** m ward

pupitre m school desk

puramente purely

puré m purée; **∼ de patatas** mashed potatoes

pureza f purity

purga f purge; purgative; **∼nte** m purgative; laxative; **∼r** v/t to purge; **∼rse** to take a purgative; **∼torio** m purgatory

purificar v/t to purify; to cleanse

puro a pure, unmixed; m cigar

púrpura f purple

pus m pus

pusilánime pusillanimous; cowardly

pústula f pustule; pimple

puta f whore

putrefacto putrid; rotten

pútrido putrid; rotten

puya f goad

P.V.P. = precio de venta al público retail price

Q

que rel pron who; whom; which; that; what; conj as; that; than; ¡ **∼ venga!** let him come!; **∼ yo sepa** as far as I know; **más ∼** more than; **dice ∼ sí** he says yes

qué interrog pron what?; which?; ¿ **por ∼?** why?; ¿ **para ∼?** what for?; ¿ **y ∼?** so

what?; what then?; ¿ **∼ hora es?** what's the time?; interj what a!; how!; ¡ **∼ niño!** what a child!; ¡ **∼ difícil!** how difficult!

quebra|da f ravine; **∼dero** m **de cabeza** headache; worry; **∼dizo** brittle; fragile; **∼do** a broken; com bankrupt; m mat fraction; **~ntamiento** m fracture, break; **~ntar** v/t to break; to crack; to shatter; **~nto** m weakness; grief; exhaustion; **~r** v/t to break; to bend; v/i to go bankrupt; **~rse** to get broken; med to be ruptured

queda f curfew; **~r** v/i to remain; to stay; to be left; **~ bien** to come out well; **~r en hacer algo** to agree to do something; **~rse** to remain; to stay; **~rse con** to keep

quehaceres m/pl jobs; duties; **~ de casa** household chores

queja f complaint; moan; grudge; **~arse** to moan; to whine; to complain; **~ido** m moan, whine

quema f burning; fire; **~dura** f scald; burn; **~dura del sol** sunburn; **~r** v/t to burn; to scorch; to scald; to blow (fuse); **~rse** to burn; to be very hot; to feel very hot

quemarropa: a ~ pointblank

querella f quarrel; dispute; **~rse** for to lodge a complaint

querer v/t to want; to wish; to love; to like; to need; **~ decir** to mean; **sin ~** unintentionally

querido dear; beloved

queso m cheese; **~ crema** cream cheese; **~ de bola** Edam cheese

quicio m pivot hole; frame jamb; **sacar de ~** to exasper-

ate (person); to exaggerate the importance of (thing)

quiebra f crack; fissure; com bankruptcy, failure

quien rel pron (pl **quienes**) who; whom; **hay ~ dice** there are those who say; **~quiera** (pl **quienesquiera**) whoever; whosoever

quién interrog pron (pl **quiénes**) who?

quieto quiet; calm; **~ud** f stillness; repose

quijada f jawbone

quijot|esco quixotic; bizarre; **~ismo** m quixotism

quilate m carat

quilla f keel

quimera f chimera; dispute; quarrel

químic|a f chemistry; **~o** m chemist; a chemical

quincalla f hardware

quincena f fortnight; **~l** fortnightly

quinielas f/pl (football) pool

quinina f quinine

quinta f country house; mil conscription

quintillizos m/pl quintuplets

quiosco m kiosk; booth; street stand

quiquiriquí m cock-a-doodle-doo

quirófano m med operating room

quirúrgico surgical

quisquill|a f trifling dispute; **~oso** touchy; fastidious; hair-splitting

quiste m cyst

quita|esmalte m nail polish remover; **~manchas** m stain remover; **~nieves** m snowplough, t Am -plow; **~sol** m sunshade

quita|r v/t to take away; to take off; to deprive of; to avert; to remove; mat to subtract; **~rse** to take off (hat, clothes); **~rse de en medio** to get out of the way

quite m parry; dodge

quizá, quizás perhaps, maybe

R

rábano m radish; **~ picante** horseradish

rabi|a f rage; med rabies; **~ar** v/i to rage; **~ar por** to long eagerly for; **~eta** f fit of temper

rabino m rabbi

rabioso rabid; furious

rab|o m tail; tail end; **con el ~o entre las piernas** fam ashamed; crestfallen; **~udo** long-tailed

racha f gust (of wind); run (of luck); **~ de victorias** winning streak

racial racial

racimo m bunch; cluster

raciocinio m reasoning

ración f ration; portion

racional rational; **~ista** m, f, a rationalist

raciona|miento m rationing; **~r** v/t to ration

radar m radar

radia|ción f radiation; **~ctivo** radioactive; **~dor** m radiator; **~r** v/i to radiate; v/t to broadcast

radical|a a radical; m gram, mat radical; **~r** v/i to take

root; to be located

radio m radius; radium; f or m broadcasting, radio; **~difusión** f broadcasting; **~grafía** f X-ray; **~grama** m radiotelegram; **~logía** f radiology; **~rreceptor** m radio receiver; **~terapia** f radiotherapy; **~yente** m, f listener

ráfaga f gust, flurry, squall (of wind); flash (of light)

raído scraped; threadbare, worn-out; barefaced

raí|z f root; origin; **~z cuadrada** square root; **a ~z de** as a result of; **de ~z** by the root; **echar ~ces** to take root

raja f crack; splinter; slice (of fruit); **~r** v/t to split; to chop; to slice

rall|ar v/t to grate; **~o** m tecn rasp

ralo thin (liquid); sparse

rama f branch; **en ~** raw (cotton, etc); **andarse por las ~s** to beat about the bush; **~l** m strand (of a rope); branch line (of a railway)

ramera f whore, prostitute

ramificarse to branch off

ramillete m bouquet; centerpiece; collection

ramo m small branch; bunch (of flowers); field of art or science; line of business

rampa f ramp

ramplón vulgar

rana f frog

ranch|ero LA rancher; **~o** m mil, mar mess; settlement; LA ranch

rancio rancid; rank, stale

rango m rank; class

ranura f groove

rapaz a greedy; rapacious; m youngster; brat

rapé m snuff (tobacco)

rapidez f rapidity; speed

rápido m express train; a speedy; rapid

rapiña f robbery with violence; **de ~** of prey (birds)

rapos|a f vixen; fox; fam cunning person; **~o** m fox

rapt|ar v/t to kidnap; **~o** m kidnapping; abduction

raqueta f racket; **~ de nieve** snowshoe

raquítico med rachitic; rickety; feeble; stunted

rar|eza f rarity; oddity; peculiarity; **~ificar** v/t to rarefy; **~o** rare; uncommon; fig strange; notable; **~a vez** seldom

ras m levelness; **~ con ~** level; **a ~ de** on a level with

rasar v/t to graze; to skim; to
level

rasca|cielo m skyscraper; **~dor** m rasp, scraper; hairpin; **~r** v/t to scratch; to scrape

rasgar v/t to tear; to rip

rasgo m feature; trait, characteristic; **a grandes ~s** in outline

rasg|ón m tear; rip; **~uear** v/t, v/i to strum (guitar, etc); **~uño** m scratch

raso m satin; a flat; plain; cloudless (sky)

raspa|dura f rasping; pl scrapings; **~r** v/t to rasp; to scrape

rastra f trail; track; rake

rastr|ear v/t to trail; to track; **~eo** m dredging; tracking; **~ero** creeping; **~illo** m rake; **~o** m scent; track; trace; rake; **~ojo** m stubble

rata f rat

rate|ar v/t to apportion; to pilfer; v/i to creep; **~ría** f pilfering; **~ro** m thief; pickpocket

ratifica|ción f ratification; **~r** v/t to ratify; to confirm

rato m while; (short) time; **un ~** while; **largo ~** a long time; **a ~s** from time to time; **~s libres** spare time; **pasar un mal ~** to have a bad time

ratón m mouse

ratonera f mousetrap

raya f line; stripe; streak; dash; parting (of hair); ray (fish); **~do** striped; **~r** v/t to line; v/i to border

rayo *m* ray; beam; spoke; thunderbolt; ~ *láser* laser beam; ~ *del sol* sunbeam

rayón *m* rayon

raza *f* race; breed; ~ *humana* human race, mankind

razón *f* reason; cause; information; message; rate; *a* ~ *de* at the rate of; *con* ~ rightly, with good reason; *dar* ~ *de* to inform about; *tener* ~ to be right; ~ *social* trade name

razona|ble reasonable; **~r** *v/i* to reason

reacción *f* reaction; ~ *en cadena* chain reaction

reaccionar *v/i* to react; **~io(a)** *m* (*f*), *a* reactionary

real real; genuine; royal

reali|dad *f* reality; truth; *en* ~ *dad* in fact; as a matter of fact; **~zar** *v/t* to carry out, to accomplish; to put into practice

realmente really; actually

realzar *v/t* to heighten, to enhance; *tecn* to emboss

reanimar *v/t* to revive; to encourage

reanud|ación *f* resumption; **~ar** *v/t* to resume

reapar|ecer *v/i* to reappear; **~ición** *f* reappearance

rearm|ar *v/t* to rearm; **~e** *m* rearmament

reasumir *v/t* to resume; to take up again

rebaja *f* diminution; *com* rebate, reduction; **~r** *v/t* to

lower; to reduce; to diminish; to discount

rebanada *f* slice (*of bread*)

rebaño *m* flock; herd

rebasar *v/t* to exceed; to overflow; to better (*a record*)

rebatir *v/t* to repel; to refute

rebel|arse to rebel; to revolt; **~de** *m* rebel; *a* rebellious; **~día** *f* rebelliousness; *for* default; contempt of court; **~ión** *f* rebellion

reblandecer *v/t* to soften

rebobinar *v/t* to rewind (*tape etc*)

reborde *m* flange; border

rebosar *v/i* to run over; ~ *de* to overflow with

rebot|ar *v/i* to bounce; to rebound; *fam* to annoy; **~e** *m* rebound; *de* ~*e* on the rebound

rebozar *v/t* to muffle up; to dip *or* coat (*meat or fish*) in flour (*before frying*)

rebusca *f* careful search; **~do** affected; recherché; elaborate

rebuznar *v/i* to bray

recabar *v/t* to claim (*responsibility, etc*); to obtain by entreaty

recado *m* message

reca|er *v/i* to relapse; **~ída** *f* relapse

recalentar *v/t* to warm up; to overheat

recámara *f LA* bedroom

recambio *m* spare part; refill

recargar v/t to reload; to recharge; to overcharge

recata|do cautious; shy; ~r v/t to conceal

recauda|ción f collection (of funds, taxes); ~dor m collector; ~r v/t to collect (taxes, etc); to gather

recel|ar v/t to fear; to suspect; ~o m fear; suspicion; misgiving; ~oso suspicious

recep|ción f reception; admission; receipt; ~cionista m, f LA receptionist; ~tivo receptive

recesión f (economic) recession

receta f med prescription; recipe (cooking, etc); ~r v/t to prescribe

rechaz|ar v/t to reject; to repel; to refuse; ~o m rebound; fig repulse

rechifla f catcall; hooting

rechinar v/i to grate; to creak; to gnash (teeth)

rechoncho fam chubby

recib|idor(a) m (f) receiver; recipient; ~imiento m reception; ~ir v/t to receive; to accept; ~o m com receipt; acusar ~o to acknowledge receipt

recicla|ble recyclable; ~je m recycling

recién adv (apocope of reciente) recently; newly; ~ casado newlywed; ~ nacido newborn

reciente recent; new; mod-

crn; ~mente recently; just

recinto m precinct; enclosure

recio strong, robust; harsh; bulky

recipiente m receptacle; recipient

reciprocar v/t to reciprocate

recíproco reciprocal

recita|l m recital; reading; ~r v/t to recite

reclama|ción f claim; demand; complaint; ~r v/t to claim, to demand

reclinar v/t, ~se to recline, to lean back

reclu|ir v/t to shut in; ~sión f seclusion; imprisonment; ~so(a) m (f) prisoner

recluta m recruit; ~r v/t to recruit; to levy

recobrar v/t, ~se to recover; to regain

recodo m bend; curve

recog|er v/t to pick up; to collect; to gather; to harvest; ~ida f retirement; withdrawal; harvesting; ~ida de basuras garbage collection

recolec|ción f collection (money); gathering; harvesting; compilation

recomenda|ble recommendable; ~ción f recommendation; advice; ~r v/t to recommend; to request

recompensa f reward; ~r v/t to recompense; to compensate

reconcentrar v/t to concentrate

reconcilia|ción f reconciliation; **~r** v/t to reconcile; **~rse** to become reconciled

reconoc|er v/t to recognize; to admit; to inspect, to examine; **~ido** recognized; accepted; **estar ~ido** to be grateful; **~imiento** m recognition; inspection; med examination

reconquista f reconquest

reconstitu|ir v/t, **~irse** to reconstitute; to reconstruct; **~yente** m restorative, tonic

reconstruir v/t to reconstruct; to rebuild

reconvención f reprimand; reproach

récord m sp record

recorda|r v/t to remind; to remember; **~torio** m reminder

recorr|er v/t to travel; to run over, to cover (a distance); **~ido** m journey; distance covered; run

recor|tar v/t to cut away; to cut out; to reduce; to clip; **~tes** m/pl clippings

recosta|do reclining; lying down; **~rse** to lie down; to rest

recrea|ción f recreation; break, recess (at school); **~rse** to amuse oneself

recreo m amusement; recreation, pastime; break, recess (at school)

recrudecer v/i to break out again

recta f straight line

rectángulo m rectangle

rectificar v/t to correct; to rectify

rect|itud f rectitude; **~o** straight; honest

rector m head; principal; rector; a ruling; governing; **~ía** f parsonage, rectory

recuento m count, tally; recount; com inventory

recuerdo m memory; remembrance; souvenir; pl regards

recula|ble recoverable; **~r** v/t, **~rse** to recover; to retrieve; to recuperate

recur|rir v/i to resort (to); to revert; **~so** m recourse; for appeal; pl resources, means

recusar v/t for to reject

red f net; netting; network; web; **~ ferroviaria** the railway system

redac|ción f editing; wording; editorial staff; **~tar** v/t to compose; to edit; to write; **~tor(a)** m (f) editor

redecilla f hair net

reden|ción f redemption; **~tor** m redeemer

redimir v/t to redeem

rédito m interest; return; proceeds

redoblar v/t to double; to bend back

redond|ear v/t to round; to make round; **~earse** to become affluent; **~el** m arena;

~o round; circular; *fig* clear, categorical

reduc|ción *f* reduction; ~**ido** reduced; small; limited; ~**ir** *v/t* to diminish; to reduce; ~**irse** to boil down; to have to economize

reducto *m* redoubt

reelección *f* reelection

reelegir *v/t* to reelect

reembols|ar *v/t* to reimburse, to pay back; ~**o** *m* reimbursement; refund

reemplaz|ar *v/t* to replace; ~**o** *m* replacement

reexpedir *v/t* to forward (mail)

refer|encia *f* reference; ~**ir** *v/t* to report; ~**irse (a)** to refer (to)

refin|amiento *m* refinement; ~**ar** *v/t* to refine; to purify; ~**ería** *f* refinery

refle|ctor *m* reflector; *a* reflecting; ~**jar** *v/t* to reflect; *v/i* to reflect, to think; ~**jo** *m* reflex; reflection; ~**xión** *f* reflection; meditation; ~**xionar** *v/i* to meditate, to reflect; ~**xivo** reflective; thoughtful; *gram* reflexive

reflu|ir *v/t* to flow back; ~**jo** *m* ebb (*tide*); *fig* retreat

reforma *f* reform; 2 Reformation; ~ **agraria** land reform; ~**r** *v/t* to reform; to improve

reforzar *v/t* to strengthen, to reinforce

refract|ar *v/t* *opt* to refract;

~**ario** refractory; obstinate; rebellious

refrán *m* proverb; slogan

refregar *v/t* to rub; *fam* to harp on; to rub in

refrenar *v/t* to rein in; to restrain; to curb

refrendar *v/t* to legalize; to countersign

refresc|ar *v/t* to refresh; to renew; ~**o** *m* refreshment; cool drink

refriega *f* fray, scuffle

refrigera|dor(a) *m (f)* refrigerator; ~**r** *v/t* to cool

refrigerio *m* snack; refreshment

refuerzo *m* strengthening

refugi|arse to take refuge; ~**o** *m* refuge, shelter

refundir *v/t* to recast; to contain; to rearrange

refunfuñ|ar *v/i* to snarl; to growl; ~**o** *m* grumble, growl

refutar *v/t* to refute

rega|dera *f* watering can; sprinkler; ~**dío** *m* irrigated land

regal|ado dirt cheap; ~**ar** *v/t* to give (away); ~**ía** *f* prerequisite; privilege; ~**o** *m* present

regaliz *m* liquorice, *Am* licorice

regaña|dientes: a ~dientes reluctantly; ~**r** *v/t* to reprimand; to scold; to nag (at); *v/i* to protest; to growl

regar *v/t* to water; to irrigate

regate|ar *v/t*, *v/i* to haggle; ~**o** *m* haggling; bargaining

regazo *m* lap

regenerar *v/t* to regenerate

regen|tar *v/t* to govern; to manage; **~te** *m, f* regent

régimen *m* régime; government; *med* diet

regio royal, regal

región *f* region; part, area

regir *v/t* to govern; to manage; *v/i* to prevail; to be in force (*law*)

registr|ar *v/t* to record; to register; to examine; to search; **~o** *m* register; registration; recording; search; list

regla *f* ruler (*for drawing lines*); rule; regulation; *med* menstruation; **en ~** in order; **~ de cálculo** slide rule; **~mentar** *v/t* to regulate; **~mento** *m* rules and regulations; by-laws

regocij|arse to be merry; to rejoice; **~o** *m* rejoicing; merriment, mirth

regoldar *v/i* to belch

regordete *fam* plump; chubby

regres|ar *v/i* to return; **~o** *m* return

reguero *m* irrigation ditch

regula|ción *f* regulation; control; **~dor** *m* regulator; throttle, control knob; **~r** *v/t* to regulate; to control; *a* regular; medium; so-so; **~ridad** *f* regularity; **~rizar** *v/t* to regularize

rehabilitar *v/t* to rehabilitate;

to restore

rehacer *v/t* to do again; to remake

rehén *m* hostage

rehusar *v/t* to refuse; to decline

reimpresión *f* reprint

rein|a *f* queen; **~ado** *m* reign; **~ar** *v/i* to reign; to prevail

reincidencia *f* relapse

reino *m* kingdom, realm; reign; **2 Unido** United Kingdom

reír *v/i* to laugh; **~se de** to laugh at

reiterar *v/t* to repeat

reivindicación *f* claim; *for* recovery

rej|a *f* window grating; grille; railing; **~a de arado** plough share; **~as** *pl* bars; **entre ~as** behind bars; **~illa** *f* small grating; wickerwork; lattice; *elec* grid

rej|ón *m* lance (*of bullfighter*); **~oneador** *m* mounted bull-fighter who uses the *rejón*

rejuvenecer *v/t* to rejuvenate

relaci|ón *f* relation; relationship; narration; account; *pl* relations; connections; courtship; **~onar** *v/t* to relate; to connect

relajarse to relax

relámpago *m* flash; lightning

relampaguear *v/i* to lighten; to flash

relatar *v/t* to relate, to report

relativ|idad *f* relativity; **~o** relative

relato m report; narrative

relegar v/t to banish; to relegate

relev|ante outstanding; **~ar** v/t to relieve; to replace; to emboss; to exonerate; **~o** m mil relief; sp relay

relieve m (art) relief; **poner de ~** to set off; to emphasize

religión f religion

religios|a f nun; **~o** a pious; religious; m monk

relinch|ar v/i to neigh; to whinny; **~o** m neighing

reliquia f relic

rellen|ar v/t to refill; to stuff; to pad; **~o** m stuffing; filling; padding

reloj m clock; watch; **~ de arena** hourglass; **~ de caja** grandfather's clock; **~ de cuarzo** quartz watch; **~ de cuclillo** cuckoo clock; **~ de pulsera** wrist watch; **~ de sol** sundial; **~ería** f watchmaker's (shop); clockmaking; **~ero** m watchmaker

reluci|ente brilliant; glossy; **~r** v/i to shine; to glitter

relumbrón m glare

remach|ar v/t to rivet; **~e** m rivet

remada f stroke (in rowing)

remanente m remainder; residue

remanso m backwater

remar v/i to row

remat|ar v/t to finish; to knock down (auction); to conclude; v/i to end; to ter-

minate; **~e** m end; conclusion; highest bid; sale (at auction); LA auction; **de ~** to top it off

remedar v/t to imitate, to copy

remedi|ar v/t to remedy; to repair; **~o** m remedy; **no hay ~o** it can't be helped

remend|ar v/t to patch; to darn; to mend; **~ón** m cobbler

remero m oarsman

remesa f com remittance; consignment; **~r** v/t com to remit; to send

remiendo m patch; darning; mending

remilgarse to be affected

remilgo m affectedness; finickiness

remira|do cautious, prudent; **~r** v/t to review; to inspect

remisión f remission; remittance

remiso remiss; slack; indolent

remit|ente m, f sender; **~ir** v/t to send, to remit

remo m oar

remoj|ar v/t to soak; **~o** m steeping, soaking

remolacha f beet; beet root; **~ azucarera** sugar beet

remol|cador m tugboat; **~car** v/t to tug; to draw

remolino m whirlpool; eddy; flurry, whirl

remolque m towline; towrope; aut trailer; **a ~** in tow

remontar v/t to surmount (obstacle, etc); to frighten away (game); **~se** to rise; to amount (to); to go back (to)

remordimiento m remorse, compunction

remoto remote, outlying; **control** m ~ remote control

remover v/t to remove; to stir

remunera|ción f remuneration; **~dor** remunerative; **~r** v/t to remunerate; to reward

renac|er v/i to be reborn; **~imiento** m rebirth; revival; 2 Renaissance

renacuajo m tadpole

rencor m ranco(u)r; spite; **~oso** rancorous; spiteful

rendi|ción f surrender; profit; **~do** submissive; humble; **estar, ~do** to be worn out

rendija f crack; chink; crevice

rendi|miento m return; yield; weariness; submission; **~r** v/t to render; to return; to yield; to surrender; **~r el alma** to give up the ghost; **~rse** to surrender; to give up

renega|do m renegade, turncoat; a wicked; **~r** v/t to deny; to disown; v/i to turn renegade

renglón m line (of letters, of merchandise, etc); a ~ **seguido** right after

reno m reindeer

renombr|ado famous; **~e** m fame, renown

renova|ción f renewal; **~r** v/t to renew

rent|a f income, revenue; interest; annuity; **~a vitalicia** life annuity; **~as pl públicas** revenue; **~ar** v/t to yield; **~ista** m, f stockholder

renuncia f renunciation; **~r** v/t to renounce

reñir v/i to quarrel

reo m offender; criminal; for defendant; a guilty

reojo: mirar de ~ to look askance (at)

reorganizar v/t to reorganize

repara|ción f repair; reparation; **~r** v/t to repair; to make good; to restore; to remedy; v/i **~r (en)** to stop (at); to notice, to pay attention to

reparo m remark; criticism; **poner ~s** to make objections

repart|ición f division; distribution; **~ir** v/t to distribute; **~o** m delivery (mail); teat cast

repas|ar v/t to pass again; to revise; to go over; to check; **~o** m revision, review; tecn overhaul

repatriar v/t to repatriate

repel|ente repulsive; **~er** v/t to repel; to refute

repent|e m start; sudden movement; **de ~** suddenly, all at once; **~ino** sudden; swift

repercu|sión f repercussion; **~tir** v/i to rebound

repertorio m repertory; repertoire

repet|ición f repetition; **~r** v/t to repeat

repi|car v/t to ring (bells); to peal; **~que** m ringing; chime, peal

repisa f shelf; mantelpiece; **~ de ventana** windowsill

replantar v/t to replant

replantear v/t to restate (a problem)

replegar v/t to refold; **~se** mil to fall back

repleto replete; full to the brim; crowded

réplica f answer; retort

replicar v/i to reply; to retort

repliegue m fold; mil falling back

repoblación f repopulation

repollo m cabbage

reponer v/t to replace; **~se** to recover

reporta|je m report, article; **~r** v/t to restrain; to carry

reportero m reporter

reposacabezas m head rest

reposado poised; restful; calm

reposición f replacement; recovery (health); for restoration; teat revival

reposo m rest

repostería f confectionery; confectioner's shop

repren|der v/t to reprimand; **~sible** reprehensible, objectionable; **~sión** f censure; reprimand

represalia f retaliation; reprisal

represar v/t to dam (up)

representa|ción f representation; teat performance; **~nte** m, f agent; representative; **~r** v/t to represent; to perform (plays); to play (a role); to declare; to express; **~rse** to imagine; **~tivo** representative

represión f repression; suppression

reprim|enda f reprimand; **~ir** v/t to repress; to restrain

reprobar v/t to censure; to reprove

réprobo(a) m (f) reprobate

reproch|ar v/t to reproach; to censure; **~e** m reproach

reproduc|ción f reproduction; **~ir** v/t to reproduce

reptil m reptile

república f republic; **♀ Dominicana** Dominican Republic

republicano(a) m (f), a republican

repudia|ción f rejection; **~r** v/t to repudiate

repuesto m spare part; store, stock; a recovered

repugna|ncia f repugnance; aversion; **~nte** repugnant; loathsome; **~r** v/t to oppose; to conflict with

repulsa f refusal; rebuke; **~r** v/t to reject; to refuse

repulsi|ón f repulsion; **~vo** repulsive

reputa|ción f reputation; **~r** v/t to repute; to estimate

requebrar v/t to court; to flirt with

requemar v/t to burn; to scorch; fig to inflame (blood)

requeri|miento *m* notification; requirement; *for summons*; **~r** *v/t* to require, to necessitate; to notify; to investigate

requesón *m* cottage cheese; curd

requiebro *m* flirtatious remark

requis|ar *v/t mil* to requisition; **~ición** *f mil* requisition

res *f* head of cattle; beast

resaber *v/t* to know thoroughly

resabi|arse to acquire bad habits; **~do** very well known; *fam* pretentious; **~o** *m* nasty taste; *tener* **~os de** to smack of

resaca *f mar* undertow; *fam* hangover; *fig* backlash

resaltar *v/i* to jut out; to stand out

resarcir *v/t* to indemnify

resbal|adizo slippery; **~ar** *v/i* to slip, to slide; to skid; **~ón** *m* slip; error

rescatar *v/t* to release; to ransom; to rescue; **~e** *m* ransom; ransom money

rescindir *v/t* to annul; to rescind

rescoldo *m* embers

resecar *v/t* to dry thoroughly; to parch

reseco parched

resenti|do bitter; resentful; **~miento** *m* resentment; grudge; **~rse** to resent; to be affected (*by*)

reseña *f* summary; short survey; **~r** *v/t* to review

reserv|a *f* reserve; reticence; *for* reservation; *mil* reserve; **con ~** in confidence; **sin ~** freely; frankly; **~do** cautious; reserved; **~r** *v/t* to reserve

resfria|do *m* cold (*illness*); **~rse** to catch cold

resfrío *m* cold (*in the head*)

resguard|ar *v/t* to shelter; to defend; to protect; **~o** *m* protection; shelter; voucher

resid|encia *f* residence; **~encial** residential; **~ente** *m, f* resident; **~ir** *v/i* to reside; to dwell

residuo *m* residue; remainder

resigna|ción *f* resignation; acquiescence; **~r** *v/t* to give up; **~rse** to resign oneself

resina *f* resin

resisten|cia *f* resistance; endurance; strength; **~te** strong; resistant; tough

resistir *v/i*, **~se** to resist; to offer resistance; *v/t* to endure; to withstand

resolución *f* resolution; determination; resoluteness; courage; solving; **en ~** in short, to sum up

resolver *v/t* to resolve; to decide; to solve; **~se** to resolve itself; to work out

resona|ncia *f* resonance; **~r** *v/i* to resound; to ring; to echo

resoplar *v/i* to snort, to puff

resorber v/t to reabsorb

resorte m tecn spring; fig resource

respald|ar v/t to back, to endorse; **~o** m back (of a chair, etc); backing; support

respect|ivo respective; **~o** m relation; **~o a** or **de** with regard or respect to

respet|able respectable; **~ar** v/t to respect; **~o** m respect; **~uoso** respectful

respir|ación f respiration; breathing; **~adero** m vent; air valve; **~ar** v/i to breathe; **~atorio** respiratory; **~o** m breathing; reprieve, rest, respite

resplandecer v/i to shine; to glitter; **~eciente** resplendent; gleaming; shining; **~or** m splendo(u)r

respond|er v/t, v/i to answer, to reply; to respond; to be responsible; **~er a** to answer, to obey; med etc to respond to; **~er de** to answer for; **~ón** pert, impudent

responsab|ilidad f responsibility; **~le** responsible

respuesta f answer, reply

restablec|er v/t to reestablish; to restore; **~imiento** m restoration; recovery (from illness)

restante remaining; **los ~s** the rest

restañar v/t to stanch (flow of blood)

restar v/t to subtract; to deduct

restaura|nte m restaurant; **~r** v/t to restore; to repair

restitu|ción f restitution; **~ir** v/t to restore; to return

resto m rest; remainder; pl remains; coc leftovers; **~s mortales** mortal remains

restregar v/t to rub; to scrub

restri|cción f restriction; limitation; **~ctivo** restrictive; **~ngir** v/t to restrict

resucitar v/t to resuscitate; v/i to return to life

resuelto resolute; bold

resulta|do m result; outcome; **dar ~do** to produce results; **~r** v/i to result; to turn out

resum|en m summary; **en ~en** in brief; in short; **~ir** v/t to summarize, to sum up

resurgi|miento m resurgence; revival; **~r** v/i to revive; to reappear

retablo m altarpiece; retable

retaguardia f rearguard

retal m remnant; clipping

retama f bot genista; broom

retard|ar v/t to retard; to delay; to slow up; **~o** m delay

retazo m remnant; pl odds and ends

retén m reserve; store; tecn catch, stop

reten|ción f retention; **~er** v/t to retain; to keep back

reticente reticent

retina f anat retina

retintín m tinkling; jingle

retir|ada f withdrawal; retreat; **~ar** v/t to withdraw; to retire; **~o** m retirement; retreat; seclusion

reto m challenge; threat; *LA* insult

retocar v/t to retouch; to touch up (*photographs*)

retoño m bot shoot, sprout

retoque m retouching; finishing touch

retorcer v/t to twist; **~se** to writhe

retórica f rhetoric

retorsión f twisting

retractar v/t, **~se** to retract; to recant

retráctil retractable

retra|er to bring back; *fig* to dissuade; **~ído** retiring; unsociable; **~imiento** m withdrawal, retreat

retrasar v/t to delay; to defer; to put off; v/i to be slow (*watch*); **~se** to be delayed; to be late; to be slow (*watch*)

retraso m delay; timelag; lateness; **con ~** late

retrat|ar v/t to portray; to describe; **~arse** to be photographed or portrayed; **~o** m picture; portrait

retreta f mil retreat; tattoo

retrete m lavatory; toilet

retroactivo retroactive

retroce|der v/i to go back; to recede; **~so** m backward motion

retrospectivo retrospective

retruécano m pun

retumbar v/i to resound; to rumble

reuma m, **~tismo** m rheumatism

reuni|ón f gathering; meeting; **~ón en la cumbre** summit meeting; **~r** v/t to join; to unite; **~rse** to meet; to get together

reválida f final examination

revalidar v/t to confirm; to ratify

revancha f revenge

revelar v/t to reveal; to develop (*photographs*)

revender v/t to retail; to resell

revent|ar v/i to burst; to break; to explode; **~ón** m bursting; explosion; *aut* blowout; great effort

reverberar v/i to reverberate; (*light*) to play, to be reflected

reveren|cia f reverence; respect; **~ciar** v/t to venerate; to revere; **2do** *relig* Reverend

revers|ible *med* reversible; **~o** m reverse; back, other side

revertir v/i for to revert

revés m reverse; back; wrong side; misfortune; *sp* backhand (*stroke*); **al ~** upside down; inside out; backwards

revestir v/t to put on; to wear; *tecn* to cover, to coat, to line; **~se de** to assume, to muster up

revis|ar v/t to revise; tecn to overhaul; **~ión** f revision; **~or** m censor; **~or de cuentas** auditor; a revising

revista f review; periodical; magazine; teat revue; **pasar ~** to review

revoca|ción f revocation; abrogation; **~r** v/t to revoke; to repeal

revolcar v/t to knock down; to tread upon; **~se** to wallow

revolotear v/i to flit, to flutter around

revoltoso unruly; rebellious; naughty

revoluci|ón f revolution; revolt; **~onario(a)** a, m (f) revolutionary

revólver m revolver

revolver v/t to turn over; to stir up; to disturb; to upset; v/i to revolve; **~se** to turn round; to turn over; to change

revoque m whitewashing

revuelo m commotion, disturbance

revuelt|a f revolt; turn; bend (in road); **~o** disturbed; upset

rey m king; **los ~es Magos** the Three Wise Men; **~erta** f quarrel, row

rezaga|do m latecomer; mil straggler; **~r** v/t to leave behind; **~rse** to fall behind, to straggle

rez|ar v/i to pray; to say prayers; to read (paragraphs,

etc); **~o** m prayer

rezumar v/i to leak out

ría f estuary

riachuelo m brook, stream

riber|a f beach, shore; **~eño** riverside

ribete m edging (sewing); fig trimmings; pl streak, touch

ricino m castor-oil plant

rico rich; plentiful; delicious

ridiculizar v/t to ridicule; to make fun of

ridículo ridiculous, ludicrous

riego m irrigation, watering

riel m f c rail

rienda f rein; **a toda rienda** at full speed; freely; **dar ~ suelta a** to give free rein to

riesgo m risk; danger

rifa f raffle; lottery; **~r** v/t to raffle; v/i to quarrel, to fight

rigidez f rigidity

rígido rigid

rigor m rigo(u)r; sternness; stiffness; hardness; **de ~** prescribed by the rules; obligatory; **~oso** rigorous

rigurosi|dad f severity; **~o** rigorous; strict

rima f rhyme; **~r** v/i to rhyme

rímel m mascara

rincón m corner; angle; remote place

rinoceronte m rhinoceros

riña f quarrel

riñón m kidney

río m river; stream; **~ abajo** downstream; **~ arriba** upstream

ripio m debris; rubbish; rubble; padding (in speech or writing)

riqueza f wealth; riches

risa f laugh; laughter; **morirse de ~** to laugh one's head off

risco m cliff, bluff

risueño pleasant; smiling

rítmico rhythmical

ritmo m rhythm

rito m rite

rival m, f rival; competitor; **~izar** v/i to compete; **~izar con** to rival

rivera f brook; creek

riz|ador m curling iron; **~ar** v/t to curl; to ripple; **~o** m curl; ripple; aer loop

robar v/t to rob; to plunder; to steal

roble m oak; **~do** m oak grove

robo m theft; robbery

robust|ecer v/t to strengthen; **~o** robust, strong; hardy

roca f rock

roce m friction; rubbing

rocia|da f sprinkling; spray; **~r** v/t to sprinkle; to spray

rocín m work horse, hack

rocío m dew

rockero m fam rocker; rock singer

rocoso rocky

roda f mar stem

rodaballo m turbot

roda|da f rut, wheel track; **~ja** m small wheel; disk; **~je** m set of wheels; cine shoot-

ing, filming; **~r** v/i to roll; to revolve; to run on wheels; **~ una película** to shoot a film

rode|ar v/i to make a detour; v/t to encompass; to surround; **~o** m roundabout way; detour; **ir por ~os** to beat around the bush

rodilla f knee; **de ~s** kneeling

rodillo m roller; rolling pin

roe|dor a gnawing; m rodent; **~r** v/t to gnaw; to nibble

roga|ción f request; **~r** v/t to beg; to ask, to request

rojizo reddish, ruddy

rol m roll, list; teat role, part

rojo red

rollizo plump; buxom

rollo m roll; cylinder; long, boring talk; **~s** m — rolled (up)

roman|a f steelyard; **~o** a, m Roman

romance m Romance (language); ballad; **~ro** m ballad collection

romanticismo m romanticism

romántico romantic

romer|ía f pilgrimage; fig excursion; **~o** m pilgrim; bot rosemary

rompe|cabezas m puzzle; riddle; **~huelgas** m strike breaker; fam scab; **~olas** m breakwater; **~r** v/t to break; to break up; to break through; to tear; v/i bot to burst (open); **~r a** to begin to

ron m rum

roncar v/i to snore; to roar

ronco hoarse

ronda f round (of cards, drinks etc); beat (of policeman); ~r v/t, v/i to patrol; to prowl

ron|quedad f hoarseness; ~quido m snore

ronrone|ar v/i to purr; ~o m purring

roñ|a f rust (in metals); scab (in sheep); crust (of filth); ~oso scabby; filthy; fam mean, stingy

ropa f clothes; clothing; ~ blanca linen; ~ de cama bedclothes; ~ interior underclothes; underwear; a quema ~ point blank

ropero m wardrobe

rosa f rose; rose colo(u)r; ~do pink; rose-colo(u)red; ~l m rosebush; ~rio m rosary

rosbif m roast beef

rosca f screw thread; (turn of a) spiral; ring, circle

roseta f nozzle (of watering can); rosette

rosquilla f ring-shaped pastry

rostro m face; aspect; countenance; mar beak; zool rostrum

rota|ción f rotation; ~tivo rotary; revolving

roto broken; shattered; chipped; torn; ~r m rotor

rótula f kneecap

rotulador m felt pen

rotular v/t to label; to mark

rótulo m sign; mark; label

rotundo round; forthright; categorical

rotura f fracture; break; ~r v/t to break up (new ground)

roza|dura f, ~miento m chafing; friction; ~r v/t to scrape, to rub; to grub up; to graze; ~rse to rub shoulders (with)

roznar v/i to bray

rubéola f German measles

rubí m ruby

rubi|a f blonde (woman); station wagon; ~o blond; golden

ruborizarse to blush; to flush

rúbrica f red mark; flourish (of signature)

rubricar v/t to sign with flourish or initials

rud|eza f rudeness; ~o rude

rueda f wheel; circle; en ~ in a ring; ~ de prensa press conference

ruego m request

rufián m ruffian, lout; pimp

rugi|do m bellow; roar; ~r v/i to roar; to howl

ruibarbo m rhubarb

ruido m noise; din; mucho ~ y pocas nueces much ado about nothing; ~so noisy

ruin mean; base; vile; ~a f ruin; collapse; pl ruins; wreck; ~oso ruinous, dilapidated; worthless

ruiseñor m nightingale

rul|eta f roulette; ~os m/pl hair curlers; ~ota f caravan, trailer

Rumania f Rumania

rumano(a) a, m (f) Rumanian

rumbo m direction; mar course; ir con ~ a to go in the direction of

rumiar v/t to ruminate

rumor m murmur, mutter; rumo(u)r

ruptura f break; rupture

rural rural; rustic

Rusia f Russia

ruso(a) m (f), a Russian

rústic|o rustic; rural; simple; **en ~a** paperback (books)

ruta f route

rutina f routine; **~rio** routine, everyday

S

S.A. = Sociedad Anónima Ltd., Am Inc.

sábado m Saturday; Sabbath

sabana f LA prairie, savannah

sábana f sheet (for the bed)

sabandija f bug; pl vermin

sabañón m chilblain

saber v/t to know; to know how to; to be able; **hacer ~** to inform; **~ de** to know about; **que yo sepa** to my knowledge; **~ a** namely; m knowledge; learning

sabi|duría f wisdom; **~o** wise; learned

sablazo m slash with a sword; fam sponging

sabor m taste; flavo(u)r; **~ear** v/t to savo(u)r; to taste

sabot|aje m sabotage; **~ear** v/t to sabotage

sabroso tasty; juicy; delicious

saca f taking out; extraction; exportation; **~corchos** m corkscrew; **~grapas** m staple puller; **~puntas** m pencil sharpener; **~r** v/t to take out; to draw out; to bring out; to extract; to get; to obtain; to turn out; to produce; **~r adelante** to bring up (child); to carry on

sacarina f saccharin

sacerdo|cio m priesthood, ministry; **~te** m priest

saciar v/t to satiate

saco m sack; bag; LA jacket; **~ de dormir** sleeping bag

sacramento m sacrament

sacrific|ar v/t to sacrifice; **~io** m sacrifice

sacrilegio m sacrilege

sacrist|án m sexton; **~ía** f vestry, sacristy

sacro holy; sacred; **~santo** sacrosanct

sacud|ida f shake; jerk; shock; blast; **~r** v/t to shake; to jerk; to rock; **~rse** to shake off; to get rid of

saeta f arrow; dart; hand of a clock; religious flamenco chant

sagaz astute; sagacious; shrewd

sagrado holy, sacred

sainete m teat short farce; one-act play

sajón(ona) m (f). a Saxon

sal f salt; **~es** pl aromáticas smelling salts

sala f hall; large room; drawing room; **~ de espera** waiting room; **~ de estar** living room, sitting room; **~ de operaciones** operating room

sal|ado salted; salty; charming; LA unlucky; **~ar** v/t to salt; **~ario** m salary; wage

salaz salacious, prurient

salchich|a f pork sausage; **~ón** m salami

sald|ar v/t com to settle; to liquidate; **~o** m com balance; settlement; clearance; sale; **~o deudor** debit balance

salero m salt-cellar, salt shaker; fam wit; charm

salida f departure, start; exit, way out; rising (of the sun); com sales potential; sale; **dar ~ a** to vent (anger etc); com to put on the market, to sell; **~ de emergencia** emergency exit

saliente protruding

salina f salt mine

salir v/i to go out; to leave; to depart; to appear; to rise (sun); to prove; to come out; **~ bien** to succeed; **~ para** to leave for; **~se** to overflow;

to leak; **~se con la suya** to get one's own way

salitre m saltpetre, Am saltpeter

saliva f saliva, spittle

salmo m psalm

salmón m salmon

salmuera f brine

salón m salon, parlo(u)r; lounge; **~ de baile** ballroom; **~ de belleza** beauty parlo(u)r; **~ de té** tearoom

salpicadero m aut dashboard

salpicar v/t to splash; to spatter

salpullido m med rash

salsa f sauce; gravy

salta|montes m grasshopper; **~r** v/i to jump; to spring; to leap; to burst; v/t to skip; to jump over

saltea|dor m highwayman; robber; **~r** v/t to hold up

salto m leap; jump; hop; dive; **~ de agua** waterfall; **~ mortal** somersault

salu|bre healthy, salubrious; **~d** f health; well-being; relig salvation; **~dable** salutary; **~dar** v/t to greet; to salute; **~do** m greeting; **~dos** m/pl best wishes

salva f mil salvo

salva|ción f salvation; **~dor** m savio(u)r; rescuer; 2dor relig Savio(u)r; **~guardia** f safe conduct; **~je** wild; savage; **~r** v/t to save; to rescue; **~rse** to escape; **~vidas** m life-belt

sazonado

salvedad f reservation; proviso

salvia f bot sage

salvo a safe; adv save; except; **a ~** in safety; **~ que** unless; except that

salvoconducto m safe conduct

san (apocope of santo, used before masculine names) Saint; **2 Nicolás** Santa Claus

sanar v/t to cure, to heal

sanatorio m nursing home; sanatorium

sanc|ión f sanction; sp penalty; **~ionar** v/t to sanction

sandalia f sandal

sandía f watermelon

sanea|miento m drainage; sanitation; for guarantee; **~r** v/t to put in sewers; to repair; to drain (land); for to indemnify

sangr|ante bleeding; **~ar** v/t, v/i to bleed; **~e** f blood; **a ~ fría** in cold blood; **~ía** f bleeding; wine punch; **~iento** bloody; bloodstained

sanguijuela f leech

sanguíneo sanguinary

san|idad f health; public health; **~idad pública** public health; **~itario** sanitary; **~o** healthy; **~o y salvo** safe and sound

santa f female saint

santiamén: en un ~ in a jiffy

sant|idad f sanctity; holiness; **~ificar** v/t to sanctify; to consecrate; **~iguarse** to

cross oneself; **~o** a holy, saintly; m saint; name's day, saint's day; name's day password; **~uario** m sanctuary

saña f fury

sapo m toad

saque m service (tennis, etc); **~ de meta** goal kick (soccer)

saque|ar v/t to plunder; **~o** m pillage; looting

sarampión m measles

sarcasmo m sarcasm

sarcófago m sarcophagus

sardina f sardine

sargento m sergeant

sarn|a f itch; zool mange; **~oso** mangy

sartén f frying pan

sastre m tailor

Satanás m Satan

satánico satanic

satélite m satellite

satín m satin

satinado glossy

sátira f satire

satírico satirical

satisfac|ción f satisfaction; **~er** v/t to satisfy; to gratify; to pay (debts); **~torio** satisfactory

saturar v/t to saturate

sauce m willow; **~ llorón** weeping willow

saúco m elder tree

savia f sap

sazón f ripeness; seasoning; opportunity; **a la ~** at that time; **en ~** ripe

sazonado seasoned; ripe; witty

se *pron 3rd person, m or f, sing or pl used as:* **1.** *reflexive pronoun* himself, herself, itself, themselves; **él ~ cortó** he cut himself; **ella ~ dijo** she said to herself; **2.** *reflexive verb:* **afeitarse** to shave oneself; **morirse** to die (*slowly*); **~ rompió la pierna** he broke his leg; **3.** *replacing the dative* le, les *of the pers pron when immediately followed by the accusative cases* lo, la, los, las: **~ las di** I gave them to him (her, them); **4.** *the impersonal form* one; some; people; **~ dice** it is said; **~ sabe** it is known; **~ habla español** Spanish spoken; **~ perdió el dinero** the money was lost; **5.** each other, one another; **ellos ~ aman** they love each other

sebo *m* tallow, suet; grease

sec|a *f* drought; dry season; **~ador** *m* dryer; **~ano** *m* dry land; **~ante** *m* blotting paper; **~ar** *v/t* to dry (up)

secci|ón *f* section; **~ón transversal** cross-section; **~onar** *v/t* to divide up

secesión *f* secession

seco dry; curt; dull; bare; **a secas** plainly, simply, just

secre|ción *f* secretion; **~tar** *v/t* to secrete; **~tario(a)** *m (f)* secretary; **~to** *m* secret; *a* secret; confidential

secta *f* sect; **~rio(a)** *m (f), a* sectarian

sector *m* sector; **~ privado** *com* private sector

secuaz *m* follower; partisan

secuela sequel; aftermath

secuencia *f* sequence

secuestr|ar *v/t* to seize; to kidnap; **~o** *m* kidnapping

secular secular; age-old; **~izar** *v/t* to secularize

secundar *v/t* to second; to help; **~io** secondary

sed *f* thirst; **tener ~** to be thirsty

seda *f* silk

seda|nte *m* sedative; *a* soothing; **~tivo** *m* sedative

sede *f* seat (*of government, etc*); *relig* see; **la Santa ⌾** the Holy See

sedería *f* silk shop; silks

sedici|ón *f* sedition; **~oso** seditious; mutinous

sediento thirsty

sedimento *m* sediment

sedoso silken, silky

seduc|ción *f* seduction; enticement; **~ir** *v/t* to seduce; to entice; **~tor** *m* seducer

sega|dora *f* reaper; mower; **~dora trilladora** *f agr* combine; **~r** *v/t* to mow; to reap

seglar *m* layman; *a* secular

segmento *m* segment

seguida *f:* **en ~** at once, immediately; **~mente** consecutively, successively

seguido *a* continued; successive; straight; **3 días ~s** 3 days in a row; *adv* **todo ~** straight ahead

seguidor m follower; **~r** v/t to follow; to chase; v/i to go on (*doing something*)

según prep according to; **~ lo que dice** from what he says; adv depending on; **~ y como**, **~ y conforme** depending on how; it depends

segundero m second hand (*of a watch or clock*); **~o a, m** second; **de ~a clase** second class; **de ~a mano** second-hand; **en ~o lugar** secondly

seguramente surely; **~idad** f safety; security; **~o m com** insurance; **~o de incendios** fire insurance; **~o de responsabilidad civil** third-party insurance; a safe, secure; **estar ~o de que** to be sure that

seis six

selección f selection; choice; **~cionar** v/t to select; **~tivo** selective; **~to** to select; choice

sellar v/t to stamp; to seal; to conclude (*a treaty, etc*); **~o m** stamp; seal; **~o de caucho** or **de goma** rubber stamp; **~o de correo** postage stamp

selva f forest; jungle; **~ático** wild

semáforo m traffic light

semana f week; **~l** weekly; **~rio** m weekly paper

semblante m appearance; aspect; countenance; face

sembrar v/t to sow; to spread (*news*)

semejante similar; like; **~nza** f resemblance, similarity; **~r** v/i to resemble

semen m semen; **~tal** m stud animal

semestral half-yearly; **~e** m semester; half-yearly pay

semi prefix half; semi; **~círculo** m semicircle; **~dormido** half asleep; **~esfera** f hemisphere

semilla f seed

seminario m seminary

semita m Semite

sémola f semolina

senado m senate; **~r** m senator

sencillez f simplicity; **~o a** simple; plain; frank; m LA small change

senda f, **~ero** m footpath

sendos(as) one for each

senectud f old age

seno m bosom; breast; womb; fig bosom

sensación f sensation; feeling; emotion; **~onal** sensational

sensatez f good sense; **~o** sensible, wise

sensibilidad f sensibility; sensitivity; **~le** sensitive; emotional; susceptible; perceptible; med tender, sore

sensorio sensory

sensual sensual

sentado seated; settled; **dar por ~** to take for granted

sentar v/t to seat; to set, to establish; v/i to fit; to suit;

~ **bien** to fit; to agree with (*food*); ~**se** to sit down; **¡siéntese!** be seated!

sentencia f for sentence; dictum, saying; ~**r** v/t for to sentence

sentido m sense; interpretation; direction; **en cierto ~** in a sense; **de doble ~** two-way (*traffic*); ~ **común** common sense; **perder el ~** to lose consciousness

sentimental sentimental; emotional

sentimiento m sentiment; feeling; grief; regret

sentir v/t to feel; to experience; to perceive; to regret, to be sorry about; m feeling; ~**se** to feel; to resent; *LA* to get angry

seña f sign; token; pl address; ~**s personales** personal description; ~**l** f sign; signal; mark; *com* deposit; ~**l de carretera** road sign; ~**l digital** fingerprint; ~**lar** v/t to point out; to indicate; to mark

señor m gentleman; master; owner; lord; mister; sir; pl gentlemen; **muy ~es nuestros** dear sirs; ~**a** f lady; mistress; madam; ~**ear** v/t to dominate; ~**ía** f lordship; ~**il** lordly; noble; ~**ío** m dominion; mastery; ~**ita** f young lady; miss

señuelo m lure

separación f separation

separa|do separate; **por ~do** separately; ~**r** v/t to separate; to sort; to remove

septentrional northern

septiembre, setiembre m September

sepulcro m tomb; sepulchre, *Am* sepulcher

sepult|ar v/t to bury; ~**ura** f burial; tomb; grave

sequ|edad f dryness; barrenness; curtness; ~**ía** f drought

séquito m retinue, entourage

ser v/i to be; to exist; **de ~ así** if so; **a no ~ por** were it not for; **es que** the fact is that; **sea lo que sea** be that as it may; m essence; being; ~ **humano** human being

seren|ar v/t to calm; ~**arse** to calm down; ~**ata** f serenade; ~**idad** f serenity; composure; ~**o** a calm; composed, serene; m night watchman

seri|al m radio, TV serial; ~**e** f series; **en ~e** mass (*production*)

serio serious; sober; grave; **en ~** in earnest; seriously

sermón m sermon

serp|entear v/i to wind; to meander; ~**iente** f serpent, snake; ~**iente de cascabel** rattlesnake

serranía f mountainous region

serr|ar v/t to saw; ~**ín** m sawdust

servi|ble useful; ~**cial** obliging; **~cio** m service; good turn; **de ~cio** mil on duty; **~cios** pl restrooms, lavatories; **~cios públicos** public utilities; **~dor** m servant; **su seguro ~dor** yours truly; **~dumbre** f (staff of) servants; servitude; **~l** slavish; menial

servilleta f table napkin

servir v/t to serve; to oblige; v/i to be in service; **~se** to help oneself

sesgar v/t to cut obliquely; **~o** m slant; (sewing) bias; **al ~o** obliquely; on the bias

sesión f session; sitting; **levantar la ~** to adjourn

seso m brain; sense; judgment; **devanarse los ~s** to rack one's brains

seta f mushroom

seto m hedge; **~ vivo** quickset hedge

seudo pseudo; **~ónimo** m pseudonym

sever|idad f severity; **~o** severe

sex|o m sex; **~ual** sexual; **~ualidad** f sexuality

si m mús si, ti, B note; conj if; when; whether; **como ~** as if; **~ bien** although; **~ no** if not; otherwise

sí pron, reflexive form of the third person: himself, herself, itself, oneself, themselves; **de por ~** on its own account; by itself; **fuera de ~** beside oneself; **volver en ~** to re-

gain consciousness

si adv yes; indeed; **por ~ o por no** in any case; **¡eso ~ que no!** absolutely not

siderurgia f siderurgy, iron and steel industry

sidra f cider

siega f harvesting

siembra f sowing

siempre always; ever; **~ que** whenever; provided that; **como ~** as usual; **lo de ~** the usual; **para ~** for ever, for good

sien f anat temple

sierpe f serpent

sierra f saw; mountain range

siesta f hottest time of the day; afternoon nap; siesta

siete seven

sífilis f syphilis

sifón m siphon

sigilo m secrecy

sigla f symbol, abbreviation

siglo m century

signa|rse to cross oneself; **~tura** f library number; impr signature

significa|ción f, **~do** m significance; meaning, sense; **~r** v/t to mean; to indicate; **~tivo** significant

signo m sign; symbol; **~ de admiración** exclamation point; **~ de interrogación** question mark; **~ de puntuación** punctuation mark

siguiente following; next

sílaba f syllable

silba|r v/t to hiss at; v/i to

whistle; **~tina** f LA catcall;
~to m whistle
silenci|ador m silencer; tecn
muffler; **~o** m silence; **~oso**
silent; soundless
sill|a f chair; saddle; **~a ple-
gadiza** camp stool; **~a de
ruedas** wheelchair; **~ón** m
easy chair, armchair
silueta f outline; silhouette
silv|estre wild; rustic; **~icul-
tura** f forestry
sima f abyss
símbolo m symbol
simetría f symmetry
simiente f seed
símil like, similar
simil|ar similar; **~itud** f simi-
larity, resemblance
simpatía f liking
simpático attractive; nice
simpatizar v/i to have a liking for; to sympathize
simpl|e simple; mere; ordi-
nary; **~eza** f simplicity; sim-
pidity; **~icidad** f simplicity;
~ificar v/t to simplify
simular v/t to simulate, to
pretend
simultáneo simultaneous
sin without; **~ embargo** nevertheless, however
sinagoga f synagogue
sincero sincere
sincronizar v/t to synchronize
sindica|lismo m syndicalism;
~to m syndicate; trade union
sinfín m endless amount,
great number

sinfonía f symphony
singular a unique; singular;
extraordinary; m gram singular
siniestr|ado damaged; hurt
in an accident; **zona ~ada**
disaster area; **~o** a sinister; m
disaster; catastrophe, accident
sinnúmero m great number
or amount
sino m fate; conj but; except;
only; **no sólo ... ~** not only ...
but
sinónimo m synonym
sinrazón f wrong; injustice
sinsabor m trouble; insipid-
ness
sintaxis f syntax
sintético synthetic
síntoma m symptom
sintonizar (con) v/i to tune in
sinvergüenza m, f scoundrel, brazen person
sionismo m Zionism
siquiera adv, conj at least;
even; although, even
though; **ni ~** not even
sirena f siren; mermaid
sirvient|a f maid servant,
housemaid; **~e** m servant
sisa f pilfering; **~r** v/t to pilfer; to take in (dresses)
sistem|a m system; **~ático**
systematic
siti|ar v/t to lay siege to, to
besiege; **~o** m siege; place,
spot; site
situa|ción f situation; **~r** v/t
to situate; to place; to locate

so under; below; ~ **pena de** under penalty of

sobaco m armpit

sobar v/t to knead; to handle; to fondle; *LA* to flatter

soberanía f sovereignty; ~o(a) m (f), a sovereign

soberbia f pride; haughtiness; ~o haughty; arrogant

sobornar v/t to bribe; to corrupt; ~o m bribery

sobra f surplus; ~dillo m arq penthouse, sloping roof; ~r v/t to exceed; v/i to be left over; to be more than enough

sobre m envelope; *prep* on; upon; on top of; above; about; ~ **las tres** about three o'clock; ~ **todo** above all

sobrecama m bedspread

sobrecargar v/t to overload; to overcharge; ~o m mar supercargo

sobrecejo m frown

sobrecoger v/t to startle

sobrecubierta f jacket (of book)

sobredicho above mentioned

sobredosis f overdose

sobre(e)ntender v/t to understand; to infer

sobrehumano superhuman

sobremanera exceedingly

sobremesa f tablecloth; after the meal

sobrenatural supernatural

sobreocupación f overbooking

sobrepasar v/t to surpass

sobrepeso m overweight

sobreponer v/t to superimpose

sobreprecio m surcharge

sobrepujar v/t to surpass; to outdo

sobresaliente outstanding; ~r v/i to excel(l); to protude

sobresaltar v/t to startle; to frighten; ~o sudden fright; shock

sobrestante m overseer, supervisor; foreman

sobrestimar v/t to overrate

sobretiempo m overtime

sobretodo m overcoat

sobrevenir v/i to happen unexpectedly

sobreviviente a surviving; m survivor; ~r v/t, v/i to survive; to outlive

sobriedad f sobriety, temperance

sobrina f niece; ~o m nephew

sobrio sober; temperate

socarrón cunning; sly; mocking

socavar v/t to undermine; ~ón m arq sudden collapse; min tunnel

sociable sociable; friendly; ~al social; ~alismo m socialism; ~alista m, f, a socialist; ~alizar v/t to socialize; ~edad f society; company; **alta ~edad** high society; ~edad **anónima** com joint stock company; ~**edad de control** holding company; ~**o** *m* partner; member; ~**o comanditario** silent partner; ~**o de honor** honorary member; ~**o de número** full member; ~**ología** *f* sociology

socorr|er *v/t* to help; ~**o** *m* help

soez vulgar, coarse, base

sofá *m* sofa

sofisticado sophisticated

sofoc|ar *v/t* to choke, to smother; to stifle; to suffocate; to extinguish; ~**o** *m* suffocation; *fig* embarrassment

soga *f* rope

soja *f* soya

sojuzgar *v/t* to subdue

sol *m* sun; sunlight; **tomar el ~** to sunbathe

solamente only

solapa *f* lapel; ~**do** deceitful, sly

solar *m* plot, building site; manor house; ~**lego** ancestral (*of house*)

solaz *m* solace; relaxation

soldado *m* soldier; ~ **raso** buck private

solda|dura *f* soldering, welding; ~**r** *v/t* to solder, to weld

soleado sunny

soledad *f* solitude, loneliness; lonely place

solemne solemn

solemnizar *v/t* to solemnize; to celebrate

soler *v/i* to be accustomed to;

suele venir temprano he usually comes early

solera *f* prop, support; **vino de ~** vintage wine

solicitar *v/t* to petition; to apply for

solícito solicitous

solicitud *f* application (*for a job, post*); **a ~** on request, on demand

solid|aridad *f* solidarity; ~**ez** *f* solidity

sólido solid; stable; hard

soliloquio *m* soliloquy

solista *m, f mús* soloist

solitari|a *f* tapeworm; ~**o** solitary

solloz|ar *v/i* to sob; ~**o** *m* sob, sobbing

solo *a* alone; *m mús* solo

sólo only

solomillo *m* sirloin

soltar *v/t* to unfasten; to release; ~**se** to get loose; ~**se a** to begin to

solter|o(a) *a* unmarried; *m* (*f*) bachelor; spinster; ~**ón** *m* old bachelor; ~**ona** *f* old maid, spinster

soltura *f* ease; agility

solu|ble soluble; ~**ción** *f* solution; ~**cionar** *v/t* to solve

solven|cia *f* solvency; ~**te** solvent

sombr|a *f* shadow; shade; darkness; ~**ear** *v/t* to shade, to overshadow; ~**erera** *f* hatbox; ~**erería** *f* hat shop; millinery; ~**ero** *m* hat; ~**ero de copa** top hat, silk hat; ~**ía**

f shady spot; **~illa** *f* parasol; sunshade; **~ío** gloomy; shady

somero superficial; brief

someter *v/t* to submit

somnámbulo *m* sleepwalker

somnífero *m* sleeping pill

son *m* sound; tune; **a ~ de** to the sound of

sond|a *f mar* lead, sounding line; *med* probe; **~ear** *v/t* to sound; to explore; to probe; **~eo** *m* sounding; poll, survey

soneto *m* sonnet

sónico sonic

sonido *m* sound

sonor|o sonorous, resonant; clear; *gram* voiced; **banda ~a** sound track

sonr|eír *v/i*, **~eírse** to smile; **~isa** *f* smile

sonrojar *v/t* to make blush; **~se** to blush

sonsonete *m* singsong voice; rhythmical raps *or* taps

soñ|ar *v/t*, *v/i* to dream; **~oliento** sleepy, drowsy

sop|a *f* soup; **~era** *f* soup tureen

sopl|ar *v/i* to blow; *fam* to squeal; **~ete** *m* blowtorch; **~o** *m* puff; gust; blow; **~ón** *m* informer

soport|ar *v/t* to support; to hold up; to endure; to bear; **~e** *m* support

sorb|er *v/t* to suck; to absorb; **~o** *m* sip

sordera *f* deafness

sórdido sordid; nasty, dirty

sordo deaf; *gram* unvoiced; **~mudo(a)** *m* (*f*) deaf-mute

soroche *m LA* altitude sickness

sorprende|nte surprising; **~r** *v/t* to surprise

sorpresa *f* surprise

sorteo *m* raffle; drawing (*of lottery, tickets*)

sortija *f* finger ring

sosa *f quím* soda

sosegar *v/t* to calm

sosiego *m* tranquil(l)ity; quiet

soslayo: **al ~** sideways; obliquely; sidelong (*glance*)

soso insipid; dull

sospech|a *f* suspicion; **~ar** *v/t*, *v/i* to suspect; **~oso** suspicious

sostén *m* support; upkeep; brassière

soste|ner *v/t* to support; to hold (*opinion, conversation, etc*); **~erse** to support oneself; **~imiento** *m* support; maintenance

sota *f* jack; knave (*in cards*)

sotana *f* cassock

sótano *m* cellar; basement

soto *m* grove, thicket

soviético Soviet

su *pron poss 3rd pers m, f sing* (*pl* **sus**) his, her, its, your, their; one's

suave smooth; soft; **~idad** *f* smoothness; softness; **~izar** *v/t* to soften

subalterno *a*, *m* subordinate; auxiliary

subarr|endar v/t to sublet; **~iendo** m for sublease

subasta f auction

subconsciencia f subconscious

subdesarrollado underdeveloped

súbdito(a) m (f) subject

subibaja f seesaw

subi|da f climb; rise; increase; **~do** deep, bright (color); **~r** v/i to go up; to rise; to move up; v/t to raise; to lift up; to go up; **~rse a, en** to get on, into

súbit|amente, ~o all of a sudden

subjuntivo m subjunctive

subleva|ción f insurrection, uprising; **~rse** to rebel

sublime sublime

submarin|ismo m scuba diving; **~o** m submarine; a underwater

subordinar v/t to subordinate; to subject

subproducto m by-product

subrayar v/t to underline; to emphasize

subsanar v/t to correct; to compensate for; to excuse

subscribir v/t to subscribe to; to endorse; **com** to underwrite

subsidi|arias f/pl feeder industries; **~ario** subsidiary; **~o** m subsidy; **~o de paro** unemployment insurance

subsiguiente subsequent

subsist|encia f subsistence;

~ir v/i to live, to subsist; to endure

substancia f substance; essence; **~l** substantial; considerable

substitu|ir v/t to substitute; **~to(a)** m (f), a substitute

subterfugio m subterfuge

subterráneo subterranean

subtítulo m subtitle; caption

suburb|ano suburban; **~io** m suburb

subvención f subsidy; grant

subversivo subversive

succión f suction

suce|der v/i to succeed; to follow; to occur; **~sión** f succession; issue; **~sivo** successive; **~so** m event; incident; outcome; **~sor** m successor

suci|edad f dirtiness; dirt; **~o** dirty

suculento succulent; luscious

sucumbir v/i to succumb; to yield

sucursal f branch office; subsidiary

sud m south; **~americano** South American

sudadera f LA jogging suit

sudar v/i to perspire; to sweat

sud|este m southeast; **~oeste** m southwest

sudor m sweat

Suecia f Sweden

sueco(a) m (f) Swede; a Swedish

suegr|a f mother-in-law; **~o** m father-in-law

sueldo m salary; wage

suelo *m* soil, earth; ground; floor; land; bottom

suelto *a* loose; free; detached; *m* loose change

sueño *m* sleep; dream; *conciliar el* ~ to get to sleep; *tener* ~ to be sleepy

suero *m* serum; whey

suerte *f* fate, destiny; luck; *echar* ~*s* to draw lots; *mala* ~ hard luck

suéter *m* sweater

sufijo *m* suffix

sufrag|ar *v/t* to defray; to assist; ~**io** *m* franchise; suffrage

sufri|do long-suffering; patient; ~**miento** *m* suffering; tolerance, patience; ~**r** *v/t* to suffer; to put up with

sugerir *v/t* to suggest

sugestivo suggestive

suicid|a *m, f* suicide; ~**arse** to commit suicide; ~**io** *m* suicide

Suiza *f* Switzerland

suizo(a) *m* (*f*), *a* Swiss

sujetador *m* fastener; clip; brassière

sujetapapeles *m* (paper) clip

sujet|ar *v/t* to secure, to hold; to subject; ~**o** *m* subject; topic

sulfúrico sulfuric

suma *f* sum; *en* ~ in short; ~**mente** extremely; highly; ~**r** *v/t* to summarize; to amount to; to add up to; ~**rio** summary

sumergi|ble submergible; ~**r**

v/t, ~**rse** to submerge; to sink

suministr|ar *v/t* to supply; ~**o** *m* supply

sumi|sión *f* submission; ~**so** submissive; obedient

sumo supreme; extreme; *a lo* ~ at the most

suntu|ario luxury; ~**oso** sumptuous, luxurious

supera|ble surmountable; ~**r** *v/t* to exceed; to surmount; to surpass

superávit *m com* surplus

superfici|al superficial; ~**e** *f* surface

superfluo superfluous

superhombre *m* superman

superintendente *m* superintendent; overseer

superior *m* superior; *a* better; finer; superior; ~**idad** *f* superiority

superlativo *a, m* superlative

supermercado *m* supermarket

supersónico supersonic

supersticioso superstitious

supervivencia *f* survival

suplantar *v/t* to supplant

suplement|ario supplementary; ~**o** *m* supplement; ~**o** *dominical* Sunday newspaper supplement

súplica *f* entreaty; petition

suplicar *v/t* to implore

suplicio *m* torture; torment

suplir *v/t* to supplement; to replace

suponer *v/t* to suppose; to assume

suprem|acía f supremacy; **~o** supreme

supr|esión f suppression; **~imir** v/t to suppress; to abolish; to eliminate

supuesto supposed; assumed; **por ~** of course

supurar v/i to suppurate; to fester

sur m south

surc|ar v/t to furrow; **~o** m furrow; groove

surgir v/i to spout; to issue forth; to arise

surti|do m assortment; a assorted; **~dor** m fountain; jet; **~dor de gasolina** gas pump; **~r** v/t to supply; to stock; **~r efecto** to produce the desired effect; v/i to spout

susceptib|ilidad f susceptibility; **~le** susceptible; touchy; sensitive

suscitar v/t to stir up

suscribir v/t to subscribe

susodicho aforesaid

suspen|der v/t to suspend; to hang up; to fail; **~sión** f suspension; **~so** suspended;

amazed

suspicacia f distrust; suspicion

suspir|ar v/i to sigh; **~o** m sigh

sustan|cia f substance; **~tivo** m substantive

sustent|ar v/t to support; to maintain; to keep; **~o** m maintenance; sustenance

sustitu|ir v/t to substitute; to replace; **~to(a)** m (f), a substitute

susto m fright; shock

sustra|cción f subtraction; **~er** v/t to subtract; to deduct

susurr|ar v/i to whisper; to murmur; to rustle; **~o** m whisper

sutil subtle; fine, thin; **~eza** f subtlety; artifice

sutura f med suture

suyo(a) (pl **suyos, as**) pron pos 3rd person, m and f, his, hers, theirs, one's; his own, her own, their own; **de ~** in itself; **salirse con la suya** to get one's way

T

tabaco m tobacco

tábano m horsefly, gadfly

tabern|a f tavern; inn; **~ero** m innkeeper

tabique m partition wall

tabl|a f board; plank; slab; list; mat table; **a raja ~a** at any price; ruthlessly; **~a a**

vela surfboard; **~a de materias** contents (of book, etc); **~a de multiplicar** multiplication table; **~a de planchar** ironing board; **~ado** m wooden platform; stage; **~ero** m planking; board; counter; drawing board;

~ero de instrumentos dashboard; **~eta** f tablet; lozenge; **~illa** f small board; med splint; **~ón** m thick plank; beam; **~ón de anuncios** notice board, Am bulletin board

tabú m taboo

taburete m stool

tacaño stingy, niggardly

tach|a f defect; fault; stain; flaw; **sin ~** flawless; **~ar** v/t to find fault with; to cross out (writing); **~ón** m deleting mark (in writing); **~uela** f tack

tacita f small cup

tácito tacit

taciturno taciturn; silent; melancholy

taco m stopper; plug; wad (in cannon); billiard cue; calendar pad; pad (of paper or tickets); fam curse word; **echar ~s** fam to swear heavily

tacón m heel

tacon|azo m clicking of the heels; **~ear** v/i fam to walk with a tapping of the heels

táctica f tactics; gambit

tacto m tact; sense of touch; feel

tafetán m taffeta

tahúr m gambler

taimado crafty, shifty

taja f cut; **~da** f slice; fam hoarseness; **~r** v/t to cut; to chop

tajo m cut; gash; cleft, ravine

tal (pl **tales**) such, so as; certain; so; thus; **~ cual** such as; **~ vez** maybe, perhaps; **con ~ que** provided that; **¿ qué ~?** how are you?; **un ~ González** a certain González

tala f felling of trees; fig destruction

taladr|ar v/t to bore; to drill; **~o** m borer; gimlet; drill

talar v/t to fell (trees); fig to devastate

talco m talc; talcum powder

taleg|a f bag; sack; pl fortune; **~o** m bag, sack

talento m talent; **~so** gifted

talla f carving; sculpture; height; cut (of diamond); **~do** carved; **~r** v/t to carve; to cut (precious stones); to value; to appraise; **~rín** m noodle

talle m figure; waist; **~r** m workshop; **~r de reparaciones** repair shop

tallo m stalk; stem

talón m heel (of foot); com coupon; voucher; stub

talonario m stub book

tamaño m size

tambalear v/i to stagger, to totter; to sway; to lurch

también also; too; as well

tambor m drum; anat eardrum; drummer; **~ilear** v/i to drum (with the fingers); (rain) to patter

Támesis m Thames

tamiz m fine sieve; **~ar** v/t to sift

tampoco neither; not either

tan (*apocope of* **tanto**) so; such; as; ~ **grande como** as big as; ~ **sólo** only; *¡qué cosa* ~ *bonita!* what a beautiful thing!

tanda *f* turn; shift; relay

tang|ente *f* tangent; ~**ible** tangible

tanque *m* tank; reservoir

tante|ar *v/t* to test; to measure; to examine; *v/i* to keep the score; ~**o** *m* calculation; score (*in games*); **al** ~**o** by guesswork

tanto *a* so much; as much; *pl* so many; as many; ~ **como** as much as; *adv* so much; so long; so far; so often; **no es para** ~ it's not that bad; **por lo** ~ therefore; ~ **más** all the more; ~ **mejor** all the better; *m* certain quantity *or* sum; so much; point *or* score (*in games*); *com* rate; ~ **por ciento** percentage; **otro** ~ as much more; **estar al** ~ to be informed; *conj* **con** ~ **que** provided that; **en** ~ **que** while

tapa *f* lid; cover; cap; flap (*of envelope*); cover (*of book*); ~**cubos** *m* hubcap; ~**dera** *f* lid; cover; ~**r** *v/t* to cover; to cover up; to put a lid on; to stop up (*hole*)

tapete *m* rug

tapia *f* mud wall

tapicería *f* tapestry

tapiz *m* tapestry; ~**ado** *m* upholstery; ~**ar** *v/t* to hang

with tapestry; to upholster; to carpet

tapón *m* plug; stopper

taquigrafía *f* shorthand

taquígrafo(a) *m* (*f*) stenographer

taquil|la *f* booking office; box office; ~**llero** *m* booking clerk

taquimecanógrafa *f* shorthand typist

taquímetro *m* speedometer

tara *f com* tare

tara|cea *v/t* to inlay; ~**rear** *v/t* to hum (*a tune*)

tarda|nza *f* delay; ~**r** *v/i* to be late; to take a long time; **a más** ~ **r** at the latest

tarde *f* afternoon; *¡buenas* ~*s!* good afternoon!, good evening!; *adv* late; too late; **de** ~ **en** ~ from time to time; ~ **o temprano** sooner or later

tardío late; slow

tarea *f* task; job; duty

tarifa *f* tariff

tarima *f* platform; dais

tarjeta *f* card; ~ **de crédito** credit card; ~ **de embarque** boarding card; ~ **de identidad** identity card; ~ **de visita** visiting card; ~ **postal** postcard

tarro *m* jar; *LA* top hat

tarta *f* tart; cake; ~ **nupcial** wedding cake

tartamudear *v/i* to stammer

tasa *f* rate; assessment; measure; **a** ~ **de** at the rate of; ~**ción** *f* valuation; ~**r** *v/t* to rate, to tax; to fix a price for

tatas: *andar a ~* to go on all fours

tatuaje *m* tattoo(ing)

taurino bullfighting

taxi *m* taxi cab; **~sta** *m* taxi driver

taz|a *f* cup; cupful; **~ón** *m* large cup; bowl; basin

té *m* tea

te *pron pers and refl* you; to you; yourself (*familiar* *form*)

tea *f* torch

teatro *m* theatre, *Am* theater; *~ de títeres* Punch and Judy show

tebeos *m/pl* comics

tech|ado *m* roof; **~ar** *v/t* to roof; **~o** *m*, **~umbre** *f* ceiling; roof

tecl|a *f* key (*of the piano, typewriter, etc*); **~ado** *m* keyboard

técnic|a *f* technique; **~o** *m* technician; *a* technical

tecnología *f* technology

tecnólogo *m* technologist

tej|a *f* tile; **~ado** *m* (*tiled*) roof; **~ar** *v/t* to tile

tej|edor *m* weaver; **~er** *v/t* to weave; *LA* to knit; **~ido** *m* texture; fabric, cloth

tejo *m* yew tree

tejón *m* badger

tela *f* cloth, fabric; film; **~s** *pl del corazón* heartstrings; **~r** *m* loom; **~raña** *f* spider's web, cobweb

tele = *televisión*

telediario *m TV* daytime news program

teledirigido remote controlled

teleférico *m* cable railway

telefonazo *m* ring, telephone call

telefonear *v/t, v/i* to telephone

telefonema *m* telephone message

telefónico telephonic

teléfono *m* telephone; *llamar por ~* to telephone

telegrafiar *v/t* to wire; to cable

telegráfico telegraphic

telégrafo *m* telegraph

telegrama *m* telegram, cable

teleimpresor *m* teleprinter

telenovela *f* soap opera

telepático telepathic

telesc|ópico telescopic; **~opio** *m* telescope

telesilla *f* chair lift

telesquí *m* ski lift

televi|dente *m TV* viewer; **~sar** *v/t* to televise; **~sión** *f* television; *ver (por) ~sión* to watch television; **~sión por cable** cable TV; **~sor** *m* television set

telón *m teat* curtain

tema *m* subject; theme; topic

tembl|ar *v/i* to tremble; **~or** *m* tremor; trembling; **~or de tierra** earthquake; **~oroso** trembling; shaky

tem|er *v/t, v/i* to fear; **~erario**

reckless; rash; **~eridad** f
rashness; **~eroso** timorous;
~ible dreadful; **~or** m fear
tempera|mento m temperament; **~ncia** f temperance;
~r v/t to temper; to moderate; **~tura** f temperature
tempes|tad f storm; tempest;
~tuoso stormy
templa|do temperate; moderate; lukewarm, tepid;
mild; *más* in tune; **~nza** f
temperance; mildness; **~r** v/t
to temper; to moderate; *más*
to tune
temple m state of weather;
mood; temper (*of metals*)
templo m temple; church
temporada f season; **~ alta**
high season
temporal m stormy weather;
a temporary
temprano early
tena|cidad f tenacity; **~cillas**
f/pl curling tongs; **~z** tenacious; tough; resistant; **~zas**
f/pl forceps; pincers
tendedero m clothesline
tende|ncia f tendency; **~r** v/i
to tend; to incline; v/t to
stretch; to spread; to hang
out (*washing*); **~r la mano** to
reach out one's hand; **~rse**
to stretch oneself out; to lie
down
ténder m fc tender
tender|ete m booth; (market) stand; **~o** m shopkeeper
tendón m sinew; tendon
tenebros|idad f gloom;

darkness; **~o** dismal; dark;
gloomy
tenedor m fork; holder; bearer; **~ de libros** bookkeeper
tener v/t to have; to possess;
to own; **~ dos años** to be two
years old; **~ en mucho** to
esteem; **~ entendido** to understand; **~ presente** to bear
in mind; **~ por** to take for; **~
que** to have to
tenia f tapeworm
teniente m lieutenant
tenis m tennis
tenor m tenor, tone; *más* tenor
tensión f tension; stress; rigidity; **~ sanguínea** blood
pressure
tentación f temptation
tentáculo m tentacle; feeler
tenta|dor tempting; **~r** v/t to
touch, to feel; to grope for;
to tempt; **~tiva** f try, attempt; **~tivo** tentative
tenue thin; tenuous
teñir v/t to dye; to tinge
teología f theology
teor|ético theoretical; **~ía** f
theory
tepe m sod
terapéutico therapeutic
tercer|mundista (of the)
Third World; **~ mundo** m
Third World
terciopelo m velvet
terco obstinate
tergiversar v/t to misrepresent; to twist (*words*)
termal thermal

termina|ción f termination; **~nte** final; categorical, definite; **~r** v/t, v/i to finish; **~rse** to end

término m end; ending; conclusion; term; landmark; **~ medio** average; middle way; **~ técnico** technical term; **en primer ~** in the first place; **en último ~** finally

termo m thermos (flask)

termómetro m thermometer

terner|a f heifer calf; veal; **~o** m bull calf

terno m suit (of clothes); set of three

ternura f tenderness

terraplén m embankment

terrateniente m land owner

terraza f terrace

terremoto m earthquake

terreno m ground; soil; terrain

terrestre earthly; terrestrial

terrible frightful; terrible

terrífico terrifying

territori|al territorial; **~o** m territory

terrón m clod; patch of ground; lump

terror m terror; dread; **película de ~** horror film; **~ífico** terrifying; **~ismo** m terrorism; **~ista** m terrorist

terso smooth

tertulia f small party, gathering

tesis f thesis; **~ doctoral** doctoral dissertation

tesón m insistence; tenacity

tesor|ería f treasury; exchequer; **~ero** m treasurer; **~o** m treasure

testa|mento m will; **~r** v/i to make a will

testarudo obstinate; stubborn

testículo m testicle

testi|ficar v/t to testify; to depose; **~go** m witness; **~go ocular** eyewitness; **~monio** m testimony

teta f breast; teat; nipple

tetera f teapot, teakettle

tétrico gloomy; sullen

textil textile

texto m text

textura f texture

tez f complexion; skin

ti pron 2nd pers sing you

tía f aunt

tibia f tibia

tibio lukewarm

tiburón m shark

tiempo m time; period; epoch; weather; gram tense; mús time, tempo; **a ~** in time; **a su ~** in due course; **hace buen ~** it is fine (weather); **hace ~** some time ago; **~ libre** free time

tienda f shop; tent; **~ de campaña** army tent

tienta f med probe; cleverness; sagacity; **andar a ~s** to grope

tiento m feel; touch; tact; wariness

tierno tender; affectionate

tierra

tierra f earth; world; land; country; **tomar ~ aer** to land; **~ adentro** inland; **~ firme** mainland; **♀ Santa** Holy Land

tieso stiff, rigid; taut

tiesto m flower pot

tifo m typhus

tifoidea f typhoid fever

tifón m typhoon

tifus m typhus

tigre m tiger; **~sa** f tigress

tijeras f/pl scissors

tijeretear v/t to snip, to cut

tild|ar v/t to cross out; fig to brand as; **~e** f tilde (as in ñ)

tilo m linden

tim|ador m swindler; **~ar** v/t to cheat; to swindle

timbal m kettledrum

timbr|ar v/t to stamp; **~e** m stamp; bell; timbre (of voice); **~e de alarma** alarm bell

timidez f timidity

tímido timid, shy

timo m swindle

timón m mar, aer helm; rudder

timonel m steersman, coxswain

tímpano m kettledrum; eardrum

tina f large jar; vat; tub

tinglado m shed; fam scheme

tinieblas f/pl darkness

tino m skill, knack; **a buen ~** by guesswork; **sin ~** immoderately; foolishly

tint|a f ink; dye; tint; shade;

saber de buena ~a fam to have on good authority; **~e** m dyeing; tint; **~ero** m inkwell

tintín m tinkle; jingle

tintinear v/t to tinkle; to jingle; to clink

tinto a dyed; stained; m red wine; **~rería** f dyer's shop; dry cleaner's; **~rero** m dyer

tintura f dye; stain; tincture; smattering; **~ de yodo** iodine

tío m uncle; fellow

tiovivo m merry-go-round

típico typical

tiple m soprano, treble

tipo m type; model; com rate (of interest, exchange, etc); fam fellow; **~grafía** f printing; typography

tira f long strip; strap; **~ y afloja** tug-of-war

tira|da f throw; cast; distance; printing, edition; **~do** dirt cheap; **~dor** m shooter; marksman

tiran|ía f tyranny; **~o** m tyrant

tirante m strap; brace; a tense; pl braces, Am suspenders; **~z** f tautness; tension

tirar v/t to throw, to fling; to throw away; to fire (a shot); v/i to pull; to attract; **~ de** to pull

tiritar v/i to shiver

tiro m throw; shot; length; range; **errar el ~** to miss one's aim; **~ al blanco** target practice; **~ con arco** archery

tiroides *m* anat thyroid

tirón *m* pull; tug; **de un ~** at a stretch

tiroteo *m* firing; skirmish

tísico consumptive

tisis *f* med consumption

títere *m* puppet; marionette

titubear *v/i* to stagger; to hesitate, to waver; to stammer

titula|do entitled; titled; qualified; **~r** *v/t* to entitle; to name; *m* headline

título *m* title; diploma; right; **a ~ de** by way of

tiza *f* chalk

tiznar *v/t* to stain; to smudge

toalla *f* towel

tobera *f* nozzle

tobillo *m* ankle

tobogán *m* toboggan; slide

tocadiscos *m* record player; **~ automático** jukebox

tocado *m* head-dress; hairstyle; *a fam* crazy; touched; **~r** *m* dressing table; ladies' room

toca|nte touching; **~nte a** with regard to, concerning; **~r** *v/t* to touch; to feel; to play *(an instrument)*; to ring *(a bell)*; to touch upon; to move; *v/i* to touch; to be up *(to)*; to border; **~r a su fin** to be at an end

tocayo *m* namesake

tocino *m* bacon

tocón *m* stub, stump

todavía still, yet; **~ no** not yet

todo *a* all; entire; whole; complete; every; **~ aquel que**

whoever; **~s los días** every day; *adv* totally; entirely; **ante ~** first of all; **con ~** notwithstanding; **del ~** entirely; absolutely; **sobre ~** above all; *m* all; whole; *pl* everybody

todopoderoso almighty

toldo *m* awning; *LA* Indian hut

tolera|ble tolerable; passable; **~ncia** *f* tolerance; **~r** *v/t* to tolerate

toma *f* taking; *mil* capture; *tecn* inlet; outlet; *foto, cine* shot, take; **~corriente** *m* *tecn* plug; **~dura** *f* **de pelo** *fam* practical joke; **~r** *v/t* to take; to seize; to grasp; to have *(food, drink)*; **~r cariño a** to grow fond of; **~r a mal** to take *(something)* the wrong way; *v/i LA fam* to drink; **toma y daca** give and take

tomate *m* tomato

tomavistas *m* motion picture camera

tomillo *m* thyme

tomo *m* volume

ton *m*: **sin ~ ni son** without rhyme or reason; **~alidad** *f* *mús* tonality; key; **~alidad mayor, menor** major, minor key

tonel *m* barrel; cask

tonela|da *f* ton; **~je** *m* tonnage

tónic|a *f* *mús* tonic; keynote; **~o** *a, m* tonic

tono m tone; pitch; **de buen ~** elegant

tont|ería f silliness; foolishness; **~o** silly; stupid

top|ar v/t to bump against; **~arse con** to meet, to run into; **~e** m butt, end; buffer; **hasta el ~e** up to the brim

tópico m commonplace; cliché; *LA* topic

topo m mole; *fam* awkward person

topógrafo m topographer

toque m touch; chime; blast; *mil* bugle call; **los últimos ~s** the finishing touches

torbellino m whirlwind; *fam* lively person

torc|er v/t to twist; to bend; to sprain; to distort; v/i to turn; **~erse** to become twisted; to sprain; **~ido** twisted, bent

tordo m thrush

tore|ar v/i to fight bulls; v/t to fight (*the bull*); to tease; to elude; **~o** m bullfighting; **~ro** m bullfighter

toril m bull pen

torment|a f storm; thunderstorm; **~o** m torment; torture; **~oso** stormy

torna|r v/t to give back; to transform; v/i to go back; to return; **~rse** to become; to change into

tornasol m sunflower

torneo m tournament

torn|illo m screw; **~iquete** m turnstile; **~o** m lathe; winch;

windlass; revolution, turn; **en ~o a** about, around

toro m bull

toronja f grapefruit

torpe slow; heavy; dull; **~za** f heaviness; dullness

torre f tower; steeple; turret; (*chess*) rook; high-rise building; **~ de control** *aer* control tower

torrente m torrent

tórrido torrid

torta f cake; pie; *fam* slap

tortazo m *fam* sock, punch, clout

tortilla f omelette

tórtol|a f turtledove; **~o** m *fig* sweetheart

tortuga f tortoise; turtle

tortuoso winding

tortura f torture, anguish; **~r** v/t to torture

tos f cough; **~ ferina** whooping cough

tosco crude, rude

toser v/i to cough

tosta|da f toast; **~do** sunburnt, tanned; **~dor** m toaster; **~r** v/t to toast; to roast (*coffee*); to tan (*in the sun*)

tostón m toasted bread cube; *fig* bore

total total, complete; **~idad** f totality; **~itario** totalitarian; **~mente** totally

tóxico toxic

toxicómano(a) m (f) drug addict

traba f bond; lock; obstacle; fetter

trabaj|ador(a) m (f) worker; a industrious, hardworking; **~ar** v/t, v/i to work; to till (*soil*); **~ar con** fig (get to) work on; **~ar por** to strive to; **~o** m work; employment; **~os** pl **forzados** hard labo(u)r

traba|lenguas m tongue twister; **~r** v/t to link; to tie up; **~r amistades** to make friends

trac|ción f traction; **~tor** m tractor

tradici|ón f tradition; **~onal** traditional

traduc|ción f translation; **~ir** v/t to translate; **~tor(a)** m (f) translator

traer v/t to bring; to cause

trafica|nte m dealer; trader; **~r** v/i to trade; to deal

tráfico m traffic; com trade

traga|dor(a) m (f) glutton; **~luz** m skylight; **~monedas** m, **~perras** f slot machine; **~r** v/t to swallow; to gulp down; **no poder ~** not to be able to stand (*someone*)

tragedia f tragedy

trago m drink; swallow; **echarse un ~** to have a drink; **mal ~** misfortune; hard time

trai|ción f treason; **~cionar** v/t to betray; **~dor(a)** m (f) traitor; betrayer; a treacherous

traído worn, threadbare

traje m dress; suit; **~ de baño** swimsuit; bathing suit; **~ de etiqueta** full dress, evening dress; **~ sastre** women's suit

trajín m bustle, hustle

trajinar v/t to carry from place to place; v/i to bustle about

trama f weft; fig plot; intrigue; **~r** v/t to weave; fig to plot

tramitar v/t to negotiate

trámite m step, move; pl legal formalities

tramo m section (*of road*), flight (*of stairs*)

trampa f trap, snare, pitfall; **~ear** v/i to cheat

trampolín m springboard

tramposo a deceitful; m crook; swindler

trancar v/t to bar (*a door*)

trance m critical situation; **a todo ~** at all cost; **en ~ de** in the act of

tranquil|idad f tranquillity; stillness; **~izar** v/t to calm; **~o** calm; quiet

transacción f agreement, compromise; com transaction

transatlántico a transatlantic; m liner

transbord|ador m ferry (boat); **~ar** v/t to transship; to transfer; **~o** m transfer

transcribir v/t to transcribe; to copy

transcur|rir v/i to elapse; **~so** m course (*of time*)

transeúnte m passer-by

transfer|encia f transfer; **~ir** v/t to transfer

transforma|ción f transformation; **~dor** m elec transformer; **~r** v/t to transform

tránsfuga m mil deserter

transfu|ndir v/t to transfuse; **~sión** f transfusion; **~sión de sangre** blood transfusion

transgredir v/t to transgress

transición f transition

transig|ente accommodating; **~ir** v/i to give in; to compromise

transistor m transistor

transita|ble passable; **~r** v/i to travel

tránsito m passage; transit; **en ~** en rúte

transitorio transitory

translúcido translucent

transmi|sión f transmission; **~sor** m transmitter, sender; **~tir** v/t to transmit; to broadcast

transparen|cia f transparency; **~te** transparent

transpirar v/i to transpire; to perspire

transport|ar v/t to transport; **~e** m transport; fig rapture; **~e colectivo** public transportation

transvers|al transversal; **~o** transverse

tranvía m tramway; streetcar

trapear v/t LA to mop (the floor)

trapecio m trapeze; mat trapezoid

trapero m rag dealer

trapisonda f deception; brawl

trap|ito m small rag; **~o** m rag; cloth; **soltar el ~o** fam to burst out laughing or crying

tráquea f anat windpipe

traque|tear v/i to clatter; v/t to handle roughly; to rattle; **~teo** m rattle, clatter

tras after; behind; besides; **~ de** in addition to; **uno ~ otro** one after the other

trascenden|cia f transcendence; consequence; **~tal** of highest importance; momentous

trasegar v/t to decant; to turn upside down

traser|a f back; rear; **~o** m buttock; rump; a hind; rear

trasfondo m background

trashumar v/i to migrate from one pasture to another

trasiego m decanting; disarrangement

trasla|dar v/t to move; to remove; **~do** m move; transfer; **~parse** v/r to overlap

traslu|cirse v/r to shine through; **~z** m:al **~z** against the light

trasnochar v/i to spend the night; to keep late hours

traspapelar v/t to mislay

traspas|ar v/t to move; to pass over; to cross over; to transfer (business); **~o** m move; transfer, conveyance; violation (of law)

trasplant|ar v/t to transplant; **~arse** to emigrate; **~e** m med transplant

trasquilar v/t to shear; to crop (hair) badly

trast|ada f dirty trick; mischief; **~azo** m whack, thump; **~e** m fret (of a guitar); **dar al ~e con** fam to finish with; **~ear** v/t to play (a guitar, etc.); v/i to move things; **~o** m old piece of furniture; trash; junk; **~o** worthless person; pl tools; implements

trastorn|ar v/t to confuse; to upset; to overturn; **~o** m confusion; upheaval; disorder; derangement

trasunto m transcript, copy

trata f slave trade; **~do** m treatise; agreement; pl treaty; **~miento** m treatment (t med); form of address; **~r** v/t to treat; to address (someone); v/i **~r de** to try; to deal with; **~rse con uno** to have to do with someone; **~rse de** to be a question of; **¿ de qué se ~?** what is it about?

trato m treatment; manner; behavio(u)r; dealings; form of address; **de fácil ~** easy to get on with; **cerrar un ~** to strike a bargain

través m bias; traverse; **a(l) ~ de** across; through

travesero a crosswise; m bolster; **~ía** f crossing; passage; voyage

travesura f mischief, lark, prank

travieso mischievous; naughty

trayecto m road, route; distance; stretch; journey; trajectory

traz|a f sketch; plan; **~ar** v/t to trace; to sketch; to devise; **~o** m outline

trébol m clover; **~es** m/pl (cards) clubs

trecho m distance; stretch; fam bit, piece; **de ~ en ~** at intervals

tregua f truce; respite

tremendo dreadful

trementina f turpentine

trémulo tremulous

tren m train; outfit; show; **~ directo** through train; **~ de aterrizaje** landing gear; **~ de enlace** connecting train; **~ de mercancías** goods train

trenz|a f plait, tress; braid; pigtail; pony tail; **~r** v/t to plait; to braid

trepar v/i to climb

trepida|ción f vibration; **~r** v/i to vibrate; to shake

tres three

triángulo m triangle

tribu f tribe

tribuna f platform; **~l** m tribunal; court of justice

tribut|ar v/t to pay (taxes); **~ario** m taxpayer; a tributary; **~o** m tribute

triciclo m tricycle

tricornio m three-cornered hat

trienio *m* period of three years

trig|al *m* wheat field; **~o** *m* wheat

trilla|do *agr* threshed; *fig* hackneyed, stale; **~r** *v/t* to thresh

trillizos *m/pl* triplets

trimestral quarterly

trinar *v/i* to trill; to warble

trincar *v/t* to break up; *mar* to lash; *v/i fam* to drink

trinch|ar *v/t* to carve; to slice; **~era** *f mil* trench; trench coat

trineo *m* sleigh; sled(ge)

Trinidad *f relig* Trinity

trinitaria *f bot* pansy

tripa *f* gut; intestine; *coc* tripe

triple triple

trípode *m* tripod

tríptico *m* triptych

tripulación *f* crew

trisca *f* crunch; racket; **~r** *v/i* to stamp; to romp about

trismo *m* lockjaw

triste sad; **~za** *f* sadness

triturar *v/t* to grind

triunf|ar *v/i* to triumph; **~o** *m* triumph; win, victory; (*cards*) trump

trivial trivial, commonplace; **~idad** *f* triviality

trocar *v/t* to exchange; to turn into

trocha *f* by-path; *LA f c* gauge

trofeo *m* trophy

trole *m* trolley

tromba *f* whirlwind; **~ mari-**

na waterspout

trombón *m mús* trombone

tromp|a *f mús* horn; trunk of an elephant; **~azo** *m* bump; severe blow; **~eta** *f* trumpet

trona|da *f* thunderstorm; **~r** *v/i* to thunder

tronco *m* trunk

trono *m* throne

tropa *f* troop; *mil* rank and file; *pl* troops

tropel *m* crowd; confusion; **de ~, en ~** in a mad rush

trop|ezar *v/i* to stumble; **~ezar con** to run into; **~ezón** *m* slip, mistake; blunder; **~iezo** *m* stumbling; trip

tropical tropical

trópico *m geog* tropic

tropiezo *m* stumble; *fig* obstacle

trot|amundos *m* globe trotter; **~ar** *v/t, v/i* to trot; **~e** *m* trot

trozo *m* piece; bit

trucha *f* trout

truco *m* trick

trueno *m* thunder

trufa *f* truffle

truhán *m* swindler, cheat, crook

tú *pers pron* 2nd pers sing you

tu (*pl* **tus**) *poss pron m, f* your

tuberculosis *f* tuberculosis

tub|ería *f* tubing; piping; **~o** *m* tube; pipe; **~o de desagüe** overflow pipe; **~o de ensayo** test tube

tuerca *f tecn* nut

tuert|o crooked; one-eyed; *a ~as o a derechas* by hook or by crook

tuétano *m anat* marrow

tufo *m* vapo(u)r; stench

tul *m* tulle; **~ipán** *m* tulip

tullido disabled, crippled

tumba *m* tomb; shake, jolt; somersault

tumbar *v/t* to knock down; **~se** to lie down

tumbo *m* violent fall; *dar ~s* to stagger

tumor *m tumo(u)r*

tumultuoso tumultuous

tuna *f bot* prickly pear; *mús* student music group

tunante *m* rogue, rascal

túnel *m* tunnel; **~ de lavado** car wash

túnica *f* tunic; robe

tupé *m* toupee; *fam* cheek

turba *f* crowd; peat

turbante *a* perturbing; *m* turban

turbar *v/t* to disturb; to upset; **~se** to be disturbed; to get confused

turbina *f* turbine

turbulento turbulent

turco(a) *m (f)*, *a* Turk

turis|mo *m* tourism; roadster; **~ta** *m, f* tourist

turn|ar *v/i* to alternate, to take turns; **~o** *m* turn; *por ~os* by turns

turquesa *f* turquoise

Turquía *f* Turkey

turrón *m* nougat

tutear *v/t* to address familiarly as "tú"

tutor *m* guardian; tutor

tuyo(a) *poss pron; 2nd pers m, f* yours; *relig* thine

U

u (*before words beginning with* o *or* ho) or

ubicación *f* location; situation

ubre *f* udder

Ud. = *usted*

ufanarse to boast

ujier *m* usher

úlcera *f* ulcer

ulcer|arse to fester; **~oso** ulcerous

ulterior farther; further; later; subsequent

ultimar *v/t* to conclude; to finish; *LA* to finish off

último last; final; latest; utmost

ultraj|ante outraging; **~ar** *v/t* to outrage; to insult; **~e** *m* outrage

ultramar: *de ~* overseas; **~inos** *m/pl* groceries

ultranza: *a ~* at all costs

ulular *v/i* to howl; to hoot

umbral *m* threshold

umbr|ío, ~oso shady; shadowy

un (*apocope of* **uno**) *m*, **una** *f indef art* a, an

unánime unanimous

unanimidad f unanimity

unción f anointment

undular v/i to undulate

ungüento m ointment; salve

único only; sole, unique; **hijo ~** only child

uni|dad f unity; *tecn* unit; **~do** united; joined; **~ficar** v/t to unify, to unite

uniform|ar v/t to make uniform; **~e** a uniform; unvarying; m uniform; **~idad** f uniformity

uni|ón f union; unity; **~r** v/t unite; **~rse** to join together

unísono unisonous; **al ~** in unison

universal universal; **~alidad** f universality; **~idad** f university; **~itario** a university; m university student; **~o** m universe

uno(a) a one; pl some; a few; pron m, f one, someone; **~ y otro** both; **cada ~** each one; **~ a ~** one by one

unt|ar v/t to rub; to spread (*butter on bread*); to smear (*with grease*); **~o** m med ointment, unguent; **~uoso** greasy

uña f nail; talon; claw; hoof; **comerse las ~s** to bite one's nails; **ser ~ y carne** to be inseparable

uranio m uranium

urban|idad f politeness; manners; **~ización** f housing estate, planned community; **~o** urbane; urban

urbe f large city, metropolis

urdimbre f warp

urdir v/t to warp (*yarn*); fig to plot; to scheme

urgen|cia f urgency; **salida de ~cia** emergency exit; **~te** urgent

urinario a urinary; m urinal

urna f urn; ballot box

urraca f magpie

urticaria f nettle rash

Uruguay m Uruguay; **2o(a)** m (f) Uruguayan

usa|do used; worn; accustomed; **~nza** f usage; custom; **~r** v/t to use; to make use of; **~rse** to be in fashion; to be in use

uso m use; employment; **al ~** in keeping with custom

usted you

usua|l customary; **~rio** m user

usufructo m for usufruct; use

usur|a f usury; **~ero** m usurer; profiteer

utensilio m implement; tool; utensil

útero m med uterus

útil a useful; **~es** m/pl tools, implements; **~es de escritorio** stationery

utili|dad f usefulness, utility; **~tario** utilitarian; **~zable** utilizable; **~zar** v/t to utilize; to use

utopía f Utopia

uva f grape; **~ de Corinto** currant; **~ espina** gooseberry; **~ pasa** raisin

V

vaca f cow; **coc** beef

vacaciones f/pl vacation; holiday

vacan|cia f vacancy; **~te** vacant

vaclar v/t to empty

vacila|ción f hesitation; **~nte** vacillating; hesitant

vacío a empty; vacant; m vacuum

vacuna f vaccine; **~ción** f vaccination; **~r** v/t to vaccinate

vad|ear v/t to ford; **~o** m ford

vagabund|ear v/i to rove; to loiter; **~o** m tramp; vagrant; a idle; roving

vagar v/i to rove; to wander

vago adj vague; indefinite; m vagabond; tramp

vagón m carriage; railroad car; **~ de cola** caboose; **~ restaurante** dining car

vagoneta f van; open truck

vahído m dizziness

vaho m vapo(u)r

vaina f sheath; husk, pod; LA fam nuisance

vainilla f vanilla

vaivén m swinging; rocking; ups and downs (of fortune); tech shuttle movement

vajilla f crockery; table service

vale m com voucher; promissory note; **~ de correo, ~ postal** money order; **~dero** valid

valentía f courage, valo(u)r

valer v/t to be worth; to cost; **~ la pena** to be worth while; **¡no vale!** it is no good! **¿cuánto vale?** how much is it?; **~se de** to avail oneself of; **¡válgame Dios!** bless my soul!

valeroso brave; strong

valía f worth; value

validez f validity

válido valid

valiente brave; valiant; strong; excellent

valija f case; mail bag

valioso valuable; wealthy

valla f fence; barrier; sp hurdle

valle m valley

valor m value; price; courage, valo(u)r; pl com securities; bonds; **~ nominal** face value; **~ación** f valuation; **~ar**, **~izar** v/t to value; to appraise

vais m waltz

válvula f valve; **~ de seguridad** safety valve

vanagloriarse to boast

vanguardia f mil vanguard, van

van|idad f vanity; uselessness; **~idoso** vain; **~o** useless; pointless; **en ~o** in vain

vapor m steam; vapo(u)r;

steamer; **~izar** *v/t* to vaporize

vaquero *m* cowhand

vara *f* stick; rod; pole; Spanish measure; **~r** *v/t* to beach; **~rse** *mar LA* to be stranded

varia|ble variable; changeable; **~ción** *f* variation; change; **~do** varied; **~r** *v/t* to vary; to change; to modify; *v/i* to vary; to differ

varicela *f* chicken pox

varicoso varicose

variedad *f* variety; **función** *f* **de ~es** variety show

varilla *f* thin stick, wand; rib; rod; **~je** *m* ribbing

varios various; several

varón *m* male; man

varonil manly

vasc|o(a) *m (f)*, *a* Basque; **~uence** *m* Basque language

vas|ija *f* vessel; **~o** *m* glass

vástago *m bot* shoot; sprout; *fig* offspring

vasto vast, immense

vaticinio *m* prophecy

vatio *m* watt

vecin|al neighbo(u)ring; **~dad** *f*, **~dario** *m* vicinity; neighbo(u)rhood; **~o(a)** *m (f)* neighbo(u)r; citizen; resident

veda *f* prohibition; closed season; **~r** *v/t* to prohibit

vega *f* fertile plain

vegeta|ción *f* vegetation; **~l** *m* vegetable; plant; *a* vegetable; **~r** *v/i/fig* to vegetate; **~riano(a)** *m (f)*, *a* vegetarian

vehemen|cia *f* vehemence; **~te** vehement; passionate

vehículo *m* vehicle

veintena *f* score, about twenty

vejez *f* old age

vejiga *f* bladder; **~ de la bilis** gall bladder

vela *f* candle; watch, vigil; *mar* sail; **barco de ~** sailing ship; **~ mayor** mainsail; **en ~** awake; **~da** *f* vigil; soirée; **~do** veiled; **~r** *v/t* to watch; *v/i* to stay awake; **~torio** *m* wake

velero *m* sailing boat

veleta *f* weather vane; *fig* fickle person

vell|o *m anat* down; **~ón** *m* fleece; sheepskin; **~oso**, **~udo** hairy

velo *m* veil

velocidad *f* speed; velocity; *aut* gear; **a toda ~** at full speed; **~ de crucero** cruising speed

veloz speedy, fast

vena *f* vein

venado *m* stag; deer; venison

venal mercenary, venal

vencedor(a) *m (f)* conqueror; winner; *a* winning

vencer *v/t* to overcome; to conquer; *v/i* to win; *com* to fall due, to expire; **~ido** defeated; *com* due, payable; **darse por ~ido** to acknowledge defeat; **~imiento** *m com* maturity

venda *f* bandage; **~r** *v/t* to bandage; to swathe

vergonzoso

vendaval *m* strong wind; gale

vende|dor(a) *m* (*f*) seller; salesman; retailer; **~r** *v/t* to sell; to market

vendible marketable

vendimia *f* vintage; grape harvest

veneno *m* poison; venom; **~so** poisonous; venomous

venerar *v/t* to venerate; to worship

venéreo venereal

Venez|uela *f* Venezuela; **♀olano(a)** *m* (*f*) Venezuelan

venga|nza *f* vengeance, revenge; **~r** *v/t* to avenge; **~rse de** to take revenge on; **~tivo** revengeful; vindictive

venia *f* permission, leave; pardon; *LA* salute

venida *f* coming; arrival

venir *v/i* to come; to arrive; **~ a menos** to come down in the world; **~ a ser** to turn out to be; **~ bien** to suit; **~ de** to come from; **~se abajo** to collapse; to fall down

venta *f* sale; selling; **de ~** for sale; **precio** *m* **de ~** selling price

ventaj|a *f* advantage; **~oso** advantageous

ventan|a *f* window; **~a de la nariz** nostril; **~al** *m* large window; **~illa** *f*, **~illo** *m* small window

ventarrón *m* strong wind

ventila|ción *f* ventilation; **~dor** *m* ventilator; fan; **~r** *v/t* to ventilate; *fig* to discuss

ventis|ca *f* snowstorm; blizzard; **~quero** *m* snowstorm; glacier

ventoso windy

ventrílocuo *m* ventriloquist

ventrudo potbellied

ventur|a *f* luck; happiness; **a la ~a** at random; **por ~a** by chance; unless fortunate

ver *v/t* to see; to look at; to notice; to understand; **¡a ~!** let's see!; **hacer ~** to show; **tener que ~ con** to have to do with

veranea|nte *m, f* summer vacationist; **~r** *v/i* to spend the summer holidays

veraneo *m* summer vacation

verano *m* summer

veras *f/pl*: **de ~** truly; really

veraz truthful

verbena *f* traditional fair on the eve of a saint's day

verbo *m* verb; **~so** verbose, long-winded

verdad *f* truth; **~ero** real, authentic

verd|e green; unripe; **¡están ~es!** sour grapes!; **~or** *m* greenness, verdure; **~oso** greenish

verdugo *m* hangman

verdu|lero(a) *m* (*f*) greengrocer; **~ra** *f* greens; fresh vegetables

vereda *f* lane; path; *LA* pavement

veredicto *m* verdict; finding

vergonzoso shameful; bashful

vergüenza f shame; bashfulness; disgrace; *¡qué ~!* what a disgrace!, shame!

verídico truthful

verificar v/t to verify; to confirm; *~se* to prove true; to take place

verja f iron railing; grille, grating

vermut m vermouth; *LA teat, cine* afternoon performance

verosímil likely, plausible

verosimilitud f probability

verraco m boar

verruga f wart

versa|do versed; proficient; *~r* v/i to go around; *~r sobre* to treat of

versátil versatile

versión f version; translation; interpretation

verso m verse

vértebra f vertebra

verte|dero m dumping place, rubbish heap; *~r* v/t to pour (out); to spill; to shed; v/i to flow; to run

vértice m vertex

vertiente f slope

vertiginoso dizzy; giddy

vesícula f vesicle; blister

vestíbulo m vestibule; lobby

vestido m dress; clothing

vestigio m trace; vestige

vestir v/t to clothe; to dress; v/i to look elegant; to dress; *~ de* to wear; *~se* to dress; to get dressed

vestuario m wardrobe; changing room; cloakroom

veterano m veteran; a experienced

veterinario m veterinary surgeon, *Am* veterinarian

veto m veto

vez f time; occasion; turn; *a la ~* at the same time; *a su ~* in his turn; *alguna ~* sometimes; *cada ~* every time; *de ~ en cuando* from time to time; *en ~ de* instead of; *rara ~* seldom; *tal ~* perhaps; *una ~* once; *una ~ que* since; *a veces* sometimes; *muchas veces* often; *pocas veces* rarely, seldom; *repetidas veces* time and again

vía f road; track, route; *fig* manner; *~ férrea* railway; *por ~ aérea* by airmail; *por ~ marítima* by sea; *por ~ de* by way of; *2 Láctea* Milky Way

viable practicable

viaj|ante m, *~r* travel(l)er; *~ar* v/i to travel; *~e* m journey; *mar* voyage; *~e de ida y vuelta* round trip; *~e de novios* honeymoon; *~e de negocios* business trip; *¡buen ~e!* have a good trip!; bon voyage!; *~ero* m travel(l)er

víbora f viper

vibra|ción f vibration; *~dor* m vibrator; *~r* v/i to vibrate

vicario m vicar; curate

vicepresidente m vice-president

vici|ar v/t to spoil; to corrupt; *~o* m vice; bad habit; *~oso* vicious; depraved

vicisitud f vicissitude

víctima f victim

victimar v/t LA to kill

victori|a f victory; **~oso** victorious

vid f grapevine

vida f life; **en la ~** never in my life; **¡por ~ mía!** upon my soul!

vidente m, f seer

vídeo m video

video|cámara f video camera; **~cassette** m video cassette; **~disco** m video disk

vidrier|a f stained glass window; **~o** m glazier

vidrio m glass; **~ tallado** cut glass; **~so** glassy (eyes, etc)

viejo(a) a old; ancient; m (f) old man (woman)

viento m wind; **hace ~** it is windy; **~s** pl **alisios** trade winds

vientre m abdomen; belly

viernes m Friday; 2 **Santo** Good Friday

viga f beam; girder

vigen|cia f validity; operation; **estar en ~cia** to be in force; **en ~cia** in force; valid

vigía f lookout (post), watchtower

vigilan|cia f vigilance; **~te** a vigilant; m watchman; shopwalker

vigilar v/t to watch over; to look after

vigilia f vigil, watch

vigor m vigo(u)r; strength; force, effect; **en ~** valid; in

force; **~oso** vigorous

vil vile; base; **~eza** f vileness; villainy

villa f town; municipality

villancico m Christmas carol

villorrio m hamlet; little village

vilo: en ~ suspended; uncertain

vinagre m vinegar; **~ra** f vinegar cruet, castor; LA heartburn

vincular v/t to connect; to link; for to entail

vínculo m bond; tie

vino m wine; **~ de Jerez** sherry; **~ de la casa** house wine; **~ generoso** full-bodied wine; **~ de solera** vintage wine; **~ tinto** red wine

viñ|a f, **~edo** m vineyard

viola f mús viola; bot viola

viol|ar v/t to violate; to rape; **~encia** f violence; **~entar** v/t to force; **~entarse** to force oneself; **~ento** violent

violeta f violet

viol|ín m violin; **~ón** m double bass; **~oncelo** m cello

virar v/i mar to tack; to veer

virg|en f virgin; **~inidad** f virginity

viril virile, manly; **~idad** f virility; manhood

virtu|al a virtual; **~d** f virtue; **~oso** virtuous

viruela f smallpox

virulen|cia f virulence; **~te** virulent

virus m virus

visa f LA, **visado** m visa

visaje m grimace

visar v/t to visa (passport); to endorse

vísceras f/pl viscera; guts

viscos|idad f viscosity; **~o** sticky; viscous

visib|ilidad f visibility; **~le** visible; evident

visión f vision, sight

visit|a f visit; **~ar** v/t to visit; to call on; **~eo** m frequent visiting

vislumbr|ar v/t to glimpse; **~e** f glimpse, glimmer

viso m sheen (of cloth)

visón m mink

visor m foto viewfinder

víspera f eve; **~s** f/pl evensong; **en ~s de** on the eve of

vista f sight; vision; eyesight; aspect; **a la ~** in sight; **de ~** by sight; **en ~ de** in view of; **está a la ~** it is obvious; **hasta la ~** so long; **hacer la ~ gorda** to pretend not to see; **perder de ~** to lose sight of; m customs officer; **~zo** m glance; **echar un ~zo** to glance at

visto: **~ bueno** approved; O.K.; **está ~** it is clear; **por lo ~** apparently

vistoso showy; attractive

visual visual

vital vital; **~icio** lifelong; for life; **~idad** f vitality

vitamina f vitamin

viticultura f grape growing

vitorear v/t to acclaim

vítreo glassy; vitreous

vitrina f showcase

vituper|ar v/t to vituperate; **~io** m vituperation; censure

viud|a f widow; **~edad** f widow's pension; **~ez** f widowhood; **~o** m widower

viva f cheer; **¡~!** hurrah!; long live!

viva|cidad f vivacity; brilliance; **~racho** vivacious, gay; **~z** witty; lively

víveres m/pl provisions

vivero m hatchery; bot nursery

viveza f liveliness

vivien|da f dwelling; housing; **~te** living

viv|ificar v/t to vivify; to revitalize; **~ir** v/t, v/i to live; to live through; **¿quién vive?** mil who goes there?; **~o** alive, living; lively; vivid, bright

Vizcaya f Biscay

vizconde m viscount; **~sa** f viscountess

vocab|lo m word; **~ulario** m vocabulary

vocación f vocation; calling

vocal f vowel; m voting member; a vocal; **~izar** v/i to vocalize; to articulate

voce|ar v/i to shout; to announce; **~río** m shouting

vociferar v/i to shout; to vociferate

vola|dizo arq projecting; **~or** flying; **~ura** f explosion; blast

vola|nte m steering wheel; flywheel; balance (*of watch*); handbill; badminton; flounce; **~r** v/i to fly; to run fast; to pass quickly; v/t to blow up; to blast

volátil volatile; changeable

volcán m volcano

volcánico volcanic

volcar v/t to overturn; to upset; to empty out

voleibol m volleyball

voleo m sp volley

voltaje m voltage

volte|ar v/t to turn; to revolve; to turn upside down; *LA* to turn over; v/i to roll over; **~reta** f somersault

voltio m volt

volum|en m volumen; **~ino-so** voluminous

volunta|d f will; intention; desire; **a ~d** at will; **de buena ~d** with pleasure; **~rio** a voluntary; m volunteer

voluptuos|idad f voluptuousness; **~o** voluptuous

volver v/t to turn; to replace; to return; v/i to return; **~ loco** to drive mad; **~ atrás** to turn back; **~ a hacer algo** to do something again; **~ en sí** to regain consciousness; **~se** to turn, to become

vomitar v/t to vomit, to throw up

vómito m vomiting

voraz voracious

vos pron pers *LA regional* you

vot|ación f voting; (*total*) vote; **~ar** v/t to vote for; *relig* to vow; **~o** m vote, ballot; *relig* vow; *pl* wishes

voz f voice; noise; word; **a una ~** unanimously; **dar voces** to shout; **en alta ~** aloud

vuelco m overturning; spill

vuelo m flight; flare (*of a dress*); *arq* projecting beam; **al ~** on the wing; immediately; **~ de enlace** connecting flight

vuelta f turn; walk; bend, curve; reversal; *sp* lap; **a ~ de correo** by return mail; **a la ~** around the corner; overleaf; **dar una ~** to take a stroll; **dar ~** to go round, to revolve; **estar de ~** to be back; **poner de ~ y media** to insult; to call names

vuestro(a, os, as) pron pos your, yours

vulgar common; ordinary; vulgar; **~idad** f vulgarity

vulnera|ble vulnerable; **~r** v/t to damage, to harm

W, X

wáter m lavatory, toilet

whisk(e)y m whisk(e)y

xenófobo(a) m (f), a hater of foreigners, xenophobe

xilófono m xylophone

Y

y and

ya already; now; at once; soon, presently; **~ no** no longer; **~ que** since; as; **¡~!** oh, I see!; **~ ... ~** now ... now; **¡~ lo creo!** indeed!; of course!

yace|nte lying; **~r** v/i to lie; to lie in the grave

yacimiento m deposit; bed (of minerals); **~ petrolífero** oil field

yapa f LA bonus, extra

yarda f yard (measure)

yate m yacht

yedra f ivy

yegua f mare

yelmo m helmet

yema f yolk (of egg); bot bud;

~ del dedo tip of the finger

yermo uncultivated, desert, waste

yerno m son-in-law

yerro m error, mistake

yes|ería f plaster work; **~o** m geol gypsum; plaster; plaster cast; **~o mate** plaster of Paris

yo pron pers I

yodo m iodine

yogur m yogurt

yola f yawl

yugo m yoke t fig

Yugo(e)slavia f Yugoslavia

yugo(e)slavo(a) m (f) Yugoslav; a Yugoslavian

yunque m anvil

yunta f yoke (of oxen)

yute m jute

Z

zafar v/t mar to untie, to loosen, to clear; **~se** to run away

zafir(o) m sapphire

zagal m lad, youth; shepherd

zagual m paddle

zaguán m hallway, entrance

zaguero rear; lagging behind

zahurda f pigsty

zaino fig false; treacherous

zalamería f flattery

zalema f salaam; bow

zamarro m sheepskin jacket

zambo(a) m (f) LA half Indian – half black

zambullirse to dive, to plunge

zampar v/t to hurl; to gobble; to put away hurriedly

zanahoria f carrot

zan|ca f long leg, shank; **~cada** f stride; **~cadilla** f tripping; trick; trap; **~co** m stilt; **~cudo** a long-legged

zanganga f fam trick

zángano m zool drone; fig sponger

zanja f ditch; trench; LA gully

zanquear v/i to waddle; to stride along

apa f mil spade; **~dor** m mil sapper; **~r** v/t to sap
apatería f shoeshop; **~ero** m shoemaker; **~illa** f slipper; **~o** m shoe
ar m czar
aragata f fam quarrel; brawl
aragoza Saragossa
arandear v/t to sift; to sieve
arcillo m tendril
arpa f paw; **~r** v/i to weigh anchor, to set sail
arrapastroso ragged
arza f bramble; **~mora** f blackberry
arzuela f operetta, light opera
igzaguear v/i to zigzag
ócalo m arq socle
oco m public square; clog
odíaco m zodiac
ona f zone; district; **~ de pruebas** testing ground; **~ tórrida** torrid zone
onzo LA silly, foolish
oología f zoology
oológico zoological

zopenco dull, stupid
zopilote m LA buzzard
zopo crooked, malformed (foot, hand)
zoquete m block of wood; fam blockhead
zorr|a f vixen; fig cunning person; fam slut; tart; **~o** m fox
zozobra f mar capsizing; fig worry; **~r** v/i to founder; to be in danger
zueco m wooden shoe, clog
zumb|ar v/i to buzz, to hum; to drone; v/t to joke with; **~arse de** to make fun of; **~ido** m buzzing; **~ido de oídos** buzzing in the ears
zumo m juice
zurcir v/t to darn; to mend
zurdo left-handed
zurr|ar v/t to spank, to thrash; tecn, fam to tan
zurrir v/i to hum; to rattle; to grate
zutano m so-and-so

Numerals

Numerales

Cardinal Numbers — *Cardinales*

0 cero, *nought, zero*	100 ciento, cien *a (or one) hundred*
1 uno(a) *one*	101 ciento uno *hundred and one*
2 dos *two*	200 doscientos *two hundred*
3 tres *three*	300 trescientos *three hundred*
4 cuatro *four*	400 cuatrocientos *four hundred*
5 cinco *five*	500 quinientos *five hundred*
6 seis *six*	600 seiscientos *six hundred*
7 siete *seven*	700 setecientos *seven hundred*
8 ocho *eight*	800 ochocientos *eight hundred*
9 nueve *nine*	900 novecientos *nine hundred*
10 diez *ten*	1000 mil *a (or one) thousand*
11 once *eleven*	
12 doce *twelve*	
13 trece *thirteen*	1976 mil novecientos setenta y seis *nineteen hundred and seventy-six*
14 catorce *fourteen*	
15 quince *fifteen*	
16 dieciséis *sixteen*	2000 dos mil *two thousand*
17 diecisiete *seventeen*	100 000 cien mil *a (or one) hundred thousand*
18 dieciocho *eighteen*	
19 diecinueve *nineteen*	
20 veinte *twenty*	500 000 quinientos mil *five hundred thousand*
21 veintiuno *twenty-one*	
22 veintidós *twenty-two*	
30 treinta *thirty*	1 000 000 un millón *a (or one) million*
31 treinta y uno *thirty-one*	
40 cuarenta *forty*	
50 cincuenta *fifty*	2 000 000 dos millones *two millions*
60 sesenta *sixty*	
70 setenta *seventy*	
80 ochenta *eighty*	
90 noventa *ninety*	